a cura di
Paolo E. Balboni
Anna Biguzzi

LETTERATURA ITALIANA PER STRANIERI

 Guerra Edizioni

PROGETTO
CULTURA
ITALIANA

I vari moduli storico-critici sono stati curati da:

Paolo E. Balboni:
Sezione introduttiva, Cinema italiano, Glossario

Elena Ballarin:
Primo Novecento, Pirandello, Ermetici, Altri scrittori del primo Novecento

Roberta Barazza:
Verismo, Scapigliatura, Carducci

Paola Begotti:
Romanticismo, Leopardi, manzoni, Letteratura risorgimentale

Celestina Beneforti:
Dante, Petrarca, Boccaccio

Marina Biral:
Settecento, Letteratura Settecentesca, Parini, Alfieri, Goldoni

Fabio Caon:
Canzone d'autore

Giancarlo Cappello:
Entrando nel Duemila

Mario Cardona:
Melodramma, Secondo Novecento, Neorealismo, Pasolini, Calvino

Cristina Gavagnin:
Umanesimo e Rinascimento, Poema epico, Riflessione politica,
Altre forme letterarie del Rinascimento, Crisi religiosa, Tasso e la fine del secolo

Michela Gottardo:
Seicento, Letteratura Barocca, Nuova Scienza

Maria Cecilia Luise:
Neoclassicismo e Foscolo, Decadentismo e i Crepuscolari,
Pascoli, D'Annunzio, Futurismo, Montale

Francesca Malagnini:
Dal latino all'italiano, Medioevo in Italia, inizi della letteratura italiana, Duecento, Dolce Stil Novo

Le esercitazioni sono state predisposte da Anna Biguzzi

I edizione
© Copyright 2008 Guerra Edizioni - Perugia

ISBN 978-88-557-0096-2

4. 3.
2012 2011

Guerra Edizioni
via Aldo Manna, 25 - Perugia (Italia) - tel. +39 075 5289090 - fax +39 075 5288244
E-mail: info@guerraedizioni.com - www.guerraedizioni.com

Caro studente di italiano,
il libro che hai tra le mani è una chiave: se impari ad usarla entrerai in tre casseforti, una più preziosa, ricca e piacevole dell'altra:

La prima cassaforte contiene dei testi.
Sono testi letterari: quindi hanno delle caratteristiche formali che li differenziano dai testi della vita quotidiana: rima, ritmo, "figure retoriche"... tutti strumenti usati da scrittori, poeti, cantautori, librettisti d'opera, "letterati" che usavano la lingua italiana cercando di adattarla ad esprimere al meglio le cose importanti di sempre (amore, odio, paura, senso del sacro, ecc.) o quelle significative di un certo periodo (la lotta contro la pena di morte, quella contro i nazisti, la vita dei contadini siciliani dell'Ottocento, ecc.).
Trovi, in questo libro, ben 81 testi con delle attività che, un poco alla volta, ti aiutano ad imparare il mestiere di "lettore di testi letterari". Siccome i testi letterari sono diversi da quelli della vita quotidiana, non si possono leggere usando le stesse strategie!
Abbiamo sottolineato "un poco alla volta": non troverai mai analisi testuali approfondite, complete, esaurienti: avrebbero fatto bene alla tua competenza di critico, ma avrebbero anche inquinato il piacere di leggere un bel testo!
Avrai tempo per diventare uno studioso di letteratura italiana, quando ti sarai innamorato dei testi della nostra letteratura!
Per questa ragione, per non farti "morire" sul dizionario, abbiamo anche messo delle note e, soprattutto, la versione in italiano di oggi dei testi del passato più difficili da comprendere.

Alla fine del volume, poi, trovi un piccolo vocabolario con i termini usati per parlare di letteratura: termini che spesso non conosci, o conosci solo intuitivamente, o che possono portarti fuori strada.

La seconda cassaforte contiene la letteratura italiana.
Quella italiana è la letteratura europea più estesa nel tempo; è anche quella che ha cambiato di meno la propria lingua: i testi del Duecento (il XIII secolo) sono ancora abbastanza comprensibili a un italiano medio.
La storia della letteratura italiana è un tesoro immenso che in queste pagine ti viene presentato con semplicità, anche in questo caso senza voler approfondire: questo libro è una chiave, ricordalo, non è il tesoro: il tesoro della letteratura, che qui impari ad apprezzare, potrai gustarlo in tutti gli anni futuri.

Nelle schede critiche, che sono di due pagine, trovi il profilo storico della letteratura di quel periodo e spesso ci sono anche delle brevi schede con la vita dei principali autori, il loro ritratto (è bello parlare di persone che si sono viste, che hanno un viso oltre che un nome!).
Alla fine di ogni capitolo trovi dei brani di critici famosi, sia per approfondire alcuni dei temi o degli autori trattati nel capitolo, sia per imparare a leggere l'italiano della critica, che è spesso molto difficile...

La terza cassaforte: la civiltà italiana.
La letteratura è solo una parte della civiltà italiana: quindi trovi anche delle chiavi per assaggiare – e farti venir voglia di gustare in maniera più piena! – altri elementi della nostra storia culturale:
• ci sono schede e testi sull'opera lirica, uno dei grandi contributi italiani alla civiltà mondiale;
• ci sono schede anche sulla canzone d'autore, sul cinema, e così via...

In basso, in quasi tutte le pagine di storia letteraria, trovi uno spazio dedicato alla storia dell'arte, all'architettura, alla politica, alla società dei vari periodi: anche in questo caso non si tratta di testi esaurienti, ma solo di schede che servono come chiave per entrare nella nostra storia che, essendo lunga e complessa, può risultare un po' difficile da comprendere per chi non è cresciuto in Italia...

Forse hai già capito alcune delle linee di forza di questo libro: <u>abbiamo privilegiato la semplicità sulla complessità</u>, cercando di introdurti alla letteratura italiana senza farti soffocare sotto il peso di tutte le cose che si sarebbero potute dire, ma che alla fine ti avrebbero fatto fuggire.

Abbiamo usato le immagini per cercare di aiutarti a entrare nella vita dei secoli scorsi attraverso i quadri e le architetture: il tuo insegnante saprà certo aprirti altre chiavi di lettura di queste foto.

Abbiamo inserito i ritratti degli scrittori – anche se a volte sono di qualità scadente perché si tratta di vecchi disegni o di ritratti di poco valore artistico: lo scopo è quello di trasformare i nomi in persone, di consentirti di immaginare questi scrittori famosi nella loro vita quotidiana.

E poi, fa piacere scoprire che i ritratti di Manzoni e di Foscolo a vent'anni mostrano dei ragazzi come oggi potresti trovarne ovunque...

Abbiamo dunque cercato di venire incontro ai tuoi bisogni, sia culturali sia di studente del 21° secolo; adesso sta a te venire incontro alle necessità della letteratura: devi avere pazienza quando, soprattutto all'inizio, le schede di storia della letteratura ti sembreranno difficili: dopo un poco la terminologia ti diventerà facile; devi avere pazienza quando trovi testi (che possono aiutarti a crescere, a pensare) in cui lo stile è lento o pieno di immagini retoriche o, comunque, lontano dalla lingua letteraria dei nostri anni: d'altra parte, questi testi sono così, e bisogna prenderli come sono, se si vuole fare funzionare questa splendida macchina del tempo che è la letteratura.

Se vuoi parlare d'amore con Petrarca e di politica con Machiavelli, di scienza con Galileo e del senso della vita con Leopardi, be', devi far anche tu un po' di sforzo per avvicinarti a loro, alla loro lingua, con pazienza ed umiltà: e allora ascolterai dalla loro voce delle cose belle, profonde, che ti renderanno più "uomo", che ti faranno sentire fortunato di essere uno studente di italiano.

Questa nuova edizione riprende l'impianto generale dell'edizione 2002 curata da Paolo E. Balboni e Mario Cardona; sono state aggiunte le prime 50 pagine di introduzone all'analisi letteraria, sono state cambiate le attività di analisi e, in alcuni casi, sono stati scelti testi diversi.

Paolo E. Balboni e Anna Biguzzi

Indice

come e perché Studiare Letteratura — 9

Comunicazione quotidiana e comunicazione letteraria	10
Perché la letteratura?	12
L'autore e il narratore	14
Il destinatario	16
Scrivere in versi	18
Scrivere in prosa	24
Il personaggio	28
I luoghi, le atmosfere	32
Il dialogo scritto per il lettore	36
Il dialogo pensato per l'attore	38
Quale italiano?	40
Forma e contenuto	43
Le nuove forme di letteratura	44
Scheda di lettura	48

dalle Origini al Trecento — 51

San Francesco: *Cantico delle creature*	58
Giacomo da Lentini: *Io m'aggio posto in core*	62
Giacomo da Lentini: *Madonna dir vo voglio*	63
Guido Guinizzelli: *Lo vostro bel saluto*	66
Guido Cavalcanti: *Voi che per gli occhi*	67
Dante Alighieri: *Tanto gentile...*	74
Dante Alighieri: *Guido i' vorrei...*	75
Dante Alighieri: *Nel mezzo del cammin...*	76
Dante Alighieri: *Fatti non foste...*	78
Dante Alighieri: *L'arrivo in Purgatorio*	80
Francesco Petrarca: *Voi ch'ascoltate...*	84
Francesco Petrarca: *Solo et pensoso...*	85
Francesco Petrarca: *Erano i capei d'oro...*	86
Francesco Petrarca: *Zefiro torna...*	87
Giovanni Boccaccio: *Le tre anella*	90

l'Umanesimo e il Rinascimento

95

Lorenzo de' Medici: *Il trionfo di Bacco e Arianna*   98
Matteo Maria Boiardo: *Canto primo*   102
Ludovico Ariosto: *Il proemio*   103
Ludovico Ariosto: *Ingiustissimo amor*   104
Niccolò Macchiavelli: *I modi e i governi di un principe*   108
Pietro Bembo: *Il problema della lingua*   112
Gaspara Stampa: *Sonetto CIV*   113
Francesco Berni: *Sonetto alla sua donna*   114
Michelangelo Buonarroti: *Giunto è già 'l corso*   115
Torquato Tasso: *La morte di Clorinda*   120

il Seicento

123

Giovan Battista Marino: *Guerra di baci*   128
Ciro di Pers: *Orologio di polvere*   129
Galileo Galilei: *Dal dialogo dei massimi sistemi*   132
Alessandro Tassoni: *Inizia la battaglia*   134

il Settecento

137

Cesare Beccaria: *Dei delitti e delle pene*   142
Giuseppe Parini: *E quasi bovi al suol curvati*   146
Vittorio Alfieri: *Sublime specchio*   148
Vittorio Alfieri: *Tacito orror di selva solitaria*   149
Carlo Goldoni: *La locandiera*   152

l'Ottocento

155

Ugo Foscolo: *Alla sera*   158
Ugo Foscolo: *A Zacinto*   159
Ugo Foscolo: *Le urne de' forti*   160
Giacomo Leopardi: *L'infinito*   166

Giacomo Leopardi: *Alla luna* 167

Giacomo Leopardi: *A Silvia* 168

Giacomo Leopardi: *Canto notturno di un pastore errante dell'Asia* 170

Alessandro Manzoni: *La madre di Cecilia* 174

Alessandro Manzoni: *L'assalto al forno delle grucce* 175

Giovanni Verga: *Voglia di fuggire* 182

Carlo Dossi: *L'ultima notte* 186

Giuseppe Verdi: *Il Trovatore* 192

Giacomo Puccini: *Tosca* 193

Giosuè Carducci: *San Martino* 196

Giosuè Carducci: *Pianto antico* 196

Giosuè Carducci: *Alla stazione in una mattina d'autunno* 197

Guido Gozzano: *Toto Merùmeni* 202

Giovanni Pascoli: *Lavandare* 206

Giovanni Pascoli: *Mezzogiorno* 206

Giovanni Pascoli: *Il gelsomino notturno* 207

Giovanni Pascoli: *Italy* 208

il primo Novecento   213

Gabriele D'Annunzio: *La sera fiesolana* 218

Gabriele D'Annunzio: *I pastori* 219

Gabriele D'Annunzio: *Nella belletta* 219

Luigi Pirandello: *Il fu Mattia Pascal* 222

Luigi Pirandello: *Così è (se vi pare)* 224

Salvatore Quasimodo: *Uomo del mio tempo* 228

Salvatore Quasimodo: *Milano, agosto 1943* 228

Giuseppe Ungaretti: *San Martino del Carso* 229

Giuseppe Ungaretti: *Chiaroscuro* 229

Filippo Tommaso Marinetti: *All'automobile da corsa* 232

Dino Campana: *La petite promenade du poète* 236

Eugenio Montale: *Mottetto XII* 237

Eugenio Montale: *Forse un attimo* 237

Vincenzo Cardarelli: *Chi ha vissuto una sera d'estate in riva a un lago...* 240

Emilio Cecchi: *Colori* 241

il secondo Novecento 243

Primo Levi: *Se questo è un uomo*   250
Ignazio Silone: *Fontamara*   252
Alberto Moravia: *Non approfondire*   254
Vitaliano Brancati: *Darei dieci anni*   256
Cesare Pavese: *Ho visto i morti*   258
Italo Calvino: *La resistenza di Pin*   262
Italo Calvino: *Il Gramo e il Buono*   263
Pier Paolo Pasolini: *Ragazzi di vita*   264
Fabrizio De André: *Via del Campo*   270
Fabrizio De André: *La guerra di Piero*   271

Glossario 277

come e perché Studiare Letteratura

La comunicazione è una partita di calcio

Il titolo di questo paragrafo ti può sembrare strano ma non lo è: in questo tiro in porta ci sono tutte le componenti di un "atto comunicativo":

a. un **emittente**, cioè una persona che lancia il messaggio.
Nella partita è il calciatore, mentre nella comunicazione di ogni giorno è colui che parla, che registra un messaggio nella segreteria telefonica, che scrive un messaggio in e-mail o sul cellulare;
in letteratura l'emittente si chiama ....

b. un **destinatario**, cioè una persona alla quale è inviato il messaggio.
Nella partita è il portiere, mentre nella comunicazione di ogni giorno è colui che ascolta, che legge un messaggio in e-mail o sul cellulare, che legge il giornale;
in letteratura il destinatario è ....

c. un **messaggio**, cioè un testo che contiene un significato.
Nella partita viene inviata una ...., mentre nella comunicazione di ogni giorno il messaggio è il dialogo, il testo nella segreteria telefonica, in e-mail o sul cellulare, l'articolo del giornale, il grido "aiuto!" di chi sta affogando, ecc.; in letteratura il messaggio può avere varie forme: ....
....

d. ogni messaggio ha un suo **argomento**:
si parla di qualcosa – d'amore, della spesa quotidiana, di un appuntamento, di politica, ecc. Il calcio è così rilassante proprio perché ha un "argomento" semplice, chiaro: fare gol all'avversario, esplodere di gioia, far festa con gli amici.

e. ogni messaggio ha un suo **codice**, cioè delle regole: se non si rispettano le regole della grammatica e della comunicazione, non ci si capisce; se non si rispettano le regole del gioco, si viene espulsi. Il gioco della letteratura ha regole complesse: per questo bisogna conoscerle, se si vuole apprezzare il gioco!

f. i messaggi viaggiano in un **canale**: sia le parole degli spettatori della partita sia la palla viaggiano nell'aria. Ma le parole possono anche viaggiare sulla carta, come quelle che stai leggendo.
Nella comunicazione il canale è importante: un testo orale e uno scritto sono diversi, una frase sentita allo stadio "muore" pochi istanti dopo essere stata pronunciata, la stessa frase in una registrazione della partita, quindi su un canale elettronico, può essere riascoltata mille volte...
I canali della letteratura sono molti, dalla voce al libro, da internet al DVD, dal cinema al teatro: ogni "canale" cambia il tipo di lingua che usa.

g. infine, ogni comunicazione avviene in un **contesto**, in una **situazione**: le parole urlate allo stadio non puoi sentirle a lezione (si spera!), i calzoncini e le maglie dei giocatori non possono essere indossati nella normale vita quotidiana, e così via. Ogni contesto ha le sue regole: non puoi fare un picnic sull'erba del campo da calcio, non puoi fare una partita di calcio in un parco dove ci sono persone che fanno il picnic.

La comunicazione letteraria

Hai già visto negli esempi citati sopra che la comunicazione quotidiana e quella letteraria hanno gli stessi elementi; ma nella comunicazione quotidiana ci sono molti tipi di emittenti, destinatari, messaggi, ecc., mentre nella comunicazione letteraria le possibilità sono ridotte: gli autori possono essere romanzieri, poeti, registi, cantautori e poche altre categorie; i testi hanno forme stabilite da tempo; i destinatari sono persone che scelgono di leggere un libro, ascoltare una canzone.
Come vedi, la varietà è minore – eppure la libertà linguistica di un poeta è immensa: solo in letteratura accettiamo "sciocchezze" come il verso di Catullo (che puoi capire anche se non conosci il latino) *odi et amo*, o come il titolo di una celebre canzone di Claudio Baglioni, *Questo piccolo grande amore*...
Come mai da tremila anni la gente investe tempo a scrivere e a leggere/ascoltare/vedere letteratura?
Perché ci interessa la letteratura, fino al punto da portarti a leggere questo quaderno, per introdurti allo studio letterario?
Cercheremo di capirlo nelle prossime pagine.

Cerchiamo, nell'attività 1, di dare una risposta alla domanda con cui abbiamo concluso la pagina precedente.

① Perché fai queste cose?

Spiega perché esegui queste azioni:

a. mangiare ....

b. prendere medicine ....

c. fare i compiti ....

d. cantare ....

e. giocare ....

f. studiare ....

g. leggere ....

h. dare un bacio ....

i. lavorare ....

l. alzarti presto la mattina ....

m. lavare i piatti ....

Molto probabilmente le tue risposte non sono totalmente simili a quelle dei tuoi compagni: ciascuno vive le cose in maniera diversa. Ma tutte le risposte, certamente, possono essere raccolte nelle tre colonne che vedi qui sotto, nell'attività 2.

② Piacere, bisogno, dovere

Scegli le motivazioni segnando la colonna giusta; in alcuni casi puoi anche dare una risposta doppia; poi confronta con i tuoi compagni.

	piacere	bisogno	dovere
a. mangiare			
b. prendere medicine			
c. fare i compiti			
d. cantare			
e. giocare			
f. studiare			
g. leggere			
h. dare un bacio			
i. lavorare			
l. alzarti presto la mattina			
m. lavare i piatti			

Dunque, gli esseri umani fanno quel che fanno per queste tre ragioni fondamentali.

Perché si legge letteratura (includendo anche canzoni, film ecc.)? Scrivilo accanto ai tre visi che rappresentano le tre motivazioni: piacere, bisogno, dovere

....
....
....

....
....
....

....
....
....

Cerchiamo di trarre delle conclusioni: spesso si studia letteratura perché "si deve".
Ma non va bene – e questo quaderno cercherà di convincerti che si può studiare e godere la letteratura perché risponde ad alcuni bisogni e dà piacere.

3 Piacere e bisogno

Che bisogni (B) soddisfa la letteratura, secondo te? E che piaceri (P) ti dà?
Metti qui le tue risposte e poi confrontale e discutile con la classe.

In questo quaderno non possiamo analizzare i **bisogni** di letteratura: bisogno di capire il mondo, la giustizia, Dio, l'amore, la sensualità, la pace, la guerra, ecc. Discutine con il tuo insegnante. In questo quaderno cercheremo di far crescere in te due cose:

a. il **piacere del testo**, del modo in cui un autore decide di impostare una trama, di farti vedere un personaggio, di farti vivere una storia o un sentimento

b. la **capacità di leggere un testo letterario**, cogliendo ciò che lo distingue da un testo di ogni giorno.

A prima vista questi "emittenti" (vedi p. 10, lettera "a") del messaggio letterario sono la stessa cosa. La realtà è un po' più complessa ed è importante padroneggiare queste cose per poter capire come un autore "gioca" con le varie possibilità che gli offre la comunicazione.
Scorri questi testi e poi fai le attività.

4 Autore e narratore

Completa questa tabella indicando l'autore (chi scrive il testo) e il narratore (chi racconta, cioè "narra", la storia) se c'è.

testo	autore	narratore
A		
B		
C		
D		
E		

È importante non confondere l'autore con il narratore. Ci sono delle storie raccontate da più narratori: ad esempio, in un romanzo epistolare, composto cioè da lettere ("epistole") scambiate tra i vari personaggi, ciascuno racconta una parte della storia vedendola dal suo punto di vista: i narratori sono tanti, l'autore è uno solo.

5 Il punto di vista

Completa questa griglia osservando il tipo di narratore, che può essere in 1ª o 3ª persona, può osservare le cose dall'esterno, limitandosi a "registrare" gli eventi, oppure entrare nella mente, sapere quel che pensano i personaggi, essere "onnisciente".

	1ª pers.	3ª pers.	Osserva	Sa tutto
Moravia				
Pascoli				
Brancati				

E ora rifletti sui dati che hai indicato sopra:
a. Il marito abbandonato nel racconto di Moravia narra la storia in prima persona: quindi quello che noi veniamo a sapere: ☐ è certamente vero   ☐ potrebbe non essere vero
b. Il narratore in terza persona descrive quel che vede: ma c'è una differenza tra
- il narratore che funziona come una cinepresa che registra i fatti: ☐ Pascoli ☐ Brancati
- il narratore che ci dà anche le verità nascoste nella psiche: ☐ Pascoli ☐ Brancati

---

TESTO A

Le donne, i cavalier, l'arme, gli amori,
le cortesie, l'audaci imprese io canto.

Ludovico Ariosto,
inizio del poema
Orlando furioso
(v. pag. 103)

TESTO B

Signori e cavalier che ve adunate[1]
Per odir cose dilettose[2] e nove
State attenti e quieti, ed ascoltate
La bella istoria che 'l mio canto muove[3].

Matteo Maria Boiardo, inizio del poema
Orlando innamorato (v. pag. 102)

1. Vi riunite.
2. Ascoltare cose piacevoli.
3. Che ispira il mio canto, il mio poema.

e il narratore

TESTO C

Agnese poteva avvertirmi invece di andarsene così, senza neppure dire: crepa[1]. Non pretendo di essere perfetto e se lei mi avesse detto che cosa le mancava, avremmo potuto discuterne. Invece no: per due anni di matrimonio, non una parola; e poi, una mattina, approfittando di un momento che non c'ero, se n'è andata di soppiatto[2].

Alberto Moravia, inizio di uno dei *Racconti romani*. *(v. pag. 254)*

1. *"Crepare" è un modo volgare di dire "morire"; qui è usato come insulto.* **2.** *Di nascosto.*

TESTO D

A Caprona[1], una sera di febbraio,
  gente veniva, ed era già per l'erta[2],
  veniva su da Cincinnati, Ohio.
La strada, con quel tempo, era deserta.
  Pioveva, prima adagio, ora a dirotto[3],
  tamburellando sull'ombrella aperta.

Giovanni Pascoli, inizio del poemetto *Italy*, che racconta il ritorno di una famiglia di emigranti dall'Ohio, Stati Uniti. *(v. pag. 208)*

1. *Caprona, paesino della Toscana.* **2.** *Strada in salita.*
3. *Molto forte.*

TESTO E

Osserva la copertina: *il romanzo racconta di un "Don Giovanni", riprendendo il famoso personaggio di Mozart che cercava sempre nuove amanti più per collezionismo che per piacere.*

Spogliato[1] delle bugie, di quello che essi [Giovanni Percolla e i suoi amici] narravano come accaduto e che invece era un puro desiderio, o era accaduto a qualche altro, il loro passato di Don Giovanni si poteva raccontarlo in dieci minuti. Dobbiamo dirlo chiaramente? Giovanni Percolla, a trentasei anni, non aveva mai baciato una signorina per bene[2], […] non aveva scritto né ricevuto una lettera d'amore.

Vitaliano Brancati, *Don Giovanni in Sicilia* *(v. pag. 256)*

1. *Se non si tiene conto, non si considerano.* **2.** *Onesta.*

In queste pagine hai imparato che quando un **autore** sceglie un tipo di **narratore** sta anche scegliendo un **punto di vista** per raccontare la storia: a seconda del punto di vista tu, lettore, hai diversi livelli di "verità". Nella letteratura classica, fino ai grandi romanzi dell'Ottocento, prevale l'autore onnisciente, che sa tutto, e che spesso si identifica con il narratore (o con un personaggio minore, che vive dentro la storia ma funziona come una telecamera in mano all'autore: il **narratore interno**); nel Novecento la verità dei fatti raccontati si spezza in tante verità diverse, spesso la storia viene vista da più punti di vista e il lettore deve decidere da solo quale è la verità.

Che caratteristiche ha il destinatario di un testo letterario? Molto probabilmente la prima risposta che viene in mente si basa sul canale (vedi p. 11): se è orale, come una canzone o una poesia letta ad alta voce, abbiamo un **ascoltatore**; se è scritto c'è un **lettore**; se è rappresentato sul palcoscenico o sullo schermo abbiamo uno **spettatore**. (Per comodità, useremo qui solo il termine "lettore").
In realtà le cose non sono così semplici.
Cerchiamo di capire meglio come funziona la macchina letteraria.

6 Un destinatario dentro il testo

Leggi i testi F, G e H e trova queste informazioni:

l'autore si rivolge a:	destinatario reale, cui l'autore vuole parlare	destinatario fittizio, un personaggio	destinatario non reale, letterario
San Francesco			
D'Annunzio			
De André			

Come hai visto, tutte e tre le poesie si rivolgono a un "tu", ma solo San Francesco vuol davvero parlare a Dio, gli altri usano il "tu" come semplice convenzione letteraria: D'Annunzio fa una **personificazione**, trasforma cioè la "sera" in una donna dai grandi occhi umidi, e De André parla al suo personaggio ma vuole in realtà parlare al suo ascoltatore ai tempi della guerra in Vietnam.

7 Il lettore implicito

Quando De André ha scritto la sua canzone (testo H) aveva in mente un ascoltatore ben preciso; lo stesso accade anche per gli altri testi.
Indica il lettore **implicito**, quello che è nella mente dell'autore mentre scrive, in questi testi.

	Francesco	De André	D'Annunzio	Ariosto	Pascoli
a. Nobile, amante delle avventure	☐	☐	☐	☐	☐
b. Persona religiosa, umile	☐	☐	☐	☐	☐
c. Emigrante italiano	☐	☐	☐	☐	☐
d. Borghese, commosso dalle storie tristi	☐	☐	☐	☐	☐
e. Ragazzo antimilitarista e ribelle	☐	☐	☐	☐	☐
f. Generale, politico, militare	☐	☐	☐	☐	☐
g. Giovane sentimentale, ricco, romantico	☐	☐	☐	☐	☐
h. Uomo d'affari, industriale	☐	☐	☐	☐	☐

Abbiamo volutamente inserito alcuni casi in cui è facile sbagliare: l'abbiamo fatto per farti ragionare più in profondità.
Il primo di questi casi è quello di Pascoli: anche se parla di emigranti si rivolge ai borghesi, per far notare loro la triste vita dei poveri.
Il caso di De André è diverso: lui scrive e canta contro la guerra, quindi si rivolge allo stesso tempo ai militari e ai governanti (per urlare contro la "loro" guerra), ai ragazzi per spingerli a ribellarsi alla guerra, ai borghesi per aprire loro gli occhi, per spingerli a rifiutare di mandare i ragazzi a morire come Piero.
In alcuni testi c'è anche un lettore **esplicito**:
  • nei romanzi composti da tante lettere ogni personaggio si rivolge ad altri personaggi,
  • in questo capitolo ci rivolgiamo a te, direttamente,
il lettore esplicito, dichiarato, non crea problemi a chi legge; al contrario, individuare il lettore implicito, quello che è nella mente dell'autore, è più difficile - ma necessario - per capire davvero un testo.

Questo testo ha 700 anni e la lingua è un po' difficile, quindi ti diamo anche una versione in italiano moderno. Cerca però di intuire il significato dal testo originale.

Laudato sie, mi' Signore, cum tucte le Tue creature,
specialmente messer lo frate Sole,
lo quale è jorno, et allumini noi per lui;
et ellu è bellu e radiante cum grande splendore:
de Te, Altissimo, porta significatione.

Che tu sia lodato, mio Signore, con tutte le Tue creature, e tra queste specialmente il signor fratello Sole, che ci dà il giorno, e attraverso il quale tu ci illumini. Il sole è bello e brilla con grande splendore: è il simbolo di Te (significa Te), altissimo Dio.

Francesco d'Assisi, *Cantico delle creature* (v. pag. 58)

Laudata sii pel tuo viso di perla,
o Sera, e pe' tuoi grandi occhi umidi ove si tace
l'acqua del cielo.

Che tu sia lodata per il tuo viso di perla, o Sera, e per i tuoi grandi occhi umidi nei quali riposa l'acqua del cielo (= è finita la pioggia e la sera ne ha ancora l'umidità).

Gabriele d'Annunzio, *La sera fiesolana* (v. pag. 218)

Piero, un ragazzo, non vorrebbe andare alla guerra, ma la sua protesta non serve a nulla e allora...

Così dicevi ed era d'inverno
E, come gli altri, verso l'inferno
Te ne vai triste come chi deve[1],
il vento ti sputa in faccia la neve.

Fermati Piero, fermati adesso,
lascia che il vento ti passi un po' addosso,
dei morti in battaglia ti porti la voce:
chi diede la vita ebbe in cambio una croce[2].

1. Chi è obbligato.
2. Due significati: la croce sulla tomba; la croce militare, cioè una medaglia al valore militare.

Fabrizio de André, *La guerra di Piero* (v. pag. 271)

8 Tu hai due ruoli

a. Tu sei il lettore **implicito** mentre scriviamo queste righe: noi ti immaginiamo secondo alcune caratteristiche: il tuo lavoro è .... la tua età è più o meno ....
b. tu sei il lettore **reale**: sei lo studente tra i 15 e i 25 anni che abbiamo immaginato noi?
Questo è un punto importante: l'autore può immaginare un lettore implicito, ma non sa mai chi sarà il lettore reale: Francesco, Ariosto, De André non potevano immaginare che **tu** lo saresti diventato!
Un lettore intelligente non può leggere un testo se non cerca di capire il lettore cui si rivolgeva l'autore, in che **contesto** sono stati prodotti quel romanzo, quella canzone, quel film.

9 Facciamo il punto

Scrivi una breve definizione di questi concetti.

Autore   Lettore implicito   Lettore esplicito   Narratore   Lettore reale   Contesto

Un testo in versi si riconosce a prima vista perché ....
Alcuni versi hanno la stessa lunghezza, altri sono diversi; alcuni sono in rima (cioè finiscono con lo stesso suono), altri no; alcuni sono raccolti in strofe (gruppi di versi separati graficamente dagli altri gruppi), altri no...
La cosa è complessa, ma ti conviene cercare di capire cosa significa scrivere in versi:
probabilmente, anche tu hai scritto poesie o canzoni per un amore nascente o per un amore finito o per esprimere i tuoi pensieri sulla vita...
Scrivere versi è facile – ma scrivere buoni versi è tutt'altra cosa.

⑩ I versi

Prima ancora di leggere i testi, osserva i loro versi: sono di lunghezza diversa. Eppure c'è una logica, basata sul **numero di sillabe**.

Contale e completa la tabella indicando i testi in cui trovi i vari tipi di verso.

Versi	Testi			
	I	J	K	L
11 sillabe, endecasillabo				
7 sillabe, settenario				
Numero variabile, verso libero				
Verso libero con accenti fissi				

L'**endecasillabo** è il verso tradizionale della letteratura italiana, ma già nel primo Ottocento Leopardi mescolava endecasillabi con versi di altra lunghezza (usando talvolta la dieresi come in *quïete*: questo per indicare che la *i* non è legata alle altre vocali, è una sillaba autonoma e rallenta il ritmo, dà un senso di... quiete!).
I nomi dei versi ti dicono quante sillabe hanno: quinario, senario, settenario, ottonario, novenario, decasillabo, endecasillabo, dodecasillabo.
Il numero di sillabe infatti è solo *una* delle caratteristiche dei versi; l'altra, ancor più importante, è data dal **ritmo**, quindi dagli **accenti**.

Nella ballata di De André abbiamo messo degli accenti (che non ci sono nell'originale): il testo è pensato per una canzone, quindi segue gli accenti della musica, che sono due per ogni verso, mentre il numero delle sillabe senza accento può variare leggermente.

TESTO I

Nel mezzo del cammin di nostra vita[1]
mi ritrovai per una selva oscura[2],
ché la diritta via era smarrita[3].
    Ahi quanto a dir qual era è cosa dura[4]
Esta[5] selva selvaggia e aspra e forte
che nel pensier rinova la paura[6]!

Dante Alighieri, inizio della *Divina Commedia*.
(v. pag. 76)

1. *A 35 anni, a metà della vita umana.*
2. *Un bosco buio; simbolicamente: la vita nel peccato.*
3. *Perché avevo perso la via dell'onestà.*
4. *È difficile dire come era.*
5. *Questa.*
6. *Se ci ripenso ho ancora paura.*

TESTO J

Silvia, rimembri[1] ancora
quel tempo della tua vita mortale,
quando beltà splendea[2]
negli occhi tuoi ridenti e fuggitivi,
e tu, lieta e pensosa, il limitare[3]
di gioventù salivi?

Sonavan le quïete
stanze, e le vie d'intorno,
al tuo perpetuo canto,
allor, che all'opre femminili[4] intenta
sedevi, assai contenta
di quel vago[5] avvenir che in mente avevi.
Era il maggio odoroso: e tu solevi[6]
così menare[7] il giorno.

Giacomo Leopardi, inizio di *A Silvia p. 168.*

1. *Ricordi.* **2.** *La bellezza splendeva.* **3.** *La soglia, la porta d'ingresso.* **4.** *Quando, impegnata ai lavori tipici delle donne.* **5.** *Impreciso, non ben chiaro.* **6.** *Eri solita.*
7. *Trascorrere, passare.*

1. L'accento, il ritmo dell'endecasillabo

Leggi il testo I segnando gli accenti principali, che sono 3 o 4 per verso; noterai che un accento cade sempre nella stessa posizione, cioè nella sillaba numero ....

L'endecasillabo è segnato dal ritmo costante: sulla **decima sillaba** c'è un accento forte; dopo questo accento, può anche mancare l'undicesima sillaba:

Amor mio, vorrei tu fossi qui

oppure può esserci anche una dodicesima sillaba:

Coprirei i tuoi capelli di petali.

12. Verso libero, ma con ritmo

a. Il verso libero non è casuale, ha un suo ritmo interno. Leggi la poesia di Ungaretti:
- quanti accenti forti ha per ogni verso?
  - ☐ 1   ☐ 2   ☐ 3

- considera i versi a due a due: creano due versi più lunghi, di .... sillabe: sono dei classicissimi settenari!

b. Leggi i primi due versi della seconda strofa di Leopardi (testo J).
Come vedi Leopardi va a capo dopo *quïete*, parola che già abbiamo notato perché la dieresi indica un rallentamento. Anche l'andare a capo serve allo stesso effetto: costringendo l'occhio a sospendere per un attimo la lettura per andare alla nuova riga, si prolunga l'effetto della parola precedente: è un meccanismo chiamato, con parola francese, **enjambement.**

TESTO K

Soldati

si sta
come d'autunno
sugli alberi
le foglie

Giuseppe Ungaretti

TESTO L

Hai letto due strofe di questa ballata a p. 17: è la storia di Piero, un ragazzo mandato a far la guerra; vede un nemico, sta per sparargli, ma il "nemico" è un ragazzo come lui, ha solo la divisa di un altro colore e Piero non spara; l'altro lo vede, ha paura, e...

Cadesti a tèrra senza un laménto
E ti accorgésti in un solo moménto
Che il tempo nón ti sarebbe bastàto
Per chieder perdóno per ogni peccàto.

Cadesti a tèrra senza un laménto
E ti accorgésti in un solo moménto
Che la tua vìta finiva quel giórno
E non ci sarébbe stato ritórno.

"Ninetta mìa, crepare[1] di màggio
ci vuole tànto, troppo coràggio,
Ninetta bèlla, dritto all'infèrno
Avrei preferìto andarci d'invèrno".

E mentre il gràno ti stava a sentìre,
dentro le màni stringevi il fucìle,
dentro la bócca stringevi paròle
troppo gelàte per sciogliersi al sóle.

Fabrizio de André,
conclusione di *La guerra di Piero.* (v. pag. 271)

1. Morire, detto in maniera violenta, dura.

I versi non sono segnati solo dal ritmo degli accenti e dal numero di sillabe, ma anche dal suono delle parole e dei versi: per questo andrebbero letti a voce alta!

13 L'eco delle parole

Sai che cos'è l'*eco*? È quell'effetto per cui, soprattutto in montagna, se tu gridi una parola questa ritorna, ripetuta dai monti e dai muri. Nella poesia questo effetto è frequentissimo. Se noi chiamiamo, "A" un suono, "B" un altro suono, e così via, possiamo facilmente scoprire questo effetto di "eco".

Leggi le ultime parole dei testi delle pagine precedenti e segna qui sotto lo schema delle **rime** (questo è il termine tecnico per indicare l'eco, la somiglianza dei suoni).

	ABA BAB	AA BB CC DD	Qualche rima	Nessuna rima
Dante				
Leopardi				
Ungaretti				
De André				

14 Un altro effetto di suono

L'eco talvolta non è solo nella parola che conclude ogni verso, ma c'è anche all'interno dei versi.

Osserva questi versi che hai trovato nei testi precedenti o troverai nel testo M. Vedrai che in alcuni casi ci sono delle consonanti o delle sillabe, all'inizio o dentro una parola, che si ripetono in altre parole del verso.

Verso	Consonante/i (anche se si usano lettere diverse come q oppure c)
Ah, quanto a dir qual era è cosa dura	
Esta selva selvaggia e aspra	
Quel vago avvenir che in mente avevi	
Per chieder perdòno per ogni peccato	
Guarda, come galoppa	
Dio d'una razza d'acciaio	

Negli esempi che hai appena visto l'eco è data da un meccanismo che si chiama **allitterazione**. Nella poesia di Marinetti (testo M) c'è un verso (che non è nella parte che abbiamo usato qui) in cui l'allitterazione è usata al massimo:

> Montagne! Mammut, in mostruosa mandra (= mandria, gruppo di animali).

15 Quando il suono conta più delle parole

Talvolta le parole sono scelte anche per il loro suono, per il "rumore" che esse producono quando le pronunciamo ad alta voce.

a. riprendiamo due versi di Dante:
> Ahi quanto a dir qual era è cosa dura
> Esta selva selvaggia e aspra e forte

Nell'attività 14 avevi notato l'insistenza sulla s, l'allitterazione; adesso nota le parole evidenziate: quale consonante prevale? È una consonante dolce o aspra? Dà senso di serenità o di difficoltà?

Dante aveva tanti aggettivi a disposizione per descrivere la foresta che, come dice nel verso seguente, gli fa **paura**. Ma ha scelto queste parole che danno il senso della difficoltà, della durezza, dell'asprezza.

b. leggi la poesia che Marinetti dedica alla macchina da corsa, che nei primi anni del Novecento rappresentava il simbolo della nuova tecnologia, della modernità:
  • quali sono le parole che subito attraggono l'attenzione, vista la loro stranezza?
  • che cos'hanno in comune?

Come vedi, anche in questo caso è la **r** a dare il senso del rumore, dell'asprezza. Qui Marinetti non solo sceglie le parole, ma le modifica per raggiungere l'effetto sonoro che vuole.

Nella poesia spesso si lavora su due piani, si descrive una cosa che diventa simbolo di un'altra. Sono le **allegorie**, come quando la Giustizia è rappresentata come una donna che ha in mano una bilancia ed una spada: la bilancia rappresenta l'equilibrio del giudice che pesa le colpe, e la spada rappresenta la forza con cui la giustizia esegue le sue sentenze, le sue decisioni. Vediamo alcuni esempi di allegorie che hai trovato in queste poesie.

16 Allegorie

a. Unisci questi temi delle poesie che hai letto con ciò che essi simbolizzano, scegliendo tra queste possibilità:

1. La forza della modernità
2. La giovinezza
3. La stupidità della guerra
4. La vita nel peccato

tema	significato
La selva oscura di Dante	
Silvia	
Il giovane Piero	
L'automobile da corsa	

b. Per vedere più da vicino come si costruisce un rapporto simbolico, sottolinea nella poesia di Marinetti tutte le parole che
  • legano l'automobile da corsa al cavallo da corsa
  • danno l'idea di forza, fuoco, violenza.

TESTO M

Si tratta di un testo "futurista", quindi con alcuni esperimenti linguistici. Non preoccupartene: con l'aiuto delle note, capirai lo stesso.

Veemente[1] dio d'una razza d'acciaio,
Automobile ebbrrra[2] di spazio,
che scalpiti e frrrremi[3] d'angoscia
rodendo il morso[4] con striduli denti...
Formidabile mostro giapponese,
dagli occhi di fucina[5],
nutrito di fiamma
e d'olî minerali,
avido[6] d'orizzonti e di prede siderali[7]...
io scateno il tuo cuore che tonfa[8] diabolicamente,
scateno i tuoi giganteschi pneumatici[9],
per la danza che tu sai danzare
via per le bianche strade di tutto il mondo!...
Allento[10] finalmente
le tue metalliche redini[11],
e tu con voluttà[12] ti slanci
nell'Infinito liberatore! [...]
Guarda, come galoppa[13], in fondo ai boschi,
laggiù!...
Che importa, mio dèmone[14] bello?
Io sono in tua balìa[15]!... Prrrendimi[16]!... Prrrendimi!..

Filippo Tommaso Marinetti, *All'automobile da corsa*
(v. pag. 232)

1. *Forte, pieno di energia.*
2. *"Ebbra", ubriaca.* **3.** *"Fremi", vibri, tremi come un essere viven-te.* **4.** *Ai cavalli si mette un "morso" in bocca, un'asta di ferro che serve per frenarne la corsa; i cavalli, quando sono desiderosi di correre, "rodono", mordono que-sto metallo con i denti.* **5.** *La fuci-na è un luogo dove si lavora il metallo scaldandolo moltissimo con il fuoco.* **6.** *Desideroso, goloso.* **7.** *Un animale feroce caccia le "prede", che qui sono "siderali": le stelle.* **8.** *Fa un rumore ritmico: tonf, tonf, tonf.* **9.** *Ruote di automobile.* **10.** *Lascio libero.* **11.** *Le strisce di cuoio con cui si guida un cavallo e che tengono il morso (v. nota 4).* **12.** *Piacere sensuale.* **13.** *Passo del cavallo in corsa.* **14.** *Demonio.* **15.** *In tuo potere, puoi fare di me quel che vuoi.* **16.** *"Prendimi".*

Finora hai visto che la scrittura in versi è diversa da tutte le altre forme di scrittura perché
- divide il testo in versi e strofe
- usa effetti sonori particolari: ritmo, allitterazione, rima, ecc.
- usa molti più simboli della lingua comune: fa intuire le cose piuttosto che descriverle.

In realtà ci sono molte più "irregolarità" nella scrittura in versi e spesso esse riguardano il significato delle parole. Ad esempio, se tu leggi un verso in cui si dice di una donna che ha "i capelli d'oro", sai benissimo che non si parla di una donna con i capelli di metallo, ma che il significato reale è:

La donna ha i capelli biondi, quindi gialli

↓

L'oro è giallo

↓

L'oro è prezioso, delicato

↓

Capelli = oro

↓

I capelli della donna sono preziosi, delicati come l'oro

↓

La donna ha i capelli d'oro

In una descrizione nella tintura dei capelli in una profumeria oppure in un giornale avresti trovato "capelli biondi", ma un poeta innamorato (e tutti gli innamorati diventano poeti… anche se spesso scrivono versi orribili!) dirà che "ha i capelli d'oro", cioè preziosi, delicati, bellissimi, come quelli della "Primavera" di Botticelli che vedi qui sopra.

Talvolta il gioco dei poeti sui significati delle parole è incredibile: la poesia ci fa accettare come se fossero naturali frasi che nella vita comune non hanno senso: hai già visto a p. 11 che il poeta latino Catullo descriveva il suo amore per Lesbia dicendo *odi et amo*, la odio e la amo, e che una celebre canzone di Claudio Baglioni ha come titolo *Questo piccolo grande amore*. Tutti sappiamo che "odio" e "amore", "piccolo" e "grande" non possono stare insieme – ma scrivendo in versi si possono fare anche queste cose: è una **figura retorica** (così si chiamano questi "giochi" con la lingua ereditati dalla tradizione) che si chiama **ossimoro**. I poeti mediocri usano le figure retoriche solo per abbellire, per sorprendere; i grandi, invece, le usano per esprimere concetti o sentimenti che con le parole di ogni giorno non possiamo esprimere. Ad esempio, nei due ossimori che hai visto sopra Catullo e Baglioni esprimono un'idea fondamentale: nella realtà dei sentimenti, della vita, anche le cose più contraddittorie possono insieme, perché la vita non è solo e tutta razionale e logica…

17 Per dire quello che non si può dire

Per darti un'idea del modo in cui un grande autore usa le figure retoriche per dire cose che non si possono dire in altro modo, ti presentiamo uno dei più famosi gruppi di **ossimori** (in alcuni casi si tratta di **antitesi** e di **paradossi** – ma il discorso sostanzialmente non cambia) della storia della letteratura: è il momento in cui Dante giunge alla fine del suo viaggio, sta per vedere Dio e quindi chiede aiuto a Maria, la madre di Gesù.

a. vergine e, allo stesso tempo, ...
b. figlia di suo ....
c. umile e, allo stesso tempo, ...
d. fattore, creatore, e anche ....

TESTO N

Vergine madre, figlia del tuo figlio,
umile e alta più che creatura,
termine fisso d'etterno consiglio,

tu sei colei che l'umana natura
nobilitasti sì, che 'l suo fattore
non disdegnò di farsi sua fattura.

Dante Alighieri, *Paradiso, XXXIII Canto.*

Vergine (donna che non ha avuto contatti sessuali) e insieme madre, figlia del tuo figlio, umile (perché mai si è vantata della sua posizione) e insieme più alta (perché madre di Dio) di ogni altra creatura, punto culminante dei progetti di Dio, tu hai reso l'umanità così nobile che il suo creatore, Dio, l'ha trovata degna di diventarne una parte, di diventare una creatura mortale e sofferente come tutti gli uomini.

---

18 Una sintesi

Scrivi una breve definizione dei vari termini che hai trovato in queste pagine.

Allegoria	
Allitterazione	
Endecasillabo	
Enjambement	
Figura retorica	
Metafora	
Ossimoro, antitesi, paradosso	
Rima	
Ritmo, accento	
Strofa	
Verso	
Verso libero	

La prosa è la forma di scrittura che normalmente leghiamo alla narrazione: fiabe, racconti, romanzi, biografie, e così via. In realtà la prosa narrativa include spesso dei dialoghi, come vedrai a p. 36, ma per ora limitiamoci a vedere come la prosa può essere usata per **raccontare un evento** (testo O, di Moravia), **descrivere sensazioni** (testo P, di Manzoni), **caratterizzare un personaggio** (testo Q, di Tomasi di Lampedusa) e **descrivere un luogo** creando l'atmosfera (testo R, di Citati).

La prosa per raccontare un evento

Ci sono tanti modi di raccontare eventi: quello che trovi a p. 25 è un esempio del modo che si è imposto in Italia dagli anni Cinquanta in poi, anche per influsso di scrittori come Hemingway, Steinbeck, ecc.

19 Fabula e intreccio

Il titolo di questa attività ti risulterà chiaro tra poco. Prima leggi il testo O, poi numera le azioni secondo l'ordine di successione raccontate dal protagonista:

Eventi	ordine in cui avvengono	ordine nella narrazione
Agnese se n'è andata	1	1
Visita al mercato	2	
Rientro a casa		
Pulitura della macchia		
Lettura della lettera		
Il protagonista esce		

Come vedi, l'ordine è lo stesso: gli eventi sono raccontati nella stessa successione in cui sono avvenuti; secondo la "narratologia", cioè nella teoria della narrazione, in questo caso coincidono:
- la **fàbula**, parola latina che significa "storia, favola": gli eventi come si sono succeduti nella realtà
- l'**intreccio**, gli eventi come sono raccontati dall'autore.

Spesso hai narrazioni in cui eventi che avvengono nel "oggi" del racconto si mescolano con altri eventi che sono avvenuti prima (**flashback**) o che avverranno dopo (**anticipazioni**).

20 Fabula e intreccio in "Cappuccetto Rosso"

Per giocare un po' con un **intreccio** diverso dalla **fabula** eccoti una strana versione della fiaba di Cappuccetto Rosso. Leggila e poi completa la Tabella a p. 25

> *Il cacciatore sentì dei lamenti ed entrò nella casa della nonna, vide il lupo con la pancia gonfia e gliela aprì con il pugnale, salvando Cappuccetto Rosso e la Nonna. Il lupo era riuscito a mangiare la nonna perché era arrivato prima di Cappuccetto Rosso: aveva infatti trovato la bambina nel bosco e lei gli aveva detto: "la mia mamma mi ha detto di portarle questo cestino di cibo perché la Nonna è malata".*

Completa la tabella, come hai fatto sopra.

Eventi	ordine in cui avvengono	ordine nella narrazione
La nonna sta male		
La mamma manda Cappuccetto Rosso dalla nonna		
Cappuccetto Rosso trova il lupo e gli dice dove va		
Il Lupo arriva dalla nonna e la mangia		
Cappuccetto Rosso arriva dalla nonna e viene mangiata dal lupo		
Il cacciatore sente il lupo che si lamenta per il mal di pancia		
Il cacciatore salva nonna e nipotina		

TESTO O

Agnese poteva avvertirmi invece di andarsene così, senza neppure dire: crepa[1]. Non pretendo di essere perfetto e se lei mi avesse detto che cosa le mancava, avremmo potuto discuterne. Invece no: per due anni di matrimonio, non una parola; e poi, una mattina, approfittando di un momento che non c'ero, se ne è andata di soppiatto[2], proprio come fanno le serve che hanno trovato un posto migliore. Se ne è andata e, ancora adesso, dopo sei mesi che mi ha lasciato, non ho capito perché.

Quella mattina, dopo aver fatto la spesa al mercatino rionale (la spesa mi piace farla io: conosco i prezzi, so quello che voglio, mi piace contrattare e discutere, assaggiare e tastare, voglio sapere da quale bestia mi viene la bistecca, da quale cesta la mela), ero uscito di nuovo per comprare un metro e mezzo di frangia[3] da cucire alla tenda, in sala da pranzo. Siccome non volevo spendere più che tanto, girai parecchio prima di trovare quello che faceva al caso mio, in un negozietto di via dell'Umiltà. Tornai a casa che erano le undici e venti, entrai in sala da pranzo per confrontare il colore della frangia con quello della tenda e subito vidi sulla tavola il calamaio[4], la penna e una lettera. A dire la verità, mi colpì soprattutto una macchia d'inchiostro, sul tappeto della tavola. Pensai: "Ma guarda come ha da essere sciattona[5]... ha macchiato il tappeto". Levai il calamaio, la penna e la lettera, presi il tappeto, andai in cucina e lì, fregando[6] forte col limone, riuscii a togliere la macchia. Poi tornai in sala da pranzo, rimisi a posto il tappeto e, soltanto allora, mi ricordai della lettera. Era indirizzata a me: Alfredo. L'aprii e lessi:

"Ho fatto le pulizie. Il pranzo te lo cucini da te[7], tanto ci sei abituato. Addio. Io torno da mamma. Agnese".

Per un momento non capii nulla. Poi rilessi la lettera e alla fine intesi[8]: Agnese se n'era andata, mi aveva lasciato dopo due anni di matrimonio. Per forza di abitudine riposi[9] la lettera nel cassetto della credenza dove metto le bollette[10] e la corrispondenza e sedetti su una seggiolina, presso la finestra. Non sapevo che pensare, non ci ero preparato e quasi non ci credevo. Mentre stavo così riflettendo, lo sguardo mi cadde sul pavimento e vidi una piccola piuma[11] bianca che doveva essersi staccata dal piumino[12] quando Agnese aveva spolverato. Raccolsi la piuma, aprii la finestra e la gettai di fuori. Quindi presi il cappello e uscii di casa.

Alberto Moravia; ritroverai questo testo, tratto dai *Racconti Romani,* a p. 254.

1. Muori (parola molto dura, volgare). 2. Di nascosto. 3. Decorazione con cordoncini. 4. Piccola bottiglia di inchiostro. 5. Disordinata, poco attenta. 6. Strofinando, passando varie volte. 7. Forma dialettale per "da solo". 8. Capii. 9. Misi con cura. 10. I conti del telefono, dell'elettricità, ecc. 11. Penna di uccello. 12. Piccola "scopa" di piume usata per togliere la polvere.

Nelle pagine precedenti hai visto come la prosa racconta gli eventi.
La prosa, tuttavia, può essere usata anche per descrivere sensazioni, stati d'animo.
Vediamo un esempio classico, tratto da *I promessi sposi*, di Alessandro Manzoni. La scena descrive la partenza di Lucia dal suo paesino sul lago di Como. Lucia deve scappare perché Don Rodrigo, il signorotto spagnolo che domina la zona, la vuole per sé, mentre lei sta per sposarsi con Renzo. Anzitutto, leggi il testo P.

21 Una prima lettura

Mentre leggi il testo per una prima comprensione globale, puoi notare che è diviso in due parti:
- una parte racconta quel che sta succedendo: dall'inizio alla riga ....
- l'altra descrive dei sentimenti: dalla riga .... alla fine.

Puoi anche notare che tipo di narratore è Manzoni, tra i due tipi che hai visto a p. 15:

☐ è onnisciente, sa quello che avviene e quello che provano e pensano i personaggi

☐ si pone all'esterno della storia, limitandosi a descrivere gli avvenimenti.

Manzoni è un autore che sa tutto quel che avviene, ma decide che, anziché spiegarci le cose, gli conviene farcelo provare attraverso i sensi. Vediamo come lavora.

22 Gli occhi

La vista è il senso più importante, e domina questa come le altre descrizioni che hai trovato finora.
Manzoni vuole che noi vediamo e sentiamo insieme.
- Righe dalla 1 alla 6: è Manzoni che guarda, che vede per noi lettori.
- righe dalla 6 alla 10: l'occhio è quello dei ....
- righe dalla 10 alla 14: l'occhio è quello di ...., che ci accompagna lungo il fianco della montagna fino a trovare la sua casa.

Sottolinea tutte le parole di questo primo paragrafo che riguardano la vista.

Siamo passati dagli occhi di Manzoni a quelli dei passeggeri per arrivare a quelli di Lucia: a questo punto siamo pronti, come lettori, ad entrare nella sua mente e condividere il senso di dolore profondo dell'*addio, monti sorgenti dall'acqua* (per curiosità: conta le sillabe e osserva gli accenti di questa celebre frase: se fosse un verso sarebbe un ....; vedi p. 18).

23 L'udito

Nei film non hai solo immagini, serve anche una colonna sonora (cioè la musica che accompagna le immagini).
Anche Manzoni inserisce una colonna sonora. Nelle prime righe del testo trovi vari suoni:
- fai un cerchietto intorno alle parole che indicano suoni
- sono suoni che emergono forti o fanno da sottofondo, da accompagnamento?
- Sono suoni monotoni oppure hanno un ritmo?

Prova a rileggere la prima parte del testo togliendo le informazioni sui suoni e i rumori: avrebbe lo stesso effetto, secondo te?
Leggi le prime righe del secondo paragrafo e vedrai che i suoni ritornano: danno il senso della serenità che si sta abbandonando. Sottolineali.

24 Il tatto, la pelle

Manzoni non trascura queste sensazioni del tatto: il senso di caldo e freddo, di umido e secco.
- c'è vento, all'inizio?
- com'è l'aria quando si arriva in pianura, nel terzo paragrafo?
- in pianura, lontano da casa, si respira con facilità?

In questi esercizi hai imparato il ruolo delle sensazioni legate a vista, udito, tatto – mancano odori e sapori, ma li puoi quasi immaginare. Questa di Manzoni è una prosa ottocentesca, sofisticata e complessa. La letteratura novecentesca, come hai visto in Moravia (testo P) spesso privilegia un altro tipo di prosa, molto più semplice, con periodi e frasi meno complessi.

TESTO P

Non tirava un alito[1] di vento: il lago giaceva liscio e piano, e sarebbe parso[2] immobile, se non fosse stato il tremolare e l'ondeggiar leggero della luna, che vi si specchiava da mezzo il cielo. S'udiva soltanto il fiotto[3] morto e lento frangersi[4] sulle ghiaie del lido, il gorgoglìo[5] più lontano dell'acqua rotta tra le pile[6] del ponte, e il tonfo misurato di que' due remi, che tagliavano la superficie azzurra del
5 lago, uscivano a un colpo grondanti[7], e si rituffavano. L'onda segata dalla barca, riunendosi dietro la poppa[8], segnava una striscia increspata, che s'andava allontanando dal lido. I passeggeri silenziosi, con la testa voltata indietro, guardavano i monti, e il paese rischiarato dalla luna, e variato qua e là di gran d'ombre. Si distinguevano i villaggi, le case, le capanne: il palazzotto di don Rodrigo, con la sua torre piatta, elevato sopra le casucce ammucchiate alla falda[9] del promontorio, pareva un feroce che, ritto
10 nelle tenebre, in mezzo a una compagnia d'addormentati, vegliasse, meditando un delitto. Lucia lo vide, e rabbrividì; scese con l'occhio giù giù per la china[10], fino al suo paesello, guardò fisso all'estremità, scoprì la sua casetta, scoprì la chioma[11] folta del fico che sopravanzava il muro del cortile, scoprì la finestra della sua camera; e, seduta, com'era, nel fondo della barca, posò il braccio sulla sponda, posò sul braccio la fronte, come per dormire, e pianse segretamente.
15 Addio, monti sorgenti dall'acque, ed elevati al cielo; cime inuguali, note a chi è cresciuto tra voi, e impresse nella sua mente, non meno che lo sia l'aspetto de'[12] suoi più familiari; torrenti, de' quali distingue lo scroscio[13], come il suono delle voce domestiche; ville sparse e biancheggianti sul pendio, come branchi di pecore pascenti[14]; addio! Quanto è triste il passo di chi, cresciuto tra voi, se ne allontana! Alla fantasia di quello stesso che se ne parte volontariamente, tratto dalla speranza di fare altrove[15]
20 fortuna, si disabbelliscono[16], in quel momento, i sogni della ricchezza; egli si maraviglia di essersi potuto risolvere, e tornerebbe allora indietro, se non pensasse che, un giorno, tornerà dovizioso[17].
Quanto più s'avanza nel piano, il suo occhio si ritira, disgustato e stanco, da quell'ampiezza uniforme; l'aria gli par gravosa[18] e morta; s'inoltra mesto e disattento nelle città tumultuose; le case aggiunte a case, le strade che sboccano nelle strade, pare che gli levino il respiro; e davanti agli edifizi ammirati
25 dallo straniero, pensa, con desiderio inquieto, al campicello del suo paese, alla casuccia a cui ha già messi gli occhi addosso, da gran tempo, e che comprerà, tornando ricco a' suoi monti.

Alessandro Manzoni, *I Promessi Sposi*, cap. VIII

1. Soffio leggero. 2. Sembrato. 3. Onda. 4. Rompersi.
5. Borbottìo, rumore dell'acqua. 6. Pilastri di sostegno.
7. Pieni di acqua. 8. La parte posteriore della barca.
9. Ai piedi. 10. Pendio, discesa. 11. Insieme di rami e foglie.
12. Dei. 13. Rumore dell'acqua. 14. Che pascolano, mangiano l'erba.
15. In un altro luogo. 16. Perdono la bellezza. 17. Ricco. 18. Pesante.

I personaggi sono la prima cosa che torna in mente quando si ripensa a un film, a un romanzo, a un racconto. In queste pagine vedrai come gli autori creano un personaggio, come danno vita a persone inventate dalla loro fantasia.

25 Come presentare un personaggio?

Esistono varie scelte possibili:

- si può far "vedere" il personaggio dall'esterno, cioè descriverne ....
- si può mostrarlo dall'interno, descrivendo ....
- si può presentare un personaggio da solo o in gruppo: che cosa sceglieresti se tu volessi presentare un eroe? Che relazione porresti tra l'eroe e gli altri? Perché?

Eccoti la prima pagina di un romanzo famosissimo, *Il Gattopardo*, scritto da Giuseppe Tomasi di Lampedusa negli anni Cinquanta e poi tradotto in film da Luchino Visconti nel 1962.

Il romanzo è ambientato nel 1860 in Sicilia, quando arrivano i soldati di Garibaldi che stanno conquistando il regno dei Borboni per unire il Sud al resto d'Italia. Il protagonista è il Principe di Salina.

Il testo è difficile, ma hai molte note che ti aiuteranno.

26 Primo contatto con il testo

Leggi il testo, che è diviso in tre sezioni. Dài loro un titolo

- ....
- ....
- ....

TESTO Q

"Nunc et in hora mortis nostrae. Amen".[1]
La recita quotidiana del Rosario era finita. Durante mezz'ora la voce pacata[2] del Principe aveva ricordato i Misteri Gloriosi e Dolorosi[3]; durante mezz'ora altre voci, frammiste[4], avevano tessuto un brusio[5] ondeggiante sul quale si erano distaccati i fiori d'oro di parole inconsuete; amore, verginità, morte;
5   e durante quel brusio il salone rococò[6] sembrava avere mutato aspetto...
Adesso, taciutasi la voce, tutto rientrava nell'ordine, nel disordine consueto[7]. Dalla porta attraverso la quale erano usciti i servi, l'alano[8] Bendicò, rattristato dalla propria esclusione, entrò e scodinzolò.
Le donne si alzavano lentamente, e l'oscillante regredire delle loro sottane[9] lasciava a poco a poco scoperte le nudità mitologiche[10], che si disegnavano sul fondo latteo delle mattonelle. Rimase coperta
10 soltanto una Andromeda[11] cui la tonaca di padre Pirrone[12], attardato in sue orazioni supplementari, impedì per un po' di rivedere l'argenteo Perseo, che sorvolando i flutti si affrettava al soccorso.
Nell'affresco del soffitto si risvegliarono le divinità[13]. Le schiere di Tritoni e di Driadi, che dai monti e dai mari fra nuvole lampone e ciclamino[14] si precipitavano verso una trasfigurata Conca d'Oro[15] per esaltare la gloria di casa Salina, apparvero di subito tanto colme di esultanza da trascurare le più semplici regole

1. È la conclusione dell'Ave Maria recitata in latino; è una preghiera che viene ripetuta cinquanta volte nel Rosario.
2. Tranquilla. 3. Il Rosario è diviso in gruppi di dieci Ave Maria detti "Misteri". 4. Mescolate tra loro. 5. Si erano incrociate in un rumore leggero. 6. Stile di gusto barocco, molto decorato. 7. Abituale. 8. Il più grande dei cani. 9. Le donne, dalle gonne lunghe fino ai piedi, escono: le sottane oscillano seguendo i passi. 10. Le mattonelle del pavimento rappresentano, nudi, gli antichi dèi greci e romani. 11. Andromeda era una principessa legata ad una roccia, sul mare: fu liberata da Perseo, che correva sulle onde (i "flutti"); 12. Pirrone è un prete ("padre"), che porta il lungo vestito nero ("tonaca") e dice preghiere ("orazioni"). 13. Anche sul soffitto ci sono figure mitologiche greche ("tritoni e driadi"). 14. Rosa intenso come il lampone (un frutto) e viola come i ciclamini (dei fiori). 15. La valle ("conca") di Palermo è color oro, come le arance che si coltivano lì.

15 prospettiche[16]; e gli Dei Maggiori, i Principi fra gli Dei, Giove folgorante, Marte accigliato, Venere languida... [17]

Al di sotto di quell'Olimpo[18] palermitano anche i mortali di casa Salina discendevano in fretta giù da quelle sfere mistiche[19]. Le ragazze raggiustavano le pieghe delle vesti, scambiavano occhiate azzurrine e parole in gergo di educandato[20] [...]. I ragazzini si accapigliavano[21] di già per un'immagine di S. Francesco

20 di Paola; il primogenito[22], l'erede, il duca Paolo, aveva già voglia di fumare e, timoroso di farlo in presenza dei genitori andava palpando[23], attraverso la tasca, la paglia intrecciata del portasigari...

Lui, il Principe, intanto si alzava; l'urto del suo peso da gigante faceva tremare l'impiantito[24]; e nei suoi occhi chiarissimi si riflesse, un attimo, l'orgoglio di questa effimera[25] conferma del proprio signoreggiare su uomini e fabbricati. Adesso posava lo smisurato Messale[26] rosso sulla seggiola [...] e un po' di

25 malumore intorbidò[27] il suo sguardo quando rivide la macchiolina di caffè che fin dal mattino aveva ardito[28] interrompere la vasta bianchezza del panciotto[29].

Non che fosse grasso: era soltanto immenso e fortissimo; la sua testa sfiorava[30] (nelle case abitate dai comuni mortali) [...] i lampadari; le sue dita sapevano accartocciare come carta velina le monete di un ducato[31], e fra Villa Salina e la bottega di un orefice era un frequente andirivieni[32] per la riparazione di

30 forchette e cucchiai che la sua contenuta ira[33], a tavola, gli faceva spesso piegare in cerchio. Quelle dita, d'altronde, sapevano anche esser di tocco delicatissimo e le viti, le ghiere, i bottoni dei telescopi, cannocchiali e "ricevitori di comete"[34] che lassù, in cima alla villa, affollavano il suo osservatorio privato, si mantenevano intatti sotto lo sfioramento leggero. I raggi del sole cadente ma ancora alto di quel pomeriggio di maggio accendevano il colorito roseo, il pelame[35] color di miele del Principe; denunziavano[36]

35 essi l'origine tedesca di sua madre, di quella principessa Carolina la cui alterigia aveva congelato[37], trent'anni prima, la Corte sciattona delle Due Sicilie. Ma nel sangue di lui fermentavano altre essenze[38] germaniche ben più incomode per quell'aristocratico siciliano di quanto potessero essere attraenti la pelle bianchissima ed i capelli biondi nell'ambiente di olivastri e di corvini: un temperamento autoritario, una certa rigidità morale, una propensione alle idee astratte che nell'habitat morale

40 molliccio[39] della società palermitana si erano mutati rispettivamente in prepotenza capricciosa, perpetui scrupoli[40] morali e disprezzo per i suoi parenti e amici, che gli sembrava andassero alla deriva nei meandri del lento fiume pragmatistico siciliano[41].

Giuseppe Tomasi di Lampedusa, *Il Gattopardo*

16. *Frase ironica: gli dei dipinti sono contenti ("esultanti") e sembrano disinteressarsi alle regole della prospettiva, della pittura che dà il senso della profondità.* **17.** *Giove ha in mano il fulmine ("folgore"), Marte ha il viso arrabbiato, Venere è dolcemente rilassata.* **18.** *L'Olimpo, abitazione degli dèi, è in Grecia: questo è solo un Olimpo di Palermo, coloniale, secondario.* **19.** *Dal momento mistico, religioso.* **20.** *Parole delicate (come il color azzurro chiaro), alcune delle quali comprensibili solo a chi frequentava la loro scuola ("educandato").* **21.** *Litigavano per un "santino", una piccola immagine.* **22.** *Figlio maggiore.* **23.** *Toccava il portasigarette di paglia.* **24.** *Pavimento.* **25.** *Momentanea.* **26.** *Libro che contiene i testi per la Messa cattolica.* **27.** *Sporco, rendendo meno chiaro.* **28.** *Aveva avuto il coraggio.* **29.** *Gilet, l'indumento che si porta sopra la camicia e sotto la giacca.* **30.** *Quasi quasi toccava.* **31.** *Piegavano le monete metalliche del valore di un ducato come se fossero state fatte di carta sottile.* **32.** *Andare e venire.* **33.** *Il Principe si arrabbia, ma non fa vedere la sua irritazione e quindi piega delle forchette, per sfogarsi.* **34.** *Vari strumenti scientifici usati dagli astronomi.* **35.** *I peli: capelli, baffi, ecc.* **36.** *Facevano vedere, mettevano in mostra.* **37.** *Il comportamento superbo e nobile aveva lasciato di ghiaccio, imbarazzata, la corte "sciattona", senza stile e dignità.* **38.** *Si agitavano, ribollivano altri aspetti del carattere tedesco.* **39.** *Tendenza all'astrazione, che nell'ambiente privo di dignità e ideali, dei...* **40.** *Continui dubbi, problemi.* **41.** *Si lasciassero trasportare passivamente ("andassero alla deriva") tra le curve continue del fiume (la società) che bada solo a sopravvivere, senza ideali (pragmatismo).*

Quando leggi un testo complesso come questo, è meglio fare anzitutto una lettura estensiva, generale, cercando di capire le cose fondamentali; poi si passa ad una lettura intensiva, analitica, che ci porta "dentro" il testo.

27 La prima sensazione

Senza rileggere, vedi se ricordi questi aspetti:

- oltre al Principe ci sono degli "altri"; in quale sezione compaiono gli "altri"? Chi sono?

  Sono ☐ positivi ☐ negativi
- come è vestito il Principe? Quale aspetto ricordi? Perché?
- che tipo di mente ha il Principe?

  ☐ inventiva, intuitiva ☐ razionale, analitica
- come è il suo carattere?

Rileggi il testo e verifica le tue risposte.

Dopo questa prima fase di lettura generale, vediamo meglio come Tomasi di Lampedusa ti presenta il suo personaggio.

28 Prima sezione: righe 1-21

La prima sezione si chiude con l'uscita del figlio.

- chi viene descritto, principalmente? ☐ il Principe
  ☐ gli altri
- chi sono gli altri? Ti aiutiamo con questi tre suggerimenti:
  - **a.** gli umani: ....
  - **b.** i sovrumani: ....
  - **c.** i non-umani: ....

Prendiamo anzitutto gli umani:

- li vediamo o li sentiamo?
- come sono le loro voci? Decise o insignificanti? Sottolinea le parole che riferiscono o descrivono i suoni, nelle prime righe
- Padre Pirrone porta l'abito tradizionale dei preti, una tonaca nera lunga fino ai piedi; a questa nuvola nera si contrappone il colore .... di Perseo: secondo te l'aggettivo che hai scritto è casuale? Che sensazione vuole suscitare l'autore?
- il terzo paragrafo, che inizia a riga 12 descrive ...., mentre a riga 17 inizia un paragrafo che descrive .... Che rapporto c'è tra i due mondi? Sono accostati a caso? Chi ne esce perdente?
- Il figlio tocca nervosamente il portasigarette: ha il coraggio di fumare di fronte al padre? Questo gesto dà l'idea di una persona sicura di sé?

Gli dèi e il cane sono forti e vitali, e li vedi contrapposti ad un'umanità mediocre ed insignificante. Rifletti: l'autore non ha scritto esplicitamente che sono mediocri e insignificanti... Come è riuscito a darti questa sensazione?

del suo p...
l'impiantito; e nel su...
un attimo, l'...
...lasse; ...rma d

29 Lettura intensiva: righe 22-42

In questa sezione vediamo il Principe ☐ dall'interno
☐ dall'esterno

- le prime 22 righe ti hanno mostrato un'umanità insignificante; confrontale con le righe 22-24.
  Prima era un "brusio", qui che tipo di rumore senti? È un rumore legato alla debolezza, all'infanzia?
- Se il Principe fosse uno degli dèi, chi sarebbe, secondo te? ....;
  e se fosse uno strumento musicale? ....; e se fosse un colore? ....

Confronta le tue scelte con i compagni. Noi non le conosciamo, ma certamente non hai pensato che il Principe
sia un dio minore, uno strumento dalla voce sottile come un flauto, un colore delicato come un celeste.
L'autore ti ha portato senza dirtelo a immaginare una personalità forte.

30 Vedere l'esterno per capire l'interno

Finora l'autore ti ha mostrato il Principe dall'esterno.
Eppure tu ne hai capito il carattere. Come ha fatto?

- Vediamo ad esempio la descrizione della sua altezza:
  di chi sono le case dove il Principe toccherebbe
  il soffitto? ....
  Quindi lui non è un "comune mortale"... e se non lo è,
  allora può essere solo un eroe o un dio, come quelli
  dipinti nella sala.
- Ricopia le parole che usa Tomasi di Lampedusa per descrivere
  i capelli del Principe (riga 36):

  ....
  ....
  Ora: quale animale della foresta ("pelame" si riferisce agli animali, non agli uomini) ha una criniera
  di quel colore? ....
- Poche righe più sotto si dice che ha la pelle .... e i capelli ....;
  invece i siciliani sono ....: è una descrizione di fatto o è piuttosto lo stesso meccanismo
  della sezione iniziale, cioè la contrapposizione tra "Lui" e gli "altri"?

Prima di concludere l'analisi di questa descrizione, sottolinea tutte le parole che indicano grandezza,
forza, maestà... alla fine avrai sottolineato metà del testo!

31 Tu avevi previsto che...

Prima di leggere il testo avevi fatto delle previsioni sul modo in cui si può descrivere un personaggio:
confronta le tue idee iniziali con quelle che hai maturato analizzando il testo.

Hai mai descritto un personaggio, in un tuo racconto, una lettera
o in una composizione?
Adesso, dopo aver letto queste righe, cambieresti
il tuo modo di descrivere?
Se sì, vuol dire che il tempo che hai dedicato
a questi esercizi è servito.

Può succedere di guardare un film o leggere un libro in cui l'atmosfera è triste, fredda, invernale, piovosa – e a te sembra di sentire il freddo e l'umidità, anche se fuori c'è il sole.

Succede quando un buon autore sa creare l'atmosfera.

Ci sono romanzi che ti descrivono una città, una casa, un giardino in maniera così efficace che ti sembra di esserci stato di persona: come funziona il meccanismo? Vediamolo in un testo di Pietro Citati, tratto da un romanzo del 1989, *Storia prima felice e poi dolentissima e funesta*, in cui si descrive l'atmosfera di Algeri a metà dell'Ottocento. Trovi il testo a pagina 34.

32 Primo contatto con il testo

Leggi le prime parole del testo.

* La storia è ambientata nel ....; Algeri a quel tempo era una colonia della ....
* Dovendo descrivere una città araba per lettori europei, attraverso quali occhi la mostreresti?
  a. un arabo, cioè un colonizzato
  b. un francese, cioè un colonizzatore
  c. un altro europeo
  Perché?
* Secondo te, l'occhio più adatto è:
  a. un uomo
  b. una donna
  c. un bambino
  Perché?

Adesso che hai fatto le tue previsioni, leggi il testo e confronta le tue ipotesi con le scelte di Citati. Dopo questa prima lettura rapida, passa all'attività 33.

33 Lettura estensiva

Senza rileggere, raccogli le tue impressioni su questi aspetti:

* gli europei vengono presentati sotto una luce generalmente positiva?
  a. Sì   **b.** No   **c.** Indifferente
* e gli arabi?
  a. Sì   **b.** No   **c.** Indifferente

In questa descrizione, ci sono uomini e donne:

* gli uomini prevalgono tra   **a.** gli Europei **b.** gli Arabi
* le donne prevalgono tra   **a.** gli Europei **b.** gli Arabi

Oltre alla donna italiana ne troviamo un'altra:

* è araba?   **a.** Sì   **b.** No, è ....
* Che significato può avere questa scelta di Citati?

34 Primo paragrafo: gli Europei, i colonizzatori.

* Ci sono solo Europei in questo paragrafo?   Sì   ☐
                                                No   ☐
  Se no, chi sono gli altri? Perché sono con gli Europei?
* Citati ricorre due volte a una tecnica stilistica particolare. Quale? ....
  1. righe ....
  2. righe ....
  Perché c'è quest'insistenza sull'elencazione, secondo te? Serve a dare l'immagine di un mondo corretto, ordinato, affidabile?

• La natura compare in questa scena solo in forma 'falsa', stereotipata. Dove?
Perché, secondo te, Citati sceglie questo tipo di natura?
• Tutto è un po' falso. Quale dato ci presenta Citati per creare questa sensazione?

35 Secondo paragrafo: un popolo lontano dal tempo.

• Le prime parole servono da chiave interpretativa del carattere di Clementina, della sua evoluzione.
Perché?
• Il popolo è delineato per mezzo di quello che è e che ha o per mezzo di quello che non è e che gli
manca? Sottolinea le sezioni che giustificano la tua risposta. È una scelta neutra o significa qualcosa?
• La ripetizione dà il ritmo anche a questo paragrafo. Trovane un esempio: righe ....
• Anche la ripetizione sonora, sotto forma di "allitterazione", è usata, come in tutta la frase sul
"fico marcito". Fai un cerchietto intorno alle allitterazioni.
• Ricorre più volte anche un'altra figura retorica, l'ossimoro (cioè l'accostamento di opposti).
Trovane almeno un esempio: righe ....
• Compare qui la prima metafora caratterizzante: Algeri è come ....
• Confronta il popolo della festa con il popolo di Algeri e discuti le tue conclusioni con la classe.

36 Terzo capoverso: la Casbah.

• Che atteggiamento ha Clementina?
Con quale dettaglio lo illustra Citati?
• Che atteggiamento ha il marito?
Con quale dettaglio lo illustra Citati?
• Compaiono altre metafore dopo quella della città-tomba.
Trovane qualche esempio e sottolinealo.
• Continuano anche le ripetizioni, quasi ossessive:
verbi: righe ....
allitterazione sulla 'v': righe ....
• Clementina è europea, è tra i colonizzatori.
Conosce qualcosa dei colonizzati? Vorrebbe conoscere?
Indica le fonti delle tue risposte.
• È cambiato il rapporto tra Clementina e il marito? Se sì, come?
• Sei sicuro che in questa pagina Citati stia solo descrivendo Algeri?
Oppure sta dandoci anche il carattere della donna?

37 Quarto capoverso: l'ebrea.

• Tutto si fa 'femminile' in questo paragrafo. Come fa Citati a introdurre questa prospettiva?
Osserva le prime tre righe del paragrafo.
• Perché Citati sceglie un'ebrea, secondo te? Cos'hanno in comune l'ebrea ed Algeri?
• Compaiono i primi suoni e rumori: sottolineali.
• Quali suoni accentua Citati nel descrivere gli europei nel primo paragrafo?
Rispondi senza rileggere: ....
Ora verifica.
• Clementina ascolta i suoni. Capisce qualcosa? Qual è l'unica cosa che può fare?
• "Algeri la bianca". A cosa si riferisce "bianco", ai muri o agli europei?

Come hai visto, sia nel testo Q, che descrive il Principe di Salina, sia in questo abbiamo condotto
la nostra analisi spezzando il testo in sezioni: è una tecnica utile, perché facilita il compito.

㊳ Il tuo parere

- Questo testo non serve a creare l'atmosfera. Secondo te:
  - **a.** descrive una città?
  - **b.** descrive una persona o una classe sociale?
  - **c.** descrive come una persona si stacca dalla sua classe sociale?
  - **d.** descrive una persona che entra sempre più dentro un ambiente?

Forse tutte le risposte sono vere… in tal caso, mettile in ordine di importanza.

- Questa descrizione è inusuale per un testo del 1989: è troppo lunga secondo gli 'standard'.
  Potresti tagliare qualcosa? Se sì, cosa?
- Ti è piaciuto di più il *modo* in cui Citati ha descritto Algeri o il *mondo* che ha descritto? Perché?
- Credi che, andando nel Nordafrica, Citati e la sua visione ti ritorneranno in mente, oppure saranno persi tra i ricordi di scuola?

TESTO R

Alla fine di luglio del 1843, Clementina e Gaetano furono invitati dal governatore a un ballo che ricordava le tre giornate di luglio 1830, quando Luigi Filippo aveva preso il potere. Malgrado il fasto[1] ufficiale, tutto sembrava variopinto[2], eccentrico e assurdo come alla Place du Gouvernement. C'erano luogotenenti generali[3], colonnelli, commissari di polizia, un muftì, degli imam, dei rabbini, dei mulatti,
5   dei giudici, degli ebrei, dei ladri, dei turchi, dei moreschi, due letterati, il presidente del concistoro, un monaco saint-simoniano, un discendente degli Zegris di Chateaubriand, dei rinnegati, dei prussiani, degli usurai, delle grisettes e delle inglesi. Le spalline scintillavano[4] dappertutto, anche sulle spalle dei "civili"[5], come i militari li chiamavano con disprezzo. I tre saloni erano decorati di marmi, di porcellane e di dorature, una delle quali aveva per centro il cielo stellato. Accanto si apriva un'immensa
10 terrazza ornata di fiori, da cui si vedeva il mare, e la luna piena illuminava questo quarto salone. Tanti anni fa a Parma o a Tolosa, non sapeva più dove, Clementina aveva visto un melodramma, che aveva per scena Venezia. Qui era lo stesso. Non ci mancava nulla: né Otello, né Shylock[6], né il Doge, né le cortigiane[7], né la musica, né i fiori, né le mosche, né il rumore delle onde, né la terrazza vicino al mare dove i personaggi in bautta[8] cospiravano[9] al rumore dei flauti e dei violini. Alle due del mattino,
15 il governatore offrì una cena alle dame. Due signorine si ubriacarono. Dopo quella sera Gaetano non portò più Clementina ai balli del governatore.

1. Lusso, esibizione di ricchezza. 2. Di molti colori. 3. Segue una lunga elencazione di persone di varia etnia, professione, moralità. Per capire il testo non è indispensabile capire ogni parola. 4. I simboli dorati o argentati che i militari portano sulle spalle brillavano. 5. Non militari. 6. Otello e Shylock sono personaggi di due drammi di Shakespeare ambientati a Venezia. 7. Prostitute di alto livello. 8. Maschera veneziana. 9. Si scambiavano segreti.

Clementina non ne soffrì molto. Preferiva Algeri araba e moresca. Là abitava un popolo volontariamente lontano dal corso del tempo, ribelle ad ogni progresso, libero come poteva esserlo un popolo espropriato[10]. Senza commercio, quasi senza artigianato, sussisteva[11] a causa della sua stessa immobilità.

20 Clementina non capiva se disperasse o attendesse[12]. Qualunque fosse il sentimento nascosto sotto il volto di questi uomini impassibili[13], possedevano ancora un mezzo inafferrabile di difesa.

Erano pazienti. Vivevano nelle loro vie oscure, fuggendo il sole, tenendo chiuse le case, economizzando i bisogni, circondandosi di solitudine, premunendosi[14] con il silenzio. Niente giardini, niente orti, appena un tronco morente di vigna o di fico marcito tra le macerie dei crocicchi[15]: moschee invisibili, bagni

25 misteriosi, una sola compatta muratura, costruita come un sepolcro. Gli algerini si erano sotterrati nella loro città bianca, immersi in un'inazione che li sfiniva[16], oppressi[17] dal silenzio che li affascinava, avvolti di reticenze[18], moribondi di languore[19].

Tra le sporgenze e le rientranze[20], gli angoli disordinati, i gomiti[21] imprevisti, le cristallizzazioni casuali e le stalattiti[22] della Casbah, spesso due case appoggiavano il piano superiore l'uno contro l'altro.

30 Certe camere erano sospese a strapiombo[23] sopra la strada, che diventava un oscuro camminamento[24]. Stradine ripide come sentieri di montagna, strette come gallerie scavate da animali, strisciavano, giravano, si incrociavano e si mescolavano: così enigmatiche[25], che Clementina si sentiva costretta a parlare a bassa voce. Le porte erano basse e spesse[26] come muri di prigione: si aprivano soltanto a metà e ripiombavano[27] su se medesime col loro peso. Le finestre avevano sbarre[28]. Dietro queste massicce

35 porte di cittadelle[29], dietro queste casseforti[30] segrete, Clementina avvertiva palpitare il mistero ombroso del paese, cui non conosceva quasi nulla. Qualche volta una porta era semichiusa. Malgrado gli avvertimenti del marito, spiava la profondità del cortile, i visi intravisti[31] per un momento, ascoltando i rumori vaghi che si perdevano nel vuoto.

Avrebbe voluto conoscere le donne. Cortine di mussolina leggera[32], sollevate dal vento della strada,

40 fiori curati in un vaso di Faenza, – di questo mondo gelosamente custodito[33] non si intravedeva altro. Una volta Clementina incontrò un'ebrea. Le pupille[34] di diamante nero ruotavano su una cornea madreperlacea[35] di una dolcezza incomparabile, con quella melanconia[36] azzurra che attraeva Clementina negli occhi di Algeri. Le labbra avevano il piccolo sorriso timoroso delle razze oppresse: la donna sembrava chiedere perdono di essere così bella. Mentre Clementina camminava per la Casbah,

45 non le restò che ascoltare le voci. Sentì uscire da quei rifugi rumori che non erano più rumori, o bisbigli[37] che prendeva per sospiri. Ora una voce parlava attraverso un'apertura nascosta: o discendeva dalla terrazza e sembrava volteggiare[38] sopra la strada come un uccello invisibile; ora un bambino si lamentava, e questo balbettio[39] mescolato ai pianti non aveva più significato; o il suono di un tamburino segnava con lentezza la misura[40] di un canto lontano. Una notte Clementina fu svegliata da un grido: un grido

50 acuto, un singhiozzo di bambino sgozzato[41], un riso falso di iena[42] attraverso la notte come un razzo stridente. Solo la sera, dalla terrazza più alta della casa, Clementina intravedeva qualcosa della vita delle donne. Salite anche loro sulle terrazze, con le vesti dell'arcobaleno, facevano conversazione da una casa all'altra: la città si riempiva di un confuso cicaleccio uccellesco[43], allegro e irresponsabile; e Algeri la bianca diventava Algeri multicolore.

Pietro Citati, *Storia prima felice e poi dolentissima e funesta*

10. *Cui è stato tolto tutto.* **11.** *Sopravviveva.* **12.** *Avesse perso o avesse ancora delle speranze.* **13.** *Che non lascia vedere le emozioni.* **14.** *Preparando la propria difesa.* **15.** *Le case crollate agli incroci delle strade.* **16.** *Mancanza di azione che, comunque, li stancava moltissimo.* **17.** *Schiacciati.* **18.** *Coperti da cose non dette, come se fossero un mantello.* **19.** *Vicini alla morte a causa della mancanza di azione, della malinconia.* **20.** *Muri che occupano parte della strada o che se ne allontanano.* **21.** *Strade strette che fanno curve strette.* **22.** *Formazioni di minerali che scendono dal tetto di una grotta.* **23.** *Molto verticali.* **24.** *Trincee militari, scavate nel terreno, dove si trovano i soldati.* **25.** *Dal significato sconosciuto, nascosto.* **26.** *Grosse, massicce.* **27.** *Si richiudevano, ricadevano.* **28.** *Aste di ferro incrociate che proteggono una finestra.* **29.** *Castelli, parti fortificate di una città.* **30.** *Casse di metallo, rinforzate, in cui si chiudono i soldi, i gioielli.* **31.** *Visti per un attimo, o nella semioscurità.* **32.** *Tende di un cotone sottile, quasi trasparente.* **33.** *Protette come cosa preziosa.* **34.** *Il puntino nero al centro dell'occhio.* **35.** *La parte bianca dell'occhio, con un colore di perla come l'interno delle conchiglie dei molluschi.* **36.** *Tristezza.* **37.** *Il suono di chi parla a bassissima voce.* **38.** *Volare in ampi cerchi.* **39.** *Serie di sillabe interrotte, tipiche dei bambini che piangono.* **40.** *Il ritmo.* **41.** *Il pianto di un bambino cui tagliano la gola.* **42.** *Cane del deserto che mangia cadaveri e sembra ridere quando abbaia.* **43.** *Suono simile a quello degli uccelli.*

dre Pirrone: Come?
L'accappatoio! Avanti, coraggio, Padre! Forza, Padre, avanti!
incipe: Sì, certo.
dre Pirrone: E date retta a me: fatevi un bagno pure Voi ogni tanto.

il dialogo

Il dialogo è una parte essenziale di un racconto.

Scrivere un dialogo vivo, che dia il senso della comunicazione reale, è difficilissimo.

Gli autori professionisti nella creazione di dialoghi, cioè gli scrittori di teatro e delle **sceneggiature** dei film (cioè dei **copioni**, in cui sono descritte le scene e riportati i dialoghi), sanno che gli spettatori non si aspettano un dialogo troppo autentico, con gli errori di sintassi, le incertezze nella scelta delle parole, ecc., che sono tipici dei discorsi autentici.

Per questa ragione, se vogliono dare una sensazione di vivezza, gli autori danno agli attori una traccia di quel che devono dire in una scena e lasciano che siano gli attori ad improvvisare le **battute** (cioè le frasi che costituiscono il dialogo)…

Diversa è la situazione nella narrativa, dove lo scrittore può inserire i suoi commenti (o quelli del narratore; vedi p. 14) tra una battuta e l'altra. Il problema della narrativa è che, a differenza di quanto avviene a teatro o in un film, non si può sentire il tono di voce, non si vedono le espressioni di chi parla, i gesti delle mani, le posizioni del corpo.

Eppure i grandi scrittori ci riescono… e tu vedi e senti i loro personaggi. Vediamo come fanno.

Il testo che trovi in queste pagine è tratto da *Gli arancini di Montalbano*, una raccolta di racconti di Andrea Camilleri, lo scrittore più letto in Italia degli ultimi quindici anni.

Nipote di Luigi Pirandello (il maggior **drammaturgo**, cioè autore di testi per il teatro, del Novecento italiano), Camilleri ha creato dialoghi per tutta la vita, essendo autore di moltissime sceneggiature per film e per la televisione.

Leggi il testo; come sempre Camilleri ci inserisce parole siciliane, visto che il Commissario Montalbano vive e lavora in quella regione. Tra parentesi quadre trovi i corrispondenti in italiano.

39 Fatti e persone

Ci sono molti modi di raccontare un evento e presentare delle persone. In questo testo:
- i fatti ti sono riportati dal dialogo o sono descritti?
- i gesti ti sono riportati dal dialogo o sono descritti?
- i sentimenti di Montalbano sono riportati dal dialogo o sono descritti?

Qui hai potuto vedere uno degli aspetti fondamentali del dialogo: rende vivo un racconto, riporta i fatti in maniera precisa, soprattutto se l'autore è uno scrittore che sa scrivere dialoghi. Quanto ai sentimenti, è difficile coglierli dal dialogo, quindi l'autore deve aggiungere, ad esempio, che il personaggio sta facendo ironia, è "agrodolce", è "tanticchia piccato"…

40 Il punto di vista, i personaggi e… tu, che leggi

Tu hai assistito alla scena come se fosse un film. Ma in un film l'occhio, il punto di vista, è la telecamera, quindi è esterno ai due personaggi.

In questa scena il punto di vista è   **a.** esterno   **b.** di Montalbano   **c.** di Monica

Su che cosa basi la tua risposta?

In effetti, basta osservare quali sentimenti vengono descritti: quelli del commissario.

Noi ascoltiamo le parole, ma attraverso le orecchie di Montalbano.

Il punto di vista ha altri effetti interessanti. Ti sei fatto un'idea della donna: ti è simpatica?

Certamente no: è una che
- **a.** dà spiegazioni come una ....
- **b.** interrompe il Commissario alzando ....
- **c.** fa sapere che il marito è ricco, possiede .... ed ha molti ....
- **d.** vuole governare lei la conversazione e non dà spazio al commissario.

Eppure questa antipatia non è stata comunicata dall'autore a te, lettore: l'hai percepita attraverso gli orecchi e la mente di Montalbano. Forse la donna non è antipatica in sé: ma sta antipatica a Montalbano, poliziotto

abituato a fare domande e non ad ascoltare una persona che, in un certo senso, gli ruba il mestiere…
In altre parole: un grande scrittore di dialoghi non usa le battute solo per riportare fatti, ma riesce anche, con la scelta delle parole, dei dettagli, con piccoli interventi suoi tra una battuta e l'altra, a dare il carattere di chi parla, le sue sensazioni, il suo atteggiamento.

TESTO S

"Una quarantina di giorni fa m'hanno fatto avere da Roma tutte le cose di papà.
Nel taschino della giacchetta [*parola siciliana per "giacca"*], arrotolato, c'era questo pezzetto di carta."
Lo porse[1] al commissario tirandolo fora [*fuori*] da una capace[2] borsetta.
"Vede? È un biglietto dell'Atac, non usato. L'Atac sarebbero [*in italiano corretto "Atac" vorrebbe il verbo al singolare, "sarebbe"*] gli autobus di Roma" spiegò, col tono di una maestra elementare.
"Lo so" fece [*uso colloquiale di "fare" al posto di "dire"*] Montalbano tanticchia piccato [*un po' seccato, indispettito*].
"Mio padre ci ha scritto sopra un numero di telefono. L'ha fatto lui, non ci ho [*pronunciato "ciò", forma colloquiale di "avere"*] dubbio, i numeri sono come li scriveva lui. 3612472. Poi, vede, c'è un'altra cifra, il 7, un poco staccata. Come se mio padre non avesse capito bene il numero. Invece aveva inteso [*capito*] bene."
"In che senso, scusi?"
"Nel senso che io ho fatto il 3612472 col prefisso di Roma e mi hanno subito risposto.
È un albergo. E la vuole sapere una cosa?"
"A questo punto, perché no?" fece Montalbano coll'agrodolce [*in modo dolce in apparenza ma anche un po' acido, seccato*].
La signora non capì l'ironia o non la volle capire.
"L'albergo è vicinissimo al posto dove è stato trovato mio padre."
Il commissario appizzò le orecchie [*"drizzò le orecchie": qui sta per "aumentò l'attenzione"*] .
La cosa si stava facendo interessante.
"Quando è accaduto il fatto?"
"Nella sera o nella notte del 12 ottobre."
"Bene. In Questura hanno gli elenchi di tutti quelli che…"
Simona Minescu isò [*alzò*] una mano affusolata[3], il commissario s'interruppe.
"Mio marito, lei non lo sa perché nessuno glielo avrà detto, ha una grossa agenzia di viaggi.
E ha molti amici."
"Non lo metto in dubbio, signora. Ma non è detto che chi va in albergo debba per forza viaggiare tramite agenzia."
"Certamente. Ma io avevo in mente qualche cosa di preciso."
"Vuole spiegarsi meglio?"

Andrea Camilleri, *Gli arancini di Montalbano*

1. Diede. 2. Grande, ampia. 3. Sottile.

Nella pagina precedente hai visto come uno scrittore di romanzi ricrea un dialogo, facendo "vedere" al lettore i gesti dei personaggi, entrando nelle loro sensazioni.

Scrivendo per il teatro o per il cinema, l'autore ha in mente un lettore particolare: l'attore che dovrà dare corpo e voce alle sue parole. Eccoti un esempio preso dal copione di uno dei film più famosi della storia del cinema italiano, *La strada* di Federico Fellini: la storia di Gelsomina, una ragazza fragile di corpo e di mente, e di Zampanò, un omone enorme che lavora nei circhi e che pare cattivo ma in fondo è dolce.

La scena si svolge dopo un matrimonio di contadini; trovi qui due sequenze, una all'aperto, dove si fa festa, e una all'interno, dove Zampanò parla con Teresa, la padrona di casa. Mettiamo in corsivo alcune parole dialettali, che trovi in italiano tra parentesi quando la comprensione è difficile. (La trascrizione è tratta da uno dei *Quaderni di cinema italiano* della Guerra Edizioni, curato da Pauletto e Torresan e dedicato a *La strada*).

Devi fare tu lo sforzo di immaginare la scena

Leggi la prima sequenza.
- ci sono molti richiami, inviti a fare qualcosa: sottolineali.
- riesci ad immaginare la scena, i movimenti? Provaci, e confronta le tue idee con un compagno.
- ha descritto i movimenti, Fellini? No... Ma ti è stato difficile "vederli"?

Leggi la seconda sequenza.
- come immagini Teresa? Debole, magrolina oppure forte, robusta?
- osserva il momento in cui Zampanò chiede i vestiti: è sicuro, nel suo modo di parlare? Chiede subito i vestiti o si limita a qualcosa di minimo? Zampanò è sicuro di sé oppure è timido?
- ha descritto questi personaggi, Fellini? No... Ma ti è stato difficile "vederli"?

L'enorme abilità di uno scrittore per il cinema o il teatro è qui: la lingua, le battute, devono caratterizzare da sole i personaggi: solo in questo modo l'attore viene guidato, è naturalmente portato a dare voce al personaggio secondo le intenzioni dell'autore, che non può intervenire a spiegare le cose.

Lingua, modo di parlare, modo di interagire con gli altri sono tutt'uno con il personaggio: e in tal modo quando vedi il film – se il film è di un grande autore! – ti dimentichi che sono solo luci proiettate sullo schermo, diventano persone vive con le quali ridi, per le quali piangi...

Una lingua viva

Torneremo nelle pagine che seguono sul problema della scelta tra italiano classico, standard, oppure italiano vivo, popolare. Ma ora concentriamoci sulla lingua di questo grande regista.

Fellini, con una scelta rivoluzionaria all'inizio degli anni Cinquanta, decide di far parlare i suoi personaggi in un misto tra italiano e romanesco. Hai trovato in corsivo le parole non italiane.

Prova a immaginare il dialogo in perfetto italiano: avrebbe la stessa vitalità?

Questo è un altro dei problemi di chi scrive per gli attori. Mentre chi scrive dialoghi in un romanzo può usare una lingua standard, che è quella convenzionale della letteratura, per chi scrive per la recitazione la scelta del registro (cioè del livello sociale della lingua) è fondamentale per caratterizzare i personaggi e per dare una sensazione di autenticità, di verità.

TESTO T

[All'aperto]

Invitato	Evviva la sposa, fresca come *'na* rosa!
Tutti	Evviva! Evviva! Evviva!
Gelsomina	La colpa è del baiòn[1]!
Invitato	*Volemo* bene agli sposi che *se* baciano!
Teresa	Ehi!
Gelsomina	Zampanò, ci chiama!
Teresa	Venite dentro a *magnà* [mangiare] qualche cosa!
Zampanò	Grazie, veniamo subito.
Invitata	Mettetevi a *sède* [sedere], *magnate* un boccone.
Prete	Teresa, venite qui!
Teresa	No, no *nun* c'ho tempo *mo* [adesso].
Tutti	Evviva Teresa! Evviva!
Bambina1	*Vie'* [vieni] *co' me. Vie', vie',* andiamo!
Gelsomina	Ma io devo *mangia'*!
Bambina1	*Magni* [mangi] dopo, *magni*…
Gelsomina	Ma dove mi portate? dov'andiamo?
Bambina1	Andiamo da Osvaldo!
Bambina2	La colpa è del baiòn! La colpa è del baiòn!
Bambina3	*Damme* qua!

[Al piano terra]

Zampanò	Mangiate in piedi come i cavalli?
Teresa	*Magno* sempre in piedi, io! Chi è che fa *anda'* avanti la casa sennò[2]? *Me so'* presa due mariti e *so'* morti tutt'e due! È tre notti che faccio l'una[3] per *cucina'*! Che ve credete[4], che *so'* stanca? Se *me pija* la fantasia[5], *ballerebbe* tutta *'a* notte! *Semo mejo dee* [siamo meglio delle] ragazze, noi!
Zampanò	E perché non vi sposate?
Teresa	Che!? *N'antro* [un altro] marito ancora? Ci basto io a comandare qua!
Zampanò	Perché, vi serve solo a questo il marito? Solo a… a comandare?
Teresa	Perché, *no so'* de carne pure io? *Er* [il] dolce piace a tutti, no[6]? *(vede una ragazzina che ascolta)* Tu che fai là, corri via! *Mo te meno, sa* [adesso ti picchio, sai]! *'O* [il] primo marito mio era grande e grosso come voi…. *Me so'* rimasti tutti li vestiti, non vanno bene a nessuno!
Gelsomina	Zampanò! Zampanò! Di sop….
Teresa	*Mo ve* porto qualche cosa pure a voi.
Gelsomina	Ci sta il ragazzino con la *capoccia* [testa] così, è tutto…[7]
Teresa	Ecco, *magnate*! Perché *no me* aiutate a *porta'* su *'na* damigiana? *No ce sta* più vino *de* là!
Zampanò	Ah, sentite un po', davvero quei vestiti non vi servono?
Teresa	E chi se li deve *mette'*? V'ho detto, non ce ne *so'* mica[8] tanti *de omeni* come voi al mondo!
Zampanò	E un cappello c'è? Perché m… mi farebbe comodo un cappello!
Teresa	Su, venite, venite a *vede'* un po', voi!

Federico Fellini, *La strada.*

1. Ballo degli anni Cinquanta. **2.** Se non lo faccio io. **3.** Vado a letto all'una di notte. **4.** Che cosa credete. **5.** Se mi prende, piglia la voglia. **6.** La sensualità del matrimonio piace a tutti, non è vero? **7.** Tra le due sequenze riportate qui ce n'è un'altra, che abbiamo tagliato: Gelsomina va al primo piano con una delle bambine, che le mostra Osvaldo, un ragazzino idrocefalo (una malattia che fa ingrossare la testa) che la famiglia tiene nascosto. **8.** In italiano popolare, rafforza il "non" precedente.

Ogni autore deve scegliere che tipo di lingua usare, se quella classica, letteraria, o quella viva, quotidiana (rivedi le note al testo di Moravia a pagina 25). Ma in Italia un autore deve fare un'altra scelta importante: quella della varietà geografica dell'italiano. Infatti per secoli sono state parlate delle lingue locali, dette **dialetti**; sono lingue vere e proprie, che non hanno nulla a che fare con l'italiano, cioè il toscano delle classi colte. Alcuni scrittori hanno scritto usando le lingue locali: ad esempio, il grande teatro italiano presenta testi di Ruzante in padovano cinquecentesco e testi di Goldoni in veneziano di fine Settecento. Altri scrittori, dai veristi dell'Ottocento in poi, hanno usato sempre più spesso parole e strutture dialettali inserendole nella lingua letteraria, rendendola più vicina alla realtà della lingua parlata.

Eccoti due testi che ti mostrano quale ricchezza la letteratura italiana può prendere dalle parlate locali: il testo U è degli anni Cinquanta, da *Ragazzi di vita* di Pier Paolo Pasolini, e il testo V è degli anni Novanta, da un racconto di Andrea Camilleri.

43 Lo scandalo del romanesco

Quando fu pubblicato, *Ragazzi di vita* fece scandalo non solo per la durezza della denuncia sociale, ma anche per la lingua, basata sul dialetto romano. Proviamo ad analizzarla.

- sottolinea nell'originale le parti che sono state cambiate nella versione standard.
- in che lingua sono i dialoghi? Sarebbe stato possibile, secondo te, far parlare i due ragazzi in italiano standard? Avrebbe avuto lo stesso effetto?

La prima parte del Novecento era stata dominata da scrittori "classici", dalla lingua sofisticata, interessati a personaggi dell'alta borghesia; negli anni Cinquanta, dopo la guerra, Pasolini decide di usare questo tipo di lingua per parlare di poveracci: puoi immaginare la reazione dei letterati, dei lettori della borghesia colta?

44 Una lingua tutta sua

Hai già incontrato Camilleri a p. 37 e lo ritroviamo a p. 42. Camilleri ha portato una ventata di novità nella letteratura italiana giocando proprio sulla lingua – di fatto, ne ha inventata una, con un misto di italiano e di siciliano. Alla prima lettura, anche gli italiani fanno fatica, poi lentamente si entra in questa lingua coloratissima, ricca di sfumature.

Sottolinea nel testo originale le parole o le frasi che risultano modificate nella trascrizione.

- nelle parole diverse, si tratta di semplici "corruzioni" dell'italiano, come in molti dei casi visti nel testo di Pasolini, o di parole totalmente diverse?
- Osserva la frase in cui il *viddrano* dice il suo nome. La struttura è strana: perché? È la stessa struttura che ha reso famosi i film di Montalbano, in cui il commissario si presenta sempre dicendo "Montalbano sono": in italiano standard sarebbe …………………, mentre in siciliano il verbo va spesso dopo il soggetto.

45 Romanesco e siciliano

Le due varietà linguistiche regionali usate da Pasolini e Camilleri sono di natura diversa:

Romanesco: è una variante locale dell'italiano, che è la lingua della Toscana e del Centro Italia: la struttura e il lessico dell'italiano e del romanesco sono simili, con qualche variante dovuta soprattutto all'uso orale: "mangiare" diventa ……………, "dormire" diventa ……………, "facciamo" diventa ……………

Siciliano: è uno dei "dialetti" che, come abbiamo detto, sono in realtà lingue autonome; in questo caso rimangono vive sia strutture antiche (ad esempio: il verbo alla fine, come in "Montalbano sono!", è tipico del latino) e parole che in italiano sono diventate molto inusuali:

- ……………………, "piegato", deriva da "torcere, torto", che in italiano non ha più questo significato.
- ……………………, "lavoro", si usa oggi per indicare le fatiche del parto; la stessa parola invece è rimasta in altre lingue di origine latina: *trabajo, trabalho, travail*.
- ……………………, "celesti, azzurri"; non si usa più in italiano, se non in qualche caso nella forma "cilestrino", per indicare un uccello con le piume azzurre.
- ……………………, "sedia": è rimasto in uso solo il diminutivo "seggiola".
- ……………………, "contadino"; il corrispondente italiano, "villano", non significa più "contadino" ma solo "volgare", "maleducato".

Un mar dë stèile
Passà Gasso a metà d'una stra drita
ch'a va a Civass a-i é 'n pais soagnà

Un mare di stelle
Oltrepassata Gassino, a metà di una strada diritta
che porta a Chivasso, c'è un paese assai ben curato
...sulla carte è poco più di un puntino di matita

46 Quale ti piace di più

È chiaro che leggere testi in cui le lingue locali si mescolano con l'italiano standard è difficile. Ma ora che li hai letti e che ne hai capito il significato, prova a rileggerli e rifletti: quali delle due versioni, l'originale o la parafrasi, trovi più viva, più interessante come forma?

TESTO U

Testo originale

Da lì a Porta Portese non c'erano di sicuro meno di quattro cinque chilometri di strada da fare. Era un sabato mattina, e il sole d'agosto ubbriacava. Il Riccetto e il Caciotta[1], in più, dovevano farsi un bel giro per non passare per San Lorenzo, dov'era la bottega del principale che li aveva mandati di buon mattino a consegnare le poltrone a Casal Bertone[2]. «Ce vorrebbe che mo nun trovassimo da venne sta mercanzia», fece il Caciotta con falso pessimismo, mentre in realtà camminava spedito e pieno di speranza.

«Trovamo trovamo», ribatté ghignante il Riccetto tirando fuori dalla saccoccia un pezzo di sigaretta. «Quando dichi che ci rimediamo, a Riccé?», chiese ingenuo il Caciotta.

«Ce famo poco poco na trentina de sacchi», rispose l'altro. «E chi ce torna ppiù a casa», aggiunse poi tirando allegramente le ultime boccate dalla cicca. Tanto la sua era una casa per modo di dire: andarci o non andarci era la stessa cosa, magnà non se magnava, dormì, su una panchina dei giardini pubblici era uguale. Che era una casa pure quella? Intanto la zia il Riccetto non la poteva vedere: e manco Alduccio, del resto, ch'era figlio suo. Lo zio era un imbriacone che rompeva il c...[3] a tutti l'intera giornata. E poi come fanno due famiglie complete, con quattro figli una e sei l'altra, a stare tutte in due sole camere, strette, piccole, e senza nemmeno il gabinetto, ch'era più abbasso in mezzo al cortile del lotto?

Pier Paolo pasolini, *Ragazzi di vita*

Versione in italiano standard

Da lì a Porta Portese certamente non c'erano meno di quattro o cinque chilometri di strada da fare. Era un sabato mattina, e il sole d'agosto ubriacava. Riccetto e Caciotta, inoltre, dovevano farsi un bel giro per non passare per San Lorenzo, dove c'era la bottega del padrone che li aveva mandati di buon mattino a consegnare le poltrone a Casal Bertone.

«Sarebbe una sfortuna se adesso non trovassimo da vendere questa merce», disse il Caciotta con falso pessimismo, mentre in realtà camminava spedito e pieno di speranza.

«Troviamo, troviamo», ribatté con un ampio sorriso Riccetto tirando fuori dalla tasca un pezzo di sigaretta. «Quando dici che guadagniamo, Riccetto?», chiese ingenuo Caciotta.

«Ci guadagniamo almeno trentamila lire», rispose l'altro. «E chi ci torna più a casa», aggiunse poi tirando allegramente le ultime boccate dalla cicca. Tanto la sua era una casa per modo di dire: andarci o non andarci era la stessa cosa: quanto a mangiare, non si mangiava, quanto a dormire, su una panchina dei giardini pubblici era la stessa cosa. Era una casa anche quella? Anzitutto, Riccetto non sopportava sua zia: e neppure Alduccio, del resto, che era suo figlio. Lo zio era un ubriacone che dava fastidio a tutti l'intera giornata. E poi come fanno due famiglie complete, una con quattro figli e l'altra con sei, a stare tutte in due sole camere, strette, piccole, e senza nemmeno il gabinetto, che era giù in mezzo al cortile del gruppo di case?

1. Sono due soprannomi: "Riccetto" rimanda ai capelli ricci, "Caciotta" è un formaggio e il soprannome può significare che il ragazzo è grasso e basso come una caciotta. 2. In realtà i due ragazzi devono trasportare delle poltrone che il loro padrone ha venduto, ma pensano di andare a Porta Portese, il mercato dell'usato, a venderle per poi tenersi i soldi. 3. Pasolini richiama un'espressione molto volgare.

TESTO V

Testo originale

Era un contadino vero, ma pareva un pupo[1] di presepio, la coppola[2] incarcata in testa macari dintra al commissariato, il vestito di fustagno sformato, certe scarpe chiodate come non se ne vedevano in giro dalla fine della Seconda guerra mondiale. Sittantino asciutto, leggermente attortato per via del travaglio con lo zapponi, uno degli ultimi esemplari d'una razza in via d'estinzione.
Aveva occhi cilestri che piacquero a Montalbano.
"Voleva parlarmi?"
"Sissi."
"Si accomodi" fece il commissario indicandogli una seggia davanti alla scrivania.
"Nonsi. Tanto è cosa ca dura picca."
Meno male, aveva promesso che l'incontro sarebbe durato poco: doveva essere omo di scarse parole, com'era di giusto per un viddrano [pronunciato *viggiàno*] autentico.
"Consolato Damiano[3] mi chiamo."
Qual era il cognome? Consolato o Damiano? Ebbe un dubbio passeggero, poi pensò che, stando alle regole di comportamento davanti a un rappresentante dell'autorità, il viddrano aveva declinato[4], come d'uso, prima il cognome e poi il nome.
"Piacere. Ascolto, signor Consolato."
"Vossia[5] mi vuole parlari con tu o col lei?" spiò il contadino.
"Col lei. Non è mia abitudine…"
"Allora vidisse ca il mio cognomu è Damiano."

Versione in italiano standard

Era un contadino vero, ma pareva una statuina da presepio, la coppola schiacciata in testa anche dentro il commissariato, il vestito di fustagno [stoffa grossa] sformato, strane scarpe chiodate come non se ne vedevano in giro dalla fine della Seconda guerra mondiale. Settantenne asciutto, leggermente piegato, storto a causa del lavoro con la zappa, uno degli ultimi esemplari d'una razza in via d'estinzione.
Aveva occhi celesti che piacquero a Montalbano.
"Voleva parlarmi?"
"Sì."
"Si accomodi" disse il commissario indicandogli una sedia davanti alla scrivania.
"No. Tanto è una cosa che dura poco."
Meno male, aveva promesso che l'incontro sarebbe durato poco: doveva essere un uomo di poche parole, com'era giusto per un contadino autentico.
"Mi chiamo Consolato Damiano."
Qual era il cognome? Consolato o Damiano? Ebbe un dubbio passeggero, poi pensò che, stando alle regole di comportamento davanti a un rappresentante dell'autorità, il contadino aveva detto, come d'uso, prima il cognome e poi il nome.
"Piacere. Ascolto, signor Consolato."
"Vuole darmi del tu o del lei?" chiese il contadino.
"Del lei. Non è mia abitudine…"
"Allora sappia che il mio cognome è Damiano."

Andrea Camilleri, *Gli arancini di Montalbano*

1. "Pupo" non è solo una parola siciliana, ma un oggetto tipico di quella cultura: ci fu una forte letteratura siciliana, per secoli, in cui la storia di Orlando e dei paladini di Carlo Magno veniva rappresentata da marionette, pupi.
2. Il tipico cappello dei siciliani, spesso usato come simbolo per indicare i mafiosi. 3. Sia Consolato sia Damiano sono nomi propri di persona. 4. "Declinare le generalità" è la formula burocratica per "dire nome e cognome"; inserito in questo testo semi-dialettale, "declinare" è una parola che serve a far notare la mente da poliziotto di Montalbano.
5. Antica forma di rispetto, derivato da "Vostra Signoria".

forma e contenuto

Nelle pagine precedenti ti è stata proposta una riflessione: è più "letteraria", cioè più curata nella forma, la versione originale un po' dialettale o la versione in italiano standard? La risposta è naturale: lo sforzo degli autori è maggiore, la scelta è più complessa e provocatoria nell'originale, in cui si fondono italiano e dialetti. Ma dobbiamo chiederci: il valore di un testo "letterario" è legato solo alla sua forma, cioè allo sforzo dell'autore di scegliere le parole, caratterizzare i personaggi, creare atmosfere, ecc.?

47 Basta la forma?

Leggi questi versi:

> La gallina faceva "coccodé";
> Il gallo rispose "chicchirichì".
> Cercavano un uovo che non c'è:
> se lo sarà mangiato chissachì!

- Si tratta di una strofa come ne trovi in mille poesie o canzoni. Questa strofa è una:
  a. terzina   **b.** quartina   **c.** ottava
- ha uno schema di rime? Se sì, è
  a. ABAB   **b.** ABBA   **c.** ABCA
- I versi sono regolari, tradizionali? Se sì, sono
  a. quinari   **b.** settenari   **c.** endecasillabi

Sul piano tecnico, siamo di fronte a un testo "letterario", perché ha una forma curata secondo le tradizioni della scrittura poetica. Ma ha valore letterario, culturale, sociale, umano? Ovviamente no.

48 Il contenuto

- Riguarda le ultime righe del testo U, in cui si descrivono le condizioni di vita di Riccetto: secondo te, è una semplice informazione, o è il nucleo del messaggio di Pasolini?
- L'uso del romanesco, in questa luce, è un semplice gioco letterario oppure ha un significato sociale, indica da che parte sta Pasolini, è uno strumento per entrare nell'anima dei due ragazzi?
- Torna ai versi di Dante che descrivono Maria (p. 23): la scelta degli ossimori, delle antitesi, è un semplice gioco letterario oppure significa che il mondo divino è troppo grande per la logica umana, che abbraccia anche quelle che a noi possono parere contraddizioni?

Le risposte sono ovvie: **non basta la forma letteraria per creare un testo di valore**.
Serve che i contenuti siano rilevanti (sul piano sociale, o umano, o filosofico, ecc.).
Ma allora perché Pasolini non ha scritto un bel saggio di denuncia sociale, descrivendo le condizioni di vita dei poveracci romani?
La risposta è facile: quanti saggi sociologici hai letto in vita tua? Quanti film che denunciano la violenza della società hai visto? Chiaramente più film, e anche più romanzi, se sei abituato a leggere: i saggi sono per gli specialisti o per chi vuole approfondire razionalmente un problema, mentre la letteratura, le canzoni, il cinema, il teatro sono per chi vuole **vivere** in un mondo diverso dal suo, vederlo attraverso gli occhi, le emozioni, le riflessioni di **personaggi**, che diventano gli occhi, i pensieri e le emozioni del lettore.
I saggi ci **spiegano** le cose, la letteratura (con tutti i suoi giochi di lingua, le sue scelte stilistiche) ce le fa **sentire**, **vivere**.
Nei saggi si è coinvolti solo sul piano razionale; in letteratura siamo coinvolti come persone complete, razionali ed emotive insieme. E questo miracolo **si compie sulla base della padronanza tecnica dell'autore, che sa creare un'atmosfera, caratterizzare un personaggio, giocare con la lingua** arrivando perfino a dirci che una donna può essere "vergine madre, figlia del tuo figlio".
Se c'è solo la forma letteraria senza un contenuto su cui riflettere, su cui emozionarsi, allora il testo non ha valore.

49 Sei d'accordo?

Quella che hai letto sopra è solo una delle possibili "teorie della letteratura".
Sei d'accordo? Discuti le tue opinioni con la classe.

In questo quaderno hai trovato
- una canzone di Fabrizio De André (p. 17 e 19)
- alcune sequenze del copione di un film (p. 39)
- la descrizione di un personaggio, preso da un libro, *Il gattopardo*, poi divenuto un film (p. 28-29)

In realtà nella tua vita hai avuto molto più contatto con film e canzoni che con la letteratura scritta. Non entreremo nella questione "sono forme di letteratura o no?": al momento non ci interessa. Quello che è importante è che tu scopra che gli strumenti di lettura letteraria che hai acquisito finora possono essere applicati anche a queste forme espressive vicine alla letteratura.

La canzone

Molta poesia medievale era accompagnata dalla musica, e l'opera lirica accosta parole e musica. Ma la canzone ha più componenti di quanto pensiamo a prima vista.

50 Una forma complessa

Accoppia questi concetti alle definizioni:
Paroliere, Musicista, Cantante, Orchesta/gruppo, Testo, Melodia/armonia/ritmo, Ascoltatore.

	La persona che ascolta una canzone
	L'autore del testo linguistico.
	Il disegno musicale: il tema cantato, la scelta degli accordi (maggiore, minore, ecc.), il gioco degli accenti musicali.
	L'autore del testo musicale
	Persone che suonano strumenti accompagnando il cantante
	La persona che canta la canzone

Uno dei fenomeni maggiori della **canzone d'autore** – cioè le canzoni con un intento artistico, non le canzoni commerciali che durano un'estate – è il fatto che molte delle figure che hai visto sopra si fondono in una sola persona, il **cantautore**. Ci torneremo alle pagine 268-271.

51 Il cantautore

Immagina di vedere il cantautore in palco, con la chitarra, che canta una sua canzone. Quante delle funzioni che hai visto nella tabella confluiscono in lui?

Cantautore = ... + ... + ... + ...

Per quanto riguarda il testo, gli strumenti che hai acquisito per leggere la poesia ti bastano; ma la canzone ha qualcosa in più:

a. è un testo per un "attore" che la recita: a seconda della voce, dell'interpretazione, l'effetto finale cambia molto. Sei d'accordo?

b. Ci sono una melodia, un'armonia: secondo te, la natura del testo linguistico (triste, allegra, ecc.) obbliga il musicista a scegliere certe melodie e armonie piuttosto che altre?

c. C'è un ritmo: è indipendente dal contenuto e dalla natura del testo?

Discuti queste cose con i tuoi compagni e ricordati di valutare anche queste componenti (voce e interpretazione; melodia, armonia e ritmo) quando giudichi una canzone!

Il cinema

Narratore implicito o esplicito, punto di vista, fabula e intreccio, scelta dell'italiano regionale, del registro linguistico alto o colloquiale, tipo di dialogo, ecc.: questi aspetti della "narratologia" (teoria della narrazione) che abbiamo discusso lavorando sui testi scritti servono anche per analizzare i testi filmici. Ma nel film, rispetto al romanzo, ci sono anche altre scelte che l'autore deve effettuare: **scene**, **attori**, **colonna sonora**; inoltre, talvolta l'autore si separa in due figure: lo **sceneggiatore** e il **regista**.

52 L'autore del film

Completa la tabella scrivendo nella colonna vuota le parole in colore nelle prime righe di questa pagina.

	La musica che accompagna, sottolinea, contrasta le sequenze
	La persona che scrive i testi da recitare, il copione
	Gli ambienti, gli sfondi paesaggistici, i quartieri della città, ecc.
	Le persone che recitano il copione
	La persona che guida gli attori e le riprese

Ci sono dunque tante persone in un film (l'autore dei testi, delle musiche, delle scene, gli attori, i fotografi, i tecnici del suono e delle luci, i costumisti...). C'è un vero e proprio "autore", secondo te? Se sì, quale delle figure viste sopra è **l'autore** di un film? . . . . Perché?

Come nella canzone il risultato dipende dal rapporto tra testo, musica, orchestra/gruppo e interprete, così anche in un film ogni elemento (luci, testo, costumi, scene, recitazione, colonna sonora) contribuisce al risultato finale: saper vedere un film significa anche osservare tutti questi elementi, non solo capire i testi e la storia.

Il web

Spesso si pensa che il rapporto tra letteratura e web sia limitato a
- informazioni sull'autore: basta cercare Dante o Leopardi o Pasolini su un motore di ricerca e trovi centinaia, migliaia di siti (spesso di scarsa qualità...)
- testi: quasi tutti i testi della letteratura mondiale sono scaricabili dalla rete.
- molti dei testi sono in versione audio: puoi ascoltare la lettura dei grandi testi!

In realtà esiste anche una letteratura che **vive nella rete**, su cui il lettore può intervenire modificando il testo, oppure può discutere con l'autore, suggerire variazioni, aggiungere un capitolo...

Tutto il mondo conosce questo personaggio: è Corto Maltese,
il marinaio-filosofo-avventuriero inventato dal veneziano
Hugo Pratt.
Il fumetto italiano, con Pratt, ma anche con Crepax
(il creatore di Valentina, in basso a pagina 47) e Milo Manara
(in alto a pagina 47) ha raggiunto livelli di vera e propria
dignità letteraria.
Anche il fumetto ha delle regole precise.

NON SONO
NESSUNO PER GIUDICARE,
SO SOLTANTO CHE HO
UN'ANTIPATIA INNATA
PER I CENSORI.

53 Le componenti del fumetto
Pensa ad un fumetto: in che cosa si differenzia da una narrazione in un romanzo o in un film?

Sono presenti le seguenti componenti:	Romanzo	Film	Fumetto
Fabula, storia			
Intreccio			
Autore dell'intreccio			
Autore di disegni, di filmati			
Personaggi			
Possibilità di immaginare, con la fantasia, i visi, i corpi, i vestiti dei personaggi			
Scene ed ambienti descritti			
Scene ed ambienti rappresentati			
Azioni ed eventi descritti			
Azioni ed eventi rappresentati			
Colonna sonora			
Uso di luci e colori			
Descrizione di luci e colori			
Parti di testo in prosa			
Parte di testo in forma di dialogo			

54 Una caratteristica particolare del fumetto: la sintesi

Un fumetto deve far vedere le situazioni e riportare i dialoghi; raramente c'è anche la descrizione
di eventi presenti o passati (*flashback*). Un fumetto fatto bene è quello in cui la maggior parte dei messaggi
è costituita da

- disegni, che danno lo sfondo, l'ambiente, le azioni,
  le espressioni dei personaggi
- parole riportate nella nuvoletta del fumetto – dove
  c'è pochissimo spazio, per cui devono essere battute
  rapide, secche, immediate.

Per renderti conto di quale mirabile sintesi ci sia in
un fumetto, prendine uno di buona qualità e prova
a raccontarlo come fosse un romanzo…

Come hai visto parlando delle canzoni e dei film, molte delle nozioni che hai applicato all'analisi dei testi
letterari scritti si applicano anche alla narrazione condotta attraverso disegni e dialoghi, come è appunto
il fumetto: ma anche in questo caso non bastano i bei disegni e i dialoghi brillanti a fare di un fumetto un
testo di **valore** letterario. È necessario che ci sia un contenuto profondo, che ti arricchisca, non che ti faccia
solo dimenticare per un'ora la realtà del mondo in cui vivi ogni giorno – in tal caso si tratta di fumetto
(o di film, romanzo, canzone) d'**evasione**: serve per evadere, per fuggire, non per crescere.
Nulla in contrario alla letteratura d'evasione… ma si tratta solo di un pezzettino, e neanche troppo
prezioso, dell'intero universo letterario.

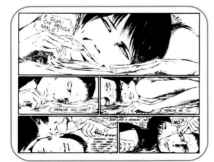

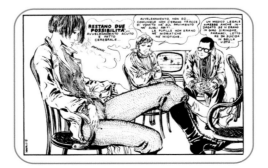

Imparare a leggere un libro (ma anche a vedere un film o ascoltare una canzone) è un processo complesso, cioè coinvolge molti aspetti – razionali, emotivi, storici, culturali, ecc., ma non è un processo difficile, se hai gli strumenti giusti.

Da un lato si tratta di **strumenti concettuali**, come quelli che abbiamo cercato di presentarti in questo quaderno; ci sono poi degli **strumenti linguistici**: per leggere Leopardi devi sapere l'italiano.

In tuo aiuto può venire questo **strumento materiale**, la scheda di lettura che trovi nella pagina che segue, e che puoi fotocopiare per usarla ogni volta che leggi un testo (o che vedi un film, ascolti una canzone: dovrai fare solo qualche lieve variazione).

Una fotocopia ha due pagine: da un lato sono fotocopiate le varie sezioni della scheda, dall'altro hai una pagina bianca che userai secondo i suggerimenti che ti diamo.

Le varie schede compilate possono essere messe in un raccoglitore, ordinate come vuoi (per ordine alfabetico; per periodo; per temi): ti servirà durante la tua vita per ricordarti dove si diceva quella tale cosa, dove c'era quella frase che ti aveva tanto colpito ecc.: perché **tu non studi letteratura per la scuola, ma per la tua vita.**

Sezione 1: il testo

Qui indichi semplicemente i dati del testo, in modo da poterlo poi ritrovare quando vuoi.

Sezione 2: analisi del testo

In queste righe riporti gli elementi importanti, a tuo giudizio, nel testo che hai letto; non è detto che tutte le voci della scheda debbano essere riempite, ma solo quelle rilevanti per la tua riflessione e per far sì che, magari a distanza di mesi o anni, tu possa andare a ritrovare gli elementi che ti avevano interessato.

Sezione 3: il contesto

Anche se tu leggi il testo **oggi**, devi sempre ricordare che è stato scritto tempo fa, per un altro mondo, un altro pubblico. Non è possibile capire pienamente un testo se non pensi anche al momento in cui è stato scritto, a chi l'ha scritto, all'effetto che l'autore voleva produrre nel periodo in cui fu scritto: ti basti pensare all'effetto rivoluzionario della *Divina Commedia* scritta in "volgare" (cioè in italiano) in un tempo in cui tutti i sapienti scrivevano in latino...

Sezione 4: il mio giudizio

È la sezione più importante.

Leggere un testo senza porsi il problema di un giudizio è una perdita di tempo. Devi invece sempre chiederti se tra anni, magari in una situazione simile a quella descritta dal testo, esso ti tornerà in mente per aiutarti ad affrontare le situazioni della vita in compagnia di un grande scrittore, di personaggi che ti sono piaciuti, che forse hanno capito cose che a te sono sfuggite...

Ma devi anche sforzarti di giustificare, di spiegare le ragioni del tuo giudizio. Altrimenti siamo ancora nell'infanzia, quando alla domanda "perché ti piace questo?" i bambini rispondono "Perché sì!".

Sei adulto se sai dare spiegazioni per le tue decisioni, per i tuoi giudizi: "(non) mi piace perché...".

Fotocopia questa scheda per ogni testo che leggi (puoi adattarla anche a canzoni, film, fumetti) e... buon lavoro!

scheda *di lettura*

Il testo

Scheda n. .... Data lettura: ....

Autore: .... Pubblicato nel: ....

Titolo: ....

È a pagina: .... Nel volume: ....

Analisi del testo

Genere: ....

Tema: ....

Lettore implicito: ....

Narratore: ....

Effetti di suono (rima, allitterazioni, ritmo, ecc.): ....
....
....

Figure retoriche e altre caratteristiche letterarie: ....
....
....

Scelta della varietà di italiano: ....
....
....

Altre caratteristiche rilevanti: ....
....
....

Trama: usa il retro della scheda per un breve riassunto della trama

Il contesto

Il periodo: ....
....
....

L'autore e il suo periodo: ....
....
....

Come si colloca il testo in quel periodo: ....
....
....

Il mio giudizio

Usa parte del retro della scheda per dire se il testo ti è piaciuto o non – e perché.

dalle Origini al Trecento

Dal latino all'italiano

1. Dal latino classico al latino volgare

La lingua latina nacque nel Lazio e si allargò successivamente su un territorio molto esteso che corrispondeva a quello occupato geograficamente dalle conquiste di Roma e dell'impero romano, in un arco di tempo di circa mille anni. Non si può datare la nascita di una lingua; si possono, però, individuare dei periodi storici certi in base a testimonianze scritte e ai documenti pervenutici. L'impiego del latino come lingua viva iniziò, probabilmente, nell'VIII secolo a.C. e terminò tra il 600 e l'800 d.C. Il latino è ampiamente documentato fin dal III secolo a.C. Come per tutte le lingue antiche e moderne, anche il latino aveva diversità tra lo scritto e il parlato e disponeva di differenti registri linguistici.

Per una lingua morta, cioè una lingua che non è più parlata, non è possibile conoscere l'uso orale ma, attraverso la documentazione rimasta, è possibile rintracciare le variazioni di registro nella scrittura. Quando si parla di latino si intende un'unica lingua che però ebbe diverse peculiarità riconoscibili nel latino classico, nel latino comune, cioè la lingua parlata a Roma, e nel latino parlato nei territori dell'impero. Il latino classico è, infatti, la lingua della letteratura fissata nei secoli dagli autori maggiori nei diversi generi letterari. La lingua parlata, invece, anche se si considerano i differenti registri comunicativi nelle relazioni tra i diversi strati sociali, non coincide con il latino classico: era una lingua viva, ricca di continue evoluzioni interne e arricchita anche da prestiti provenienti dalle lingue parlate nei territori conquistati. È dal latino parlato che si sviluppano le lingue derivate dal latino: le lingue neo-latine o romanze.

2. La nascita del volgare

Dal latino sono derivate delle lingue chiamate *volgari*. L'impiego del volgare italiano nella letteratura e negli usi pratici come quelli amministrativi, commerciali ed epistolari, ha richiesto un lungo periodo di preparazione.

Questa nuova lingua, infatti, per secoli è stata impiegata solo oralmente; il latino, invece, era la lingua ufficiale della scrittura. In latino il *vulgus* era il popolo inteso nel senso più ampio della parola. *Vulgaris* è l'aggettivo derivato da *vulgus*. Le lingue volgari indicavano quindi le lingue parlate dalla massa della popolazione in antitesi al latino, divenuto nel Medioevo patrimonio solo dei dotti.

🔍 Vita nuova nell'anno 1000

Finite le invasioni degli Ungari e degli Slavi, conclusa l'anarchia feudale e sostituita la grande feudalità laica con quella ecclesiastica, si aprì per l'Europa e per la penisola italiana un periodo di pace e prosperità. La ripresa della vita europea intorno all'anno 1000 si nota palesemente con la rinascita demografica ed economica. Vennero bonificate molte terre che erano state devastate dalle invasioni barbariche, e si costruirono borghi e castelli. Le antiche città romane erano sopravvissute alle invasioni dei barbari, anche se nell'Alto Medioevo non rappresentavano più il fulcro della vita economica. In questo periodo le città rinacquero e si ripopolarono. Esse, pur essendo nel secolo XI ancora legate fortemente alla presenza di un vescovo, divennero sedi di nobili; di professionisti come i medici, i notai, gli scrivani; di artigiani e commercianti di armi, di tessuti, di gioielli. Il risveglio delle attività commerciali e artigianali portò alla crisi del mondo feudale. Parallelamente al risveglio delle attività economiche vi fu la rinascita della cultura, specie nelle scuole episcopali e nei monasteri benedettini. *(Qui a fianco trovi una riproduzione di miniature da "codici", cioè libri, realizzati nei monasteri.)*

3. La nascita delle lingue romanze

L'espansione territoriale dell'Impero Romano portò a un duplice scambio linguistico tra Roma, capitale della repubblica e poi dell'impero, e i territori da essa governati. Uno degli aspetti più significativi della colonizzazione romana fu l'organizzazione di scuole che consentirono una rapida diffusione della lingua latina nei territori conquistati. L'inserimento della popolazione nelle strutture sociali, amministrative, pubbliche, politiche e militari fece sì che anche la lingua parlata dalle popolazioni assoggettate si conservasse, anche se in misura limitata, nella lingua latina o marcandone la pronuncia, o allargando il lessico con vocaboli regionali. L'influenza delle lingue preesistenti al latino è definita dai linguisti come azione del *sostrato*.

La lunga decadenza dell'impero romano, legata alla diffusione del cristianesimo e alla penetrazione delle popolazioni barbariche, determinò l'affermarsi, nei territori precedentemente conquistati da Roma, di ulteriori evoluzioni linguistiche. Come l'unità politica e territoriale dell'impero aveva garantito nei territori della Romània (l'area linguistica nella quale si parlano le lingue derivate) l'unità linguistica, così la frammentazione e la distruzione dello stesso comportò la dispersione dell'unità linguistica latina e l'affermarsi delle lingue volgari. Gli ultimi secoli dell'impero romano furono caratterizzati da altri fattori che incisero profondamente sulla lingua: il Cristianesimo e le invasioni barbariche.

4. Il Cristianesimo e le invasioni barbariche

Il Cristianesimo incise sulla lingua latina su due fronti paralleli e opposti: come fattore disgregante rispetto al latino classico, ma anche come fattore evolutivo che arricchì la lingua, resa così funzionale alla trasmissione di una nuova cultura e spiritualità.
Le invasioni dei popoli barbari da est, dei quali in questa pagina vediamo un oggetto d'arte, frantumarono l'unità territoriale delle zone settentrionali dell'impero: da ciò derivò l'integrazione tra i barbari e gli indigeni ed un'inevitabile frammentazione linguistica. Le lingue germaniche dettero luogo a un *superstrato* linguistico, cioè l'interferenza delle lingue dei popoli barbarici sul latino. Per un lungo periodo storico si ebbe, quindi, una situazione di *bilinguismo* o di convivenza delle lingue germaniche e dei volgari originati dal latino. La situazione più palese

del bilinguismo si ha nella differenza tra lo scritto e il parlato: la comunicazione scritta era affidata al latino, per quanto pieno di parole nelle nuove lingue "volgari", mentre l'oralità era affidata ai volgari. Le sostanziali diversità linguistiche che si determinarono in tutti i territori della Romània furono motivate dalle condizioni di isolamento in cui le popolazioni si trovarono alla caduta dell'impero, e alla forte influenza delle lingue germaniche parlate dai barbari. Il latino, che per secoli aveva garantito l'unità territoriale, scomparve nei territori periferici dell'impero: dall'Africa, da alcune zone dell'Europa centro-settentrionale, dall'Inghilterra e da gran parte dei Balcani. Nelle altre parti dell'impero, invece, nelle quali l'unità linguistica si era maggiormente consolidata nel tempo e nell'uso, si ebbero delle evoluzioni linguistiche molto differenti tra loro che diedero origine alle lingue romanze. Sotto questo nome si annoverano lingue che sono, oggi, molto diverse, ma che conservano dei tratti linguistici, a volte molto marcati, dell'origine comune.

Le lingue romanze sono il portoghese, lo spagnolo, il catalano, il provenzale, il francese, il ladino, l'italiano, il rumeno e il dalmatico (ora estinto; questa lingua era parlata nella Dalmazia e nelle isole dell'Adriatico). Questa classificazione è in realtà più complessa: per questioni di chiarezza si sono volute indicare solamente le lingue principali e più conosciute; è necessario, però, tener presente che in ognuna di esse esistono infinite varietà dialettali che dipendono dalla variazione geografica, dalle influenze ricevute dalle altre lingue e dalla storia unica e decisiva di alcune città.

Il Medioevo in Italia

1. La nascita del Medioevo

"Medioevo" indica convenzionalmente il periodo storico compreso tra la caduta dell'impero romano d'Occidente, nel 476 d.C., e la scoperta dell'America, nel 1492. Questo periodo storico che divide l'età antica da quella moderna è a sua volta suddiviso, negli studi italiani, in Alto e Basso Medioevo.

Alto e Basso indicano rispettivamente il periodo precedente e il periodo seguente l'anno Mille. La lingua volgare, come si accennava in apertura, ha avuto bisogno di un lungo periodo di preparazione e di adattamento prima di affiancarsi e sostituirsi alla lingua latina. La diffusione dei volgari fu graduale e diversificata nei vari territori. La riforma del latino promossa da Carlo Magno all'inizio del IX secolo accelerò e contribuì indirettamente alla diffusione dei volgari: Carlo Magno, di cui qui accanto vedi l'incoronazione, restituì dignità alla lingua latina, che fece scrivere in modi più vicini al latino classico. La riforma del latino determinò la consapevolezza della se-

parazione fra latino e volgari. Incisivo fu nel Medioevo, inoltre, il ruolo della Chiesa e dei suoi insegnamenti, non solamente per la trasmissione dei dogmi cristiani, ma anche come veicolo di diffusione della lingua volgare e conservazione della lingua latina: *i chierici*, cioè i religiosi (sacerdoti, monaci benedettini) conoscevano il latino e garantivano la conservazione e la trasmissione delle opere della tradizione pagana e cristiana trascrivendole ma, allo stesso tempo, predicavano in volgare ai fedeli la dottrina cristiana.

Nell'813 a Tours (in Francia) i vescovi raccomandarono che i sacerdoti si rivolgessero ai fedeli nella loro lingua - romanza o germanica - così da garantire la comprensione e la diffusione del messaggio religioso tra gli *idioti*, tra coloro, cioè, che conoscevano solo la lingua materna. Il più antico documento romanzo pervenutoci risale al 14 febbraio dell'842: si tratta de *I Giuramenti di Strasburgo*, pronunciati nello stesso anno a Verdun fra Ludovico il Germanico e Carlo il Calvo (figli di Ludovico il Pio e nipoti di Carlo Magno). I due sovrani, rispettivamente l'uno della parte occidentale, l'altro della parte orientale dell'impero carolingio, pronunciarono il giuramento di alleanza sia in antico francese che in antico tedesco affinché il contenuto del giuramento fosse capito dai loro eserciti. La situazione linguistica della nostra penisola, invece, fu diversa e più complessa rispetto a quella dei territori germanici e franchi, sia perché non ci fu per un lungo periodo unità territoriale e politica, sia per una maggiore azione conservatrice del latino.

🔍 Storia dei Secoli XII-XIII

La storia di questi due secoli è fortemente caratterizzata da:

a. la nascita dei Comuni, cioè di città che raggiungono una sostanziale indipendenza, per cui l'Italia si presenta – soprattutto al Centro e al Nord – come un mosaico;

b. le prime università (Bologna è la più antica del mondo) e le prime scuole, spesso legate ai monasteri;

c. il formarsi degli ordini religiosi; essi si diffondono in tutta la penisola ed è qui che viene salvata la gran parte dell'eredità scritta del mondo classico; i primi sono i Benedettini, cui si aggiungono i Francescani e i Domenicani;

d. le crociate per liberare il Santo Sepolcro; si tratta di spedizioni alle quali partecipano quasi tutti gli Stati europei; per l'Italia sono fonte di ricchezza ma anche di malattie e problemi;

e. la formazione dell'impero svevo, che unifica in parte il Sud, e delle grandi monarchie europee;

f. l'affermarsi del potere "teocratico" del Papa, cioè della dottrina secondo la quale egli ha il diritto assoluto su ogni potere terreno.

2. Il Medioevo in Italia

La prima testimonianza scritta in "volgare" è quella che si suole tramandare come *Indovinello veronese*: si tratta di quattro versetti tra la fine dell'VIII secolo e i primi anni del IX scritti da un copista veronese in una lingua fra il latino rustico e il volgare. La seconda testimonianza scritta in volgare italiano risale alla prima metà del IX secolo: si tratta di un'iscrizione tombale sita a Roma ed è ricordata come *Iscrizione della Catacomba di Commodilla*. Essa contiene un avvertimento in volgare sul modo di pregare.

Un altro documento nel quale il volgare appare ormai pressoché consolidato e vivo è una sentenza giudiziale, registrata nel 960 a Cassino, a sud di Roma, che riguarda l'appartenenza di alcune terre dell'Abbazia occupate da laici: *Sao ko kelle terre, per kelle fini que ki contene, trenta anni le possette parte Sancti Benedicti.*
Altre testimonianze si trovano in scritture provenienti dai monasteri benedettini dell'Italia centromeridionale nei secoli XI-XII (ogni abbazia conservava documenti interni di ordine pratico e giuridico: compravendite, lasciti, donazioni, atti nei quali si sanciva la protezione data all'abbazia da personaggi politici, note delle spese e delle entrate, certificati matrimoniali, testamenti, ecc.). Lentamente il volgare italiano conquistò una dignità propria e si estese a tutti gli ambiti culturali. Al XII secolo risale il primo testo volgare toscano, il *Conto Navale Pisano*.
La nascita della letteratura italiana coincide nell'Italia centro-settentrionale con l'affermazione e l'espansione dei comuni e nell'Italia meridionale e in Sicilia con la corte dell'imperatore **Federico II** di Svevia.

I centri dai quali si originò l'espansione economica, commerciale e politica furono le città; quelle che si organizzarono nella forma del Comune divennero autonome: si sottrassero, cioè, all'organizzazione feudale laica ed ecclesiastica pur riconoscendo l'autorità imperiale. Con il fiorire del commercio e delle industrie, in particolare di quella tessile e dell'abbigliamento, si formò una nuova classe sociale intermedia tra il popolo e gli aristocratici: la borghesia.
Nel Duecento ai nuovi ceti dirigenti e aristocratici si affiancarono i mercanti e i banchieri che occuparono posizioni di rilievo nel governo cittadino: una condizione espressa anche in letteratura; le nuove fortune economiche legate alle audaci imprese dei mercanti sono raccontate e spesso criticate da molti autori, tra i quali Dante e Boccaccio.

Il Duecento e il Trecento possono essere considerati un periodo unico: gli stessi fenomeni si svilupparono nel tempo, ma non cambiarono sostanzialmente nel corso dei due secoli. È quindi opportuno parlare globalmente di "letteratura delle origini".
Non si intende con quest'affermazione che non ci furono delle evoluzioni o dei cambiamenti significativi tra i due secoli, ma che in entrambi si delinearono le basi della letteratura futura.

In basso: monastero medievale.

A sinistra in alto: incoronazione di Carlo Magno.

A sinistra, in basso: monaci intenti allo studio delle opere della tradizione pagana e cristiana.

dalle Origini *al* Trecento

Gli inizi della letteratura italiana

Nonostante si abbiano testimonianze di scritti in volgare fin dall'VIII secolo, si suole indicare con i secoli Duecento e Trecento l'inizio della letteratura italiana o delle origini, perché solo in questi secoli si produssero anche testi letterari. La nascita della letteratura italiana fu posteriore a quella degli altri paesi di lingua romanza (Francia, Provenza, Spagna) che si erano o che si stavano politicamente costituendo. Quali che siano i motivi di questo ritardo, un carattere costitutivo della tradizione letteraria italiana è il fatto che essa si sia formata attraverso il contributo di una pluralità di forze culturali e di centri cittadini, differenziati dialettalmente e culturalmente.

Ciò che caratterizza la cultura degli scrittori in volgare del periodo delle origini è una solida base culturale latina e mediolatina; gli autori, infatti, riproducono nelle loro opere in volgare i modelli, i generi letterari delle opere latine, adattando i loro scritti alla lingua nuova, al pubblico e alla diversa realtà politica. La letteratura italiana nacque, per tutti questi fattori, già adulta, con regole e modelli fissi: uno dei motivi, infatti, per cui la nostra lingua ha, o ha avuto, un carattere così diverso strutturalmente tra lo scritto e il parlato è da rintracciare anche in questa realtà storica dei primi secoli.

1. La letteratura popolare

Parallela alla grande letteratura delle origini esiste una letteratura popolare, scritta da autori non privi di cultura e diretta, sostanzialmente, al popolo. Quest'ultimo, di rado alfabetizzato, aveva grosse difficoltà a leggere i testi scritti dai poeti. La tradizione di questi componimenti è perciò principalmente orale, orecchiabile e facile da imparare a memoria ed era affidata ai giullari, ai cantastorie, i quali giravano di piazza in piazza e recitavano i loro componimenti o quelli dei poeti. Alcuni fra i giullari erano

anche accolti nelle case signorili o nelle corti. Tra i componimenti dei giullari sono noti dei *ritmi*, degli *strambotti*, delle *pastorelle* e dei *contrasti*. Queste forme metriche nacquero come proprie della letteratura popolare, ma nel corso dei secoli furono impiegate anche nella poesia d'arte. Il *contrasto* era un genere noto sia in Francia sia in Provenza: riproduceva litigi, conflitti e schermaglie del corteggiamento, partenze e abbandoni. Il *contrasto* più famoso della nostra letteratura, *Rosa fresca aulentissima*, è di **Cielo d'Alcamo**, componimento nel quale un uomo chiede a una donna l'amore, che viene inizialmente rifiutato, e che è concesso in un secondo tempo.

2. La letteratura religiosa

Se il Comune e la laicizzazione della cultura sono fenomeni evidenti e determinanti in questi secoli, molto importante è anche la nascita di nuovi *ordini religiosi* che diedero una spinta maggiore alla diffusione delle tematiche religiose. Si ha così una cultura principalmente laica nelle università e una cultura religiosa che si esprime in due settori: di trasmissione e di produzione letteraria.

3. La prosa d'arte, la narrativa e la cronachistica

I testi francesi e provenzali circolavano ampiamente nella nostra penisola sia per la vicinanza geografica sia per i fitti rapporti commerciali e culturali tra i due paesi. Essi narravano imprese storiche precedenti di qualche secolo rispetto a quando furono scritte e raccontate: questa distanza cronologica ha favorito il racconto fantastico e l'esaltazione del valore degli eroi. La veridicità degli avvenimenti si fonde con la leggenda e con la spiritualità religiosa di questi secoli: i Cristiani contro i Saraceni,

---

🔎 Gli ordini religiosi

La nascita dei nuovi *ordini mendicanti* dei domenicani (predicatori) e dei francescani (frati minori), fondati rispettivamente da San Domenico e da San Francesco, si traduce in una nuova realtà della Chiesa più vicina al popolo e alle sue esigenze. Questi ordini si diffusero rapidamente; conventi francescani e domenicani sorsero in tutti i centri della penisola, spesso in forte competizione tra di loro.
La lotta contro le eresie (che spesso volevano solo riportare la Chiesa verso l'originaria purezza dei primi secoli) e la nascita degli ordini religiosi contribuirono a interessare il popolo e a produrre una letteratura; il francescanesimo fu al centro di questa nuova e fiorente produzione letteraria che deve il suo inizio ad un testo scritto dal suo fondatore: *il Cantico delle creature*.

l'eroe contro il traditore. I testi furono trasmessi in francese o volgarizzati nei dialetti italiani. Carattere invece più specificamente narrativo ebbero due testi: *Il libro dei sette savi di Roma* e *Il Novellino*. Il primo è un'opera influenzata dalla novellistica araba e orientale; si tratta di una versione in volgare toscano della fine del Duecento di un'opera tradotta dall'arabo in latino e in francese. Questo testo influenzerà il *Decameron* di **Giovanni Boccaccio**. *Il Novellino*, o *Cento novelle antiche*, o *Libro di Novelle*, comprende cento brevi novelle di carattere storico o ricavate dalla tradizione orale popolare, scritte, forse, da più autori e composte alla fine del Duecento. L'opera è importante perché getta le basi di un genere letterario nuovo: la novella.
Il testo si apre specificando i destinatari, coloro che hanno "cuore gentile e nobile". Per quanto riguarda la cronachistica, la *Cronica* di **Giovanni Villani** è sicuramente il testo più significativo, in quanto delinea degli spaccati di vita fiorentina che sarebbero altrimenti sconosciuti. L'attenta analisi e la descrizione degli avvenimenti della città fiorentina, narrati secondo lo schema medioevale dalle origini delle città, attraverso miti biblici e classici, fino alla nascita del Comune e della borghesia mercantile, tratteggiano e descrivono la società del tempo.

4. L'influenza della letteratura francese

L'influenza francese per la letteratura italiana fu duplice: dapprima gli scrittori italiani ereditarono i modelli della letteratura della Provenza scritta nella lingua d'*oc*, poi quelli della lingua della Francia centro-settentrionale, cioè la lingua d'*oil*. La lingua d'*oc* influenzò gli scrittori dell'Italia del Nord e gli scrittori del Regno di Sicilia, che ereditarono i temi della poesia provenzale, ma scrissero nel loro volgare.
La letteratura della lingua d'*oil*, invece, portò oltr'alpe la materia di Bretagna con le avventure di re Artù e dei cavalieri della Tavola Rotonda e la tradizione delle *chansons de geste*, con le avventure di Carlo Magno e dei suoi paladini.
Dalla Francia venivano ancora racconti in versi o i *lais* di Maria di Francia, le narrazioni comiche, alcuni *fabliaux*, e il *Roman de la Rose*, un poema ampio e fortunato. Tale ricchezza di generi letterari e stili diede modo ai rimatori italiani di poter attingere cospicuamente da una lingua e una letteratura volgare ormai consolidata.

Francesco d'Assisi

Francesco nacque nel 1182 da famiglia agiata e ricevette un'educazione letteraria. Il suo percorso mistico lo portò alla ricerca di Dio e del prossimo, tanto che decise di dedicare tutta la sua vita ai poveri e agli ammalati. Fondò un nuovo ordine religioso che ottenne l'approvazione definitiva nel 1223 da papa Onorio III. Le opere scritte dal santo si diffusero inizialmente soprattutto tra le classi povere, grazie anche all'uso del volgare nella predicazione, ma raggiunsero con rapidità sorprendente tutte le classi sociali. Di lui ci sono pervenuti scritti in latino come la stesura della *Regula* e il *Testamentum*; è in volgare, invece, il *Cantico delle creature* o *Cantico di frate Sole*.
Subito dopo la morte del santo si scrissero molte opere in sua lode.
La spiritualità dei frati diede origine alla *lauda*, componimento religioso e poetico che riprendeva i temi religiosi tradizionali convertendoli al volgare.

Iacopone da Todi

Tra i maggiori autori di laudi vi fu Iacopone da Todi. Come per San Francesco, anche per Iacopone la meditazione e la riflessione sulla Passione di Gesù Cristo devono essere i due temi cardine per la vita di ogni uomo: Iacopone, però, si distaccò totalmente dall'ottimismo francescano verso la vita, l'uomo e il creato. La sua è una poesia sarcastica, ricca di polemiche verso le ricchezze e il potere temporale della Chiesa. Sono famose una sua "lauda" in italiano e lo *Stabat Mater* in latino.

In alto: San Francesco d'Assisi.

Sotto: icona raffigurante Iacopone da Todi.

A sinistra: San Francesco e Onorio III che approva la regola dei Frati minori.

T1 San Francesco: Cantico delle creature

Altissimu, onnipotente, bon Signore,
Tue so' le laude, la gloria e l'honore et onne
    benedictione.
Ad Te solo, Altissimo, se konfàno.
et nullo homo ène dignu Te mentovare.

5 Laudato sie, mi' Signore, cum tucte le Tue creature,
spezialmente messor lo frate Sole,
lo qual è jorno, et allumini noi per lui.
Et ellu è bellu e radiànte cum grande splendore:
de Te, Altissimo, porta significazione.

10 Laudato si', mi' Signore, per sora Luna e le stelle:
in celu l'ài formate clarìte et pretiose et belle.

Laudatu si', mi' Signore, per frate Vento
et per aere et nubilo et sereno et onne tempo,
per lo quale a le Tue creature dài sustentamento.

15 Laudato si', mi' Signore, per sor'Aqua,
la quale è multo utile et humile et pretiosa et casta.

Laudato si', mi' Signore, per frate Focu,
per lo quale ennallùmini la nocte:
ed ello è bello et jocundo et robustoso et forte.

20 Laudato si', mi' Signore, per sora nostra madre Terra,
la quale ne sustenta e governa,
et produce diversi fructi con coloriti flori et herba.

Laudato si', mi' Signore, per quelli ke perdonano
per lo Tuo amore e sostengo infirmitate et tribulazione.

25 Beati quelli ke 'l sosterranno in pace,
ka da Te, Altissimo, sirano incoronati.

Laudato si', mi' Signore, per sora nostra Morte corporale,
da la quale nullu homo vivente pò skappare:
guai acquelli ke morranno ne le peccata mortali;
30 beati quelli ke trova ne le Tue sanctissime voluntati,
ka la morte secunda no 'l farrà male.

Laudate et benedicete mi' Signore et rengratiate
e serviateli cum grande humilitate.

Altissimo, onnipotente e buon Signore, tue sono le lodi, la gloria, e l'onore e ogni benedizione.
Si addicono a te solo, o Altissimo, e nessun uomo è degno di nominarti.

Che tu sia lodato, o mio Signore, con tutte le creature, specialmente il fratello sole, il quale ci illumina e tu ci illumini attraverso lui, e il sole è bello e raggiante e di grande splendore e porta di Te, o Altissimo, il simbolo.

Che tu sia lodato, o mio Signore, per nostra sorella luna e le stelle, nel cielo le hai create splendenti, preziose e belle.

Che tu sia lodato, o mio Signore, per fratello vento, e per l'aria e le nubi e il sereno e qualsiasi variazione del tempo e per mezzo del quale dài sostentamento alle tue creature.

Che tu sia lodato, o mio Signore, per nostra sorella acqua, la quale è molto utile e umile e preziosa e casta.

Che tu sia lodato, o mio Signore, per fratello fuoco, per mezzo del quale illumini la notte: ed egli è bello e giocondo e robusto e forte.

Che tu sia lodato, o mio Signore, per nostra sorella madre terra, la quale ci sostenta e governa, e produce molti frutti e i colori dei fiori e dell'erba.

Che tu sia lodato, o mio Signore, per quelli che perdonano per il tuo amore, e sopportano infermità e tribolazioni.

Beati quelli che sopporteranno in pace, perché da te Altissimo, saranno incoronati.

Che tu sia lodato, o mio Signore, per nostra sorella morte del corpo, dalla quale nessun uomo può scampare. Guai a coloro che morranno nei peccati mortali,
beati coloro che morranno secondo la tua volontà, perché la seconda morte non farà loro alcun male.

Lodate e benedite il mio Signore e ringraziatelo e servitelo con grande umiltà.

e 1. Comprensione

Di' se queste affermazioni sono vere o false.

	vero	falso
a. Fra le creature San Francesco annovera non solo gli uomini.	○	○
b. Anche gli animali partecipano alla lode di Dio.	○	○
c. Alla lode si associano gli angeli e i beati in Paradiso.	○	○
d. Solo coloro che operano bene non temono la morte.	○	○
e. Il cantico si chiude con un invito ad unirsi alla lode di Dio.	○	○

e 2. Analisi

- Nella struttura del testo possiamo identificare tre momenti: versi 1-5, versi 5-31. Che cosa giustifica o non giustifica a tuo parere questa affermazione? All'interno della seconda sezione (v. 5-31) esiste un'ulteriore scansione: versi 5-22, versi 23-32. Quali sono i "protagonisti" delle due sezioni?

- Il *Cantico delle creature* è una delle prime testimonianze in lingua volgare. Non si tratta, come sappiamo, di un testo di tradizione popolare. Perché San Francesco sceglie il volgare?

- Gli aggettivi che connotano le creature hanno una chiara valenza simbolica ed evocativa. L'acqua è "utile et humile et pretiosa et casta"; il fuoco è "bello et jocondo et robustoso et forte". Che cosa suggeriscono quelli scelti per l'acqua e quelli scelti per il fuoco?

e 3. Riflessione

- Acqua, aria, terra e fuoco sono gli elementi che costituiscono l'universo, già per la filosofia presocratica. Che cosa c'è qui di diverso, di nuovo?

- Nella famiglia delle creature che lodano l'Altissimo c'è la madre Terra e una serie di fratelli e sorelle. Come spieghi questa fratellanza con elementi naturali di tipo diverso?

- "Nostra sora Morte corporale": può sorprendere che San Francesco lodi anch'essa. Perché lo fa? Che funzione ha la morte fisica per il credente?

- È noto attraverso i testi che narrano la vita del Santo il suo amore per gli animali. Perché non vengono lodati anch'essi? Rifletti attentamente sul titolo: *Cantico delle creature*.

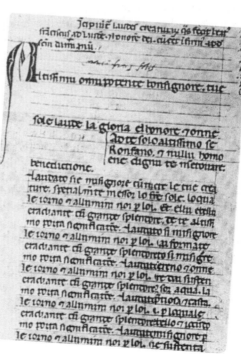

Collegamenti

Sulla figura di San Francesco c'è un'importante filmografia e non mancano opere musicali che a lui e al suo mondo si ispirano.

In basso: Il *Cantico di Frate Sole*, in un codice duecentesco. Assisi, Sacro Convento.

In alto: *San Francesco predica agli uccelli*, Giotto, Assisi Chiesa Superiore.

Il XIII secolo

1. La scuola siciliana

Per capire quanto l'organizzazione politica di un popolo incida sulla letteratura, appare esemplare la costituzione dell'impero svevo con **Federico II**, nato a Jesi, nelle Marche, il 26 dicembre 1194 e morto in Puglia nel 1250. Nella prima metà del Duecento nell'Italia meridionale e in Sicilia si sviluppò quello che fu considerato il primo Stato moderno dell'Europa per gli statuti e per l'organizzazione della burocrazia. Federico II era figlio di padre tedesco e di madre normanna. Fu chiamato *stupor mundi* per le qualità del suo carattere e l'eclettismo che lo distingueva: conosceva infatti il tedesco, il francese, il latino, il greco, l'arabo; oltre ai suoi interessi letterari, Federico II si dilettò anche di filosofia, astronomia e scienza. Egli amava essere circondato da intellettuali e da poeti, così la sua corte divenne rifugio sicuro per gli stessi. All'imperatore si deve il merito di aver trasferito i modelli dei trovatori provenzali in Sicilia. La corte era aperta agli scambi commerciali con l'Oriente e con gli arabi; è infatti in questo periodo che avviene la rinascita meridionale e si traducono in italiano codici arabi, greci e latini. In questo sfondo si deve collocare la produzione poetica della *magna curia*, che fonde i contenuti culturali con l'attività intrinseca dell'amministrazione politica. I poeti siciliani sono infatti tutti funzionari di corte che scrivono per loro diletto di argomenti amorosi e si tengono lontano dai contenuti politici. La poesia siciliana, celebrata anche da Dante nel *De vulgari eloquentia* come il miglior esempio di poesia, perché rimase il più esente possibile da elementi locali o municipali, assorbì e ripropose, modificandoli nel contenuto e nella forma, i modelli trovadorici. Alla lirica provenzale i siciliani dovettero soprattutto il tema del loro canto: l'amore visto secondo la prospettiva feudale. Tuttavia, nella poesia dei siciliani l'amore diventò più astratto. Alla base, infatti, dell'amore cortese vi era la realtà feudale: una donna, in genere la moglie del signore, era amata e ossequiata dal poeta innamorato che chiedeva pietà per il suo servigio e, spesso inutilmente, sperava nel guiderdone, ossia nella ricompensa amorosa. Questo "fin'amore" (amore perfetto) nelle liriche dei siciliani diviene meno ricco di pathos: lo scambio comunicativo tra il poeta e la donna avviene attraverso gli occhi e il vedere; le immagini che si formano nella mente del poeta esprimono le gioie d'amore e le pene. I poeti siciliani non furono né giullari né mestieranti né verseggiatori, ma funzionari dello stato svevo che trovarono nella poesia e nell'arte poetica il piacere e la distensione che da essa si ricava.

Pur recuperando i temi amorosi dalla poesia provenzale e le sue forme stilistiche, essi celebrarono l'amore come esperienza irripetibile dell'animo. I poeti siciliani ebbero successo in Toscana dove le loro poesie furono adattate al volgare del luogo, molto diverso dal volgare meridionale nel quale erano state scritte originariamente. L'unico componimento giunto privo di contaminazioni toscane è la canzone *Pir meu cori alligrari* di **Stefano Protonotaro**.

🔍 L'architettura romanica

Verso l'inizio del nuovo millennio, anche ad opera degli ordini monastici e della rinascente economia, si ricomincia a costruire - e tra i primi edifici che si costruiscono ci sono le chiese, spesso accompagnate da un monastero, costituito intorno a un grande chiostro. Lo stile di queste chiese è detto "romanico" perché riprende la logica dei grandi archi semicircolari dell'architettura romana: i muri sono fatti di grandi blocchi di pietra, le finestre sono piccole, la struttura è semplice (una grande navata centrale che ne incrocia una più piccola, creando quella che vista dall'alto è una forma a croce); le statue sono spesso tozze e robuste, usate per sostenere pulpiti da cui parlano i predicatori, ma in genere l'ornamentazione è molto ridotta, lasciando vedere in tal modo le linee costruttive. Le superfici sono talvolta - dove c'è influsso bizantino - ricoperte da mosaici su fondo dorato, privi di prospettiva. Entrare in queste chiese, diffuse da nord a sud, e ascoltare un coro di monaci che cantano la musica di questi secoli, quella gregoriana, può farci tornare indietro di mille anni in un attimo.

2. La nascita del sonetto

La nascita del sonetto risale probabilmente a **Giacomo da Lentini**. Esso è costituito da due quartine e da due terzine e, probabilmente, deriva dalla divisione della canzone.

Il sonetto è una forma metrica costituita nel suo schema di base da quattordici versi tutti endecasillabi (cioè composti da undici sillabe); è diviso in una prima parte di otto (fronte) e una seconda di sei (sirma).

Il nome deriva dal provenzale *sonet*, cioè suono, melodia.

Lo schema metrico di base è ABABABAB per le due quartine e CDCDCD per le due terzine.

È probabile, inoltre, che il sonetto derivi dalla stanza solitaria di canzone che serviva ai provenzali per la corrispondenza letteraria (cfr. Glossario).

3. La scuola toscana

La produzione letteraria di questo periodo è caratterizzata principalmente dalle opere di autori appartenenti ad una regione: la Toscana.

In precedenza si è visto che l'eredità letteraria siciliana passò in Toscana alla fine della dinastia sveva, dopo la morte di Federico II e di Manfredi alla metà del Duecento. La lingua e le produzioni poetiche in volgare erano ormai collaudate e pronte per formare una scuola o una corrente letteraria. Esercitarono la lirica poeti di molte città toscane: **Bonagiunta Orbicciani** di Lucca; **Guittone d'Arezzo**; **Chiaro Davanzati** e **Dante da Maiano** di Firenze.

Fra tutti emerse **Guittone d'Arezzo** che divenne il caposcuola di quella maniera. Le loro liriche si ispirarono ai modelli provenzali e trovadorici contestualizzandoli nella città in cui vissero e adattandoli alla realtà politica, il Comune. Era infatti difficile conciliare la tradizione cortese dell'amore e del servizio amoroso con il matrimonio e la realtà comunale. La concezione dell'amore divenne più spirituale, così da poter unire le tematiche letterarie e la realtà cittadina. La lingua si arricchì sul piano lessicale e stilistico come, in precedenza, era avvenuto con i siciliani, che avevano rielaborato la lirica provenzale.

A destra in alto e a lato: miniature tratte da opere di Guittone D'Arezzo e Giacomo da Lentini.

A sinistra in alto: sigillo di Federico II.

A sinistra in basso: canto corale in un monastero.

Giacomo da Lentini

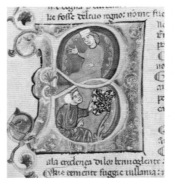

Giacomo è il vero e proprio caposcuola dei siciliani per l'invenzione del sonetto e per aver scritto canzoni nel volgare meridionale. Si conosce, inoltre, un carteggio poetico di sonetti scambiati nel 1240 con Pier della Vigna e Jacopo Mostacci. In un documento del 1240 il messinese si firmava "Jacobus de Lentino domini imperatoris notarius"; anche Dante lo chiamava "il Notaro".

L'attività poetica di Giacomo è attestata dalle numerose copie toscane dei suoi scritti e dalla esplicita affermazione dantesca nella *Commedia* (*Purgatorio* XXIV) che lo definisce, per bocca del poeta toscano Bonagiunta Orbicciani, il caposcuola della lirica pre-stilnovistica. Giacomo da Lentini accettò l'invito di Federico II a trasportare i contenuti trovadorici, dopo averli selezionati, nel siciliano illustre, creando così una poesia tutta nuova, ricca di immagini fantastiche.

Guittone d'Arezzo

Nato ad Arezzo, in Toscana nel 1230-35 ed esiliato nel 1256; morì nel 1293-94. Poche sono le notizie biografiche: di famiglia agiata, aderì alla parte guelfa e andò in esilio fuori della Toscana. Nel 1265 entrò nel nuovo ordine dei *Milites Beatae Virginis Mariae,* detto dei Frati Godenti, che si proponevano una vita religiosa dedicata al culto mariano.

Guittone compose alcune *Laudi*. Di lui rimangono circa trecento componimenti tra sonetti e canzoni. La sua opera poetica è divisa in due gruppi: la prima è dedicata alla poesia amorosa, la seconda a quella sacra e religiosa. Nella seconda parte delle sue liriche è espressa la vocazione dell'autore: quella cioè di essere un maestro, correttore dei costumi, amante e sollecitatore della virtù. Guittone si propone, inoltre, come mediatore alle lotte interne della sua città, come portavoce della coscienza del Comune.

T2 Giacomo da Lentini: Io m'aggio posto in core

Io m'aggio posto in core a Dio servire,
com'io potesse gire in paradiso,
al santo loco ch'aggio audito dire,
u' si mantien sollazzo, gioco e riso.

5 Sanza mia donna non vi voria gire,
quella c'ha blonda testa e claro viso,
ché sanza lei non poteria gaudere,
estando da la mia donna diviso.

Ma no lo dico a tale intendimento,
10 perch'io peccato ci volesse fare;
se non veder lo suo bel portamento

e lo bel viso e'l morbido sguardare:
ché lo mi teria in gran consolamento,
15 veggendo la mia donna in ghiora stare.

Io mi sono proposto nel cuore di servire Dio, affinché io possa andare in Paradiso, il luogo santo dove ho udito dire che durano ininterrottamente gioia, gioco e allegria.

Non ci vorrei andare senza la mia donna, quella che ha i capelli biondi e il viso luminoso, perché senza di lei non potrei godere, rimanendo separato dalla mia donna.

Ma non lo dico con l'intenzione di voler peccare con lei: bensì solo vedere i suoi costumi onesti,

il suo bel viso e il suo dolce sguardo, perché mi darebbe grande serenità vedere la mia donna stare nella gloria del Paradiso.

---

e 1. Comprensione
Di' se le seguenti affermazioni sono vere o false.

	vero	falso
a. Al poeta non interessa molto andare in Paradiso.	○	○
b. Di questo luogo si dice che sia pieno di gioia e serenità.	○	○
c. Ma non ci vuole andare senza la donna amata.	○	○
d. Questa tensione verso il Paradiso non è priva di desiderio carnale.	○	○
e. Sarà sufficiente ammirare il viso dell'amata immerso nella luce divina.	○	○

e 2. Analisi
- Nella struttura interna del sonetto possiamo identificare tre momenti: versi 1-4, versi 5-8, versi 9-14. Indica brevemente il tema che caratterizza ciascun momento.
- Che cosa descrive il poeta della sua donna? Perché evoca proprio quegli elementi?

e 3. Riflessione
- *Sollazzo, gioia, riso*: a noi moderni questo Paradiso può sembrare poco celestiale. Che valore dobbiamo dare a queste caratteristiche?
- Anche la condizione che la donna amata debba essere presente può sconcertare: quale funzione viene attribuita a questa donna?

e 4. Un'osservazione linguistica
Il verso 7 presenta una rima imperfetta perché *gaudere* non è in rima con: *servire, dire, gire*. La rima era perfetta nell'originale siciliano, che aveva *gaudire*; poiché, come si è detto, i testi dei siciliani sono stati copiati in Toscana, *gaudire* fu modificato nel toscano *gaudere*. Si notino le forme meridionali: *aggio* versi 1 e 3; *a Dio servire* verso 1; *vorìì* 5, *poterìa* 7 e *terìa* 13.

T3 Giacomo da Lentini: Madonna dir vo voglio

Madonna dir vo voglio
como l'amor m'ha priso
inver' lo grande orgoglio[1]
che voi, bella, mostrate, e no m'aita,
5 oi lasso, lo meo core,
che 'n tante pene è miso
che vive quando more
per bene amare, e tèneselo a vita.
Donqua mor'u viv'eo?
10 No; ma lo core meo
more più spesso e forte
che no faria di morte – naturale,
per voi, donna, cui ama,
15 più che se stesso brama,
e voi pur lo sdegnate:
amor, vostr'amistate – vidi male.

Lo meo 'namoramento
20 no pò parire in detto,
ma sì com'eo lo sento
cor no lo penseria né diria lingua;
e zo ch'eo dico è nente
25 inver' ch'eo son distretto
tanto coralemente.
Foc'aio al cor, non credo mai si stingua,
anzi si pur alluma:
30 perché non mi consuma?
La salamandra[2] audivi
che 'nfra lo foco vivi – stando sana;
eo sì fo per long'uso:
35 vivo 'n foc'amoroso,
e non saccio ch'eo dica:
lo meo lavoro spica – e non ingrana. [...]

Madonna, vi voglio dire come l'amore mi ha preso, malgrado il grande orgoglio che voi, bella, mostrate, e non mi aiuta, oh, povero me, il mio cuore che si è messo in tante pene, che vive quando muore per amare bene, e anzi ritiene che la morte dell'amore sia vita.

Dunque io muoio o vivo?
Né questo né quello, ma il mio cuore muore più spesso e dolorosamente di quanto non morirebbe di morte naturale, per voi, donna, che ama e desidera più di se stesso, mentre voi continuate a rifiutarlo: «Amore, ho incontrato per mio danno la mia amicizia per voi».

Il mio innamoramento non può essere espresso in parole ma così come io lo sento il cuore non lo penserebbe e la lingua non riuscirebbe; e ciò che io dico è niente in confronto al fatto che sono così intimamente preso.

Ho il fuoco nel cuore e non credo che mai si spenga, anzi continua a bruciare: perché non mi consuma?
Ho sentito che la salamandra vive nel fuoco restando intatta; così faccio io per lunga abitudine: vivo nel fuoco dell'amore e non so che cosa dico: il mio lavoro è come il grano in erba che non matura.

---

1 Orgoglio: è termine tecnico della lingua cortese, a indicare l'atteggiamento della persona amata che non corrisponde.

2 Si credeva che la salamandra (animale anfibio, giallo e nero, che vive in acqua e su terra) potesse vivere nel fuoco e spegnere le fiamme. Nel Medioevo diviene simbolo del fuoco.

---

e 1. Comprensione
Di' se queste affermazioni sono vere o false.

	vero	falso
a. Il poeta esprime la sua infelicità amorosa.	O	O
b. La donna amata vorrebbe ricambiare ma non può.	O	O
c. Per questa ragione il fuoco amoroso si sta spegnendo.	O	O
d. La morte per amore è bella e si ripete ogni giorno.	O	O
e. Il cuore innamorato è come la salamandra che bruciando resta viva.	O	O

e 2. Analisi
- Ardere d'amore, ardore amoroso, amore ardente: come spiegare queste espressioni che evocano il fuoco?
- La salamandra è un simbolo chiaro. Cerca di spiegare il senso dell'ultimo verso che si rifà in modo inatteso a un fenomeno naturale.

e 3. Riflessione
In questa poesia amore potrebbe far rima con ardore, di solito fa rima con cuore. Cerca altre possibili rime e prova a scrivere tre o quattro versi.

Il "dolce Stil Novo"

Con quest'espressione si delinea una corrente letteraria formata da un gruppo di poeti che operarono a cavallo tra il XIII e il XIV secolo. Il fondatore del movimento fu **Guido Guinizelli**.

I poeti che aderirono a questa corrente furono: **Guido Cavalcanti**, **Cino da Pistoia**, **Lapo Gianni**, **Gianni Alfani**, **Dino Frescobaldi** e **Dante Alighieri** in un periodo della sua giovinezza. È proprio da una felice espressione dantesca che la corrente prende il nome di "dolce stil novo" o, semplicemente, "stil nuovo". Il nome della corrente è inserito all'interno del canto XXIV del *Purgatorio* nelle parole del poeta Bonagiunta Orbicciani, che con modestia ed intelligenza riconosce, nel mondo dell'aldilà, che il suo poetare non fu così incisivo e nuovo come quello degli stilnovisti. Ecco i versi danteschi:

"O frate, issa vegg'io", diss'elli, "il nodo
   che 'l Notaro e Guittone e me ritenne
   di qua dal dolce stil novo ch'i' odo!
Io veggio ben come le vostre penne
   di retro al dittator sen vanno strette,
   che delle nostre certo non avvenne;
e qual più a gradire oltre si mette,
   non vede più da l'uno e a l'altro stilo".
(*Purgatorio* XXIV, vv. 55-62)

[Disse allora Bonagiunta: "Fratello, ora vedo bene l'ostacolo, l'impedimento, che ha tenuto il notaio Jacopo da Lentini, Guittone d'Arezzo e me al di qua del dolce stil nuovo che sento da te. Io comprendo bene come le penne di voi stilnovisti scrivono con assoluta fedeltà il "dettato" di amore, cosa che non fecero certamente le nostre; e chiunque indaghi oltre, non vede altra differenza tra l'uno e l'altro stile"].

Guido Cavalcanti

Nacque intorno al 1260 da una delle nobili famiglie guelfe fiorentine.
Fu il "primo amico" di Dante, il quale gli dedicherà la *Vita Nuova*. Fin dalla giovinezza si occupò della poesia volgare e dedicò i suoi studi alla filosofia. Partecipò attivamente alla vita politica del Comune e fu esiliato con gli altri capi Guelfi Bianchi nel 1300.

Al centro del canzoniere cavalcantiano sta l'amore inteso come profondo turbamento dell'animo: l'amore non è però, come per Guinizelli e Dante, esperienza dolorosa e poi salvifica, ma solo motivo di sofferenza.
L'amore per Cavalcanti è passione, che aggredisce la parte sensitiva dell'animo, è sentimento violento e distruttivo che può portare alla rovina dell'anima razionale.
La donna non porta che una gioia intensa e fittizia, breve, che causerà dolori e sofferenze irreparabili. Nelle sue liriche i personaggi sono le personificazioni delle potenze dell'animo e i dialoghi sono avvolti in un'atmosfera irreale, quasi da incubo. La donna che domina e distrugge il poeta è l'immagine interiorizzata dalla fantasia, padrona del suo animo.

In alto: ritratto di Guido Cavalcanti.

In basso: particolare da *Il buon governo*, di Ambrogio Lorenzetti.

🔎 L'arte del Trecento

Sebbene l'Italia del Trecento sia un mosaico di Comuni, città e Signorie indipendenti, l'arte di questo secolo dà vera unitarietà alla penisola, e presenta aspetti comuni dalla Pianura Padana al Sud: la comparsa di soggetti non più solo religiosi, come in precedenza; il tentativo di essere originali, di non continuare a ripetere i modelli della tradizione; il concetto di artista come professionista, che vuole vivere della sua arte; l'abitudine di creare delle "botteghe" che erano delle vere e proprie accademie d'arte in cui i giovani entravano come apprendisti e, se avevano qualità, emergevano come allievi e continuatori dei maggiori artisti del periodo. Il maggior pittore del secolo è senza dubbio **Giotto** i cui capolavori sono la Cappella degli Scrovegni a Padova, affrescata nei primi vent'anni del secolo, e la basilica francescana di Assisi.
L'altro grande pittore del secolo è **Ambrogio Lorenzetti**, autore dell'affresco "Il Buon Governo" a Siena, uno dei primi esempi di arte essenzialmente politica e non religiosa.

L'espressione è quindi antica, ma fu adottata per definire la corrente letteraria solo da Francesco De Sanctis e dai critici ottocenteschi. Gli stilnovisti si contrappongono alla poesia precedente per la diversità di stile e la differente concezione dell'amore. L'oggetto delle liriche degli stilnovisti è l'amore: la donna è l'unica creatura in grado di dare beatitudine all'uomo con il solo saluto o con la contemplazione. Infatti, la donna celebrata dagli stilnovisti non è la moglie del signore di corte dei provenzali né la donna idealizzata e astratta dei siciliani, ma una "madonna" nobile che si può incontrare per strada, una donna aristocratica ma viva, inserita nella vita sociale del Comune, che esce in compagnia delle amiche sulle quali irradia la sua bellezza.

L'incontro del poeta con la donna amata produce degli effetti profondi sul poeta: la "malattia" d'amore, già ben espressa nel trattato sull'amore (*De Amore*) di Andrea Cappellano, si esprime con grande rigore nella poesia stilnovista. La donna viene vista dal poeta e gli "spiritelli" dell'amore si introducono, attraverso gli occhi, nel cuore del poeta, che ne subirà gli effetti e dovrà essere consolato dagli amici-poeti, i soli in grado di condividere l'esperienza d'amore.

Il *valore* (parola chiave ricorrente in queste liriche) del poeta si dimostra con la capacità di superare la crisi psico-fisica che l'amore produce sullo stesso.

A destra: le torri degli Asinelli e della Garisenda, nel cuore della Bologna medievale.

In alto: studenti in un'Università medievale.

Guido Guinizzelli

Guido Guinizelli fu giudice bolognese del quale si hanno notizie dal 1266. Fu esiliato nel 1274 e morì nel 1276. Definito da Dante il padre dello "stil novo", di lui rimane un canzoniere di circa una ventina di liriche divise in sonetti e canzoni. Nelle liriche più esemplari come *Al cor gentil rempaíra sempre amore* il poeta canta il "valore" della donna: il solo manifestarsi crea effetti benefici nel poeta che l'ammira ed è colpito dalla sua bellezza. Il binomio saluto-salute [salvezza] tipico delle sue liriche influenzerà notevolmente la poesia dantesca sia della *Vita Nuova* sia della *Commedia*. Nella canzone citata sopra e definita il "manifesto" dello stilnovo, si esprimono le condizioni necessarie per poter provare l'esperienza d'amore: amore e gentilezza sono due condizioni indivisibili. La gentilezza ha un significato più ampio di quello odierno: per gli stilnovisti gentile era colui che possedeva "savere e cortesia", cioè la conoscenza e la cortesia. La gentilezza indica, quindi, concretamente il possesso del cuore nobile, l'unico cuore che si può innamorare, ed è opposta alla nobiltà di sangue. Tutti coloro che non possiedono il "coraggio", cioè il cuore e il valore, non potranno godere dell'amore.

T4 Guido Guinizzelli: Lo vostro bel saluto

Lo vostro bel saluto e 'l gentil sguardo
che fate quando v'encontro, m'ancide:
Amor m'assale e già non ha reguardo
s'elli face peccato over merzede,

5   ché per mezzo lo cor me lanciò un dardo
ched oltre 'n parte lo taglia e divide;
parlar non posso, che 'n pene io ardo
sì come quelli che sua morte vede.

Per li occhi passa come fa lo trono,
10 che fer' per la finestra de la torre
e ciò che dentro trova spezza e fende:

remagno come statüa d'ottono,
ove vita né spirto non ricorre,
se non che la figura d'omo rende.

Il vostro saluto e lo sguardo gentile che avete quando vi incontro mi uccidono: Amore mi assale e non si preoccupa se mi fa danno o mi concede qualcosa,

perché mi lanciò una freccia nel cuore che lo taglia e lo divide da parte a parte; non posso parlare poiché soffro un dolore come quello di colui che vede la propria morte.

Amore passa per gli occhi come fa il fulmine che colpisce attraverso la finestra della torre e spezza e distrugge ciò che trova.

Rimango come una statua di ottone che non ha in sé né spirito né vita e mostra solo la figura esterna dell'uomo.

---

e 1. Comprensione
Quale di queste affermazioni è vera?

1. Incontrando la donna il poeta

	vero	falso
a. resta indifferente.	○	○
b. le corre incontro felice.	○	○
c. resta come paralizzato.	○	○

2. Sguardo e atteggiamento della donna sono

	vero	falso
a. sprezzanti verso il poeta.	○	○
b. gentili ma distanti.	○	○
c. disponibili verso il poeta.	○	○

3. Il sentimento provato dal poeta ha gli effetti

	vero	falso
a. di un temporale che allaga tutto.	○	○
b. di un raggio di sole che riscalda.	○	○
c. di un fulmine che penetra in casa.	○	○

e 2. Analisi
- "Bel saluto" e "Gentil sguardo" sono ciò che veniamo a sapere della donna amata. Dunque ella conosce il poeta e non è scostante o scortese con lui. Perché allora egli soffre in modo così violento?
- Attraverso gli occhi passano le frecce d'amore come il fulmine attraverso la finestra: si tratta di un paragone molto efficace. Che relazione c'è fra gli occhi e la finestra?

e 3. Riflessione linguistica
"È stato un colpo di fulmine"; "Restare come una statua di sale / restare di sasso": sono espressioni ancora in uso nell'italiano. Quali situazioni descrivono? Esistono espressioni simili o paragonabili a queste nella tua lingua?

e 4. Collegamenti
"Dolce stil nuovo": al termine "dolce" evoca delicatezza, serenità, leggerezza. Come si spiegano allora le immagini forti del fulmine, del cuore trapassato e della statua di bronzo? Se hai letto il testo 3 di Giacomo da Lentini ricorderai anche la salamandra che resta viva in mezzo al fuoco ardente.

T5 Guido Cavalcanti: Voi che per gli occhi

Voi che per gli occhi mi passaste 'l core
e destaste la mente che dormia,
guardate a l'angosciosa vita mia,
che sospirando la distrugge Amore.

5 E vèn tagliando di sì gran valore,
che' deboletti spiriti van via:
riman figura sol en segnoria
e voce alquanta, che parla dolore.

Questa vertù d'amor che m'ha disfatto
10 da' vostr'occhi gentil' presta si mosse:
un dardo mi gittò dentro dal fianco.

Sì giunse ritto 'l colpo al primo tratto,
che l'anima tremando si riscosse
veggendo morto 'l cor nel lato manco.

Voi che, servendovi degli sguardi, mi spezzaste il cuore e risvegliaste la mia mente assopita, guardate l'angoscia che distingue la mia vita, che Amore distrugge con i sospiri.

Amore ferisce con tanta forza che i miei deboli spiriti vitali se ne vanno via: rimane solo l'immagine del mio corpo, della persona e un po' di voce che parla con parole di dolore.

Questa potenza dell'amore che mi ha distrutto, è venuta rapida dai vostri occhi gentili e mi ha tirato una freccia nel fianco.

Il colpo giunse così preciso al primo lancio che l'anima tremante si risvegliò vedendo il cuore morto nel lato sinistro.

---

e 1. Comprensione
Quali di queste affermazioni sono vere?

	vero	falso
a. La bellezza della donna fa nascere l'amore.	○	○
b. È un sentimento che rende il poeta felice.	○	○
c. Esso colpisce come un coltello.	○	○
d. Il poeta è quasi morto e la sua voce dolorosa.	○	○
e. L'assalto dell'amore è veloce e impietoso.	○	○

Di' se queste affermazioni sono vere o false

	vero	falso
a. Il poeta dà una descrizione sensuale della donna.	○	○
b. Gli occhi giocano un ruolo determinante.	○	○
c. Disperato il poeta si uccide.	○	○
d. Nella sua disperazione grida alto il suo dolore.	○	○

e 2. Analisi
- La mente si desta, l'anima si riscuote e il cuore muore: queste sono le reazioni del poeta. Sono tutte negative e tragiche? Come motivi la tua risposta?
- L'azione di Amore è rapida, precisa e mortale. A tuo parere, il poeta è veramente infelice di soffrire per amore?

e 3. Riflessione
- Gli antichi raffiguravano Amore come un dio fanciullo, figlio di Venere, armato di arco e frecce, spesso con gli occhi bendati. Spiega con parole tue questa allegoria.
- Un cuore trafitto da una freccia simboleggia l'amore infelice, ma se i cuori incisi nel tronco di un albero sono due e si intrecciano? Esiste anche nella tua cultura questa sinbologia?

e 4. Collegamenti
- Se confrontiamo questo sonetto con il secondo testo di Giacomo da Lentini (*Madonna...*) e il sonetto di Guido Guinizelli ci viene da pensare che gli stilnovisti conoscono solo la sofferenza amorosa. Perché la donna amata non corrisponde all'amore dei poeti?
- L'arte del Duecento e Trecento raffigura raramente situazioni amorose. Sai spiegarne il motivo?

Dante Alighieri (1)

Dante è considerato il più grande poeta ma del Medioevo europeo, non solo italiano.

La sua personalità di uomo e di poeta è eccezionale per l'attività civile, letteraria e poetica, la profondità e la ricchezza di interessi e di esperienze, la straordinaria capacità espressiva.

Dante, soprattutto nella sua opera maggiore, la *Commedia*, appare l'interprete della civiltà medievale e riassume tutte le ideologie e le conoscenze del Medioevo. Tuttavia, ha anche coscienza di una realtà e di una società che stanno cambiando e della necessità di un profondo rinnovamento.

Malgrado le radici medievali del suo pensiero filosofico e delle sue idee politiche, Dante per la rappresentazione di grandi valori umani e di forti caratteri e le innovazioni nel campo linguistico e letterario segna anche il passaggio dal Medioevo alla civiltà umanistica.

La figura di Dante lascerà un segno decisivo sullo sviluppo della letteratura italiana e avrà grande influenza anche su molti aspetti della cultura e della civiltà italiane.

1. Formazione culturale

Non è facile seguire le tappe della formazione di Dante.

Si può certamente affermare che essa avviene a Firenze e che prima dell'esilio raggiunge un livello artistico-filosofico non comune.

Incontro con l'ambiente fiorentino: dopo i primi studi giovanili (forse frequentò per qualche tempo anche l'Università di Bologna), i primi contatti con l'ambiente culturale fiorentino e l'amicizia con **Guido Cavalcanti** (cfr. p. 64), già poeta di grande rilievo, favoriscono la sua naturale inclinazione alla poesia. Importante fu anche l'incontro con **Brunetto Latini** (che ricorda affettuosamente nel Canto XV dell'*Inferno*), grande maestro di retorica che gli insegnò anche, come dice lo stesso Dante, "come l'uomo lascia duratura traccia di sé attraverso le sue opere letterarie".

Studi filosofici: dopo la morte di Beatrice (1290) inizia un periodo di studi severi e frequenta le "scuole de li religiosi" dei Francescani e dei Domenicani. Qui approfondisce la sua cultura filosofica e teologica attraverso la lettura degli "autori" fondamentali del pensiero medievale: Aristotele attraverso i commenti di S. Tommaso, le opere dello stesso S. Tommaso e di S. Bonaventura.

Dante segue questi studi non per accumulare aride conoscenze, ma spinto da un profondo interesse per gli aspetti morali e pratici della filosofia. Questa, per lui, è la guida alla ricerca della verità, il mezzo per il miglioramento di se stesso e della società.

Ravenna e l'arte bizantina in Italia

Ravenna, città della Romagna a pochi chilometri dal mare Adriatico, fu importante politicamente nella tarda romanità, nell'epoca barbarica e della dominazione di Giustiniano, imperatore di Bisanzio nel sesto secolo. Fu anche un grande centro d'arte.

I suoi splendidi monumenti, (il Mausoleo di Galla Placidia, la basilica di S. Apollinare, le chiese di San Vitale e di Sant'Apollinare in Classe), costituiscono un vero e proprio ponte culturale fra romanità e Oriente del Mediterraneo.

L'arte bizantina si afferma decisamente nei mosaici della chiesa di San Vitale, a pianta centrale, dove sono raffigurati i due cortei di Giustiniano e Teodora, dalle figure stilizzate e raffinatissime, e nei ricchi mosaici di S. Apollinare in Classe con le solenni processioni di Martiri e di Vergini che vanno verso l'abside.

L'arte ravennate conclude un'epoca. L'influsso bizantino, ricco di senso decorativo e di colore è evidente in alcune città del Sud, a Milano (Sant'Aquilino) e a Grado, vicino a Trieste, ma la vera erede è Venezia, nuovo ponte verso l'Oriente.

A Ravenna fu anche sepolto Dante.

I classici: Dante è anche un buon conoscitore di classici latini, anche se interpretati alla maniera medievale. Gli autori più rilevanti per la sua formazione sono Cicerone, Ovidio e soprattutto Virgilio, l'autore del poema *Eneide*, che sceglierà come guida, "suo maestro e suo autore" nella *Commedia*.

Nel campo della lirica: Dante dimostra anche una buona conoscenza dei poeti dell'epoca, della lirica e della lingua provenzale e francese.

Periodo dell'esilio: nelle varie peregrinazioni dell'esilio conosce centri culturali e società diversi da quelli toscani. Nello stesso tempo approfondisce la riflessione su questioni filosofiche, sulla retorica, sulla lingua.

Da qui nascono la concezione politica e morale del mondo e i nuovi mezzi espressivi della *Commedia*.

2. Dante "politico"

Verso la fine del sec. XIII la società comunale si avvia ad una trasformazione sociale e politica, spesso causa di scontri violenti all'interno delle città. Firenze è un esempio significativo: dopo la sconfitta dei Ghibellini, i Guelfi fiorentini si dividono in Bianchi, più graditi al popolo, e Neri, la parte più aristocratica e favorita dal Papa. In questo contrasto si mescolano interessi economici, odi privati, avidità di potere e la politica di espansione del Papa.

In questa situazione Dante inizia la sua attività politica nelle file dei Bianchi ed è un deciso difensore delle libertà comunali contro le mire papali. Inoltre mostra la volontà di essere al di sopra delle parti, al di là di ogni interesse particolare, per riportare la pace nella sua città: la sua politica e il suo rigore morale guardano solo al benessere comune.

La condanna all'esilio del 1303 segna la fine dell'"uomo politico". Dante perde la speranza di rientrare a Firenze; perde anche la speranza di un ritorno dell'autorità imperiale, apportatrice di pace e giustizia in terra. Egli vive l'esilio con sofferenza e coraggio, come vittima di un'ingiustizia, ma orgoglioso della sua superiorità morale. Nello stesso tempo l'esilio lo porta oltre l'esperienza comunale e gli permette di conoscere altre situazioni italiane ed europee, lo fa divenire "cittadino del mondo". Da ciò deriva una revisione del suo pensiero politico ed una nuova considerazione sui compiti dell'autorità imperiale e della Chiesa per guidare l'uomo alla felicità terrena e alla salvezza spirituale: un sogno impossibile in un momento in cui le due autorità sono ormai in crisi.

DANTE ALIGHIERI

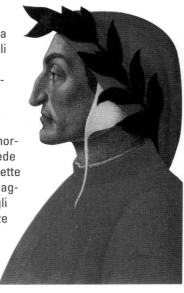

Dante Alighieri nacque nel 1265 a Firenze da una famiglia di piccola nobiltà. Compiuti gli studi a Firenze e a Bologna, si unì ai giovani poeti stilnovisti e s'innamorò di Beatrice (Bice Portinari) che eleggerà come ispiratrice per tutta la sua opera poetica. Dopo la morte di Beatrice, nel 1290, si diede alla vita politica e perciò dovette iscriversi ad una delle Arti Maggiori, quella dei Medici e degli Speziali. In quegli anni Firenze era turbata dalle lotte fra i Guelfi di parte Nera, appoggiati dal Papa, e quelli di parte Bianca, più autonomi.

Nel 1300 Dante, anche se Guelfo Bianco, con altri Priori che formavano il governo cittadino decise, al di sopra delle parti, di allontanare da Firenze i capi Neri e Bianchi, fra questi anche l'amico Guido Cavalcanti.

Tuttavia, mentre Dante si trovava in ambasceria a Roma, Carlo di Valois, mandato dal papa Bonifacio VIII, portò i Neri al potere. Dante fu condannato a morte e prese la via dell'esilio, un lungo esilio sopportato sempre con fermezza e dignità.

Dopo aver abbandonato i compagni di partito, "compagnia scempia e malvagia", povero e solo cercò rifugio presso varie corti, in Lunigiana (cioè nella Toscana del nord), a Treviso, a Verona, presso Cangrande della Scala, e infine a Ravenna, presso Guido da Polenta, dove morì, ed è sepolto, nel 1321.

Qui sopra: il mausoleo di Dante a Ravenna.

Nella pagina a fianco: mosaico bizantino a Ravenna.

Dante Alighieri (2)

3. Dante e la lingua italiana

Dante ha portato un contributo fondamentale alla formazione della lingua italiana. Ha dato inizio alla "questione della lingua italiana unitaria", questione che sarà oggetto di discussione nei secoli successivi.
Ha creato modelli letterari sia per la prosa lirico-narrativa sia per la prosa di carattere saggistico. Dante è stato comunemente chiamato "il padre della lingua italiana" e giustamente almeno per tre buoni motivi:

1. È il primo vero teorico della lingua che esamina in modo razionale i problemi della lingua volgare di comunicazione e della lingua volgare letteraria. Dà norme per gli stili e i temi del volgare letterario. Tratta di storia letteraria, di linguistica e di critica letteraria.

2. In un'epoca in cui gli argomenti di alta cultura, filosofia, scienza, religione, ecc. sono trattati solo in latino, Dante volutamente usa il volgare anche nelle opere più importanti e ricche di dottrina, come ad esempio la *Commedia*.

3. Il plurilinguismo. Nel suo cammino poetico Dante rende sempre più ricca la lingua letteraria. Usa termini toscani o di altri dialetti, presi spesso dal volgare parlato; forma nuovi termini dal latino, dal francese e dal provenzale. A seconda delle situazioni può passare da una lingua "alta" a quella parlata, anche popolare: una varietà di lingua legata ad una varietà di toni.

4. Dante e il Dolce Stil Novo

Verso la fine del Duecento a Firenze nasce il Dolce Stil Novo (come fu definito da Dante), un movimento poetico di un ristretto gruppo di intellettuali, fra i quali Guido Cavalcanti, Lapo Gianni e lo stesso Dante.

Le "novità" sono:
• il tema dell'amore che è legato alla nobiltà del cuore, una nobiltà spirituale e non data dalla nascita;
• il tema della donna-angelo, strumento di elevazione a Dio;
• la ricerca di un linguaggio raffinato adatto ad un'atmosfera "dolce", di sogno: da qui parole chiave come salute (salvezza) e salutare, gentilezza, lode, ecc.

🔍 Papato e Impero

Nel Medioevo europeo le maggiori autorità furono per lungo tempo due: il Papato (che al potere spirituale univa il potere temporale) e l'Impero di Germania (erede del Sacro Romano Impero), più volte in contrasto per la supremazia e il potere universale. Tre sono le fasi più importanti della lotta, che coinvolse anche gran parte dell'Italia nominalmente parte dell'Impero:

1. Nel 1075 l'energico papa **Gregorio VII** in un documento proclama solennemente la supremazia della Chiesa sull'Impero e vince l'opposizione dell'imperatore Enrico IV, da lui scomunicato.

2. Federico I di Svevia, detto il Barbarossa, divenuto imperatore nel 1152, vuole riaffermare il potere sulla Chiesa e sui Comuni lombardi che avevano autonomia di governo. Dopo alcune vittorie Federico viene sconfitto nella battaglia di Legnano dalla Lega Lombarda appoggiata dal Papa.

3. Federico II, erede delle corone normanna (regno dell'Italia meridionale) e di Germania, tiene corte in Sicilia e riprende la politica imperiale. I Comuni, anche al loro interno, si dividono in due partiti: quello Guelfo, filo-papale, e quello Ghibellino, filo-imperiale. Morto Federico nel 1250, il figlio Manfredi riprende la lotta, ma il re francese **Carlo d'Angiò**, chiamato in aiuto dal Papa, lo sconfigge nella battaglia di Benevento, che segna anche la fine del partito ghibellino.

Il giovane Dante è uno dei più brillanti poeti stilnovisti. La *Vita Nuova* (1294), scritta in prosa e poesia, è la storia dell'amore di Dante per Beatrice dal primo incontro fino alla morte di lei. L'opera si conclude con la "mirabile visione" di Beatrice in cielo, dopo la quale Dante si propone di parlare di lei solo quando potrà "più degnamente trattare di lei": e Beatrice infatti sarà scelta come la guida spirituale nel *Paradiso*. I temi stilnovisti, l'apparizione della donna, la sua bellezza spirituale, l'elevazione dell'animo grazie all'amore sono espressi in un linguaggio delicato e musicale.

Nelle *Rime* invece sono raccolte altre poesie di vario genere e di varia ispirazione, come ad esempio le "rime petrose" dove ricerca un linguaggio aspro ("Così nel mio parlar voglio esser aspro") che esprimono amore e odio verso una donna dal cuore duro come la pietra.

5. Gli anni dell'esilio

Proprio nell'esilio Dante scrive le opere maggiori dove raccoglie tutto il suo pensiero:

De Monarchia, in latino.
Dante espone il suo pensiero politico, maturato nell'esilio e ispirato a ideali di libertà e di pace: l'Impero deve essere la guida dei popoli per la felicità terrena; il Papato deve essere solo guida spirituale per la salvezza delle anime.

De vulgari eloquentia, scritta in latino, lingua usata allora per argomenti culturali. Dante analizza i problemi del linguaggio e afferma la pari dignità del volgare e del latino. Inoltre fissa i principi di una lingua letteraria italiana, il volgare illustre, per la prosa e la poesia.

Il *Convivio*, trattato di contenuto filosofico, scritto in volgare perché rivolto al pubblico più ampio di chi non ha potuto dedicarsi agli studi.

Infine il grandioso poema che riassume tutto il mondo del suo tempo, la *Commedia*, scritta forse tra il 1304 e il 1321.

A destra: statua di Dante Alighieri.

Nella pagina a fianco in alto: Dante incontra Brunetto Latini nell'inferno.

In basso: Enrico IV in ginocchio a Canossa dal Papa Gregorio VII.

6. La Divina Commedia

La *Commedia* (chiamata *divina* dai posteri) è l'espressione di tutto il pensiero politico e morale e della esperienza umana di esule del poeta; è anche la sintesi del sapere medievale. Ecco alcuni aspetti chiave:

Titolo:
Dante intitola il poema *Commedia* perché, come egli stesso dice, è una narrazione che ha un inizio tragico e un lieto fine. Inoltre viene usato uno stile "medio" accessibile a tutti. Al di là di queste definizioni, la *Commedia* rappresenta non solo figure nobili, ma anche personaggi di diverse condizioni sociali e aspetti di vita quotidiana.

Struttura del poema:
la struttura ha come base la perfezione del numero tre (il numero della Trinità); è divisa in tre Cantiche: *Inferno*, il mondo dei dannati, *Purgatorio*, il mondo dei penitenti, *Paradiso*, il mondo dei beati; ogni Cantica è composta di 33 canti più uno di introduzione ed è scritta in terzine.

Struttura del mondo:
il sistema tolemaico sta alla base dell'ordinamento fisico del poema. La Terra è al centro dell'universo; intorno ad essa ruotano nove sfere celesti contenute da una decima, l'Empireo, che è immobile.
Solo l'emisfero settentrionale della terra è abitato; lì si apre la cavità dell'Inferno, provocata dalla caduta di Lucifero, l'angelo ribelle a Dio. L'emisfero meridionale è occupato dall'Oceano, dove emerge la montagna del Purgatorio.

Ordinamento morale:
Dante segue il pensiero di S. Tommaso: l'uomo per sua natura tende al bene; Dio è il Bene supremo; l'uomo, dotato di libero arbitrio, può peccare per un esagerato amore per le cose terrene.

Dante Alighieri (3)

L'*argomento* è un viaggio-visione di Dante nel mondo dell'oltretomba pieno di situazioni drammatiche o di incontri affettuosi: Dante, smarritosi nella selva del peccato, viene guidato alla salvezza attraverso i tre regni da Virgilio e poi, nel Paradiso, da Beatrice. Allegoricamente rappresenta il faticoso cammino di un'anima, cammino esemplare per tutta l'umanità. Inoltre Dante se ne serve per condannare la corruzione della Chiesa e l'incapacità dell'Impero ad assolvere il suo compito.

La grandezza dell'opera sta nell'intreccio tra gli aspetti dottrinali e religiosi e i caratteri, le personalità dei personaggi. Ma il poema è soprattutto opera di alta poesia: Dante sa esprimere tutta la gamma dei sentimenti e delle passioni umane e unisce alla potenza della fantasia una straordinaria ricchezza espressiva, una varietà di linguaggio adatto alla varietà delle situazioni e alle singole atmosfere dei tre mondi.

Inferno

Dante, nel 1300 (anno del Giubileo), caduto nella "selva del peccato", incontra Virgilio, simbolo della ragione, inviato da Beatrice e inizia il viaggio nei regni dell'oltretomba, anzitutto nell'Inferno. Qui i dannati sono divisi in nove cerchi secondo tre categorie: peccati di incontinenza, di bestialità, di malizia. Al di fuori vi sono gli "ignavi", i vili, tanto disprezzati da Dante, e gli eretici. La pena fisica varia a seconda della colpa, secondo la legge del "contrappasso" cioè per contrasto o per somiglianza. Ma la vera pena, uguale per tutti, è l'eternità della condanna:

GERUSALEMME

SELVA PORTA ANTINFERNO	IGNAVI	ACHERONTE
I CERCHIO	NON BATTEZZATI	LIMBO
II CERCHIO	LUSSURIOSI	
III CERCHIO	GOLOSI	
IV CERCHIO	AVARI E PRODIGHI	
V CERCHIO	IRACONDI E ACCIDIOSI	STIGE CITTÀ DI DITE
VI CERCHIO	ERETICI	

	1° GIRONE: OMICIDI, PREDONI	FLEGETONTE
	2° GIRONE: SUICIDI E SCIALACQUATORI	
VIOLENTI VII CERCHIO	3° GIRONE: BESTEMMIATORI, SODOMI, USURAI	

	BURRATO	
FRAUDOLENTI VIII CERCHIO	1ª BOLGIA: RUFFIANI E SEDUTTORI	MALEBOLGE
	2ª BOLGIA: ADULATORI	
	3ª BOLGIA: SIMONIACI	
	4ª BOLGIA: INDOVINI	
	5ª BOLGIA: BARATTIERI	
	6ª BOLGIA: IPOCRITI	
	7ª BOLGIA: LADRI	
	8ª BOLGIA: CONSIGLIERI FRAUDOLENTI	
	9ª BOLGIA: SEMINATORI DI DISCORDIE	
	10ª BOLGIA: FALSARI	

| POZZO DEI GIGANTI |
| TRADITORI 1ª ZONA: CAINA   COCITO IX CERCHIO TRAD. DEI PARENTI |
| 2ª ZONA: ANTENORA TRADITORI DELLA PATRIA |
| 3ª ZONA: TOLOMEA TRADITORI DEGLI OSPITI |
| 4ª ZONA: GIUDECCA TRADITORI DEI BENEFATTORI |
| LUCIFERO CENTRO DELLA TERRA |

In basso: il Palazzo dei Papi ad Avignone.

A destra: Dante e Virgilio tra i suicidi trasformati in arbusto.

Il Trecento, secolo di transizione, segna il tramonto del Papato e dell'Impero. Fallisce, nel 1312, il tentativo di restaurazione imperiale in Italia dell'imperatore Arrigo VII di Lussemburgo, mentre in Inghilterra e in Francia si stanno formando le monarchie nazionali. In Italia in vari Comuni si forma la Signoria, il governo cioè di potenti famiglie, come i Visconti a Milano e gli Scaligeri a Verona. Il regno di Napoli (Italia meridionale) rimane sotto la Casa d'Angiò, mentre gli Aragonesi occupano la Sicilia. Dopo la morte di Bonifacio VIII, la sede del Papato è trasferita ad Avignone, in Provenza, sotto il controllo dei re francesi. Il ritorno della Santa Sede a Roma, nel 1377, provoca lo scisma d'Occidente con una serie di papi ed antipapi.

Avvengono inoltre gravi crisi socio-economiche: l'epidemia della peste nera in tutta Europa, nel 1348, porta ad una crisi demografica ed economica che provocherà varie sommosse contadine.

Il declino del Papato inizia con lo scontro tra il papa Bonifacio VIII, ultimo dei papi teocratici, e il re di Francia Filippo il Bello.

l'Inferno è dominato dal buio eterno, simbolo della mancanza della luce divina. La Cantica presenta le figure più drammatiche ancorate alle loro colpe e alle passioni e sentimenti terreni: ad es. il tragico amore di Paolo e Francesca, la passione politica di Farinata degli Uberti, il dolore di padre di Ugolino. Nel canto di introduzione sono già presenti elementi importanti dell'arte dantesca: l'uso della profezia, dell'allegoria, il paesaggio che riflette le varie situazioni, le similitudini.

Purgatorio

Dante, uscito dal fondo dell'Inferno, giunge alla montagna del Purgatorio, luogo di purificazione, che dovrà salire per giungere alla redenzione. La montagna del Purgatorio, opposta alla cavità dell'Inferno, è divisa in tre zone: Antipurgatorio, Purgatorio diviso in sette cornici (come i sette peccati capitali), il Paradiso terrestre. Le anime sono distribuite nelle cornici sulla base della teoria dell'amore: per "malo obietto"; per "poco vigore"; per "troppo vigore". I penitenti subiscono una pena, ma sono accomunati dalla speranza di salire il monte e poi alla salvezza eterna: Dante stesso è partecipe di questa speranza. Perciò l'atmosfera è malinconica e dolce, fatta di albe e tramonti, che esprime la diversa condizione spirituale di attesa, di speranza, di nostalgia...

Anche in questa Cantica vi sono toni polemici contro la Chiesa, l'Impero, la Firenze matrigna. Tuttavia dominano la solidarietà di rapporti, la fraternità, l'amicizia, l'esaltazione dell'arte e della poesia, come dimostrano gli incontri affettuosi con tanti poeti e artisti.

Paradiso

Dante, grazie a Beatrice, giunge alla fine del viaggio al Paradiso, sede dei beati. Questi, che si trovano tutti nell'Empireo, per far comprendere i differenti gradi di beatitudine, appaiono a Dante nei cieli che hanno influito sulle loro virtù: Cielo della Luna, spiriti mancanti ai voti; Cielo di Mercurio, spiriti attivi; Cielo di Venere, spiriti amanti; Cielo del Sole, spiriti sapienti; Cielo di Marte, combattenti per la fede; Cielo di Giove, spiriti giusti; Cielo di Saturno, spiriti contemplativi.

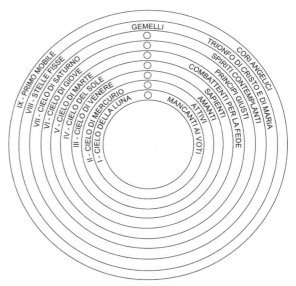

Nel cielo VIII si celebra il Trionfo di Cristo e di Maria; nell'Empireo Dante giunge alla contemplazione di Dio. Nel mondo della vera conoscenza, nella "città celeste", il poeta affronta argomenti filosofici e religiosi, ma acquistano un carattere solenne anche le esperienze personali e il tema politico-morale, chiariti dalla Verità divina. I beati si presentano solo sotto forme luminose: infatti la luce è l'elemento dominante. L'armonia universale e la gioia dei beati sono rappresentate con immagini piene di luce e di colore come ad esempio la splendente rappresentazione dell'Empireo.

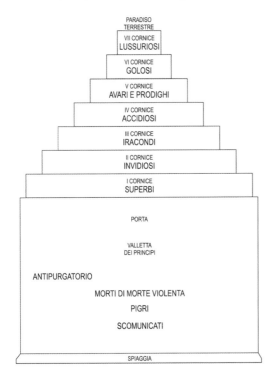

PARADISO TERRESTRE
VII CORNICE — LUSSURIOSI
VI CORNICE — GOLOSI
V CORNICE — AVARI E PRODIGHI
IV CORNICE — ACCIDIOSI
III CORNICE — IRACONDI
II CORNICE — INVIDIOSI
I CORNICE — SUPERBI
PORTA
VALLETTA DEI PRINCIPI
ANTIPURGATORIO
MORTI DI MORTE VIOLENTA
PIGRI
SCOMUNICATI
SPIAGGIA

T6 Dante Alighieri: Tanto gentile...

Tanto gentile[1] e tanto onesta pare[2]
la donna[3] mia quand'ella altrui saluta[4]
ch'ogne lingua deven tremando muta,
e li occhi no l'ardiscon di guardare.

5 Ella si va, sentendosi laudare,
benignamente d'umiltà vestuta;
e par che sia una cosa venuta
da cielo in terra a miracol mostrare.

Mostrasi sì piacente[5] a chi la mira,
10 che dà per li occhi una dolcezza al core,
che 'ntender no la può chi no la prova:

e par che de la sua labbia si mova
uno spirito soave pien d' amore,
che va dicendo a l'anima: Sospira.

Da *Vita Nuova*

La signora del mio cuore appare tanto nobile e piena di dignità quando saluta qualcuno, che ogni lingua trema e diventa muta e gli occhi non osano guardarla.

Essa avanza, mentre sente le parole di lode, con fare benevolo e vestita in modo modesto e sembra una creatura venuta dal cielo in terra per mostrare qualcosa di straordinario.

Alla vista appare così bella a chi la guarda che attraverso gli occhi ispira nel cuore una tale dolcezza che può comprenderla solo chi ne fa esperienza

e pare che dal suo volto si diffonda un dolce spirito d'amore che suggerisce all'anima di sospirare.

---

1 Gentile: nobile; onesta: un latinismo che indica decoro esteriore.

2 Pare: appare.

3 Donna dal latino domina, cioè signora.

4 Saluta: anche "porta salvezza spirituale".

5 Piacente: che suscita piacere, gioia nel linguaggio stilnovista.

---

e 1. Comprensione

Assieme al rispetto Beatrice suscita

	vero	falso
a. devota ammirazione.	○	○
b. desiderio amoroso.	○	○
c. senso di umiliazione.	○	○

Quali caratteristiche di Beatrice evidenzia il poeta?

	vero	falso
a. L'orgoglio per la sua bellezza.	○	○
b. La modestia e la dignità.	○	○
c. Il senso di superiorità sugli altri.	○	○

e 2. Analisi

- Del viso e della figura di Beatrice non sappiamo nulla, ma viene spontaneo pensarla bella. Perché?
- Il verso 6 evidenzia la qualità forse più importante di Beatrice: la modestia. In che misura questa virtù genera le altre?
- Come spieghi il verso 11?

e 3. Riflessione

- Non sappiamo se l'apparizione di Beatrice avvenga per strada o in un palazzo, il sonetto è quasi un breve filmato al rallentatore. Se tu dovessi ambientarlo, quale luogo e quale tipo di colonna sonora sceglieresti?
- Non a caso abbiamo usato il termine "apparizione". Sai dirne il perché?

T7 Dante Alighieri: Guido i' vorrei...

Guido, i' vorrei che tu e Lapo[1] ed io
fossimo presi per incantamento
e messi in un vasel ch'ad ogni vento
per mare andasse al voler vostro e mio,

5 sì che fortuna[2] od altro tempo rio
non ci potesse dare impedimento,
anzi, vivendo sempre in un talento[3],
di stare insieme crescesse 'l disio.

E monna[4] Vanna e monna Lagia poi
10 con quella ch' è sul numer delle trenta[5]
con noi ponesse il buon incantatore:

e quivi ragionar[6] sempre d'amore,
e ciascuna di lor fosse contenta,
sì come i' credo che saremmo noi

Dalle *Rime*

Guido, io vorrei che tu e Lapo ed io fossimo posti con un incantesimo in una barca leggera che navigasse con qualunque vento secondo la vostra e la mia volontà,

così che un temporale o altro tempo cattivo non potesse essere di ostacolo, anzi, vivendo sempre in pieno accordo, crescesse il desiderio di stare insieme.

E vorrei che il bravo incantatore ponesse con noi madonna Vanna e madonna Lagia e quella donna che è fra le prime trenta;

vorrei che qui si potesse sempre conversare d'amore, e ognuna di loro fosse contenta come io penso che lo saremmo noi.

---

1 Sono Guido Cavalcanti e Lapo Gianni, poeti amici di Dante.

2 Fortuna: fortunale, temporale.

3 Talento: concordia di desideri e di sentimenti.

4 Monna: madonna, termine medievale che indica signora.

5 Indica forse una delle trenta belle donne elencate in un "sirventese", poesia d'amore del periodo.

6 Ragionar dipende dal Vorrei del primo verso.

---

e 1. Comprensione

Dante desidera partire con gli amici

	vero	falso
a. per scoprire nuove terre.	○	○
b. per fuggire dai pericoli.	○	○
c. per godere della loro amicizia.	○	○

Nel sonetto Dante

	vero	falso
a. racconta un sogno.	○	○
b. dà voce a un desiderio.	○	○
c. racconta un'esperienza.	○	○

e 2. Analisi

Questo sonetto rappresenta una novità rispetto
ai testi precedenti, perché pone al primo posto il tema

	vero	falso
a. dell'amore sensuale.	○	○
b. dell'amicizia.	○	○
c. dell'impegno politico.	○	○

Dante parla di "incantamento" e di "incantatore" (versi 2 e 11), certo non crede alle fiabe. Chi potrebbe essere l'incantatore?

	vero	falso
a. Il diavolo.	○	○
b. La fantasia poetica.	○	○
c. Il dio Amore.	○	○

- La presenza di tre belle donne sulla nave degli amici potrebbe far pensare ad avventure amorose. Cosa intende il poeta con "ragionar d'amore"?

e 3. Riflessione

- Il tema del viaggio è sempre stato presente nella poesia universale con un forte valore simbolico. Come spieghi questa presenza costante? Che cosa rappresenta per te il viaggio?
- Perché Dante non nomina una meta più o meno reale?

T8 Dante Alighieri: Nel mezzo del cammin...

Nel mezzo del cammin di nostra vita[1]
mi ritrovai per una selva oscura[2],
ché la diritta via era smarrita.

Ahi quanto a dir qual era è cosa dura
5 esta selva selvaggia e aspra e forte[3]
che nel pensier rinova la paura!

Tant'è amara che poco è più morte;
ma per trattar del ben ch'i' vi trovai,
dirò de l'altre cose ch'i' v'ho scorte.

10 Io non so ben ridir com'i' v'intrai,
tant'era pien di sonno[4] a quel punto
che la verace via abbandonai.

Ma poi ch'i fui al piè d'un colle giunto,
là dove terminava quella valle
15 che m'avea di paura il cor compunto,

guardai in alto, e vidi le sue spalle
vestite già dei raggi del pianeta[5]
che mena dritto altrui per ogne calle.

Allor fu la paura un poco queta,
20 che nel lago del cor m'era durata
la notte ch'i' passai con tanta pieta.

E come[6] quei che con lena affannata,
uscito fuor del pelago a la riva,
si volge a l'acqua perigliosa e guata,

25 così l'animo mio, ch'ancor fuggiva,
si volse a retro a rimirar lo passo[7]
che non lasciò già mai persona viva.

Poi ch'ei[8] posato un poco il corpo lasso,
ripresi via per la piaggia diserta,
30 sì che 'l piè fermo sempre era 'l più basso.

Inferno I, 1-30

A metà del cammino della mia vita mi trovai in una foresta perché avevo perduto la via giusta.

Com'è difficile descrivere questa foresta selvaggia, aspra e ostile tanto che il ricordo rinnova la paura!

È tanto amara che la morte è di poco peggiore; ma per narrare il bene che vi ho trovato dirò le altre cose che ho visto.

Non so spiegare come vi entrai, perché ero addormentato quando lasciai la via giusta.

Ma quando arrivai ai piedi di un colle, dove finiva quella valle che mi aveva impaurito,

guardai in alto, e vidi le sue spalle illuminate dal sole che guida tutti per ogni strada.

Allora si calmò un poco la paura che mi era rimasta nel cuore durante la notte passata con dolore.

E come quello che con respiro affannoso, uscito dal mare alla riva, si volta a guardare l'acqua pericolosa,

così il mio animo, che ancora fuggiva, si voltò a guardare il luogo dal quale nessuno è mai uscito vivo.

Dopo aver riposato un poco il corpo stanco, ripresi il cammino per il pendio deserto, così che il piede che si appoggiava era sempre il più basso.

---

1 A 35 anni (1300, anno del Giubileo), a metà della vita umana secondo Dante.

2 Selva oscura: simbolicamente la vita nel peccato.

3 La serie di aggettivi indica la difficoltà di uscire dal peccato.

4 Pien di sonno: incapace di ragionare.

5 Pianeta: il sole secondo la scienza del tempo; qui simbolo della luce divina.

6 Pelago, latinismo, indica il mare tempestoso.

7 Lo passo... il passaggio, la selva del peccato che conduce alla morte dell'anima.

8 Ei: ebbi.

e **1. Comprensione**

Di' se queste affermazioni sono vere o false

	vero	falso
a. L'esperienza narrata del poeta avviene in tarda età.	○	○
b. Essa lo conduce attraverso il mare in tempesta.	○	○
c. Il poeta vive questa esperienza con grande fermezza d'animo.	○	○
d. La comparsa del sole gli dà nuovo coraggio.	○	○
e. Egli si rende conto di aver attraversato un territorio dal quale normalmente non si esce vivi.	○	○
f. Mentre si volge a guardarlo lo prende un nuovo spavento.	○	○
g. La salita del colle avviene dopo aver recuperato le forze.	○	○

e **2. Analisi**

Le dieci terzine che rappresentano l'inizio di tutto l'opera possono essere suddivise in tre momenti. Descrivi brevemente il contenuto di ogni sezione:

versi 1-12: ....

....

versi 13-27: ....

....

versi 28-30: ....

....

- È evidente la ricchezza di simboli usati da Dante per narrare la sua avventura. Da quale ambito linguistico sono tratti?
- Perché Dante usa un linguaggio simbolico il quale, peraltro, è abbastanza semplice?

○ **a.** Per seguire lo stile, anche figurativo, del tempo.
○ **b.** Per dare un carattere "profetico" alla narrazione.
○ **c.** Per rendere più immediato il senso dell'esperienza.

- Fra le coppie di opposti con valore simbolico citiamo: mare/terra – valle/monte – buio/luce – sonno/veglia – perdersi nella foresta/ritrovare la via. Spiega il legame esistente fra loro definendo le due categorie a cui appartengono.

e **3. Riflessione**

- A prima vista l'esperienza narrata può sembrare un incubo, ma la definizione non è corretta. Perché?
- Il poema è composto di tre parti, ciascuna di 33 canti – quello in parte analizzato qui è introduttivo a tutta l'opera e non rientra nel conteggio – e redatto in terzine. Che valore ha il numero 3 che ricorre in modo così evidente?
- L'avventura ha luogo nel 1300, anno giubilare. Non è certo una data scelta a caso. Perché?
- Anche il concetto di "metà della vita" è simbolico; Dante aveva 35 anni ma a quel tempo l'aspettativa di vita era inferiore a 70 anni. Come possiamo interpretare quindi il primo verso della *Divina Commedia*?

In alto: Dante Virgilio e le tre fiere

T9 Dante Alighieri: Fatti non foste...

Io e i compagni eravam vecchi e tardi
quando venimmo a quella foce stretta[1]
dov'Ercule segnò li suoi riguardi

acciò che l'uom più oltre non si metta;
5 da la man destra mi lasciai Sibilia,
da l'altra già m'avea lasciata Setta.

"O frati", dissi, "che per cento milia
perigli siete giunti a l'occidente,
a questa tanto picciola vigilia

10 de' nostri sensi ch'è del rimanente
non vogliate negar l'esperïenza,
di retro al sol, del mondo sanza gente.

Considerate la vostra semenza:
fatti non foste a viver come bruti,
15 ma per seguir virtute e canoscenza".

Li miei compagni fec'io sì aguti,
con questa orazion picciola, al cammino,
che a pena poscia li avrei ritenuti;

e volta nostra poppa nel mattino,
20 de' remi facemmo ali al folle volo,
sempre acquistando dal lato mancino.

Tutte le stelle già de l'altro polo
vedea la notte, e 'l nostro tanto basso,
che non surgea fuor del marin suolo.

25 Cinque volte racceso e tante casso
lo lume era di sotto da la luna,
poi ch'ntrati eravam ne l'alto passo,

quando n'apparve una montagna[2], bruna
per la distanza, e parvemi alta tanto
30 quanto veduta non avea alcuna.

Noi ci allegrammo, e tosto tornò in pianto;
chè de la nova terra un turbo nacque
e percosse del legno il primo canto.

Tre volte il fé girar con tutte l'acque;
35 a la quarta levar la poppa in suso
e la prora ire in giù, com'altrui piacque,
infin che 'l mar fu sopra noi richiuso[3].

Inferno XXVI, 106-140

Io e i miei compagni eravamo ormai vecchi e lenti quando arrivammo a quello stretto dove Ercole pose i suoi segnali

perché nessuno vada oltre; a destra mi lasciai Siviglia, dall'altra parte avevo già lasciato Ceuta.

"Fratelli - dissi - che siete giunti dopo tanti pericoli ai confini occidentali del mondo, non rifiutate a questo periodo così breve della vita

che ci rimane la conoscenza del mondo disabitato, dietro al sole.

Considerate la vostra origine: non siete stati creati per vivere come bestie, ma per seguire virtù e conoscenza".

Con questo breve discorso resi i miei compagni così desiderosi di continuare il viaggio che poi a fatica sarei riuscito a fermarli;

e rivolta la poppa ad oriente e andando verso occidente, usammo i remi come ali per l'audace viaggio, avanzando sempre a sinistra.

Ormai si vedevano nella notte tutte le stelle dell'altro polo (sud), e la stella (polare) del nostro polo (nord) era così bassa da non emergere dalla superficie marina.

Per cinque volte si era accesa e altrettante spenta la luce della faccia inferiore della luna (cioè erano passati cinque mesi) da quando avevamo iniziato il pericoloso viaggio,

quando ci apparve una montagna, scura per la distanza, e mi sembrò più alta di qualsiasi altro monte.

Noi ci rallegrammo ma presto l'allegria si trasformò in dolore, perché dalla terra appena vista un turbine sorse e colpì la prua (parte anteriore della nave) della nave.

Per tre volte la fece girare con le onde; alla quarta la fece sollevare con la poppa e la inabissò, come parve giusto ad altri (a Dio), finché il mare fu richiuso sopra di noi.

---

1 Foce stretta: lo stretto di Gibilterra.

2 Montagna: il monte del Purgatorio.

3 Conclusione drammatica dell'impresa della quale il mare cancella ogni traccia.

Il naugrafio di Ulisse in un'antica miniatura

e **1. Comprensione**

Di' se queste affermazioni sono vere e false

	vero	falso
a. L'io narrante non è il poeta.	○	○
b. La vera e propria avventura comincia alle colonne d'Ercole.	○	○
c. I compagni di Ulisse si mostrano inizialmente indecisi.	○	○
d. Ulisse li convince accusandoli di essere dei vigliacchi.	○	○
e. Per alcuni mesi il viaggio si svolge senza problemi.	○	○
f. La tragedia avviene quando la nave finisce sugli scogli.	○	○
g. La salita del colle avviene dopo aver recuperato le forze.	○	○

Perché la gioia si trasforma in dolore? Che cosa succede?

e **2. Analisi**

La narrazione evidenzia tre momenti. Identificali e definiscine il contenuto con una parola o una breve frase.

1 Versi   1 - ....
2 Versi ...... - ....
3 Versi ...... - ....

- Le colonne d'Ercole segnavano simbolicamente il confine tra due mondi, al di qua il noto al di là l'ignoto, l'inconoscibile. Delinea i confini del mondo conosciuto già alla cultura greca.
- Ulisse contrappone due modi di concepire la natura umana. Cerca di descriverli brevemente con parole tue.
- Il viaggio si svolge per mare su una nave. Perché Ulisse lo definisce "folle volo"?
- La montagna intravista dall'equipaggio è il Monte Purgatorio, a cui Dante dedica la seconda Cantica. Si tratta di un luogo reale o simbolico?

e **3. Riflessioni**

- Virtute e conoscenza sono i due imperativi che devono guidare l'uomo evoluto *(homo sapiens)*. Che cosa si intende qui per virtù? Si tratta di un valore religioso oppure di un valore etico? Spiega brevemente il motivo della tua risposta.

- Per quale motivo viene punito Ulisse?

○   **a.** Per non aver valutato i pericoli.
○   **b.** Per aver osato troppo.
○   **c.** Per aver bestemmiato Dio.

- A tuo personale giudizio, la punizione è in contraddizione con gli imperativi evocati da Ulisse? Spiega brevemente il motivo della tua risposta.

e **4. Collegamenti**

Alla fine del racconto Ulisse evoca una presenza ultraterrena che ha deciso la sorte dell'avventura. Noi moderni pensiamo naturalmente a Dio, ma Ulisse era un greco antico. Conosci esempi di punizione per una colpa analoga nel mito greco o in altre tradizioni mitologiche?

T10 Dante Alighieri: L'arrivo in Purgatorio

Per correr miglior acqua alza le vele
omai la navicella del mio ingegno,
che lascia dietro a sé mar sì crudele;

Ormai la piccola nave del mio ingegno, che lascia dietro di sé un mare così crudele, alza le vele per percorrere acque migliori

e canterò di quel secondo regno
5 dove l'umano spirito si purga
e di salire al ciel diventa degno.

e io canterò di quel secondo regno dove l'anima umana si purifica e diventa degna di salire al cielo.

Ma qui la morta poesìa resurga,
o sante Muse[1], poi che vostro sono;
e qui Caliopè[2] alquanto surga,

E quindi qui la triste poesia risorga, o sacre Muse, poiché io sono vostro; e qui Calliope si alzi,

10 seguitando il mio canto con quel suono
di cui le Piche[3] misere sentiro
lo colpo tal, che disperar perdono.

accompagnando il mio canto con quella musica dalla quale le misere Piche ebbero un colpo così forte che persero la speranza del perdono.

Dolce color d'oriental zaffiro
che s'accoglieva nel sereno aspetto
15 del mezzo, puro infino al primo giro,

Un dolce colore azzurro, come uno zaffiro orientale, che si raccoglieva nell'aspetto sereno dell'aria, limpida fino al primo cerchio,

a li occhi miei ricominciò diletto,
tosto ch'io usci' fuor de l'aura morta
che m'avea contristati li occhi e 'l petto.

rinnovò piacere ai miei occhi, non appena io uscii fuori dell'aria infernale che mi aveva rattristato la vista e l'animo.

Lo bel pianeta che d'amar conforta
20 faceva tutto rider l'oriente,
velando i Pesci ch'erano in sua scorta.

Il bel pianeta che spinge ad amare, Venere, faceva risplendere tutta la parte orientale del cielo, velando la costellazione dei Pesci che erano sotto la sua guida.

I' mi volsi a man destra e posi mente
a l'altro polo, e vidi quattro stelle[4]
non viste mai fuor ch'a la prima gente.

Io mi volsi a destra e guardai con attenzione l'altro polo (il polo sud), e vidi quattro stelle che nessuno mai vide tranne Adamo ed Eva.

25 Goder parea 'l ciel di lor fiammelle:
oh settentrional vedovo sito,
poi che privato se' di mirar quelle!

Il cielo sembrava gioire della loro luce: Oh emisfero settentrionale tristemente misero dal momento che non puoi vedere quelle stelle!

Purgatorio I, 1-27

---

1 Nella mitologia greca le nove Muse presiedevano alle varie arti.

2 Calliope era la musa della poesia epica.

3 Piche: secondo il mito greco, le figlie di un re sfidarono le Muse e, sconfitte, furono trasformate in gazze.

4 Simboleggiano le quattro virtù cardinali: Giustizia, Fortezza, Temperanza, Prudenza.

e **1. Comprensione**
Quale di queste affermazioni è esatta?

All'inizio della nuova Cantica Dante narra

○ **a.** di essere stato trasportato in volo.
○ **b.** di essere giunto per mare.
○ **c.** di aver percorso un lungo cammino a piedi.

Le sue sensazioni sono ora

○ **a.** di sollievo.
○ **b.** di timore.
○ **c.** di incertezza.

Guardandosi intorno Dante

○ **a.** riconosce un panorama noto.
○ **b.** vede qualcosa di terribile.
○ **c.** scopre delle stelle ignote a tutti.

e **2. Analisi**
- Quali elementi concreti e psicologici cita Dante per descrivere la nuova situazione in cui si trova?
- Una delle caratteristiche della poesia dantesca è la contrapposizione di elementi diversi. A tuo giudizio, si tratta solo di un esercizio retorico o stilistico? Motiva brevemente la tua risposta.
....
....
....
....

- Per narrare la nuova esperienza Dante ritiene

○ **a.** di avere bisogno dell'aiuto divino.
○ **b.** che non ce la farà mai.
○ **c.** di dover richiedere l'aiuto delle Muse.

- Per due volte (v. 7 e v. 17) il poeta usa il termine "morta". Anche il "vedovo sito" (v. 26) evoca un senso di morte. Spiega brevemente il valore simbolico di questi termini.

e **3. Riflessione**
- Il motivo del viaggio per mare è una presenza ricorrente: ricordiamo il sonetto "Guido, i' vorrei" (testo 7), il primo canto dell'Inferno (testo 8, vv. 22-24) e soprattutto il canto di Ulisse (testo 9). Che cosa differenzia queste situazioni nei modi e nello scopo?
- Perché Dante affida al mare e alla nave un forte valore simbolico?
- Se tu dovessi "aggiornare" le modalità del viaggio, come lo faresti?

Francesco Petrarca

1. Il nuovo intellettuale

Il Petrarca rappresenta un nuovo tipo di intellettuale, lontano dalla politica attiva e difensore della propria libertà di pensiero.

Egli tuttavia passa nelle varie corti onorato e rispettato - diversamente dall'esule Dante - e ha una posizione di prestigio grazie alla sua fama di letterato. Nelle sue *Epistole*, traccia il ritratto ideale del letterato rivolto solo al servizio della cultura. Tuttavia, sotto questa immagine nobile e dignitosa, sono presenti insoddisfazione, contrasto tra ambizioni, desiderio di gloria, amore terreno assieme a un desiderio di elevazione.

Da qui la "modernità" della sua poesia: una continua analisi interiore delle inquietudini, dei dubbi, dei diversi stati del suo animo, espressi in forma perfetta.

2. Petrarca e l'Umanesimo

Petrarca può essere considerato il primo umanista, il primo cioè che affronta gli autori classici latini in modo nuovo, senza gli adattamenti e le interpretazioni medievali. Svolge un costante lavoro critico sui testi e sulla lingua latina, colleziona manoscritti, nei suoi viaggi li ricerca (e ne trova) nelle biblioteche religiose.

Ma l'umanesimo del Petrarca si manifesta principalmente nel profondo amore per i classici: autori come Cicerone e Seneca, con la loro conoscenza dell'uomo, sono per lui modelli attuali di umanità e di saggezza, che si posso-

no armonizzare con la spiritualità cristiana. Comincia così il lungo colloquio ideale con gli autori latini, maestri di vita e di stile. Per questo bisogna anche imitarli nella loro stessa lingua, un latino classico, che egli stesso userà nelle sue opere latine.

3. Petrarca "politico"

Il Petrarca, tranne qualche incarico diplomatico, si tiene lontano dalla politica attiva. Tuttavia, nei suoi scritti esprime i suoi ideali politici. Si entusiasma per il tentativo (fallito) di Cola di Rienzo di restaurare la repubblica in Roma. Denuncia aspramente la corruzione della corte papale in Avignone. Influenzato anche dalla lettura dei classici, esalta la missione di Roma e dell'Italia, non più giardino dell'Impero.

È celebre la canzone "Italia mia, benché 'l parlar sia indarno", dove esorta i Signori d'Italia a porre fine alle guerre fratricide combattute per mezzo di barbari soldati mercenari. Il poeta oppone l'Italia, erede della civiltà di Roma alla "barbarie" straniera.

🔍 Il "mito" di Venezia

Venezia è forse la più famosa città italiana per la sua particolare bellezza. Sorta verso il IX secolo intorno all'isolotto di *Rivus Altus*, cioè Rialto, si estese quindi nella laguna. I suoi palazzi, le chiese e i fonteghi (depositi di merci) sono in parte costruiti su palafitte, su isolotti collegati fra loro da ponti. La capitale della Repubblica Serenissima ha una lunga storia gloriosa: fu il centro commerciale del Mediterraneo, almeno fino all'avanzata dei Turchi nel XV sec. e all'apertura delle nuove vie atlantiche. In terraferma estese il dominio fino al Friuli, alla Romagna, a Bergamo e Brescia. Spesso il governo offrì asilo e protezione a personaggi illustri come Petrarca, Galileo e Giordano Bruno. Lavorarono a Venezia gli architetti Sansovino e Palladio, i grandi pittori della scuola veneta come Bellini, Tiziano, Tintoretto, Tiepolo, Guardi, ecc. Il fascino romantico di Venezia, che spesso fu anche lo sfondo per opere letterarie, attirò tanti musicisti e scrittori, da Wagner a George Sand, da Henry James a Thomas Mann, Hemingway, Brodsky, ecc.

4. Petrarca e il volgare

Come per la lingua latina anche nella lirica in volgare Petrarca compie un continuo lavoro di ricerca della perfezione nella lingua e nello stile per giungere ad una lingua raffinata ed elegante. Crea così per la poesia un modello linguistico totalmente nuovo.

5. Il Petrarchismo

L'ammirazione per la perfezione stilistica e linguistica della poesia del Petrarca diede origine, nel Cinquecento, ad un fenomeno di imitazione, spesso solo formale, detto "petrarchismo". Ma la sua poesia è anche divenuta fonte di ispirazione e modello ideale della poesia lirica europea per secoli.

6. Le opere

Vari scritti di Petrarca sono in latino, alcuni di carattere morale, altri invece di preciso intento letterario come il poema *Africa*, le *Epistolae;* il *Secretum*, dialogo ideale tra Francesco e Sant'Agostino, è una confessione, un'analisi del dissidio interiore, dell'"accidia", lo stato di insoddisfazione e inquietudine del poeta. I *Trionfi* sono poesie in volgare degli ultimi anni, di grande impegno stilistico, ma di schema medievale. Il *Canzoniere* è l'opera più famosa, una raccolta di "frammenti dell'anima", la storia di un amore non corrisposto.

L'opera raccoglie 366 poesie divise in rime "in vita" e "in morte" di madonna Laura. Il sentimento del poeta è descritto nei vari aspetti; Laura è come una visione, una figura di sogno, il riferimento costante di tutte le poesie (tranne poche liriche "civili" e contro la corruzione della Curia Avignonese).

In realtà, tutta l'opera è un lungo colloquio del poeta con se stesso, un'analisi degli effetti dell'amore sul suo animo: attese e speranze, illusioni, delusioni, angosce, rimpianti, tutto rivissuto sul filo della memoria. E a questo si aggiunge la meditazione sulla fugacità delle cose umane, sulla solitudine, sul contrasto tra le cose terrene e l'ansia religiosa. La straordinaria abilità artistica e tecnica (talvolta forse eccessiva) riesce a dare unità alla varietà dei temi. La continua ricerca stilistica e la precisa scelta linguistica sono gli strumenti per una poesia musicale, ricca di immagini, metafore, antitesi, analogie, in un linguaggio limpido e raffinato.

Francesco Petrarca

Francesco Petrarca nacque nel 1304 ad Arezzo da un notaio fiorentino, esule perché guelfo bianco. Passò poi ad Avignone, allora sede della corte pontificia. Qui, nel 1327, incontrò, il Venerdì Santo, Laura (forse la contessa De Sade, morta nella peste del 1348), la donna che, pur non ricambiando il suo amore, rimase sempre al centro della sua esperienza poetica. Si dedicò presto all'attività letteraria ed ebbe l'appoggio e l'amicizia di intellettuali, fra cui Giovanni Boccaccio, e di uomini potenti. Viaggiò a lungo in Francia, nelle Fiandre, in Germania, in Italia; viaggi che furono alternati a soggiorni a Valchiusa, in Provenza, dove amava rifugiarsi in solitudine. Nel 1341 fu incoronato poeta a Roma in Campidoglio, da Roberto d'Angiò.
Nel 1353 rientrò definitivamente in Italia, a Parma e Milano, poi a Venezia, accolto con grandi onori dal governo della Repubblica.

Nel 1370 si ritirò, con la figlia naturale, Francesca, in una casetta (meta ancora oggi di visitatori) sui colli Euganei, ad Arquà, dove morì nel 1374. Appassionato studioso dei classici latini, ritrovò a Liegi e a Verona testi di Cicerone che erano scomparsi.

In alto: ritratto ideale di Petrarca, opera di A. Dürer, vissuto due secoli più tardi.

Nella pagina a fianco e qui sopra: Venezia: due particolari del Palazzo Ducale. La Serenissima ospitò Petrarca in una casa lungo la riva degli Schiavoni, vicino al Palazzo Ducale.

Nella pagina a fianco in alto: petrarca incoronato da Laura.

T11 Francesco Petrarca: Voi ch'ascoltate...

Voi[1] ch'ascoltate in rime sparse il suono
di quei sospiri ond'io nudriva 'l core
in sul mio primo giovenile errore,
quand'era in parte[2] altr'uom da quel ch'i' sono,

5 del vario stile[3] in ch'io piango et ragiono
fra le vane speranze e 'l van dolore,
ove sia chi per prova intende amore,
spero trovar pietà, nonché perdono.

Ma ben veggio or sì come al popol tutto[4]
10 favola fui gran tempo, onde sovente
di me medesmo meco mi vergogno;

et del mio vaneggiar[5] vergogna è 'l frutto,
e 'l pentersi, e 'l conoscer chiaramente
che quanto piace al mondo è breve sogno[6].

Voi che ascoltate in rime sparse il suono, l'eco dei sospiri d'amore di cui io nutrivo il mio cuore al tempo del mio primo errore giovanile, quando ero almeno in parte diverso da quello che sono oggi,

se c'è fra voi qualcuno che conosce l'amore per diretta esperienza, spero di trovare compassione, oltre che perdono, del vario stile con il quale piango e ragiono, tra le inutili speranze e l'inutile dolore.

Ma vedo bene ora come per molto tempo fui argomento di chiacchiere per la gente, e per questo spesso io mi vergogno di me stesso,

e il frutto del mio seguire cose vane sono la vergogna, il pentimento e il comprendere con chiarezza che tutto ciò che piace in questa vita terrena è solo un breve sogno.

Sonetto I

1 Voi: si rivolge ai lettori del *Canzoniere*.
2 In parte: perché non è ancora del tutto libero dall'amore terreno.
3 Vario stile: anche per la varietà dei sentimenti espressi.

4 Al popol tutto: tutti, anche chi non ha esperienza d'amore.
5 Vaneggiare: inseguire cose vane.
6 Breve sogno: definisce la fragilità delle cose umane.

---

e **1. Comprensione**
Di' se queste affermazioni sono vere o false.

	vero	falso
a. Il poeta si rivolge a lettori esperti d'amore.	○	○
b. La sua storia d'amore appartiene al passato.	○	○
c. Il poeta prende le distanze da questa esperienza.	○	○
d. I piaceri del mondo si sono rivelati privi di valore.	○	○
e. Il poeta non sente il bisogno di essere capito.	○	○

e **2. Analisi**
- Due figure retoriche hanno qui un ruolo importante: l'allitterazione (ripetizione della stessa lettera o sillaba iniziale) e l'antitesi, la contrapposizione. Il seguente esempio ci sembra significativo: vane/van (v.6), veggio (v.9), vergogno (v.11), vaneggiar/vergogna (v. 12). Che cosa si nota con una certa evidenza in questa successione? Che funzione ha il "veggio" del verso 9?
- Anche la rima crea legami non casuali. Ricerca e spiega quelle a tuo giudizio più significative.

e **3. Riflessione**
- Come definiresti lo stato d'animo del poeta che riflette sulla sua esperienza?
- Già il titolo dell'opera evoca un pensiero musicale e non è certo un caso che vari sonetti siano stati musicati (questo si trova nella raccolta *Selva morale e spirituale* di Claudio Monteverdi, 1640). Come interpreti in questo senso il verso 1?

In alto: la casa di Arquà dove Francesco Petrarca morì nel 1374.

T12 Francesco Petrarca: Solo et pensoso...

Solo et pensoso i più diserti campi
vo mesurando[1] a passi tardi et lenti,
et gli occhi porto per fuggire intenti
ove vestigio human l'arena stampi.

5 Altro schermo non trovo che mi scampi
dal manifesto accorger de le genti,
perché negli atti d'alegrezza spenti
di fuor si legge com'io dentro avvampi

sì ch'io mi credo omai che monti e piagge
10 et fiumi et selve sappian di che tempre
sia la mia vita, ch'è celata altrui.

Ma pur sì aspre vie né sì selvagge
cercar non so ch'Amor non venga sempre
ragionando con meco[2], et io collui.

Sonetto XXXV

Solo e pensieroso vado percorrendo con passi stanchi e lenti i luoghi più solitari e volgo gli occhi attenti per evitare i luoghi dove impronte umane segnino il terreno.

Non trovo altro riparo che mi salvi dal manifesto accorgersi della gente (che impedisca alla gente di accorgersi) della mia pena, perché dagli atti privi di gioia si comprende quanto io dentro arda d'amore,

così che io credo ormai che monti e pianure, fiumi e boschi sappiano di quale genere sia la mia vita, che è nascosta agli altri.

Ma non so cercare vie tanto aspre e selvagge che Amore non venga sempre parlando con me, e io con lui.

1 Mesurando: indica un camminare lento, senza una meta precisa.
Tardi e lenti: sono sinonimi.

2 Meco: con me stesso; può dipendere sia da *venga* che da *ragionando*.
Ragionando: parlando, dialogando.

1. Comprensione
Individua e correggi le parti errate di queste affermazioni.

a. Camminando lentamente il poeta cerca con gli occhi qualche persona amica.

b. Questo è l'unico modo possibile per nascondere alla gente la gioia che ha in cuore.

c. Così facendo riesce a nascondere il fondo del suo animo anche alla natura che lo circonda.

d. Le contrade sono così aspre e solitarie che anche Amore lo abbandona al suo destino.

2. Analisi
- Infelicità amorosa e ricerca di solitudine: in che modo sono collegati fra loro i due temi?
- Spesso i poeti cercano conforto nella natura, la vedono come specchio della loro anima. È così anche qui? Se sì, in che modo corrisponde la natura ai sentimenti del poeta?
- Perché Amore continua ad accompagnarsi al poeta?
- Prova a leggere a voce alta i primi versi: qual è il ritmo imposto dalle parole?

3. Riflessione
L'amore infelice è una condizione universale che più o meno tutti hanno sperimentato. Come si esprime oggi questa condizione? Rifletti sulle tue esperienze o su quelle di persone a te vicine.

T13 Francesco Petrarca: Erano i capei d'oro...

Erano i capei d'oro a l'aura[1] sparsi
che 'n mille dolci nodi gli avolgea,
e 'l vago lume oltre misura ardea
di quei begli occhi, ch'or ne son sì scarsi[2];

5 e 'l viso di pietosi[3] color farsi,
non so se vero e falso, mi parea:
i' che l'esca[4] amorosa al petto avea,
qual meraviglia se di subito arsi?

Non era l'andar suo cosa mortale,
10 ma d'angelica forma; et le parole
sonavan altro, che pur voce umana.

Uno spirto celeste, un vivo sole
fu quel ch'i' vidi: et se non fosse or tale
piaga[5] per allentar d'arco non sana.

I capelli color oro erano sciolti al vento che li avvolgeva in mille nodi graziosi, e la dolce luce di quei begli occhi, che ora ne sono privi, splendeva e mi sembrava, non so se fosse realtà o illusione,

che il viso si rivestisse di un colore di pietà: io che avevo un animo disposto ad amare, quale meraviglia se subito mi infiammai d'amore per lei?

Il suo passo non era di creatura mortale, ma di uno spirito superiore e le sue parole avevano un suono diverso da quello di una semplice voce umana.

Quello che io vidi fu uno spirito celeste, una luce splendida, e se anche ora questa non fosse più bella come allora, la mia ferita d'amore non può guarire, come la ferita fatta da una freccia non guarisce solo perché l'arco non è più teso.

Sonetto CX

___

1 A l'aura: evoca nel suono Laura, il nome della donna amata.

2 Scarsi: privi, forse per malattia o il passar degli anni.

3 Pietosi: che esprimono compassione.

4 Esca: scintilla d'amore; come "arsi" del v. 8 esprime la metafora amore - fuoco.

5 Piaga...: metafora usata per indicare la violenza dell'innamoramento.

___

e **1. Comprensione**

Individua e correggi le parti errate di queste affermazioni.

a. Il vento scompigliava i bei capelli bruni e lisci.

b. Sono sicuro che il viso di lei si ricoprì di un dolce colore.

c. Non c'è da meravigliarsi se restai indifferente alla seduzione.

d. Purtroppo il passar degli anni cancella la bellezza e con essa l'amore.

e **2. Analisi**

La struttura interna del sonetto si articola in due momenti. Quale tema caratterizza ciascuno dei due?

- Quali versi appartengono al secondo tema?

- Quali elementi sulla figura fisica di Laura ci fornisce il poeta? E che cosa dice dell'interiorità di lei?

- L'innamoramento viene considerato come inevitabile e immediato. Il poeta lo dice nei versi 7-8: spiegali con parole tue.

e **3. Riflessione**

Il paragone più immediato è quello con il sonetto dantesco "Tanto gentil..." (testo 6). Quali sono le differenze più evidenti sia nella descrizione della donna amata sia nelle reazioni al suo apparire?

T14 Francesco Petrarca: Zefiro torna...

Zefiro torna[1], e 'l bel tempo rimena
e i fiori e l'erbe, sua dolce famiglia,
e garrir Progne e pianger Filomena[2],
e primavera candida e vermiglia[3];

5 Ridono i prati, e 'l ciel si rasserena,
Giove s'allegra di mirar sua figlia;
l'aria e l'acqua e la terra è d'amor piena;
ogni animal d'amar si riconsiglia.

Ma per me, lasso, tornano i più gravi
10 sospiri, che del cor profondo tragge
quella ch'al ciel se ne portò le chiavi;

e cantar augelletti e fiorir piagge,
e 'n belle donne oneste atti soavi
sono un deserto, e fere aspre e selvagge.

Zefiro, il vento primaverile, ritorna e riconduce la bella stagione e i fiori e l'erba, che sono la sua dolce compagnia, e il canto della rondine e dell'usignolo, e la primavera dai fiori bianchi e rossi;

i prati sono ridenti e il cielo ritorna sereno, il pianeta Giove è lieto di contemplare la stella Venere; l'aria, l'acqua e la terra sono pieni d'amore, e ogni creatura vivente si ripromette di amare.

Ma per me, infelice, tornano i sospiri più tristi, che fanno uscire dal profondo del cuore colei che, morendo, ha portato al cielo le chiavi del mio cuore

e il canto degli uccelli e i prati fioriti e gli atteggiamenti soavi di belle donne piene di grazia sono per me come un deserto, e come fiere, animali selvatici.

Sonetto CCCX

1 La primavera è la stagione in cui il Petrarca vide Laura per la prima volta.

2 Garrir e pianger: infiniti con funzione di sostantivo. Progne e Filomena: secondo il mito classico sono due sorelle trasformate per punizione in rondine e usignolo. Il mito, come al v. 6., è un modo di umanizzare la natura.

3 Candida e vermiglia: colori simbolici della freschezza giovanile.

---

e 1. Comprensione
Di' se queste affermazioni sono vere o false.

	vero	falso
a. È tornata la primavera e anche il cuore del poeta se ne rallegra.	○	○
b. In cielo volano e cantano allodole e usignoli.	○	○
c. La natura si mostra finalmente nella sua vivacità di colori.	○	○
d. Malgrado ciò il poeta è triste per la partenza di Laura.	○	○
e. Tutto gli appare incolore e ostile.	○	○

e 2. Analisi
- Le quartine e le terzine segnano una differenza psicologica e interiore. Cerca di definirne brevemente le caratteristiche.
- Il testo ha vari riferimenti ai miti classici. A tuo parere si tratta di una specie di snobismo intellettuale? Come motivi la tua risposta?

e 3. Riflessione
- Anche questo sonetto è stato musicato da Monteverdi in forma di madrigale (1614). Ma la suggestione più forte è quella visiva. Quale tipo di dipinto potrebbe illustrare le due quartine?
- Questo sonetto chiude il *Canzoniere*. Che cosa emerge da un confronto con il testo 11 che lo apre?

Giovanni Boccaccio

Boccaccio è, con Dante e Petrarca, il terzo grande scrittore del Trecento, il primo grande prosatore e narratore della letteratura italiana. Boccaccio, con l'opera *Decameron*, è il creatore del "genere" della novella ed è considerato un grande per lo sviluppo e la varietà delle situazioni, la caratterizzazione dei personaggi, per una prosa e una lingua che furono a lungo un modello letterario.

Il *Decameron* trovò subito un ampio pubblico di lettori ed ebbe subito fortuna non solo in Italia, ma anche in tutta l'Europa: fu un punto di riferimento per molti narratori, come ad esempio l'inglese Chaucer.

1. Cultura e Umanesimo del Boccaccio

La prima formazione culturale del Boccaccio avviene alla vivace corte di Napoli dove frequenta gli ambienti intellettuali. Fondamentale è l'incontro a Firenze con il Petrarca, che divenne il suo "direttore" spirituale.

Sull'esempio dell'amico, si dedica agli studi umanistici ed alla ricerca di codici antichi. Vuole conoscere anche il mondo greco e perciò invita ed ospita il grecista calabrese Leonzio Pilato, sia per imparare il greco, sia per verificare la traduzione latina di Omero. La sua attività umanistica è stata importante nella storia della cultura italiana: per molti anni Boccaccio fu uno dei protagonisti del pre-umanesimo fiorentino e la sua casa fu un centro di runione dei nuovi intellettuali. Boccaccio ebbe sempre un grande amore per Dante, di cui seppe cogliere la grandezza artistica.

2. Opere minori

Boccaccio ha prodotto opere di vario genere, in prosa e in versi, soprattutto nel periodo napoletano. Tra queste, il *Corbaccio*, satira violenta contro una donna. Come Dante e Petrarca ha anche scritto opere umanistiche in latino, e poi il *Trattatello in lode di Dante*, una specie di biografia spirituale.

3. Il Decamerone

Il *Decameron* (dal greco "dieci giornate"), composto tra il 1349 e il 1351, è una raccolta di cento novelle raccontate durante dieci giorni da sette donne e tre giovani che si sono rifugiati in campagna per sfuggire alla peste di Firenze. È un'opera di intrattenimento, come dichiara lo stesso autore, ma in realtà è un grandioso affresco della società a lui contemporanea, un quadro di tutte le classi sociali, dagli ambienti aristocratici al mondo dei mercanti, degli artigiani, di suore e frati, della malavita: come è stato detto, una "laica commedia umana". Il Boccaccio rappresenta con estremo realismo le situazioni, gli ambienti, i personaggi senza giudizi o scopi morali. Questo deriva dalla sua realistica visione della vita: il mondo è guidato dalla forza naturale dell'Amore e dalla Fortuna; l'uomo grazie all'intelligenza può sfruttare le occasioni offerte dalla Fortuna.

🔍 Napoli e il Sud

Napoli (dal greco Neapolis: nuova città), antica colonia greca e poi romana, era vicina ad altre importanti città quali Paestum, Pompei ed Ercolano, le due città sepolte dall'eruzione del Vesuvio nel 70 d.C. Nel Trecento, con gli Angioini, Napoli divenne capitale di un regno che includeva tutto il Sud d'Italia, per secoli fu l'unica Università del Sud, e fu a lungo un centro culturale di importanza europea. Rimase capitale attraverso le varie dominazioni fino ai Borboni e solo nel 1861, entrò a far parte del nuovo Regno d'Italia. Fin dall'antichità esercitò un grande fascino la bellezza luminosa dei golfi di Napoli e di Salerno (dove fra l'altro nel Medioevo sorse la prima scuola di medicina) e della costa amalfitana. Tutto il Sud ebbe un grande momento durante il regno di Federico II e nei decenni successivi: fra le numerose testimonianze artistiche ricordiamo le cattedrali romaniche di Bari, Trani, Bitonto, e la perfetta architettura di Castel del Monte in Puglia (nella foto).

4. Struttura e temi

Una delle più rilevanti scelte di Boccaccio è quella di inserire le novelle dentro una cosiddetta "cornice", costituita dalla fuga di fronte alla peste, causa di morte, sofferenze e disordine morale; contrapposta a questa abbiamo la vita serena dei dieci giovani nelle loro ville in campagna.

La fuga dalla peste dura dieci giorni. Ogni giorno i giovani raccontano una novella su un tema fissato dalla regina o dal re di turno: soltanto il giovane Dioneo può scegliere una novella di argomento libero. Quanto ai temi, i più rilevanti sono:

• *l'intelligenza*, che è rappresentata in tutte le sue forme, dall'intelligenza più elevata all'astuzia. È spesso unita al gusto della beffa a danno degli sciocchi: uno dei personaggi più popolari è il fiorentino Calandrino, un povero sciocco che si crede furbo e subisce scherzi pesanti da parte dei due amici, Bruno e Buffalmacco.
• anche *l'amore* è rappresentato nelle sue possibili variazioni: l'amore puramente sensuale (cosa che procurò al Boccaccio la fama di oscenità), la passione, l'amore infelice, l'amore che ha un lieto fine. Ecco allora le grandi figure femminili: Lisabetta da Messina, vittima dell'avidità dei fratelli che le uccidono l'innamorato; la paziente Griselda che dopo tante pene ottiene l'amore e il rispetto del marito.
• la *fortuna* o meglio il caso che può modificare delle situazioni e può offrire delle opportunità è uno dei "protagonisti" della raccolta.
• la *"cortesia"*, cioè la nobiltà di sentimenti e dignità di comportamento, indipendenti dalle condizioni sociali: ne è un esempio Cisti, fornaio fiorentino, non inferiore in "gran cortesia" al nobile Geri Spina. Spesso questi temi si intrecciano nella stessa novella, come in "Andreuccio da Perugia" dove il giovane ingenuo e inesperto è ingannato e derubato, ma dopo varie avventure e colpi di scena nella Napoli notturna, grazie all'astuzia, ritorna ricco.

5. Caratteri della prosa di Boccaccio

Il Boccaccio nello sviluppo dei vari argomenti ha creato una "prosa d'arte", latineggiante nella sintassi e nel periodare ampio. È una prosa che rispecchia la realtà attraverso lo stile, che passa da quello elevato al comico, a seconda dei motivi e delle situazioni. Naturalmente anche il linguaggio è realistico, sempre adatto ai personaggi e agli ambienti rappresentati: parole ricercate e raffinate e parole prese dal linguaggio popolare, soprattutto per ottenere effetti comici.

Giovanni Boccaccio

Boccaccio nacque nel 1313 a Certaldo (o forse a Firenze) da un mercante, agente della potente banca dei Bardi. Da Firenze nel 1327 andò a Napoli per far pratica bancaria, ma presto l'abbandonò per gli studi letterari e partecipò alla vita della splendida corte angioina: un periodo importante per la sua formazione umana e culturale, per l'esperienza del mondo mercantile e quello aristocratico. Nel 1340, a seguito del fallimento della banca Bardi-Peruzzi, ritornò a Firenze dove ottenne pubblici incarichi che gli permisero di visitare varie corti. Nel 1348, a Firenze, visse la tremenda esperienza della peste che colpì tutta l'Europa e che poi descrisse nel *Decameron*.

Molto importante fu l'amicizia con il Petrarca, che lo indirizzò verso gli studi umanistici e che, con i suoi consigli, gli impedì più tardi di distruggere, per una crisi religiosa, le sue opere. Boccaccio, grande ammiratore di Dante, fu incaricato dal Comune di Firenze della lettura pubblica della *Commedia*: costretto per la cattiva salute ad interromperla, si ritirò a Certaldo, dove morì nel 1375.

In alto: ritratto di Giovanni Boccaccio.

In basso: la Storia di Nastagio degli Onesti, di A. Botticelli.

Nella pagina a fianco: particolare di una miniatura fiamminga attribuita a Guillebert de Mets, nel *Decameron de Philippe le Bon*.

T15 Giovanni Boccaccio: Le tre anella

Melchlsedech giudeo[1], con una novella di tre anella, cessa[2] un gran pericolo dal Saladino[3] apparecchiatogli.

Poiché, commendata da tutti la novella di Neiflle, ella si
5 tacque, come alla reina[4] piacque, Filomena così cominciò a parlare.
La novella da Neifile detta mi ritorna a memoria il dubbioso[5] caso[6] già avvenuto ad un Giudeo; per ciò che già e di Dio e della verità della nostra Fede è assai bene stato detto, il di-
10 scendere oggimai agli avvenimenti e agli atti degli uomini non si dovrà disdire; a narrarvi quella verrò, la quale udita, forse più caute diverrete nelle risposte alle quistioni che fatte vi fossero. Voi dovete, amorose compagne, sapere che, sì come la sciocchezza spesse volte trae altrui di felice stato e met-
15 te in grandissima miseria, ma così il senno di grandissimi pericoli trae il savio e ponlo in grande e in sicuro riposo. E che vero sia che la sciocchezza, di buono stato, in miseria alcun conduca, per molti esempli si vede, li quali non fia al presente nostra cura di raccontare, avendo riguardo che tutto 'l dì mil-
20 le esempli n'appaiano manifesti. Ma che il senno di consolazione[7] sia cagione, come promisi, per una novelletta mosterrò[8] brievemente.
Il Saladino, il valore del qual fu tanto che non solamente di piccolo uomo il fé' di Babilonia Soldano, ma ancora molte vit-
25 torie sopra li Re saracini e cristiani[9] gli fece avere, avendo in diverse guerre, e in grandissime sue magnificenze, speso tutto il suo tesoro, e, per alcuno accidente sopravvenutogli, bisognandogli una buona quantità di danari, né veggendo donde così prestamente, come gli bisognavano, aver gli potesse, gli
30 venne a memoria un ricco Giudeo, il cui nome era Melchisedech, il quale prestava ad usura[10] in Alessandria, e pensossi costui avere da poterlo servire, quando volesse; ma sì era avaro che di sua volontà non l'avrebbe mai fatto, e forza non gli voleva fare: per che, strignendolo il bisogno, rivoltosi tutto a
35 dover trovar modo come il Giudeo il servisse, s'avvisò[11] di fargli una forza da alcuna ragion colorata. E fattolsi chiamare, e familiarmente ricevutolo, seco il fece sedere, e appresso gli

L'ebreo Melchisedech evita, grazie a un racconto su tre anelli, la trappola tesagli dal Saladino.

Conclusa con l'approvazione di tutti la narrazione della sua novella, Neifile tacque; quando la regina lo ritenne opportuno, Filomena iniziò a parlare.
La novella narrata da Neifile mi riporta alla memoria il caso problematico capitato a un Ebreo; quanto è stato così ben esposto sul tema di Dio e sulla verità della nostra fede non deve sembrare messo in discussione da avvenimenti e atti umani odierni; quando avrete udito la mia narrazione avrete forse maggiore cautela nel rispondere a questioni che vi venissero poste. Care compagne, deve esservi noto che se la stupidità delle azioni di qualcuno può causare ad altri la perdita della serenità e la caduta in grande infelicità, avviene d'altra parte che l'intelligenza liberi il saggio da grandissimi pericoli e lo metta al riparo assicurandogli serenità. E che ci siano molti casi che dimostrano come la stupidità precipiti nella miseria alcuni uomini, non è al centro della nostra attenzione, dal momento che ogni giorno ne vediamo mille esempi. Dimostrerò invece con un breve racconto che l'intelligenza è fonte di consolazione.
Il Saladino, le cui doti non solo lo fecero diventare, da semplice uomo quale era, sultano di Babilonia, ma gli fecero riportare grandi vittorie su saraceni e cristiani, avendo esaurito il suo tesoro per condurre guerre e costruire opere magnifiche, si trovò per qualche fatto imprevisto ad avere bisogno di molto denaro, ma a non sapere come procurarselo nel breve tempo necessario; si ricordò allora di un ricco Ebreo di nome Melchisedech, che ad Alessandria d'Egitto prestava denaro con interesse, pensò che questi avrebbe potuto aiutarlo se avesse voluto, ma che per la sua avarizia non lo avrebbe mai fatto o voluto fare spontaneamente; per questo motivo, stretto dalla necessità, concentrandosi sul modo per costringere l'Ebreo a mettersi a sua disposizione, decise di agire in modo da dare a un gesto arbitrario una parvenza legale. Lo fece chiamare, lo accolse con gentilezza e lo fece sedere ac-

---

1 Melchisedech: figura simbolica, rappresenta il mondo ebraico.

2 Cessa: evita.

3 Saladino: Salah ad-Din, figlio di un emiro curdo-siriano, valente condottiero, sultano di Egitto, Siria e Mesopotamia, nel 1187 conquistò Gerusalemme, stimato come uomo saggio, onorato anche da Dante.

4 Reina: Pampinea, che guida la giornata e ne stabilisce il tema; la prima giornata è a tema libero.

5 Dubbioso: che fa riflettere.

6 Caso: la vicenda, presente anche nel *Novellino*, venne ripresa nel 1781 dal drammaturgo illuminista tedesco Gotthold Ephraim Lessing come nucleo del dramma *Nathan il saggio*.

7 Consolazione: serenità di spirito.

8 Mosterrò: dimostrerò.

9 Saracini e cristiani: nel Vicino Oriente si affrontavano emirati e califfati arabi e i regni cristiani fondati dai crociati.

10 Usura: nel significato originario: prestito con pagamento di un interesse; era condannato dalla Chiesa perché "comperare il tempo" era considerato peccato mortale, ma "permesso" agli Ebrei e praticato dai cristiani.

11 S'avvisò: pensò.

12 Leggi: le tre religioni monoteistiche, dette "del libro" perché fondate su una Legge scritta.

disse: «Valente uomo, io ho da più persone inteso che tu se'
savissimo, e nelle cose di Dio senti molto avanti; e per ciò io
40 saprei volentieri da te, quale delle tre Leggi[12] tu reputi la verace, o la giudaica, o la saracina, o la cristiana».
Il Giudeo, il quale veramente era savio uomo, s'avvisò troppo
bene che il Saladino guardava di pigliarlo nelle parole, per
dovergli muovere alcuna quistione, e pensò non potere alcu-
45 na di queste tre più l'una che l'altra lodare, che il Saladino
non avesse la sua intenzione[13]. Per che, come colui il qual pareva d'aver bisogno di risposta per la quale preso non potesse essere, aguzzato lo 'ngegno, gli venne prestamente avanti
quello che dir dovesse, e disse: «Signor mio, la quistione la
50 qual voi mi fate è bella, e a volervene dire ciò che io ne sento,
mi vi convien dire una novelletta, qual voi udirete.
Se io non erro, io mi ricordo aver molte volte udito dire che
un grande uomo e ricco fu già, il quale, intra l'altre gioie più
care che nel suo tesoro avesse, era uno anello bellissimo e
55 prezioso; al quale per lo suo valore e per la sua bellezza volendo fare onore, e in perpetuo lasciarlo ne' suoi discendenti,
ordinò che colui de' suoi figliuoli appo il quale, sì come la-
sciatogli da lui, fosse questo anello trovato che colui s'inten-
desse essere il suo erede, e dovesse da tutti gli altri essere,
60 come maggiore, onorato e reverito.
Colui al quale da costui fu lasciato, tenne simigliante ordine
ne' suoi discendenti, e così fece come fatto avea il suo pre-
decessore: e in brieve andò questo anello di mano in mano
a molti successori; e ultimamente pervenne alle mani ad
70 uno, il quale avea tre figliuoli belli e virtuosi, e molto al padre loro obedienti; per la qual cosa tutti e tre parimente gli
amava. E i giovani, li quali la consuetudine dello anello sapevano, sì come vaghi ciascuno d'essere il più onorato tra'
suoi, ciascuno per sé, come meglio sapeva, pregava il padre,
75 il quale era già vecchio, che, quando a morte venisse, a lui
quello anello lasciasse.
Il valente uomo, che parimente tutti gli amava, né sapeva esso medesimo eleggere a qual più tosto lasciar lo volesse, pensò, avendolo a ciascun promesso, di volergli tutti e tre sodi-
80 sfare: e segretamente ad uno buono maestro ne fece fare due
altri, li quali sì furono simiglianti al primiero, che esso medesimo che fatti gli avea fare, appena conosceva qual si fosse il
vero. E venendo a morte, segretamente diede il suo a ciascun
de' figliuoli, li quali, dopo la morte del padre, volendo ciascu-
85 no la eredità e l'onore occupare, e l'uno negandolo all'altro,

*canto a sé, poi gli disse: «Valente uomo, ho sentito dire da mol-
te persone che tu sei molto saggio e molto esperto in cose di religione; perciò vorrei sapere da te quale delle tre religioni tu ri-
tenga la più vera, l'ebraica, l'islamica o la cristiana».*
*L'Ebreo, che era uomo veramente saggio, capì che il Saladi-
no cercava di coglierlo in fallo su quello che avrebbe detto
per richiedergli qualcosa e pensò di non poterne lodare una
più delle altre senza che il Saladino ne avesse un vantaggio.
Perciò, proprio come chi si trova a cercare un risposta che
non lo metta nei guai, riconobbe subito quello che doveva
dire e disse: «Signore, la questione che mi ponete è molto
interessante e per dirvi come io la vedo, mi sembra opportuno narrarvi il breve racconto che adesso ascolterete.*

*Se non ricordo male, ho sentito dire più volte che è esistito un
uomo grande e ricco il quale, fra le cose più care che possedeva, aveva un bellissimo anello prezioso; volendo dare il giusto
riconoscimento al suo valore e alla sua bellezza e desiderando
che restasse sempre di proprietà di un suo discendente, stabilì
che il figlio al quale lui come padre avrebbe lasciato questo
anello, fosse riconosciuto come primogenito, e come tale onorato e rispettato.*

*Colui, il quale aveva ricevuto l'anello, mantenne la stessa re-
gola per i suoi discendenti e agì allo stesso modo del suo an-
tenato: in breve, l'anello passò di mano in mano per molte generazioni. Giunse infine nelle mani di un uomo che aveva tre
figli, belli, virtuosi e obbedienti al loro padre e che questi perciò amava con pari affetto. I giovani conoscevano la tradizione
dell'anello; poiché ciascuno desiderava essere il prescelto, tro-
vandosi da solo con il padre già vecchio, ognuno lo pregava
come meglio poteva, affinché egli al momento di morire lasciasse a lui l'anello.*

*Il brav'uomo li amava tutti e tre ugualmente e non sapeva de-
cidere a quale lasciare l'anello; avendolo promesso a ciascuno
di loro pensò di accontentare ognuno: da un bravo orafo fece
confezionare altri due anelli che risultarono così simili al primo
che anche lui, il quale li aveva ordinati, a stento riconosceva
l'originale. Ormai prossimo a morire consegnò segretamente a
ciascun figlio l'anello; morto il padre ognuno pretendeva l'eredità e l'autorità che negava agli altri mostrando a testimonianza del proprio diritto l'anello ricevuto.*

---

13 Avesse la sua intenzione: raggiungesse il suo scopo.

Giovanni Boccaccio: Le tre anella

in testimonianza di dover ciò ragionevolmente fare, ciascuno produsse fuori il suo anello. E trovatisi gli anelli sì simili l'uno all'altro, che qual fosse il vero non si sapeva conoscere, si rimase la quistione, qual fosse il vero erede del padre, in pen-
90 dente, e ancor pende.

E così vi dico, signor mio, delle tre Leggi alii tre popoli date da Dio Padre, delle quali la quistion proponeste: ciascuno la sua eredità, la sua vera Legge, e i suoi comandamenti si crede avere a fare; ma chi se l'abbia, come degli anelli, ancora
95 ne pende la quistione.»

Il Saladino conobbe, costui ottimamente essere saputo uscire del laccio il quale davanti a' piedi teso gli aveva; e per ciò dispose d'aprirgli il suo bisogno, e vedere se servire il volesse; e così fece, aprendogli ciò che in animo avesse avu-
100 to di fare, se così discretamente[14], come fatto avea, non gli avesse risposto, il Giudeo liberamente[15] d'ogni quantità che il Saladino richiese il servì; e il Saladino poi interamente il soddisfece: e oltre a ciò gli donò grandissimi doni, e sempre per suo amico l'ebbe, e in grande e onorevole stato ap-
105 presso di sé il mantenne.

Poiché si constatò che gli anelli erano così simili tra loro da non poter distinguere l'originale, la questione di chi fosse il vero erede rimase in sospeso e lo è tuttora.

E così avviene, Signore, per le tre religioni donate da Dio Padre ai tre popoli e sulle quali avete posto la questione: ciascuno eredita la propria, la sua vera Legge, crede di dover agire seguendone i precetti, ma chi possegga quella vera, è questione irrisolta, proprio come quella degli anelli».

Il Saladino riconobbe che Melchisedech era riuscito a sottrarsi in modo eccellente alla trappola che egli gli aveva teso; decise perciò di metterlo al corrente delle sue necessità per vedere se avesse intenzione di aiutarlo; e così fece spiegandogli ciò che avrebbe fatto se egli non avesse risposto con tanta intelligenza; l'Ebreo mise a disposizione tutto ciò di cui il Saladino aveva bisogno e il Saladino in seguito restituì tutto, gli fece inoltre grandissimi doni, lo considerò sempre amico e lo tenne accanto a sé con molti onori.

Dal *Decamerone, Giornata I, Novella terza.*

In basso: veduta di Firenze. La villa dove i giovani si sono riuniti per sfuggire alla peste è sulle colline che vedi fuori dalle mura.

---

14 Discretamente: con intelligenza.

15 Liberamente: con liberalità, generosità.

e **1. Comprensione**

Quali di queste affermazioni sono vere?

La vicenda viene narrata

○ **a.** da Melchisedech stesso.
○ **b.** da una delle giovani della brigata.
○ **c.** da un biografo del Saladino.

Il tema della novella è

○ **a.** l'esaltazione della furbizia.
○ **b.** l'esaltazione della fede.
○ **c.** la superiorità della saggezza.

L'ultimo padre

○ **a.** inganna i figli per amore.
○ **b.** vuol far sparire il vero anello.
○ **c.** inganna i figli per punirli.

e **2. Analisi: i due personaggi**

- Quali sono le parole chiave della presentazione del racconto di Filomena?
- Come definiresti il Saladino dopo aver letto solo le righe 34-36? Cambia – se sì, come – il tuo giudizio a conclusione della lettura?
- Quali elementi connotano la figura di Melchisedech? Sono tutti dello stesso tipo?
- La struttura delle frasi è talvolta complessa, non priva di ripetizioni non sempre necessarie. Ciò avviene probabilmente perché si tratta

○ **a.** di una narrazione spontanea, improvvisata "a braccio".
○ **b.** di una traduzione dall'arabo.
○ **c.** di un argomento difficile.

- Il racconto di Melchisedech è una "novelletta": quale altra definizione potrebbe essere data, tenendo conto della sua funzione?

e **3. Riflessione**

- Conosci altre opere letterarie nelle quali la figura di un ebreo è collocata al centro della vicenda? Se sì, quali caratteristiche le vengano attribuite?
- Questa novella non è fra le più note o divertenti della raccolta, l'abbiamo scelta perché la riteniamo "moderna". Puoi spiegare in che misura questa valutazione è corretta?
- Come valuti il messaggio lanciato da Boccaccio? Ti sembra sufficientemente chiaro o vorresti integrarlo – e come?
- Secondo te, sarebbe utile far leggere questa novella a tante persone del nostro secolo? Perché?

Critica

La Commedia come ultima *summa*[1]

La *Commedia*, che Boccaccio disse «divina» per il suo carattere di «poema sacro» e per l'altezza sublime della poesia, è l'ultima *summa*, la più grande, della cultura medievale, sintesi di tutta la realtà terrena e ultraterrena, naturale e storica, culturale e morale: una sintesi per immagini, non condotta cioè con gli strumenti puri della deduzione filosofica, ma con quelli poetici della raffigurazione allegorica.

Tale *summa* viene concepita e realizzata da Dante proprio quando ne stanno venendo meno[2] i presupposti[3] ideologici e storici, con una intempestività a posteriori evidente[4], ma che tuttavia pare debba costituire un carattere inderogabile di tutti i grandi capolavori della letteratura, destinati a ricuperare un passato sommerso o in via di sommersione per proporre un'alternativa radicale a un presente disgregato e corrotto, convertendo la nostalgia in utopia e facendo dell'arcaico un nuovissimo progetto.

Nella *Commedia* culmina quel sogno di integralità che è tipico della cultura medievale, per cui filosofia, teologia e Rivelazione convergono nell'edificare[5] la totalità armonica della verità.

La costruzione a cattedrale del poema, la legge del numero perfetto che presiede alle micro e macrostrutture compositive (la partitura in tre cantiche, i 33 canti per ognuna di esse più il canto introduttivo, il ternario metrico delle terzine, la distinzione di ognuno dei tre regni in nove zone), la rete delle rispondenze interne che segnala continuamente la dominanza del disegno architettonico sull'apertura all'infinito delle situazioni particolari: tutto congiura[6] a produrre il senso di un'unità dell'opera che corrisponde all'unitaria visione del mondo caratteristica del razionalismo universalistico medievale.

Elio Gioanola

---

1 *La Summa theologica* è l'opera di San Tommaso che basandosi su tutte le riflessioni teologiche precedenti cerca di fare una sintesi.

2 Stanno scomparendo.

3 Le basi.

4 Con un ritardo che in seguito diventò chiaro.

5 Costruire.

6 Contribuisce.

Petrarca e Boccaccio: simili e diversi

Dal Petrarca al Boccaccio, che gli è contemporaneo, il distacco è grande; e tuttavia essi appaiono tra di loro affini. Gli interessi dell'autore del *Canzoniere* e quelli dell'autore del *Decameron* sono simili: entrambi sono attaccati alla terra; per entrambi quello che più conta è questa vita.

Il Petrarca è combattuto, il Boccaccio no: ma anche per il Petrarca, così innamorato delle belle forme di Laura, così ansioso di scrutare[7] i movimenti del proprio cuore, così diligente[8] nel lasciare ai posteri[9] un diario della propria vita affettiva ed intellettiva, il centro della vita è la terra. Sennonché il *Canzoniere* è l'opera di uno scrittore solitario e il *Decameron* è l'opera di uno scrittore socievole.

Il Petrarca ebbe una minuta[10] e costante esperienza di sé, il Boccaccio una larga esperienza del prossimo. Il primo fu il cronista di sé, il secondo il novellatore[11] di tutte le classi del suo tempo. Ma così nell'opera monocorde[12] del Petrarca, come in quella multiforme del Boccaccio, si sente non l'uomo che vede nell'oltremondo[13] il significato e l'epilogo della propria vita, ma l'uomo che vede nella terra il proprio regno. Nel Petrarca gli ideali religiosi non sono spenti, ma non hanno altra forza che quella di velare[14] di malinconia le non domate passioni; nel Boccaccio quegli ideali sono dimenticati.

L'uno e l'altro, presi insieme, sono un esempio dell'apparente disparità che può presentare un'epoca riflessa in due scrittori diversamente e potentemente originali e dell'occulta[15] somiglianza che li lega e tradisce[16] in loro i figli di uno stesso secolo.

Attilio Momigliano

---

7 Osservare attentamente.

8 Preciso, attento.

9 Coloro che vivono dopo di lui.

10 Precisa e attenta.

11 Colui che racconta.

12 Che ha un unico tema.

13 Nel mondo ultra-terreno, nell'aldilà. Coprire, nascondere con un velo.

15 Nascosta, difficile da vedere.

16 Mostra, anche se loro non vorrebbero.

l'Umanesimo e il Rinascimento

*l'*Umanesimo *e il* Rinascimento

L'Umanesimo e il Rinascimento

1. Caratteri generali dell'epoca

L'età dell'Umanesimo e del Rinascimento occupa il XV e la prima metà del XVI secolo. Per riferirsi a quest'epoca si parla in generale di *rinascenza*, *rinascita*, *umanesimo*, *rinascimento*, ma più semplicemente si può parlare di civiltà umanistico-rinascimentale, dal momento che si possono distinguere due fasi:

a. l'Umanesimo, che caratterizza tutto il '400 e il cui inizio, sul piano culturale, si può fissare già verso la fine del Trecento (si pensi a letterati come Francesco Petrarca);

b. il Rinascimento, che occupa i primi tre decenni del 1500 circa. Tuttavia, i due momenti vanno considerati insieme perché, pur con le loro differenze, sono legati da una continuità di atteggiamenti e di obiettivi. Se l'Umanesimo è soprattutto l'età della ricerca e dello studio dei classici latini e greci, esso è però anche l'età di una nuova filosofia, di una nuova concezione della vita fondata sulla centralità dell'uomo e anche per questo più libera e più curiosa. L'Umanesimo quindi prepara il Rinascimento, momento di profondo rivolgimento della civiltà italiana ed europea, età di importantissime realizzazioni sul piano artistico-culturale.

2. La questione della lingua

Il periodo che qui trattiamo è di fondamentale importanza per l'espansione dell'italiano parlato in Toscana come lingua scritta. Se gli umanisti del '400 scrivevano ancora prevalentemente in latino, già Dante con la *Divina Commedia* e il *Convivio* e Petrarca con il *Canzoniere* avevano fatto i conti col volgare toscano. È datato 1441 un episodio importante, che dimostra l'interesse per il volgare anche tra gli umanisti: infatti Leon Battista Alberti istituisce il *Certame Coronario*, una gara poetica in volgare. Le opere presentate sono tutte di basso livello, e si decide perciò di non assegnare il premio. Tuttavia l'episodio è significativo perché dimostra la volontà di concedere anche al volgare dignità letteraria.

Lentamente, soprattutto verso il 1480, con autori come **Poliziano**, **Boiardo**, **Sannazaro**, ma anche **Lorenzo il Magnifico**, signore di Firenze, il volgare va facendosi strada e acquista spazi sempre più ampi come lingua scritta. Nella prima metà del Cinquecento si colloca poi uno dei momenti più significativi per la storia dell'italiano: la questione della lingua. Gli intellettuali e i letterati, insomma una piccola minoranza di persone colte, si pongono il problema di fissare una norma scritta per l'italiano. Si tratta di un dibattito che vede fronteggiarsi tre teorie.

Un primo gruppo di intellettuali sosteneva la tesi che l'italiano scritto dovesse essere quella lingua che veniva parlata nelle corti di tutta la penisola, una lingua che aveva ormai perso molti tratti regionali e locali e raggiunto una certa omogeneità. Il secondo gruppo di teorici, fra cui spicca la figura di **Niccolò Machiavelli**, crede che si debba adottare il fiorentino contemporaneo, nella convinzione che una lingua nasca dall'uso di chi la parla. Il terzo gruppo infine, la cui tesi risulterà vincente, sostiene che ci si debba basare sul fiorentino scritto del Trecento, e

La storia del XV secolo

Nel Quattrocento l'Italia è divisa in molti piccoli Stati. La maggior parte di questi sono "Signorie", cioè territori in cui il potere è in mano a un unico signore. Fra le signorie italiane del Quattrocento la più nota è la signoria di Firenze, retta dalla famiglia Medici. Quando diventa signore di Firenze Lorenzo il Magnifico, la città conosce una grande fioritura culturale.
In Italia esistono però anche repubbliche. La più prestigiosa è la Repubblica di Venezia, detta anche "Serenissima". A Venezia il potere non è in mano a un unico signore, ma a un gruppo di famiglie nobili e a un doge, che è una specie di principe eletto al loro interno.
L'anno 1492 è il più importante del secolo: è l'anno della scoperta dell'America da parte del genovese Cristoforo Colombo (qui a fianco) su incarico dei re di Spagna, ma è anche l'anno della morte di Lorenzo il Magnifico e dell'inizio della decadenza della Signoria di Firenze. Una delle invenzioni più importanti del Quattrocento è quella della stampa a caratteri mobili. Grazie alla stampa sarà possibile produrre più facilmente copie di libri. Manca la certezza assoluta su chi sia stato il primo stampatore, ma sicuramente uno dei primi stampatori fu Giovanni Gutenberg, che verso il 1455 pubblicò a Magonza (in Germania) una celebre Bibbia. La tecnica della stampa si diffuse quindi in tutta Europa. I maggiori centri editoriali furono però italiani: Venezia soprattutto, ma anche Roma e Firenze.

vede in Petrarca e Boccaccio i modelli ideali, il primo per la poesia e il secondo per la prosa. Esponente di spicco di quest'ultimo gruppo è **Pietro Bembo**, letterato veneziano, che difenderà la sua tesi e stabilirà uno standard per l'italiano scritto nelle *Prose della volgar lingua* del 1525.

3. Lineamenti letterari

Durante la prima metà del '400 si scrive ancora prevalentemente in latino. Il modello di letterato a cui gli umanisti guardano con rispetto e ammirazione è naturalmente Petrarca, considerato padre spirituale dell'epoca.
Come si è accennato, uno dei tratti principali del periodo è la riscoperta e la rilettura delle opere dell'antichità classica. Gli umanisti sviluppano la certezza di aver dato inizio a un'età nuova, di aver recuperato l'antichità classica che era stata trascurata dall'età precedente, il Medioevo, per questo appunto chiamato *media aetas*, età intermedia tra l'epoca classica e l'età presente. Il genere letterario che domina nel '400 è la trattatistica. Il trattato appare, infatti, il genere ideale per spiegare i nuovi valori e la nuova visione del mondo.

Accanto ai trattati si scrivono però anche opere liriche e narrative, e sarà proprio la narrativa, con la fortuna e la diffusione del poema cavalleresco, a segnare la seconda metà del '400 e il primo '500. Un altro genere abbastanza praticato è il teatro. In nome della riscoperta dei classici si leggono e si imitano le commedie di Plauto e Terenzio, ma hanno una grande fortuna anche le sacre rappresentazioni di tradizione medievale.

4. La figura dell'intellettuale

Nel corso del Quattrocento e soprattutto nel primo Cinquecento cambia il rapporto tra gli intellettuali e la società. Se nel Medioevo chi esercitava la professione di letterato era in genere un giudice, un notaio, un mercante, che si dedicava alla letteratura per divertimento, già con Petrarca abbiamo un esempio di letterato a tempo pieno. Il letterato umanista è quindi un letterato di professione che intrattiene stretti rapporti con la Corte e con la Chiesa. Si fa strada insomma il modello dell'intellettuale cortigiano che, oltre a collaborare con il suo signore, è direttamente coinvolto nella vita di corte. Naturalmente questo comporta dei privilegi, ma anche dei limiti, perché può frenare l'autonomia creativa e costringere lo scrittore a seguire nelle sue opere gli interessi del signore e della corte.

5. Due autori del '400: Angelo Poliziano e Lorenzo de' Medici

Di Angelo Poliziano, nato a Montepulciano in Toscana nel 1454 e vissuto a Firenze presso la corte di Lorenzo de' Medici, si deve ricordare almeno l'opera maggiore: *Le Stanze cominciate per la giostra di Giuliano de' Medici.* Si tratta di un'opera in due libri (il secondo incompiuto a causa della morte di Giuliano) scritta fra il 1475 e il 1478. È un poemetto d'occasione in ottave che narra le avventure del giovane Julio, *alter ego* di Giuliano de' Medici. Julio, restio ad innamorarsi e amante invece della caccia e della poesia, si innamorerà della bellissima ninfa Simonetta. Nel secondo libro Julio sogna la morte di Simonetta e la sua vittoria nella giostra che avrebbe dovuto concludere l'opera. Scopo principale del poema è celebrare le glorie della casa Medici e soprattutto di Lorenzo.
Ed è proprio **Lorenzo de' Medici**, signore di Firenze, l'altro autore di spicco del secondo Quattrocento. Lorenzo, forse il maggiore uomo di stato del suo tempo, ha scritto opere assai diverse tra loro: poemetti burleschi (il più famoso dei quali è *La Nencia da Barberino*) e un gran numero di Rime. Una delle sue composizioni più note è il *Trionfo di Bacco e Arianna* (qui sopra nel dipinto) che appartiene ai *Canti carnascialeschi*.
Questa ballata è componimento sintomatico delle speranze e paure dell'epoca: l'insistente invito a godere delle gioie del presente è infatti accompagnato dalla malinconica constatazione dell'irrimediabile scorrere del tempo. (Vedi testo 16)

In alto: Bacco e Arianna, dipinto di Giulio Carpioni.
Nella pagina a fianco: ritratto di Cristoforo Colombo.

T16 Lorenzo de' Medici: Il trionfo di Bacco e Arianna

Quant'è bella giovinezza,
che si fugge tuttavia!
Chi vuol esser lieto, sia:
di doman non c'è certezza.

5   Quest'è Bacco e Arianna,
belli, e l'un dell'altro ardenti:
perché 'l tempo fugge e inganna,
sempre insieme stan contenti.
Queste ninfe ed altre genti
10 sono allegre tuttavia.
Chi vuol esser lieto, sia:
di doman non c'è certezza.

Questi lieti satiretti,
delle ninfe innamorati,
15 per caverne e per boschetti
han lor posto cento agguati;
or da Bacco riscaldati,
ballon, salton tuttavia.
Chi vuol esser lieto sia:
20 di doman non c'è certezza.

Queste ninfe anche hanno caro
da lor essere ingannate:
non puon fare a Amor riparo,
se non genti rozze e ingrate:
25 ora insieme mescolate
suonon, canton tuttavia.
Chi vuol esser lieto, sia:
di doman non c'è certezza.

Questa soma, che vien drieto
30 sopra l'asino, è Sileno:
così vecchio è ebbro e lieto,
già di carne e d'anni pieno;
se non può star ritto, almeno
ride e gode tuttavia.
35 Chi vuol esser lieto, sia:
di doman non c'è certezza.

Mida vien drieto a costoro:
ciò che tocca, oro diventa.
E che giova aver tesoro,
40 s'altri poi non si contenta?
Che dolcezza vuoi che senta
chi ha sete tuttavia?
Chi vuol esser lieto, sia:
di doman non c'è certezza.

Quanto è bella l'età della gioventù, che però fugge continuamente! Chi vuole essere felice lo sia: del futuro non c'è certezza.

Questi sono Bacco e Arianna, sono belli e l'uno è innamorato dell'altra: siccome il tempo fugge e inganna, se ne stanno sempre insieme contenti. Queste ninfe e le altre persone sono sempre liete. Chi vuole essere felice lo sia: del futuro non c'è certezza.

Questi felici piccoli satiri, innamorati delle ninfe, hanno teso loro cento agguati nelle grotte e nei boschetti; ora, riscaldati da Bacco, continuano a ballare e saltare. Chi vuole essere felice lo sia: del futuro non c'è certezza.

A queste ninfe fa piacere essere insidiate dai satiri: infatti possono fare resistenza all'Amore solo le persone rozze e sgraziate: ora tutti insieme continuano a suonare e cantare. Chi vuole essere felice lo sia: del futuro non c'è certezza.

Questa persona che segue il corteo sopra un asino è Sileno: così vecchio è ubriaco e felice, già pieno di carne e di anni; se non riesce a tenersi dritto, almeno ride e si diverte. Chi vuole essere felice lo sia: del futuro non c'è certezza.

Li segue Mida: tutto quello che tocca diventa oro. Ma a cosa serve avere la ricchezza, se poi non ci si accontenta mai? Quale piacere potrà mai sentire chi continua a desiderare altre cose ancora? Chi vuole essere felice lo sia: del futuro non c'è certezza.

Ciascun apra ben gli orecchi,
di doman nessun si paschi;
oggi siam, giovani e vecchi,
lieti ognun, femmine e maschi;
ogni tristo pensier caschi:
50 facciam festa tuttavia.
Chi vuol esser lieto, sia:
di doman non c'è certezza.

Donne e giovinetti amanti,
viva Bacco e viva Amore!
55 Ciascun suoni, balli e canti!
Arda di dolcezza il core!
Non fatica, non dolore!
Ciò c'ha a esser, convien sia.
Chi vuol esser lieto, sia:
60 di doman non c'è certezza.

*Ognuno apra bene le orecchie, nessuno ripon-
ga le proprie speranze nel futuro; oggi siamo,
giovani e vecchi, tutti felici, sia le donne che
gli uomini; si allontani ogni pensiero infelice:
continuiamo a festeggiare. Chi vuole essere
felice lo sia: del futuro non c'è certezza.*

*Donne e giovani innamorati, evviva Bacco evvi-
va Amore! Ognuno suoni, balli e canti! Il cuore
sia ardente di dolcezza! Nessuna fatica e nessun dolore! Quello che deve succedere, acca-
da. Chi vuole essere felice lo sia: del futuro non
c'è certezza.*

---

e **1. Comprensione**

Di' se queste affermazioni sono vere o false.

	vero	falso
a. La scena è affollata di persone reali e personaggi mitologici.	○	○
b. L'invito del poeta è di costruirsi un futuro felice.	○	○
c. Solo chi ha sensibilità e grazia non può resistere alla seduzione di Amore.	○	○
d. La ricchezza dà un notevole contributo alla felicità.	○	○
e. Il fauno Sileno arriva su un cavallo bianco.	○	○

e **2. Analisi**

- Umanesimo e Rinascimento hanno uno sguardo preferenziale per il mondo classico e i suoi miti. Che funzione hanno qui le figure evocate?
- L'esortazione a godere il presente è espressa dal ritornello. Quale modo verbale lo caratterizza? Perché proprio quello, secondo te?
- Il poeta latino Orazio diceva: *Carpe diem* (cogli il giorno che passa). In quali parole di Lorenzo ritrovi questo "messaggio"?

e **3. Riflessione**

- Ad una lettura ad alta voce – certamente praticata per questo testo – emerge il ritmo. Come ne definiresti il carattere? Se dovessimo pensare a una danza moderna, quale potrebbe essere?
- All'epoca di Lorenzo fra gli strumenti musicali a pizzico più diffusi c'era il liuto, in tutte le varianti regionali e locali. Come te lo immagini un accompagnamento musicale oggi?
- Quale sfondo daresti a questa scena? Motiva brevemente la tua scelta. (Se hai visto il film *Fantasia* di Walt Disney, puoi pensare alla visualizzazione della sesta sinfonia di Ludwig van Beethoven).

In alto: Palazzo Medici, Firenze

Il poema cavalleresco

1. L'origine e la diffusione del poema

A partire dai primi anni del Quattrocento e poi quasi per tutto il secolo ha molta fortuna la tradizione dei *cantari*. I cantari sono testi in rima composti da giullari o canterini, che li narravano oralmente nelle piazze, spesso accompagnati dalla musica. L'argomento dei cantari è tratto dalla materia del ciclo carolingio e bretone. Queste opere orali sono certamente all'origine della nascita del poema cavalleresco, diffuso nelle corti italiane, ma anche nel resto d'Europa (in particolare in Francia e Spagna).

Il poema rientra nel genere narrativo ed è una composizione in versi, generalmente in ottave (strofe di otto endecasillabi con schema metrico ABABABCC).

L'argomento dei poemi spesso riprende gli argomenti dei cantari e si rifà quindi alle avventure di Re Artù e dei cavalieri della Tavola rotonda e di Carlo Magno e dei suoi paladini. Rispetto ai cantari il poema cavalleresco introduce però delle importanti novità.

Gli autori dei poemi sono persone colte, spesso cortigiani che esercitano come unico mestiere quello del letterato di corte, e le opere sono composte per essere pubblicate e non diffuse oralmente. Un'ultima importante differenza fra la tradizione dei cantari e quella del poema è il pubblico: il giullare canta per la piazza, mentre i poemi cavallereschi si diffondono tra un pubblico nobile o borghese e colto.

Spesso quindi negli autori dei poemi cavallereschi si nota la volontà di prendere le distanze dalla precedente produzione canterina e c'è un'attenzione maggiore per la lingua e la forma.

2. Pulci e Boiardo

Tra i principali autori di poemi cavallereschi del tardo Quattrocento e del primo Cinquecento si devono ricordare almeno le personalità maggiori: **Luigi Pulci**, **Matteo Maria Boiardo** e, soprattutto, **Ludovico Ariosto**.

Luigi Pulci (1432-1484), nato a Firenze e in stretto contatto con la corte fiorentina e l'ambiente di Lorenzo de' Medici, è autore del poema cavalleresco *Morgante*, suo capolavoro, di un epistolario, di qualche novella e di numerose poesie dialettali, in cui dimostra un grande interesse per la sperimentazione linguistica.

Il *Morgante*, incominciato nel 1461 e pubblicato nella versione completa definita *Morgante maggiore* nel 1483, è un poema ricco di episodi e dalla trama complicata. Protagonista dell'opera è appunto Morgante, un gigante che Orlando, allontanatosi dalla corte di Carlo Magno, incontra per strada e con il quale condivide molteplici e divertenti avventure. Pulci è vicino alla tradizione comica to-

---

🔍 Architettura del Quattrocento

Agli inizi del Quattrocento si sviluppa, prima a Firenze e poi in tutta Italia, una reazione all'arte gotica. I modelli da imitare sono gli edifici dell'antichità classica con spazi chiaramente misurabili e in cui i pilastri, le colonne e gli altri elementi architettonici sono armoniosamente equilibrati tra loro.

Uno degli architetti più grandi del secolo è senza dubbio **Filippo Brunelleschi** (1377-1446). La prima realizzazione delle nuove teorie sulla proporzione si può riconoscere nella Cappella de' Pazzi, presso Santa Croce a Firenze. Tra le altre opere più note di Brunelleschi va ricordata la cupola di Santa Maria del Fiore a Firenze.

Leon Battista Alberti (1404-72) realizza il progetto della chiesa di Sant'Andrea a Mantova abbandonando il modello degli edifici sacri tradizionali. L'Alberti è anche autore di un testo famoso sulle arti figurative, il *De re aedificatoria*, e della prima grammatica dell'italiano scritta in lingua toscana.

Tra le altre opere della nuova architettura ricordiamo Santa Maria dei Miracoli, a Venezia, in cui **Pietro Lombardo** (1434-1515) fa un mirabile uso di marmi di diversi colori, e la chiesa di San Zaccaria (sempre a Venezia) di Mauro Codussi (1440-1504).

scana e il suo *Morgante* è quindi un poema che si riallaccia alla tradizione canterina e all'ambiente fiorentino borghese e mercantesco. La lingua dell'opera, sempre molto ricca e varia, è caratterizzata da un lessico tipico del fiorentino parlato contemporaneo.

Matteo Maria Boiardo, nato a Scandiano, vicino a Reggio Emilia, attorno al 1440, appartiene a una famiglia nobile e riceve un'educazione umanistica presso la corte ferrarese degli Este. Per tutta la vita resterà legato all'ambiente di corte, sia a Ferrara che nella vicina Reggio Emilia. Tra le sue opere più note si ricordano oltre al poema l'*Orlando innamorato*, anche gli *Amorum libri*, raccolta di rime (sonetti, canzoni, ballate, madrigali) in volgare. Boiardo inizia a scrivere l'*Orlando innamorato* attorno al 1476, e lo pubblica in forma incompleta nel 1483; riprende poi in mano l'opera, ma non la porta mai a compimento. Il poema sarà pubblicato integralmente solo dopo la morte dell'autore nel 1506.

Se l'*Innamorato* era stato letto ed apprezzato molto nei primi anni del '500, l'opera fu poi ben presto dimenticata, e questo principalmente per questioni di lingua. Boiardo scriveva in una lingua (il ferrarese purificato dagli elementi dialettali) che non corrispondeva ai canoni fissati dalla riforma del Bembo (cfr. *la questione della lingua* a p. 96-97). Solo recentemente l'opera ha iniziato a godere di nuovo di una grande fortuna.

3. *L'Orlando Furioso* dell'Ariosto

Senz'altro il poema cavalleresco più noto, e forse l'opera che più di ogni altra caratterizza il Rinascimento, è l'*Orlando Furioso* di Ludovico Ariosto, dedicato a Ippolito d'Este. L'Ariosto continua con il suo poema la narrazione dell'*Orlando innamorato*, partendo dal punto esatto in cui il poema di Boiardo si interrompe. L'Ariosto inizia a scrivere l'*Orlando* nei primi anni del 1500 e lo pubblica in una prima redazione nel 1516.

Dopo questa prima edizione, il poeta ripubblica l'opera nel 1521 e una terza volta nel 1532, mutando soprattutto la lingua, che viene adattata al modello esposto da Bembo nelle *Prose della volgar lingua*. Il poema dell'Ariosto diventerà un vero e proprio bestseller: numerosissime saranno le ristampe, nel Cinquecento e fino ai nostri giorni. Con l'Ariosto il poema cavalleresco diventa romanzo contemporaneo delle passioni e delle aspirazioni degli uomini di quel tempo.

| Ludovico Ariosto |

Ludovico Ariosto nasce a Reggio Emilia nel 1474. Fin dai suoi primi anni di vita è in contatto con l'ambiente di corte a Ferrara, dove già il padre lavorava come funzionario presso la corte estense.

Ariosto inizia a studiare diritto senza una grande passione, e nel contempo è in amicizia anche con diversi letterati e umanisti della corte ferrarese, sviluppando così interesse e amore per la letteratura. Negli anni giovanili scrive soprattutto liriche latine e poche liriche in volgare.
Nel 1500 muore il padre e il poeta, il più vecchio di dieci fratelli e sorelle, deve occuparsi del sostentamento della famiglia. Per fortuna riceve alcuni incarichi presso la corte di Ferrara ed entra al servizio del cardinale Ippolito d'Este dove resterà per quindici anni. Anche se il rapporto fra i due sarà spesso conflittuale, l'incarico permetterà al poeta di dedicarsi alla sua passione per la letteratura e di scrivere l'*Orlando furioso*.

Lasciato l'incarico presso il cardinale, Ariosto vive un periodo di difficoltà economiche, che si risolve solo quando verrà incaricato di curare l'organizzazione degli spettacoli teatrali di corte.
Durante gli ultimi anni di vita il poeta si sposa con Alessandra Benucci e si dedica soprattutto alla letteratura.

Oltre alle opere ricordate l'Ariosto ha scritto anche numerose commedie, e le *Satire* (1517-1525), componimenti in terzine (tre versi endecasillabi rimati) che prendono come modello le *Satire* e le *Epistole* di Orazio e le *Satire* di Giovenale. Muore a Ferrara nel 1533.

In alto: ritratto di Ludovico Ariosto, Galleria degli Uffizi, Firenze.

Nella pagina a fianco in alto: particolare de *La Partenza di Rolando* di Paolo Finoglio.

Nella pagina a fianco in basso: la cupola del Brunelleschi di Santa Maria del Fiore, Cattedrale di Firenze.

T17 Matteo Maria Boiardo: Canto primo

1.
Signori e cavallier che ve adunati
Per odir cose dilettose e nove,
Stati attenti e quïeti, ed ascoltati
La bella istoria che 'l mio canto muove;
5 E vedereti i gesti smisurati,
L'alta fatica e le mirabil prove
Che fece il franco Orlando per amore
Nel tempo del re Carlo imperatore.

2.
Non vi par già, signor, meraviglioso
10 Odir cantar de Orlando inamorato,
Ché qualunche nel mondo è più orgoglioso,
È da Amor vinto, al tutto subiugato;
Né forte braccio, né ardire animoso,
Né scudo o maglia, né brando affilato,
15 Né altra possanza può mai far diffesa,
Che al fin non sia da Amor battuta e presa.

Da *Orlando innamorato*, I, 1-16.

1.
Signori e cavalieri che vi riunite per ascoltare cose piacevoli e nuove, state attenti e zitti e ascoltate la bella storia che ispira il mio canto.
E vedrete le azioni straordinarie, l'enorme fatica e le prove ammirevoli che il franco Orlando fece per amore, quando era imperatore re Carlo.

2.
Non vi sembri strano, signori, sentir cantare dell'innamoramento di Orlando, dal momento che anche il più orgoglioso al mondo è vinto da Amore e ne è totalmente sottomesso; né la forza delle braccia, né un valoroso ardimento, né lo scudo o l'armatura, né una spada affilata, né alcun altro potere può difendersi: alla fine è battuto e vinto dall'Amore.

---

e **1. Comprensione**

- Da un confronto fra i testi 17 e 18 risulta che:

○ **a.** entrambi costituiscono .... del poema;
○ **b.** si canteranno le imprese di ....;
○ **c.** la vicenda si svolge all'epoca di .... ;
○ **d.** la struttura consiste in .... ;

- In entrambi i testi vengono citati i cavalieri, ma con ruoli diversi. Quali?

....

- Orlando è l'eroe dei due poemi, ma con gesta diverse. Quali?

....

e **2. Analisi**

- Dalla lettura dei testi e dalle risposte alle domande precedenti sono emerse analogie e diversità nella struttura e nei temi del racconto. Quali differenze di tono ci possiamo attendere?
- La lettura e il possesso di libri si erano estesi a cerchie più ampie che nel Medioevo, ma erano pur sempre una prerogativa di pochi. Possiamo immaginare che questi poemi venissero letti a un uditorio di nobili e cortigiani colti e curiosi. Che cosa comporta questa considerazione per quanto riguarda lo stile narrativo? Ricorda che il poeta rinascimentale viveva della generosità del Principe.

T18 Ludovico Ariosto: Il proemio

1.
Le donne, i cavallier, l'arme, gli amori,
le cortesie, l'audaci imprese io canto,
che furo al tempo che passaro i Mori
d'Africa il mare, e in Francia nocquer tanto,
5 seguendo l'ire e i giovenil furori
d'Agramante lor re, che si diè vanto
di vendicar la morte di Troiano
sopra re Carlo imperator romano.

2.
Dirò d'Orlando in un medesmo tratto
10 cosa non detta in prosa mai, né in rima:
che per amor venne in furore e matto,
d'uom che sì saggio era stimato prima;
se da colei che tal quasi m'ha fatto,
che 'l poco ingegno ad or ad or mi lima,
15 me ne sarà però tanto concesso,
che mi basti a finir quanto ho promesso.

3.
Piacciavi, generosa Erculea prole,
ornamento e splendor del secol nostro,
Ippolito, aggradir questo che vuole
20 e darvi sol può l'umil servo vostro.
Quel ch'io vi debbo, posso di parole
pagare in parte e d'opera d'inchiostro;
né che poco io vi dia da imputar sono,
ché quanto io posso dar, tutto vi dono.

1.
Io desidero cantare le donne, i cavalieri, le armi, gli amori, le cortesie e le imprese valorose che avvennero quando i saraceni, i musulmani d'Africa attraversarono lo stretto di Gibilterra e causarono molti danni in Francia. I saraceni seguirono la rabbia e il furore giovanile del loro re Agramante, che voleva vendicare la morte di suo padre, Troiano [ucciso da Orlando], combattendo contro il re Carlo Magno, imperatore romano [e re dei franchi].

2.
Desidero però anche raccontare allo stesso tempo una cosa che non è mai stata detta né in prosa né in versi, e cioè come Orlando sia impazzito per amore, mentre prima era considerato un uomo saggio.
[Potrò raccontare questo] se la donna che ha fatto quasi impazzire anche me per amore, e che consuma il mio scarso ingegno, me ne lascerà ancora quanto basti per finire l'opera che ho promesso di scrivere.

3.
Vi faccia piacere, Ippolito d'Este, generoso figlio di Ercole I, ornamento e splendore del nostro secolo, ricevere quest'opera, che è l'unica cosa che vi vuole e vi può dare il poeta vostro umile servo. Quello di cui vi sono debitore, lo posso ripagare solo in parte con le parole e l'opera della mia penna; d'altra parte non mi potete accusare di darvi poco, perché tutto quello che vi posso dare, io ve lo do.

Da *Orlando furioso*, I, 1-24.

---

e **3. Comprensione**
- Le vicende biografiche dell'Ariosto spiegano la dedica del poema a Ippolito d'Este, discendente dal paladino Ruggero. In che misura, a tuo giudizio, questa "dipendenza" può condizionare o limitare la fantasia creativa del poeta? Ricorda che il poeta rinascimentale viveva della generosità del Principe.

Nella pagina a fianco: ritratto di Matteo Maria Boiardo.
Qui accanto: l'Olifante, il corno di Orlando.

T19 Ludovico Ariosto: Ingiustissimo amor

1.
Ingiustissimo Amor, perché sì raro
corrispondenti fai nostri desiri?
onde, perfido, avvien che t'è sì caro
il discorde voler ch'in duo cor miri?
5 Gir non mi lasci al facil guado e chiaro,
e nel più cieco e maggior fondo tiri:
da chi disia il mio amor tu mi richiami,
e chi m'ha in odio vuoi ch'adori ed ami.

2.
Fai ch'a Rinaldo Angelica par bella,
10 quando esso a lei brutto e spiacevol pare:
quando le parea bello e l'amava ella,
egli odiò lei quanto si può più odiare.
Ora s'affligge indarno e si flagella;
così renduto ben gli è pare a pare:
15 ella l'ha in odio, e l'odio è di tal sorte,
che più tosto che lui vorria la morte.

3.
Rinaldo al Saracin con molto orgoglio
gridò: - Scendi, ladron, del mio cavallo!
Che mi sia tolto il mio, patir non soglio,
20 ma ben fo, a chi lo vuol, caro costallo:
e levar questa donna anco ti voglio;
che sarebbe a lasciartela gran fallo.
Sì perfetto destrier, donna sì degna
a un ladron non mi par che si convegna.

4.
25 *[i due si sfidano]*

5.
Come soglion talor duo can mordenti,
o per invidia o per altro odio mossi,
30 avicinarsi digrignando i denti,
con occhi bieci e più che bracia rossi;
indi a' morsi venir, di rabbia ardenti,
con aspri ringhi e ribuffati dossi:
così alle spade e dai gridi e da l'onte
35 venne il Circasso e quel di Chiaramonte.

1.
Ingiustissimo Amore, perché così raramente fai in modo che i nostri desideri corrispondano?
Perché sei così perfido che ti fa piacere il desiderio contrario che vedi in due cuori? Non mi lasci attraversare il fiume dove l'acqua è semplice e chiara, e mi tiri invece nella più cieca profondità: mi allontani da chi desidera il mio amore e vuoi che adori ed ami chi mi odia.

2.
Fai in modo che a Rinaldo Angelica paia bella, quando lui pare a lei brutto e spiacevole: invece quando le sembrava bello e lei lo amava, lui la odiava quanto più si può odiare. Ora si tortura inutilmente e si punisce; lei lo odia e l'odio è di tale natura che a lui preferirebbe la morte.

3.
Rinaldo, rivolto al saraceno, con molto orgoglio gridò: «Ladrone, scendi dal mio cavallo! Non sono abituato a tollerare che mi siano tolte le mie cose, invece, a chi lo vuole [fare] gliela faccio pagare cara: e in più ti voglio portar via questa donna, perché sarebbe un grande errore lasciartela. Un cavallo così perfetto e una donna così degna non mi sembrano adatti ad un brigante».

5.
Come succede talvolta tra due cani inferociti, mossi dall'invidia o da un altro tipo di odio, che si avvicinano mostrando i denti, con gli occhi storti e rossi più del fuoco; e poi arrivano a mordersi, bruciando di rabbia, con ringhi aspri e con i peli della schiena tutti rizzati: allo stesso modo, spinti dalle grida e dalle offese, giunsero alle spade il circasso [il saraceno] e Rinaldo, colui che era originario di Chiarmonte.

Da *Orlando furioso,* Canto II, 1-35

e **1. Comprensione**

Di' se queste affermazioni sono vere o false.

	vero	falso
a. Il testo inizia con una appassionata condanna di Amore.	○	○
b. Amore prova piacere a rendere spesso infelici.	○	○
c. I due guerrieri si offendono reciprocamente ma poi trovano un accordo.	○	○
d. Fanno combattere i cani al proprio posto per decidere chi ha ragione.	○	○

e **2. Analisi**

- Quali sequenze sono riconoscibili nel testo e quale definizione potresti dare a ciascuna di esse?
- A tuo giudizio, perché il poeta rappresenta il duello paragonandolo alla lotta fra cani furiosi?

e **3. Riflessione**

La donna e il cavallo sono gli "oggetti" della sfida: che cosa rappresentano per un nobile cavaliere?

🔎 Orlando prima innamorato e poi furioso

La trama dei due poemi è molto complicata e difficile da riassumere, anche perché molto spesso le vicende narrate vengono abbandonate e riprese solo nei canti successivi; inoltre sono frequenti episodi autonomi rispetto alla trama principale. Il protagonista è naturalmente Orlando, paladino di Carlo Magno.

Tuttavia, contrariamente alle altre opere che vedevano il cavaliere come eroe del racconto, nel poema di Boiardo l'attenzione si concentra, come si può vedere anche dal titolo, sulla passione amorosa di Orlando per la bellissima Angelica. Il tema amoroso domina quindi tutta l'opera e introduce un significativo cambiamento rispetto al passato.

Non più solo le armi, ma le armi e gli amori. Infatti Orlando non è il solo a patire l'amore per la bella donna, ma anche molti altri cavalieri cristiani e musulmani si innamorano di Angelica. La trama dell'opera di Ariosto è ancora più complessa, e l'insieme unitario dell'opera è dato dalle tre vicende centrali: la guerra tra cristiani e saraceni; l'amore di Orlando per Angelica che condurrà il cavaliere alla pazzia e, più in generale, di molti cavalieri che vanno all'inseguimento della bella donna; infine l'amore tra Ruggiero, cavaliere saraceno, e Bradamante, guerriera cristiana, che si concluderà con la conversione al cristianesimo di Ruggiero e il matrimonio tra i due, che daranno origine alla stirpe degli Estensi, signori di Ferrara. Già dal titolo e dai primi versi è evidente il distacco dal poema del Boiardo.

Mentre il tema centrale del suo poema è l'innamoramento di Orlando e l'amore è considerato una nobile passione, nel *Furioso* l'amore non è più valore cortese, ma causa della follia dell'uomo.

Qui accanto, i "pupi" siciliani che rappresentano i cavalieri di Carlo Magno.

l'Umanesimo *e il* Rinascimento

La riflessione politica

1. Il dibattito politico prima di Machiavelli e Guicciardini

Tutto il Quattrocento è ricco di scritti d'argomento politico. Queste opere si possono dividere in due gruppi: i testi che partono da una situazione politica reale e analizzano o il regime signorile o quello repubblicano, e quelli che invece non si fondano sulla realtà, ma che, descrivendo una società ideale inesistente, passano poi a osservazioni concrete di natura storico-politica, sul modello dell'*Utopia* di Tommaso Moro.

Le caratteristiche principali di questi trattati sono: l'uso della lingua latina, il prendere come modello testi classici, come ad esempio la *Politica* di Aristotele, e infine il contenuto prevalentemente morale. Tra le opere più note si possono ricordare il *De principe* e il *De optimo cive* del **Platina**, il *De principe liber* di **Giovanni Pontano**, il *De Republica veneta* di **Pier Paolo Vergerio** e la *Laudatio florentinae urbis* di **Leonardo Bruni**.

2. Il realismo politico di Niccolò Machiavelli

Le opere storico-politiche più importanti di Machiavelli sono Il *Principe* e i *Discorsi sopra la prima deca di Tito Livio*. In questi testi Machiavelli elabora una vera e propria scienza politica.

Per elaborare le sue teorie egli parte da alcuni presupposti. Il primo punto centrale è la sua convinzione della malvagità dell'uomo, che non fa "mai nulla bene se non per necessità". Secondo punto fondamentale è la certezza che la storia sia dominata dal caso e che quindi l'uomo, per poter intervenire sul corso delle cose, debba saper sfruttare la virtù, cioè la forza, e la fortuna. All'uomo cioè non basta la sua propria virtù, perché è soggetto comunque alla fortuna, e quindi deve saper scegliere e agire nel modo giusto e nel momento giusto.

Machiavelli parte infine dal presupposto che la storia degli uomini sia regolata da leggi fisse e immutabili e che quindi sia maestra di vita.

Niccolò Machiavelli

Niccolò Machiavelli nasce a Firenze nel 1469 da una famiglia fiorentina ricca, ma ormai in difficoltà economiche. Cresce nella Firenze di Lorenzo il Magnifico, pertanto in un ambiente aperto alla cultura. Dal 1498 al 1512 lavora come segretario della Repubblica fiorentina. È in contatto con molti uomini politici del tempo e, di ritorno dalle sue missioni di lavoro, scrive le sue prime opere, in genere relazioni che analizzano situazioni politiche concrete. Con la caduta della Repubblica e il ritorno al potere dei Medici (1512) viene cacciato dall'incarico, torturato e costretto ad abbandonare Firenze per un certo tempo. Nella seconda parte della sua vita Machiavelli si dedica prevalentemente alle sue opere. Nel 1513 scrive *Il Principe*. Si dedica anche alle altre opere storiche come i *Discorsi sopra la prima deca di Tito Livio*, il trattato dialogico *Arte della guerra*, la *Vita di Castruccio Castracani*. Scrive infine opere letterarie, tra cui la più nota è la commedia *La Mandragola*. Negli ultimi anni, ottenuto dai Medici l'incarico di scrivere una storia di Firenze si dedica alla stesura delle *Istorie fiorentine*, composte tra il 1520 e il 1525. Nel 1527 crolla il regime dei Medici e torna la Repubblica. Machiavelli spera di poter ottenere un nuovo incarico, ma a causa dei rapporti che ha intrattenuto coi Medici, gli viene negato. Muore a Firenze nello stesso anno.

Pittura e scultura del Quattrocento

Lo scultore più noto del Quattrocento è sicuramente Donatello (1386-1466), che ha saputo creare opere molto espressive. Di origine classica è la scelta del nudo per il David (nella foto qui a destra), in cui la nudità non è più il simbolo del peccato (come accadeva nel Medioevo), ma sottolinea la superiorità morale del soggetto. Il monumento equestre al condottiero Gattamelata (in piazza del Santo a Padova) è invece la prima statua dall'antichità a proporsi come forma autonoma. Altro monumento equestre da ricordare è quello di Bartolomeo Colleoni (di fronte alla chiesa dei Santi Giovanni e Paolo a Venezia), opera di Andrea del Verrocchio (1435-88).

Per questo, studiando le opere storiche degli antichi, è possibile ricavare comportamenti utili per il presente e il futuro. Nei *Discorsi*, che sono un trattato in tre libri contenente una serie di riflessioni sull'opera dello storico romano Tito Livio *Dalla fondazione di Roma*, Machiavelli si sofferma soprattutto ad analizzare i problemi dello Stato: politica interna, politica estera, azioni degli uomini che hanno fatto grande Roma. *Il Principe*, breve trattato in ventisei capitoli, è un'opera più strutturata e coerente. Machiavelli sperava, grazie a quest'opera, scritta dopo che egli era stato destituito dalla carica di segretario della Repubblica fiorentina, di ottenere un nuovo incarico politico dai Medici.

Anche per questo dedica il libro al nipote di Lorenzo il Magnifico. Nel *Principe* Machiavelli parte sempre dall'analisi di situazioni reali e delinea una teoria in cui tutto è subordinato all'utilità dello Stato.

3. Politica, storia e morale: Francesco Guicciardini

Francesco Guicciardini vive nella stessa città e negli stessi anni dell'amico Machiavelli. Tuttavia la sua carriera politica, per quanto difficile in certi periodi, non conosce lo scacco che invece subirà Machiavelli. Guicciardini incarna la classica figura dell'intellettuale funzionario, e il suo interesse principale è rivolto all'aspetto tecnico dello Stato, di cui esamina l'assetto costituzionale. Le sue opere politiche più importanti sono *Il discorso di Logrogno* e *Il Dialogo del reggimento di Firenze*. *Il discorso di Logrogno* prende il nome dalla città spagnola nella quale il Guicciardini ha composto l'opera. In essa egli prende in esame i problemi costituzionali della Repubblica fiorentina. Lo stesso argomento viene ripreso nel successivo *Dialogo del reggimento di Firenze*, che però è scritto, come si vede dal titolo, in forma dialogica.

Guicciardini finge un dialogo, ambientato a Firenze nel 1494 dopo la cacciata dei Medici. Dalle discussioni emergono riflessioni di carattere generale sullo Stato e sulla natura dell'uomo. Nelle sue opere politiche Guicciardini cerca soprattutto di progettare un buon governo dello Stato e per questo motivo definisce con grande precisione i compiti delle diverse magistrature.

Accanto alle opere strettamente politiche, Guicciardini è anche autore dei *Ricordi*. Citiamo infine l'opera storica più vasta, la *Storia d'Italia*. Composto negli ultimi anni di vita, il testo prende in esame la storia d'Italia dal 1494 al 1534 ed è in venti libri.

Francesco Guicciardini

Francesco Guicciardini nasce a Firenze nel 1483 da una famiglia nobile fedele ai Medici. Dopo aver studiato legge ed essersi laureato in diritto civile, inizia ad intraprendere la professione di avvocato e contemporaneamente inizia a scrivere le *Storie Fiorentine*.

Nel 1512 inizia la sua carriera politica come ambasciatore della Repubblica fiorentina in Spagna. Durante la sua permanenza all'estero, i Medici ritornano al potere. Rientrato a Firenze, Guicciardini ottiene importanti incarichi politici.

Nel 1527, anno del famoso "sacco di Roma" (durante il quale la città è invasa e distrutta dalle truppe mercenarie), crolla di nuovo il governo dei Medici e viene instaurata la Repubblica. Guicciardini viene accusato e processato per l'attività svolta a Roma presso i due papi Leone X e Clemente VII, membri della famiglia Medici. Egli viene inoltre accusato di essersi impadronito dei soldi destinati al pagamento dei soldati. Guicciardini, pur potendo dimostrare la sua innocenza, si ritira a vita privata e si dedica soprattutto alla terza e ultima redazione dei *Ricordi*. Tornati al potere i Medici, il Guicciardini viene richiamato a Firenze per un nuovo incarico. Qualche tempo dopo, per incomprensioni con Cosimo de' Medici, che tendeva a una politica assolutistica, Guicciardini si ritira nuovamente a vita privata e si dedica alla stesura della *Storia d'Italia*. Muore ad Arcetri nel 1540.

In alto: ritratto di Francesco Guicciardini.
In basso: scorcio di Palazzo Medici a Firenze.
Nella pagina a fianco in alto: ritratto di Niccolò Machiavelli.
Nella pagina a fianco in basso: il David di Donatello.

T20 Niccolò Machiavelli: I modi e i governi di un principe

Capitolo XV:
De his rebus quibus homines
et praesertim principes laudantur
aut vituperantur.

Resta ora a vedere quali debbano essere e' modi e governi di uno principe con sudditi o con li amici. […]

perché elli è tanto discosto da come si vive a come si doverrebbe vivere, che colui che lascia quello che si fa per quello che si doverrebbe fare, impara più tosto la ruina che la perservazione sua: perché uno uomo che voglia fare in tutte le parte professione di buono, conviene rovini infra tanti che non sono buoni. Onde è necessario a uno principe, volendosi mantenere, imparare a potere essere non buono, et usarlo e non usare secondo la necessità.

Lasciando adunque indrieto le cose circa uno principe immaginate, e discorrendo quelle che sono vere, dico che tutti li uomini, quando se ne parla, e massime e' principi, per essere posti più alti, sono notati di alcune di queste qualità che arrecano loro o biasimo o laude. […]

Et io so che ciascuno confesserà che sarebbe laudabilissima cosa uno principe trovarsi di tutte le soprascritte qualità, quelle che sono tenute buone: ma, perché non si possono avere né interamente osservare, per le condizioni umane che non lo consentono, li è necessario essere tanto prudente che sappia fuggire l'infamia di quelle che li torrebbano lo stato, e da quelle che non gnene tolgano guardarsi, se elli è possibile; ma, non possendo, vi si può con meno respetto lasciare andare.

Et etiam non si curi di incorrere nella infamia di quelli vizii sanza quali possa difficilmente salvare lo stato; perché, se si considerrà bene tutto, si troverrà qualche cosa che parrà virtù, e seguendola sarebbe la ruina sua; e qualcuna altra che parrà vizio, e seguendola ne riesce la securtà et il bene essere suo.

Capitolo XV:
Di quelle cose a causa
delle quali gli uomini e soprattutto i principi
sono lodati o accusati.

Ci resta ora da analizzare quali debbano essere i modi e gli atti di governo di un principe con i sudditi o con gli amici. […]

dal momento che c'è così tanta differenza tra come si vive realmente e come si dovrebbe vivere, che chi tralascia [di studiare] quello che si fa e preferisce [studiare] quello che si dovrebbe fare, impara piuttosto a distruggersi che a preservarsi; dal momento che un uomo che voglia sempre essere buono, necessariamente andrà in rovina fra tanti che non sono buoni. Per questo motivo è necessario per un principe che voglia mantenere il potere imparare a poter essere non buono, e fare uso di questa abilità secondo le necessità.

Lasciando quindi perdere i fatti non reali che riguardano il principe e discutendo dei fatti reali, posso affermare che tutti gli uomini, quando se ne parla, e soprattutto i principi, dal momento che sono in una posizione più alta, sono giudicati per alcune di queste caratteristiche che danno loro o critica o lode. […]

E io so che ognuno confesserà che sarebbe un'ottima cosa trovare un principe che abbia, tra tutte le caratteristiche elencate sopra, quelle che sono ritenute buone ma, dal momento che non si possono possedere né osservare [in una persona] tutte insieme, a causa della natura degli uomini che non lo permette, è necessario che il principe sia tanto prudente da saper fuggire l'accusa di possedere quelle qualità che potrebbero togliergli lo Stato, e da fare attenzione se è possibile [nel caso che venga accusato] a quelle che non causerebbero la perdita dello Stato; ma, non essendo possibile, può abbandonarsi ad esse senza troppi riguardi.

Inoltre, non abbia paura di essere accusato di quei vizi senza i quali si può difficilmente salvare lo Stato; perché, considerando attentamente tutto, si troverebbe che una qualità che sembra virtù, seguendola, porterebbe alla rovina; e qualche altro comportamento che sembra un vizio, seguendolo, condurrebbe alla sicurezza e al benessere [del principe e dello Stato].

Contenuto del *Principe*

Nel libro è contenuta una serie di riflessioni politiche su come si deve costruire uno Stato e su quali debbano essere le caratteristiche del principe. Tra i problemi discussi figurano quello dell'esercito, che ogni Stato dovrebbe possedere, e quello della religione, elemento necessario e costitutivo di ogni Stato, perché ha la funzione di mantenere i sudditi obbedienti e uniti. Come la religione è subordinata all'efficienza dello Stato, così anche le caratteristiche del principe non devono seguire la morale tradizionale, cioè quello che è moralmente corretto, ma la morale politica.

1. Comprensione

- Descrivendo le caratteristiche del principe ideale Machiavelli dice:
"Onde è necessario a uno principe, volendosi mantenere, imparare a potere essere non buono, et usarlo e non usare secondo la necessità".
Questa frase significa che, per mantenere il potere, un principe:

○ **a.** deve essere sempre cattivo
○ **b.** deve saper essere cattivo
○ **c.** deve agire arbitrariamente

Quale di queste frasi descrive meglio il pensiero di Machiavelli?

○ **a.** È inutile ragionare di politica pensando che gli uomini siano tutti buoni: bisogna elaborare teorie che tengano conto dei limiti della natura umana.
○ **b.** Anche se il mondo non è virtuoso, il principe deve comunque agire in modo da non compiere mai azioni contro la morale.
○ **c.** Lo scopo di chi esercita il potere è quello di comportarsi male, senza che nessuno possa impedirglielo.

Motiva brevemente la tua scelta.

Il frontespizio e la prima pagina de *il Principe* di Nicolò Machiavelli.

Di' se le seguenti affermazioni sono vere o false.
Secondo Machiavelli:

	vero	falso
a. se un uomo è buono non deve avere paura perché non gli succederà mai nulla di male.	○	○
b. i principi hanno gli stessi vizi e gli stessi difetti degli uomini normali, ma nei principi queste caratteristiche negative sono più evidenti.	○	○
c. un principe può avere tutti quei vizi e quei difetti che non gli causino la perdita del potere.	○	○
d. un principe deve essere virtuoso altrimenti rischia di perdere il potere.	○	○

2. Analisi

- La lettura di questo testo è stata certamente difficile – probabilmente più delle ottave di Boiardo e Ariosto. In che misura il tema trattato agisce su stile e linguaggio?
- Dopo la lettura del testo e la soluzione degli esercizi, prova a creare un titolo che ne sintetizzi il contenuto.

3. Riflessione

Banalizzando i contenuti de *Il Principe*, si usa dire: "Il fine giustifica i mezzi". In quali affermazioni contenute nel testo si trova comunque un riscontro a questa semplificazione del pensiero di Machiavelli?

Altre forme letterarie

1. La trattatistica

Il trattato è un'opera in prosa che si propone l'analisi di un problema in tutti i suoi aspetti. Si tratta del genere letterario più tipico del Quattrocento, la cui fortuna continua però ancora per tutto il Cinquecento. Gli argomenti discussi nei trattati umanistico-rinascimentali sono i più vari: dalla definizione della dignità dell'uomo all'influenza della fortuna sulle azioni umane, dalle discussioni linguistiche e morali alle riflessioni sulla natura dell'amore o sulla preferenza da dare alla vita attiva piuttosto che a quella contemplativa ecc. Molto spesso i trattati sono scritti in forma dialogica, la più adatta per esprimere opinioni contrapposte e per dimostrare una tesi e respingerne un'altra. D'altra parte il dialogo risponde anche a una caratteristica della cultura del tempo: infatti nel Quattro e nel Cinquecento gli intellettuali si ritrovano spesso per discutere in cenacoli privati o vere e proprie accademie.

Il modello cui gli umanisti si rifanno è ancora una volta l'antichità classica: si pensi in primo luogo ai dialoghi di Platone, alle *Tusculanae Disputationes* di Cicerone o alla *Poetica* di Aristotele. Tra i tanti nomi di autori che si sono cimentati in questo genere sono da ricordare almeno **Leon Battista Alberti**, **Pietro Bembo** e **Baldassarre Castiglione** (cfr. testi 22-23).

2. La lirica

Petrarca con il suo *Canzoniere* è il modello al quale bisogna rifarsi sia per la lingua e lo stile, che per l'ispirazione poetica. Già nel Quattrocento alcuni poeti lirici avevano seguito il modello petrarchesco, ma solo con **Pietro Bembo** ha inizio un'imitazione più profonda del Petrarca. Non si tratta solo di riprendere parole o temi, ma di riappropriarsi del modello in modo originale. Lo stesso Bembo è autore di una raccolta di componimenti poetici, le *Rime*, edita nel 1530. Tra gli autori di rime petrarchesche ricordiamo: **Matteo Maria Boiardo**, **Angelo Poliziano**, **Lorenzo de' Medici**, **Jacopo Sannazaro**, **Michelangelo Buonarroti**, (cfr. testo 25) **Giovanni Della Casa**.

Tra questi, forse, è il Della Casa il lirico più originale e il maggior poeta italiano nell'età compresa fra quella dell'Ariosto e quella del Tasso. Della Casa, pur imitando Petrarca, giunge ad esiti originali. Tra i motivi più tipici della sua poesia vi sono riflessioni austere sulla vita e sulla morte, la stanchezza, la delusione e il desiderio di pace. Grande importanza conosce in quest'epoca la lirica femminile. Sono molte le autrici di rime amorose, e una delle più note è certamente **Gaspara Stampa** (cfr. testo 23). La Stampa, che morirà ad appena trent'anni, è autrice di un'importante raccolta di rime amorose, dedicate soprattutto all'amato Collaltino da Collalto.

Accanto a questa produzione di rime tradizionali fiorisce anche una produzione lirica giocosa e di matrice antipetrarchesca. Non si tratta tanto di una letteratura che si oppone ai canoni ufficiali, quanto di una lirica diversa, ma non per questo meno ricercata, in cui prevalgono il gioco e la ricerca linguistica. Questa produzione si ricollega alle opere realistico-giocose del Due-Trecento.

🔍 Storia del XVI secolo

Nel Cinquecento l'Italia continua a essere divisa in numerosi piccoli Stati, spesso in lotta fra loro. Gli altri Stati europei che hanno già raggiunto un'unità politica sfruttano la debolezza italiana. Nel Cinquecento sono, infatti, numerose le guerre che si combattono proprio sul suolo italiano. In particolare sarà da ricordare la rivalità tra Francesco I, re di Francia, e Carlo V, re di Spagna e imperatore del Sacro Romano Impero Germanico. Il 1527 è uno degli anni più difficili: Roma viene saccheggiata dalle truppe francesi, spagnole e dai soldati mercenari. Molti abitanti sono costretti a lasciare la città. Quest'episodio è noto come "il sacco di Roma". Un'altra data importante del secolo è il 1559: con il trattato di pace di Cateau-Cambrésis gran parte dell'Italia passa sotto il dominio della Spagna. Il Cinquecento è anche il secolo della riforma protestante di Martin Lutero e del Concilio di Trento. La Chiesa Cattolica, per mettere fine all'aumento delle nuove confessioni religiose, organizza a Trento un incontro tra tutti i principali esponenti del Cattolicesimo. Il concilio, iniziato nel 1545, durerà molti anni e terminerà solo nel 1563 segnando l'inizio della Controriforma e diffondendo uno spirito antiliberale.

Fra i più noti esponenti di questa produzione lirica vanno ricordati almeno il **Burchiello**, che vive e opera nel Quattrocento, e **Francesco Berni** (cfr. testo 24). La sua è una poetica del divertimento che parla della vita quotidiana e della realtà più bassa, o irride i modelli petrarcheschi come ad esempio l'immagine della donna ideale.

3. La narrativa: facezie e novelle

La narrativa è un genere letterario che conosce un ampio successo nella seconda metà del Quattrocento e poi soprattutto nel Cinquecento.
Il modello principale a cui gli autori si ispirano è naturalmente il *Decameron* di Giovanni Boccaccio, ma accanto a quest'opera figurano anche altri modelli letterari trecenteschi, come le *Trecento novelle* del Sacchetti e il *Novellino*. Rientra nella narrativa anche un genere che conosce una larga diffusione soprattutto nel Quattrocento: la *facezia*.
La facezia è una sorta di racconto brevissimo, quasi una battuta di spirito, che prende le mosse da un personaggio realmente esistito, o da un fatto. A volte il divertimento nasce da un gioco di parole, altre volte da un gesto.
Tra i più noti libri di facezie saranno da ricordare almeno il *Liber facetiarum* (*Libro di facezie*) di **Poggio Bracciolini**, scritto in latino, e i *Detti Piacevoli* di **Angelo Poliziano**. La produzione novellistica cinquecentesca si differenzia da quella del secolo precedente soprattutto perché è più

spiccata l'imitazione di un modello unico, che è, come già detto, il *Decameron* di Boccaccio. L'opera boccaccesca è non solo modello di lingua e stile, ma anche di temi e strutture. Naturalmente, i novellieri del Cinquecento si avvicinano in modo diverso al modello: c'è chi si adegua pienamente alla struttura del *Decameron*, e chi invece ne prende le distanze per elaborare una struttura originale. Gli autori di novelle del Cinquecento sono numerosissimi. Tra i più noti vanno ricordati almeno **Anton Francesco Grazzini** con le *Cene* e **Matteo Bandello** con le *Novelle*.

4. Il teatro

Nel genere teatrale è la commedia che conosce una particolare fortuna nel Cinquecento. Questo fatto è abbastanza naturale se si pensa che le rappresentazioni erano spettacoli di corte rivolti a un pubblico nobile e colto che desiderava un momento di svago e divertimento. I modelli delle commedie cinquecentesche sono i classici latini Plauto e Terenzio. Dai due autori romani i commediografi del Cinquecento traggono soprattutto l'esigenza di rappresentare fatti e personaggi della vita di tutti i giorni, di usare uno stile non elevato e una lingua che si avvicini al parlato, di dividere le opere in cinque atti generalmente preceduti da un prologo, e infine di fondare la comicità soprattutto sull'intreccio, sui colpi di scena e non sulla caratterizzazione psicologica dei personaggi. Infatti i personaggi della commedia cinquecentesca sono spesso dei tipi fissi: il giovane amante, lo sciocco, il vecchio stupido, ecc.
Accanto ai modelli classici gioca un ruolo ancora una volta il *Decameron*, che regala alla commedia cinquecentesca un insieme di invenzioni, situazioni e beffe.
Fra i commediografi più noti sono da ricordare **Francesco Bibbiena** con la *Calandria*, e Angelo Beolco detto **Ruzante** con le sue commedie scritte in dialetto pavano (il dialetto parlato dai contadini della zona di Padova).
Sono autori di note commedie anche **Ludovico Ariosto** e **Pietro Aretino**. Ma fra le opere più importanti vanno ricordate l'anonima commedia *La Venexiana*, scritta in dialetto veneziano e in italiano, e la *Mandragola* di **Niccolò Machiavelli**.

In alto: Lorenzo De' Medici raffigurato da Benozzo Gozzoli nella veste di uno dei Magi.

Nella pagina a sinistra in alto: un tipico ritratto rinascimentale "Lucrezia Panciatichi" di Angelo Bronzino.

Nella pagina a sinistra: il Concilio di Trento.

T21 Pietro Bembo: Il problema della lingua

Ora mi potreste dire: cotesto tuo scriver bene onde si ritra' egli, e da cui si cerca? Hass'egli sempre ad imprendere dagli scrittori antichi e passati? Non piaccia a Dio sempre, Giuliano, ma sì bene ogni volta che migliore e più lodato è il parlare nelle scritture de' passati uomini, che quello che è o in bocca o nelle scritture de' vivi. [...]

Ma quante volte aviene che la maniera della lingua delle passate stagioni è migliore che quella della presente non è, tante volte si dee per noi con lo stile delle passate stagioni scrivere, Giuliano, e non con quello del nostro tempo.

Libro I, cap. 19

Ora mi potreste dire: da dove si copia questo tuo scrivere bene, e dove si cerca?
Si deve sempre imparare dagli scrittori antichi e del passato? Non sempre, Dio non voglia, Giuliano, ma ogni volta che la lingua nella scrittura degli uomini del passato è migliore e più lodata che nella bocca e negli scritti dei contemporanei. [...]

Ma tutte le volte che accade che la lingua delle epoche passate è migliore di quanto non sia quella di oggi, ogni volta, Giuliano, noi dobbiamo scrivere con lo stile dei tempi passati, e non con quello del nostro tempo.

T22 Baldassarre Castiglione: Il libro del Cortegiano

Nella lingua, al parer mio, non doveva [imitare Boccaccio], perché la forza e vera regula del parlar bene consiste più nell'uso che in altro, e sempre è vizio usar parole che non siano in consuetudine. [...]

E perché al parer mio la consuetudine del parlare dell'altre città nobili d'Italia, dove concorrono òmini savi, ingeniosi ed eloquenti [...], non deve essere del tutto sprezzata, dei vocabuli che in questi lochi parlando s'usano, estimo aver potuto ragionevolmente usar scrivendo quelli, che hanno in sé grazia ed eleganza nella pronunzia e son tenuti communemente per boni e significativi, benché non siano toscani ed ancor abbiano origine di fuor d'Italia.

[...] Perciò, se io non ho voluto scrivendo usare le parole del Boccaccio che più non s'usano in Toscana, né sottopormi alla legge di coloro, che stimano che non sia licito usar quelle che non usano li Toscani d'oggidì, parmi meritar escusazione. Penso adunque, e nella materia del libro e nella lingua, per quanto una lingua po aiutar l'altra, aver imitato autori tanto degni di laude quanto è il Boccaccio; né credo che mi si debba imputare per errore lo aver eletto di farmi più tosto conoscere per lombardo parlando lombardo, che per non toscano parlando troppo toscano.

Libro I, Lettera proemiale

Secondo me non dovevo [imitare Boccaccio] nella lingua perché la forza e la vera regola del parlare bene si fondano più sull'uso che su altro, ed è sempre sbagliato usare parole che non si dicono comunemente. [...]

E poiché, secondo me, non deve essere del tutto disprezzato il modo in cui si parla nelle altre nobili città italiane (dove si radunano uomini sapienti, intelligenti, e che sanno parlare bene [...]), ritengo di aver potuto usare con ragione nelle mie pagine, tra le parole che si usano in questi luoghi, quelle che contengono in sé grazia ed eleganza nella pronuncia e che sono considerate da tutti buone e piene di significato, anche se non sono toscane e magari provengono da fuori Italia.

[...] Perciò mi sembra di poter essere scusato se scrivendo non ho voluto usare le parole di Boccaccio che in Toscana non si usano più, e se non ho neanche voluto obbedire alla legge di quelli che credono che si possano usare solo le parole che usano i toscani oggi. Penso dunque di aver imitato, nell'argomento del libro e nella lingua (per quanto una lingua può aiutare un'altra), autori tanto degni di lode quanto Boccaccio; e non credo che mi si possa dire di aver sbagliato scegliendo di far capire che sono lombardo perché parlo come un lombardo, piuttosto che lasciare credere che non sono toscano perché parlo troppo toscano.

T23 Gaspara Stampa: Sonetto CIV

O notte, a me più chiara e più beata
che i più beati giorni ed i più chiari,
notte degna da' primi e da' più rari
ingegni esser, non pur da me, lodata;

5 tu de le gioie mie sola sei stata
fida ministra; tu tutti gli amari
de la mia vita hai fatto dolci e cari,
resomi in braccio lui che m'ha legata.

Sol mi mancò che non divenni allora
10 la fortunata Alcmena[1], a cui stè tanto
più de l'usato a ritornar l'aurora.

Pur così bene io non potrò mai tanto
dir di te, notte candida, ch'ancora
da la materia non sia vinto il canto.

O notte, che per me sei più chiara e più beata dei più beati e più chiari giorni, notte che sei degna di essere lodata dalle persone più nobili e più pregiate, non soltanto da me;

tu sei stata la sola che ha governato fedelmente le mie gioie; tu hai reso dolci e care tutte le amarezze della mia vita, dandomi fra le braccia colui che mi ha legato il cuore.

Allora, mi mancò soltanto di trasformarmi nella fortunata Alcmena, per la quale l'aurora tardò tanto più del solito a tornare.

Eppure, o notte candida, non potrò mai dire [in rima] così tanto bene di te [senza] che la poesia ceda il passo all'argomento.

---

1 Personaggio della mitologia greca, Alcmena è sposata con Anfitrione. Zeus, conquistato dalla sua bellezza, si trasforma in Anfitrione per poter passare una notte con lei. Inoltre, Zeus chiede a Febo (Apollo, Dio del sole) di sorgere più tardi.

---

e 1. Comprensione testi 21 e 22
Quale dei due autori ha un atteggiamento più libero nei confronti della tradizione?

e 2. Analisi
Come giustificano entrambi il loro punto di vista? Trova per ciascuno una frase significativa nel testo.

e 3. Riflessione
Le parole contaminazione, meticciato sono oggi molto frequenti anche nei confronti delle lingue. In che misura questi fenomeni sono presenti nella tua cultura e quale giudizio ne dai?

e 1. Comprensione testo 23
Di' se queste affermazioni sono vere o false.

	vero	falso
a. Il sonetto canta le pene d'amore.	O	O
b. Peccato che le notti non siano state più lunghe.	O	O
c. L'esperienza è stata più intensa di quanto la poesia riesca a dire.	O	O

e 2. Analisi
Che funzione ha la citazione del mito greco?

e 3. Riflessione
Amore e sensualità cantati da una donna sono qualcosa di sorprendente al tempo della Stampa. Quanto sono cambiate le cose nel corso del tempo?

T24 Francesco Berni: Sonetto alla sua donna

Chiome d'argento fino, irte e attorte
senz'arte intorno ad un bel viso d'oro;
fronte crespa, u' mirando io mi scoloro,
dove spunta i suoi strali Amor e Morte;

5 occhi di perle vaghi, luci torte
da ogni obietto diseguale a loro;
ciglie di neve, e quelle, ond'io m'accoro,
dita e man dolcemente grosse e corte;

labra di latte, bocca ampia celeste;
10 denti d'ebeno rari e pellegrini;
inaudita ineffabile armonia;

costumi alteri e gravi: a voi, divini
servi d'Amor, palese fo che queste
son le bellezze della donna mia.

Capelli di fine argento ispidi e attorcigliati senz'arte attorno a un bel viso giallino; fronte rugosa, guardando la quale io impallidisco, e dove l'amore e la morte spezzano la punta delle loro frecce;

occhi strabici di un bianco perlaceo, occhi che sfuggono ogni oggetto diverso da loro; ciglia bianche come la neve e quelle dita e mani dolcemente grosse e corte per le quali io mi tormento;

labbra bianche come il latte, bocca larga, celeste; pochi denti malfermi neri come ebano; armonia mai ascoltata e che non può essere espressa;

modi di fare nobili e dignitosi: a voi, divini servi d'Amore, faccio sapere che queste sono le bellezze della mia donna.

---

e **1. Comprensione**
Quale di queste affermazioni è vera?

- La descrizione della donna amata

○ **a.** ne sottolinea le caratteristiche morali.
○ **b.** ne raffigura in modo sorprendente le bellezze.
○ **c.** è un vero inno alla sua bellezza.

- Nel ritratto della donna

○ **a.** prevale il gusto del colore.
○ **b.** risaltano la sua nobiltà e dignità.
○ **c.** prevale la tecnica del bianco e nero.

e **2. Analisi**
Facciamo un gioco linguistico: prova a correggere il ritratto redigendo una rubrica che elenca: 1 gli aspetti fisici, 2 le espressioni usate da Berni e 3 quelle che di solito si attribuiscono alla donna amata. Ad esempio

chiome	irte e attorte	....
fronte	crespa	....
occhi	di perla	....

Ne risulta che alcune delle qualità citate da Berni fanno parte del catalogo tradizionale. Quale operazione fa il Berni nei confronti dei modelli poetici del suo tempo? Quale poeta è la sua "vittima"?

e **3. Riflessione**
È evidente che l'ideale rinascimentale di armonia ed equilibrio è in crisi. È come se lo specchio che riflette il viso della donna si fosse spezzato; chi ne raccoglie i frammenti non trova la chiave del puzzle. Prova a fare un confronto con l'arte del 900, Picasso, cubismo, espressionismo ecc. C'è una qualche relazione anche nel contesto storico?

T25 Michelangelo Buonarroti: Giunto è già 'l corso

Giunto è già 'l corso della vita mia,
con tempestoso mar, per fragil barca,
al comun porto, ov'a render si varca
conto e ragion d'ogn'opra trista e pia.

5 Onde l'affettuosa fantasia
che l'arte mi fece idol e monarca,
conosco or ben com'era d'error carca,
e quel ch'a mal suo grado ogn'uom desia.

Gli amorosi pensier, già vani e lieti,
10 che fien[1] or, s'a duo morte m'avvicino?
D'una so 'l certo, e l'altra mi minaccia.

Né pinger né scolpir fia più che quieti
l'anima, volta a quell'amor divino
ch'aperse, a prender noi, 'n croce le braccia.

Il corso della mia vita è già arrivato, per un mare tempestoso e su una barca fragile, al porto comune [la morte], dove si deve rendere conto e ragione di ogni opera cattiva e buona.

Motivo per il quale ora so bene com'era carica di errori l'amorosa ispirazione che trasformò l'arte nel mio idolo e nel mio Signore, al pari di quello che l'uomo desidera anche se fa poi il suo danno.

I pensieri d'amore, che erano allegri e lieti, che cosa saranno ora, se mi avvicino alla morte fisica e a quella spirituale? Della prima conosco la verità, l'altra mi minaccia [perché potrei non ottenere la salvezza divina].

Né la pittura né la scultura saranno più capaci di acquietare l'anima, che è rivolta a quell'amore divino che aprì le braccia in croce per accoglierci.

---

1 Fien: dal verbo latino "fio" = diventare.

---

e **1. Comprensione**
Quale di queste affermazioni è vera?

○ **a.** Il poeta ha avuto una vita inquieta ma non infelice.
○ **b.** Il timore della fine ha sempre tormentato i suoi pensieri.
○ **c.** Ora riconosce che anche la sua fede nell'arte era un errore.
○ **d.** La creazione artistica non gli dà più alcuna gioia o serenità.
○ **e.** Non c'è nulla ora che possa confortarlo.

e **2. Analisi**
- La metafora della vita come barca sul mare a volte calmo a volte tempestoso è frequente non solo nella poesia italiana. Che cosa simboleggia qui il porto?
- Michelangelo parla di una duplice morte. Che cosa intende dire?
- Che differenza c'è fra i pensieri amorosi del verso 9 e l'amore del verso 13?

e **3. Riflessione**
Confronta la *Sacra famiglia* a pag. 117 e la *Pietà Rondanini* a pag. 118. Entrambe sono opere di Michelangelo, entrambe di soggetto religioso, entrambe trovano un riscontro dentro al sonetto. Individua i versi e spiegane il rapporto con l'opera d'arte.

*l'*Umanesimo *e il* Rinascimento

Il tardo Rinascimento e la crisi religiosa

1. L'epoca del Concilio di Trento e della Controriforma

La seconda metà del Cinquecento viene denominata dagli storici "epoca del Manierismo". Si tratta di un periodo inquieto, un'età di dubbi e di incertezze che in letteratura vede come suo massimo esponente **Torquato Tasso** (cfr. p. 118). **Martin Lutero** (1483-1546) aveva dato inizio con la pubblicazione delle novantacinque tesi del 1517 alla Riforma protestante, causando la rottura dell'unità religiosa in Europa. Lutero teorizzava soprattutto il rapporto diretto tra l'uomo e Dio abolendo la necessità di mediazione dei sacerdoti e l'autorità del Papa. Accanto a Lutero operano altri riformisti della Chiesa, tra cui il più noto è Calvino. Negli stessi anni Enrico VIII istituisce in Inghilterra la Chiesa Anglicana. La Chiesa cattolica, incalzata dagli avvenimenti e dalle lotte religiose, si vede costretta ad intervenire per porre un freno all'espandersi delle idee protestanti e rimettere ordine ristabilendo l'ortodossia. Parlare di età della Controriforma significa quindi riferirsi a quell'epoca in cui la Chiesa cerca di autoaffermarsi nella lotta contro il protestantesimo. Si può fissare l'inizio di quest'età con la data d'apertura del Concilio di Trento, convocato nel 1545 e conclusosi nel 1563. Tra le decisioni del Concilio di Trento saranno almeno da ricordare: l'ampliamento del potere papale, l'esigenza di ortodossia assoluta, la crea-zione dell'Indice dei libri proibiti e del tribunale dell'Inquisizione. La Chiesa vuole imporre il suo controllo sulla società e sulla cultura e lo fa anche attraverso la Compagnia di Gesù, un ordine nuovo che si differenzia dai precedenti per la struttura militare, la severa formazione e la cieca obbedienza che erano richieste ai suoi membri. Un'età quindi di crisi dei valori rinascimentali, di incertezze e dubbi, ma non per questo incapace di produrre opere interessanti, sul piano sia letterario che artistico a fini di "propaganda" religiosa.

2. Lineamenti letterari

Se già alcuni letterati del pieno Rinascimento avevano percepito la crisi di valori, si era trattato però solo di casi individuali. Inizia invece con la seconda metà del secolo un periodo più complicato. Gli intellettuali sono ancora legati, come nell'epoca precedente, alla corte e alla Chiesa, le uniche istituzioni che possono garantire almeno in parte la sopravvivenza economica, ma vanno sviluppando un nuovo sistema di valori. In Italia la situazione è particolarmente difficile, infatti, dalla fine dell'età della Controriforma, quindi attorno agli anni '60-'70 del secolo, ha inizio la decadenza della civiltà letteraria italiana, superata dall'eccellenza delle altre letterature europee (soprattutto francese, spagnola e inglese).

Lentamente va scomparendo la figura del cortigiano che, come l'Ariosto, viveva accanto al principe e, pur con molte difficoltà, aveva un peso e un potere nelle scelte della corte, soprattutto sul piano culturale. Naturalmente si assiste a un incremento dell'editoria religiosa, col-

🔍 Architettura del '500

La caratteristica principale dell'architettura del Rinascimento è la reazione contro il gotico, ormai giunto alla decadenza, e la volontà di riportare i volumi e le superfici a una geometrica semplicità, prendendo come modello gli edifici antichi. L'architetto-scultore più conosciuto del tempo è senz'altro **Jacopo Sansovino**, attivo prima a Firenze e Roma e, dopo il 1527, a Venezia e nel Veneto. Tra le opere più famose del Sansovino si ricordano: la loggia del campanile, la Zecca e la Libreria Marciana in piazza S. Marco a Venezia. Un'altra figura centrale per l'architettura del Cinquecento è **Andrea Palladio**, di cui si ricordano le chiese di San Giorgio Maggiore e del Redentore a Venezia, la villa "La Rotonda" a Vicenza, oltre ai numerosi palazzi vicentini. Palladio riprende le forme classiche e influenza l'architettura di tutta l'Europa.

legato anche alla diffusione delle scuole religiose e della pietà popolare.

3. La riscoperta della *Poetica* di Aristotele

A partire dai primi decenni del Cinquecento le diverse aree del sapere si specializzano e si assiste a una vera e propria proliferazione di trattati di retorica e poetica o di discussioni sui diversi generi letterari.

Questo fatto è anche da collegare con la recente fortuna della *Poetica* di Aristotele. Questo testo, già tradotto in latino verso la fine del Quattrocento, avrà solo negli anni trenta del XVI secolo un'enorme diffusione. Le riflessioni e i trattati sull'opera di Aristotele sono innumerevoli, ma vale la pena ricordare almeno quali temi tratti da quest'opera vengono ripresi dai teorici cinquecenteschi, perché giocheranno un ruolo di primissimo piano nella produzione letteraria. Le acquisizioni teoriche principali tratte dalla *Poetica* sono:

1. l'idea del carattere conoscitivo e razionale della poesia e del poeta-filosofo;
2. la convinzione che la poesia debba imitare la natura;
3. la teoria del verosimile, ovvero la possibilità per il poeta di inventare, pur imitando;
4. l'idea che il fine ultimo dell'opera d'arte sia duplice: far divertire e insegnare.

Tuttavia, mentre Aristotele nella sua *Poetica* descriveva la realtà dei testi che analizzava (soprattutto i poemi omerici), i teorici del Cinquecento costringono i diversi generi letterari ad attenersi a regole precise, ricavate dalla *Poetica*. Così, ad esempio, per la tragedia si teorizza la necessità della "catarsi" finale o purificazione dello spettatore alla vista di passioni terribili, e l'esigenza di attenersi alle tre unità: di azione, di luogo e di tempo. L'azione e il luogo dovevano essere unici, mentre il tempo per la durata dell'azione era prestabilito (per taluni dodici, per altri ventiquattro ore). Regole strette dovevano valere naturalmente anche per la narrativa (il poema epico) e la lirica. In qualche modo quindi le opere d'arte risultano meno libere e limitano l'ispirazione poetica.

4. La lirica del medio Cinquecento

Il modello per la lirica rimane il Petrarca, come codificato da Pietro Bembo nelle *Prose della volgar lingua*. Tuttavia, verso la metà del secolo alcuni poeti, pur partendo sempre dall'esperienza del *Canzoniere*, iniziano a staccarsi dal modello per sviluppare una propria autonomia creativa. Fra questi va ricordato soprattutto **Giovanni Della Casa**, (1503-1556) un poeta che scrive liriche in cui è molto forte la riflessione esistenziale e in cui già si nota una nuova sensibilità. Famosissimo il suo sonetto dedicato al sonno. Ma accanto al Della Casa si devono ricordare anche Galeazzo di Tarsia e Michelangelo Buonarroti.

Galeazzo di Tarsia (1520-1553) è attivo come poeta nell'età del Concilio di Trento. La sua produzione poetica è molto originale e presenta già alcune caratteristiche prebarocche. Pur partendo dal petrarchismo bembiano, la sua poesia si segnala per la ricerca linguistica e la drammaticità dei toni. Particolarmente felici i componimenti scritti in morte della moglie. La produzione lirica di **Michelangelo Buonarroti** (1475-1564), composta per lo più durante gli ultimi anni di vita, si configura come un intimo dialogo con se stesso, in cui prevalgono i toni pessimistici e l'intensità dei sentimenti, come testimonia il suo sonetto sulla morte e sul destino dell'uomo (cfr. testo 25).

Qui sopra: *Sacra Famiglia* di Michelangelo, detta anche il *Tondo Doni* perché realizzato in occasione delle nozze di Maddalena Strozzi e Angelo Doni intorno al 1504.

Nella pagina a fianco in alto: ritratto di Martin Lutero.

Nella pagina a fianco in basso: villa Almerico, del Palladio , detta La Rotonda, sfondo di una parte del romanzo *Guglielmo Meister* di Goethe.

Torquato Tasso e la fine del secolo

1. Dal poema romanzesco al poema eroico

Le discussioni teoriche di cui è ricco il Cinquecento toccano anche la narrativa e, al suo interno, la forma che più delle altre aveva avuto fortuna nel Rinascimento: il poema (cfr. p. 100).

Con l'*Orlando furioso* di Ariosto il poema cavalleresco aveva raggiunto la sua realizzazione più alta. Numerosissimi sono gli imitatori del modello ariostesco, ma serrato è anche il dibattito, seguito alla diffusione della *Poetica* di Aristotele (cfr. p. 117), sul nuovo orientamento che avrebbe dovuto prendere la tradizione del romanzo. Da un lato c'è chi predilige il poema romanzesco di stampo ariostesco, in cui sono narrati eventi fittizi, manca l'unità dell'azione e vi sono moltissimi personaggi; d'altro canto viene teorizzato il poema eroico, molto più aderente all'epica antica, soprattutto omerica, in cui vi è una sola azione e/o un solo protagonista, in cui la materia si basa su fatti storici, pur prevedendo l'inserimento del meraviglioso. La disputa si collegherà alle discussioni sulla preferenza da accordare all'*Orlando furioso* dell'Ariosto o alla *Gerusalemme liberata* del Tasso, perfetta realizzazione del poema eroico.

2. La crisi del Rinascimento: Torquato Tasso

La sua vicenda biografica ne ha fatto uno dei miti e modelli della critica ottocentesca. Ma Torquato Tasso, con la sua vita inquieta e i suoi dubbi religiosi ed esistenziali, è figlio del suo tempo più di qualsiasi altra personalità letteraria. Tasso si esprime in tutti i generi più tipici della sua epoca, raggiungendo in quasi tutti un'eccellenza che nessuno dei suoi contemporanei aveva saputo toccare. La lirica accompagna il poeta in tutte le fasi della sua vita: dalla produzione giovanile (con le *Rime eteree*) agli anni successivi alla sua uscita dal carcere. Il lirismo è d'altra parte una delle caratteristiche principali di tutta la poesia tassiana. Le sue *Rime* (in tutto circa duemila componimenti), pubblicate in una prima parte nel 1591 e una seconda nel 1593, non hanno ancora conosciuto una sistemazione definitiva che ne chiarisca tutti i problemi compositivi.

Tra i modelli di Tasso figurano Petrarca, Bembo, i petrarchisti del Cinquecento, ma anche Della Casa. I temi toccati

🔍 Pittura e scultura del '500

A differenza delle altre schede sulla storia dell'arte italiana, qui non vale la pena di offrire dati biografici o indicare quadri: servirebbero varie pagine, tale è la mole della produzione artistica di grandissima qualità di questo secolo. Basti ricordare, per avere l'idea di cosa successe in Italia in quegli anni, la perfezione dei tosco-romani **Raffaello** e **Michelangelo**, la magia coloristica del veneziano **Tiziano** o del tosco-lombardo **Leonardo** – artisti geniali come pittori, ma anche come architetti, scrittori, ingegneri: essi realizzano la completezza dell'uomo "rinascimentale" che si mette alla prova in ogni arte e scienza. Anche la scultura è immensa, e su essa domina incontrastato, il nome di Michelangelo: dalla perfezione del *David* scolpito quando era ancora ventenne, alla drammaticità della *Pietà Rondanini*, scolpita intorno ai novant'anni (foto qui accanto) quando alla perfezione della forma ormai preferiva la forza del sentimento.

sono diversissimi e spaziano da quello amoroso alla riflessione sulla morte o sulla religione. Frequenti sono anche le liriche d'occasione e notevole la produzione madrigalistica. Il madrigale, breve componimento di endecasillabi (versi di undici sillabe) e settenari (versi di sette sillabe), è una composizione tipica già del secolo XIV e tratta soprattutto temi amorosi. Nel genere drammatico il Tasso si cimenta con la tragedia, la commedia e il dramma pastorale. Ed è proprio il dramma pastorale *Aminta*, scritto e rappresentato nel 1573, una delle sue opere più belle. Ambientata in un mondo pastorale felice, l'opera narra l'amore del pastore Aminta per la ninfa Silvia. L'amore è quindi il tema centrale del dramma, che però si distingue dalla restante produzione del tempo per l'attenzione alla psicologia.

La tragedia *Re Torrismondo* invece, troppo aderente ai precetti elaborati dai teorici del genere, è un testo freddo e manca d'ispirazione poetica. Molto più fresco e riuscito il giovanile *Rinaldo* (1562), un poema epico in cui si narrano le avventure del paladino Rinaldo, che mira alla fama e a conquistarsi l'amore della bella Clarice. Il poema è importante perché si lega alle riflessioni teoriche sul genere epico: il Tasso opta in quest'opera per la presenza di un unico protagonista, Rinaldo appunto, ma per la molteplicità d'azione.

Tasso scrive anche un ricco *Epistolario*, redatto soprattutto durante gli anni della prigionia, ed è autore dei *Dialoghi*, di numerose opere teoriche e di opere d'ispirazione sacra.

3. La Gerusalemme liberata

Capolavoro del Tasso e di tutta la sua epoca, il poema viene iniziato a Venezia nel 1559. Il primo abbozzo, intitolato *Gierusalemme*, sarà poi rielaborato e verrà pubblicato, senza il consenso dell'autore, una prima volta in tredici canti con il titolo di *Goffredo* e nella versione integrale con il titolo di *Gerusalemme liberata* nel 1581. Il poema ottiene un enorme successo e si moltiplicano le edizioni. Il Tasso, tuttavia, profondamente deluso per la circolazione di un'opera che non riteneva definitiva, una volta uscito dal carcere rimetterà mano al poema. L'opera sarà pubblicata con molte modifiche e soppressioni di interi episodi nel 1593, con il titolo di *Gerusalemme conquistata*. Tuttavia, per comune opinione di pubblico e critica, la *Liberata* è opera decisamente superiore alla *Conquistata*, e per questo, ancora oggi, si legge il poema nella sua prima versione, andando, in un certo senso, contro la volontà dell'autore.

Torquato Tasso

Torquato Tasso nasce a Sorrento nel 1544. Trascorre l'infanzia tra Salerno e Napoli. Dal 1557 al 1559 risiede col padre presso il duca d'Urbino Guidubaldo II della Rovere. Nel 1559 Bernardo e Torquato si trasferiscono a Venezia, dove Bernardo pubblicherà l'*Amadigi* e Torquato inizierà a scrivere *Gierusalemme*, primo abbozzo di quella che diventerà la *Gerusalemme liberata*. Dal 1560 al 1565 Torquato studia diritto, eloquenza e filosofia a Padova. Nel 1562 Torquato pubblica il poema cavalleresco *Rinaldo*. Nel 1565 si trasferisce a Ferrara presso la corte di Alfonso II e inizia la sua carriera di cortigiano al servizio del cardinale Luigi D'Este e poi dello stesso duca Alfonso. Nel 1573 compone *Aminta* e nel 1575 porta a termine il suo poema epico più importante cui darà il nome di *Goffredo*, ma che diventerà famoso col titolo *Gerusalemme liberata*. Gli anni dal 1575 al 1577 sono dedicati alla revisione del poema, ma sono anche gli anni durante i quali il Tasso inizia ad avere dubbi religiosi. Dal 1579 al 1586 sarà recluso nel carcere di S. Anna per aver inveito contro il duca Alfonso. Durante la prigionia del Tasso, nel 1581, Angelo Ingegneri pubblica *Gerusalemme liberata*. Il poeta muore a Roma nel 1595.

In alto: ritratto di Torquato Tasso, Galleria degli Uffizi, Firenze.

In basso: frontespizio della *Gerusalemme Conquistata*.

Nella pagina a fianco in alto: Cigoli, *La liberazione di Gerusalemme*, ispirato al Canto XX della *Gerusalemme Liberata*.

Nella pagina a fianco in basso: Michelangelo, la *Pietà Rondanini*.

T26 Torquato Tasso: La morte di Clorinda

64

Ma ecco omai l'ora fatale è giunta
che 'l viver di Clorinda al suo fin deve.
Spinge egli il ferro nel bel sen di punta
che vi s'immerge e 'l sangue avido beve;
5 e la veste, che d'or vago trapunta
le mammelle stringea tenera e leve,
l'empie d'un caldo fiume. Ella già sente
morirsi, e 'l piè le manca egro e languente.

65

Segue egli la vittoria, e la trafitta
10 vergine minacciando incalza e preme.
Ella, mentre cadea, la voce afflitta
movendo, disse le parole estreme;
parole ch'a lei novo un spirto ditta,
spirto di fé, di carità, di speme:
15 virtú ch'or Dio le infonde, e se rubella
in vita fu, la vuole in morte ancella.

66

"Amico, hai vinto: io ti perdon... perdona
tu ancora, al corpo no, che nulla pave,
a l'alma sí; deh! per lei prega, e dona
20 battesmo a me ch'ogni mia colpa lave."
In queste voci languide risuona
un non so che di flebile e soave
ch'al cor gli scende ed ogni sdegno ammorza,
e gli occhi a lagrimar gli invoglia e sforza.

64

Ma ecco che ormai è giunta l'ora fatale in cui la vita di Clorinda deve giungere alla fine. Tancredi spinge la spada di punta nel bel seno, essa vi entra e beve avida il sangue, che le riempie la veste dai bei ricami dorati, che teneramente e lievemente stringeva il petto, come un caldo fiume. Lei si sente già morire e non riesce più a reggersi sui piedi deboli e insicuri.

65

Lui vuole la vittoria e, minacciando la fanciulla che ha colpito, la insegue e la incalza. Lei, durante la caduta, parlando con tristezza disse le ultime parole; parole dettate da un nuovo spirito, uno spirito di fede, di carità, di speranza: virtù che ora le dona Dio; e se in vita gli fu ribelle ora egli la vuole fedele nella morte.

66

«Amico, hai vinto: io ti perdono... perdona anche tu, non il mio corpo, che non ha paura, ma la mia anima; oh, prega per lei, e battezzami in modo da lavare ogni mia colpa». In queste parole sussurrate risuonano una certa malinconia e delicatezza che gli scende fino al cuore e cancella tutta la rabbia e invita e costringe gli occhi a piangere.

---

e **1. Comprensione**

Di' se queste affermazioni sono vere o false.

Ricostruendo l'inizio del combattimento possiamo dire che i due guerrieri

	vero	falso
a. hanno calzato l'elmo dopo essersi riconosciuti.	○	○
b. si affrontano senza conoscere la reciproca identità.	○	○
c. Tancredi ha riconosciuto Clorinda.	○	○

Il testo inizia con la descrizione del duello, quando

	vero	falso
a. Tancredi minaccia Clorinda con la spada alla gola.	○	○
b. Clorinda si inginocchia chiedendo pietà.	○	○
c. Tancredi spinge la spada nel petto di Clorinda.	○	○

Il duello si conclude

	vero	falso
a. con la morte di entrambi i guerrieri.	○	○
b. con la morte trasfigurata di Clorinda.	○	○
c. con il suicidio di Tancredi.	○	○

67

25 Poco quindi lontan nel sen del monte
scaturia mormorando un picciol rio.
Egli v'accorse e l'elmo empié nel fonte,
e tornò mesto al grande ufficio e pio.
Tremar sentí la man, mentre la fronte
30 non conosciuta ancor sciolse e scoprio.
La vide, la conobbe, e restò senza
e voce e moto. Ahi vista! ahi conoscenza!

68

Non morí già, ché sue virtuti accolse
tutte in quel punto e in guardia al cor le mise,
35 e premendo il suo affanno a dar si volse
vita con l'acqua a chi co 'l ferro uccise.
Mentre egli il suon de' sacri detti sciolse,
colei di gioia trasmutossi, e rise;
e in atto di morir lieto e vivace,
40 dir parea: "S'apre il cielo; io vado in pace."

69

D'un bel pallore ha il bianco volto asperso,
come a' gigli sarian miste viole,
e gli occhi al cielo affisa, e in lei converso
sembra per la pietate il cielo e 'l sole;
45 e la man nuda e fredda alzando verso
il cavaliero in vece di parole
gli dà pegno di pace. In questa forma
passa la bella donna, e par che dorma.

Da *Gerusalemme liberata*, Canto XII

67

Poco lontano da lì, nel cuore di una montagna, nasceva un piccolo ruscello mormorante.
Tancredi corse in quella direzione e riempì l'elmo immergendolo nell'acqua, poi tornò triste a compiere l'importante rito religioso. Sentì tremare la sua mano, mentre liberava dall'elmo il viso che ancora non aveva riconosciuto. La vide, la riconobbe e restò senza parole e immobile. Ahi vista! ahi conoscenza!

68

Non morì solo perché in quel momento raccolse tutte le sue forze e le mise di guardia al cuore, e trattenendo il dolore iniziò a dare la vita con l'acqua a chi aveva ucciso con la spada. Mentre egli pronunciava la formula battesimale, lei si trasfigurò e sorrise per la gioia; e nel momento della morte sembrava dire lietamente e serenamente: «Si apre il cielo; io vado in pace».

69

Il bianco viso è bello e pallido, come se ai gigli fossero mescolate le viole, e i suoi occhi guardano il cielo; e il cielo e il sole, per la pietà [che provano per lei], sembrano volgere lo sguardo su di lei; lei, alzando la mano nuda e fredda verso il cavaliere, al posto delle parole, gli dà un segno di pace.
In questo modo muore la bella donna e sembra che dorma.

---

e **2. Analisi**

- Il testo è ricco di elementi che mettono in evidenza mutamenti fisici e psicologici. A titolo di esempio citiamo le mani di Tancredi, dapprima ferme e poi tremanti. A che cosa è dovuto questo tremore?
- Ricerca nel testo altri mutamenti, identificane la natura (fisica o psicologica) e il motivo per cui si verificano.
- Riscontri anche una variazione nel ritmo, nella velocità delle azioni? Se sì, come la spieghi?
- Il bianco e il rosso sono i colori predominanti. Perché?

e **3. Riflessione**

Claudio Monteverdi (1567-1643), nell'ottavo libro dei *Madrigali guerreschi e amorosi*, pubblica *Il combattimento di Tancredi e Clorinda* (1624). Riferendosi alle ottave 53-68, riduce il testo ai punti essenziali ed evoca il ritmo del duello con il tremolo (veloce movimento dell'archetto su una sola nota) e il pizzicato (sulle corde) degli archi. Le voci sono tre: soprano per Clorinda, baritono per Tancredi e tenore per il Testo (narratore). La forma è decisamente drammaturgica.
In quale modo sarebbe possibile, a tuo giudizio, riproporre in chiave moderna questa operazione di Monteverdi? Interverresti sul testo? A quale "veste" musicale penseresti?

Critica

Il Cinquecento: splendore e decadenza

Il Cinquecento raccoglie i frutti della lunga e laboriosa vigilia[1] umanistica e li conduce a splendida maturazione. In esso tutte le aspirazioni e le tendenze della rinnovata cultura – l'approfondito e raffinato gusto artistico, la più libera e mondana filosofia, l'umanità più espansiva e cordiale degli affetti, il senso fortissimo della dignità e della potenza creatrice dell'uomo, il tenero vagheggiamento[2] di un'idillica quiete dove l'occhio si plachi[3] nella contemplazione di blande[4] visioni campestri – trovano la loro pienezza, e anche, in un certo senso, il loro esaurimento. Nella mirabile fioritura di poesia e d'arte e di pensiero del secolo XVI in Italia – che ha offerto, con Ariosto e Tasso, Raffaello e Michelangelo, Correggio e Tiziano, Machiavelli e Galilei (e intorno ad essi tanti minori letterati ed artisti, storici e uomini di scienza: minori, ma non di rado così interessanti), tutta una serie di maestri di modelli alla risorgente civiltà europea – è nascosto infatti un principio di decadimento. Decadimento non dell'arte e della poesia in sé, si capisce (che sarebbe una contraddizione in termini), ma della civiltà e della cultura in cui l'arte e la poesia trovano le loro condizioni storiche d'esistenza. In quella stessa straordinaria abbondanza di attività letteraria ed artistica, a tratti insigne[5] e quasi sempre pregevole, c'è come il senso delle età estreme[6] dello spirito, fatte di raffinatissima esperienza e di consumata saggezza, e già tutte piene di un presentimento di prossima morte. Il classicimo, che è come il segno intorno a cui potrebbe raccogliersi una così ricca e varia operosità intellettuale, è al tempo stesso l'indice della sua compiuta[7] maturità e del suo perfetto equilibrio, e il sintomo della sua debolezza segreta, della necessità cioè, per ora non avvertita[8], ma già latente[9], di nuove correnti che sopravvengono a turbare e purificare l'atmosfera luminosissima e pur corrotta e stagnante[10]. Vero è che questi segni di decadimento rimangono per ora nascosti, e, se pur si deve tenerne conto, sarebbe ingiusto per altro insistere troppo su di essi e dipingere il Rinascimento, sulle orme[11] degli storici romantici, come un'età di corruzione e di impoverimento delle basi etiche e civili su cui si regge la cultura, e la vita stessa, delle nazioni. È opportuno piuttosto mettere in rilievo la saggezza e l'equilibrio con cui gli uomini del secolo XVI si mostrarono capaci di assorbire gli ammaestramenti dell'umanesimo, non già[12] per farne materia di una sapienza arida e inerte, sì[13] per farne sostanza e impulso di una cultura nuova.

Natalino Sapegno

Torquato Tasso: la magica sintesi di opposti

Torquato Tasso rimane in perpetuo quale fu sentito dai contemporanei, e quale fu accolto dall'anima popolare, cuore che parla ai cuori, fantasia che parla alle fantasie; e il suo poema, dal ritmo vivace, vibrante, rapido, concitato[1], prorompente da un animo commosso, variamente commosso ma sempre commosso, ha chiara l'impronta[2] dell'opera geniale, prodotta da una forza demoniaca che si era impossessata del suo autore, spesso fuori della sua consapevolezza e contro i suoi propositi[3].

Nacque, quel canto, da un sogno di gloria e d'amore, di prodezza[4] e di voluttà[5], di nobile e serena gioia e di delicata malinconia, sublime e tenero, ricco d'impeti[6] e insieme di languidi abbandoni[7], virile e femminile insieme: ispirazione patetica, affatto[8] diversa da quella ariostesca che è di un'umanità distaccata e sorridente, tant'è vero che proprio dell'Ariosto sono le sue serene musicali ottave e del Tasso sono i suoi appassionati caratteri. [...]

Che importa che nel poema vi siano parti sorde, e più o meno prosaiche e strutturali, come certe rassegne[9] e descrizioni di battaglie, e altre che fioriscono di concetti e di antitesi, e altre ancora che sono svolgimenti non tanto poetici quanto retorici? [...] Quando [in un'opera] la sostanza è indovinata, cioè poetica, tutto è perdonato: perdono assai agevole[10], e del quale ha bisogno, di solito, proprio la grande poesia.

Benedetto Croce

---

1 Il periodo precedente.

2 Desiderio.

3 Si tranquillizzi, si rasereni.

4 Dolci, morbide.

5 Talvolta di grande livello.

6 Conclusive, finali.

7 Piena.

8 Sentita, percepita.

9 Nascosta sotto il velo di ciò che si vede.

10 Immobile come l'acqua di una palude malsana.

11 Seguendo la tradizione.

12 Non tanto.

13 Bensì, ma.

1 Agitato, veloce.

2 Il segno.

3 Intenzioni.

4 Coraggio, eroismo.

5 Piacere dei sensi.

6 Gesti impulsivi.

7 Momenti in cui una persona si lascia andare, quasi privo di forze.

8 Del tutto.

9 Descrizioni e resoconti.

10 Facile.

il Seicento

Il Seicento: l'età inquieta

1. La rottura dell'equilibrio rinascimentale

Se l'universo rinascimentale si presentava ordinato, stabile e armonico, il Seicento è uno dei secoli più violenti della storia europea, tormentato da guerre e lotte politiche, diviso fra cattolicesimo e fede protestante, ma aperto anche a tendenze culturali e scientifiche completamente nuove.

In che senso si può allora parlare di crisi rispetto al secolo precedente?

Innanzitutto, sul piano economico, il 1600 è segnato da terribili carestie e pestilenze che provocano un forte calo delle nascite e un notevole blocco nella produzione. Inoltre, la *Guerra dei Trent'Anni* (1618-48), combattuta da Spagna e Impero Tedesco contro Francia, Svezia, Danimarca e Olanda, aggrava i motivi di malessere: verso la metà del secolo scoppiano rivolte sociali in tutta Europa.

Alcuni Stati riescono comunque a fronteggiare la crisi, grazie ad un'organizzazione statale (la monarchia) solida e potente, e ad un efficace apparato burocratico e amministrativo. In Francia regna Luigi XIV (il re Sole), in Russia domina Pietro il Grande.

In Inghilterra, verso la fine del secolo, si giunge alla *monarchia parlamentare*, dopo una fase di guerra civile (fra re e Parlamento) e la breve dittatura di Cromwell. La Spagna vive un periodo di grandezza, anche grazie al dominio su Portogallo e Italia ma, già all'inizio del 1600, è un impero in declino, amministrato male dagli Asburgo e soffocato dalle pretese della nobiltà e del clero. Nella seconda metà del 1600, Spagna e Germania escono completamente sconfitte dalla *Guerra dei Trent'Anni*. La distanza fra paesi cattolici e protestanti si approfondisce: Spagna, Italia e Portogallo diventano sempre più marginali da un punto di vista economico.

L'attività produttiva e mercantile aumenta invece nei paesi di area settentrionale, dove si afferma la nuova borghesia; alla fine del secolo, Francia, Inghilterra e Olanda emergono definitivamente come nuove potenze. Anche la Chiesa romana attraversa una fase di profonda crisi: attaccata dalla Riforma protestante, la Chiesa cerca di riaffermare la propria potenza.

I principali canali usati per diffondere il cattolicesimo sono la predicazione, le processioni sacre, il teatro, l'arte barocca; tutti strumenti dal forte impatto popolare e in cui dominano i Gesuiti.

2. Il Barocco, una "civiltà dell'immagine"

Il Barocco italiano si sviluppa appunto a Roma, ed è qualcosa di più di una semplice espressione artistica. Quest'arte, fedele alle norme codificate dal Concilio di Trento, ha infatti lo scopo di suggestionare lo spettatore, coin-

---

🔍 Gli spagnoli in Italia

L'Italia, già esclusa dal grande traffico atlantico e coloniale, frantumata in piccoli regni, cade sotto il dominio spagnolo già dal 1559 (Pace di Cateau Cambrésis). Per tutta la seconda metà del 1500, l'Italia vive, comunque, un periodo di pace: la popolazione aumenta e l'economia è prospera. Ma le prime carestie e le epidemie di peste, che investiranno l'Italia dal Nord al Sud durante tutto il 1600, mettono in crisi l'economia. Dopo il 1620, la situazione si aggrava: regioni come la Lombardia vengono devastate dal passaggio degli eserciti, gli abitanti fuggono dalle città e si rifugiano in campagna. Entrano in crisi le attività artigianali e, soprattutto, quelle mercantili (collegate alle città). Nasce un nuovo feudalesimo. Il governo spagnolo, per sostenere le forti spese di guerra, impone tasse sempre più pesanti nel Sud e in Sicilia. Verso la metà del 1600, scoppiano violente rivolte sociali a Napoli (particolarmente sanguinosa quella guidata da Masaniello), Palermo e Messina, contro i grandi proprietari terrieri e i viceré spagnoli (i rappresentanti della Spagna in Italia), ma non cambia nulla. L'Italia ha ormai perso la sua autonomia. Da questo momento in poi sarà terra di conquista e di scambio fra le grandi potenze europee. L'Austria sostituirà il dominio degli Spagnoli in molte regioni d'Italia agli inizi del 1700.

volgerlo emotivamente e quindi convincerlo delle verità della fede cattolica. Si tratta di un'arte spettacolare e grandiosa, ma anche ambigua, nata per celebrare i "trionfi" del Papato proprio mentre si consuma la terribile *Guerra dei Trent'Anni* e metà dell'Europa è ormai protestante. Alessandro Manzoni nel suo *I Promessi Sposi*, il più importante romanzo storico italiano dell'Ottocento, mostrerà gli aspetti più evidenti e negativi del Seicento in Italia: la natura militaresca della società, l'esibizione del potere e della ricchezza, le prepotenze del dominio spagnolo, la povertà e l'ignoranza del popolo, la retorica nel linguaggio e l'ipocrisia nei comportamenti, il carattere cerimonioso (cioè il rispetto per le "cerimonie", per le procedure da seguire) presente in tutte le manifestazioni della vita sociale e di stampo spagnolo.

3. Il problema delle regole

Il Seicento è infatti un secolo dominato dall' "etichetta", dal rigido rispetto delle norme sociali e religiose: norme nei duelli e nei rapporti umani, nelle discussioni filosofiche e nell'arte. Per quanto riguarda il teatro, uno dei settori più vivi e rappresentativi della cultura del tempo, si afferma il gran teatro classicista, attento alle regole della tragedia classica formalizzate da Aristotele. Questo tipo di teatro ha la sua massima espressione in Francia, con autori come Racine e Corneille, per la tragedia, e Molière per la commedia. In Spagna questo è il Siglo de oro.
Sul piano opposto s'impone, soprattutto in Inghilterra, un tipo di teatro più libero, capace di *coinvolgere* direttamente il pubblico: è la straordinaria stagione del teatro elisabettiano e, naturalmente, di Shakespeare. Nelle sue tragedie, la ragione umana entra in conflitto con elementi non controllabili e violenti (amore e pazzia, ambizione e vendetta): si tratta di temi universali, eterni, ma legati all'inquietudine propria del 1600. Nello stesso periodo, in Italia, si diffonde la sconvolgente pittura di **Caravaggio** e si affermano sistemi filosofici e scientifici rivoluzionari (vedi il capitolo sulla Nuova Scienza, p. 132).

4. La vita è sogno

Un altro aspetto caratteristico della cultura barocca è la religiosità, sempre presente nei maggiori autori dell'epoca, dal drammaturgo spagnolo Calderón de la Barca, cattolico, al poeta inglese John Milton, anglicano. Insieme alla religiosità, emerge un nuovo interesse per l'erotismo

e la sensualità; tutta seicentesca è anche l'inquietudine per lo *scorrere* del tempo, per la decadenza fisica e la morte (per questi temi vedi, ad esempio, i testi di G. B. Marino e di Ciro di Pers testi 27 e 28). Il sentimento della crisi di un'intera società diventa piena consapevolezza, unita però alla nostalgia e all'ironia, in Cervantes, il grande scrittore spagnolo autore del *Don Quijote.*

A questo sentimento si lega anche il tema dell'*illusione* (cioè la capacità di immaginare al di là dei limiti reali). Nelle sue manifestazioni più artificiali ed esterne, questa qualità scade spesso in una serie di invenzioni fini a se stesse, oppure nell'*illusionismo* delle grandi imprese decorative (quando il pittore "finge" spazi e cieli immensi) o, ancora, nella ricercatezza degli allestimenti teatrali.
Nel suo aspetto più profondo, però, il tema dell'illusione, del gioco tra realtà e finzione, tra sogno e vita, si ritrova nei grandi autori dell'epoca (Shakespeare, Racine, Molière, Cervantes, Calderón).

In alto: Piazza Farnese a Roma, esempio di architettura barocca.

Nella pagina a sinistra in alto: la firma del trattato di pace della Guerra dei trent'anni, Pace di Westfalia.

Nella pagina a sinistra in basso: ritratto di Don Pedro di Toledo, viceré di Napoli.

il Seicento

La letteratura barocca

1. *"È del poeta il fin la meraviglia..."*

Dice **Giovan Battista Marino**, il poeta più famoso nell'Italia del Seicento: "il fine principale del poeta è meravigliare", stupire. Nella poesia barocca domina infatti il gusto per la novità, per tutto ciò che è strano, bizzarro e sorprendente.

Il linguaggio usato è molto elaborato, ricco di immagini preziose e di ragionamenti contorti, intellettualistici (il cosiddetto *concettismo*); l'autore vuole dimostrare la sua abilità, la sua arguzia, la sua raffinata cultura letteraria. Molto frequente è anche l'uso della *metafora*, la figura retorica che stabilisce un confronto tra due parole di significato analogo (cfr. Glossario).

Si preferiscono le metafore difficili e originali, che si richiamano spesso al mondo classico, capaci di rivelare similitudini inaspettate. La poesia barocca rifiuta così la serenità, la semplicità (apparente) dell'arte rinascimentale e sceglie uno stile elaborato, capace di far "aguzzare" l'intelligenza, anzi l'*ingegno* (come dicono gli artisti barocchi) del lettore.

2. Il nuovo ruolo dei poeti

Questa nuova concezione della poesia si lega al diverso ruolo attribuito al poeta. L'intellettuale del 1600 non è più il cortigiano, nel senso rinascimentale della parola, lo scrittore che dialoga con il principe, assumendo a volte importanti incarichi diplomatici. Il poeta barocco è piuttosto una specie di "stipendiato", chiamato a corte per intrattenere un pubblico sempre più vasto e per accrescere il prestigio del signore. La sua funzione principale è divertire, impressionare con parole "ad effetto".

3. Marino, il maestro del "gusto barocco"

Gian Battista Marino (Napoli, 1569-1625), poeta dalla vita avventurosa, ebbe grande successo ai suoi tempi, soprattutto in Italia (fu chiamato nelle principali corti italiane) e in Francia. Il suo stile venne imitato da molti poeti definiti, appunto *marinisti*. La sua produzione fu vastissima, e comprende composizioni di vario tipo (sonetti, madrigali, canzoni). Il suo capolavoro è l'*Adone* (1623).

La rivoluzione di Caravaggio

Protagonista dell'arte barocca fu **Caravaggio** (1571-1610), uno dei più grandi artisti di tutti i tempi, attivo a Milano, Roma, Napoli e Malta. La sua pittura, estremamente *realistica* e *innovativa* rispetto a quella rinascimentale, è fatta di forti contrasti, evidenziati dal gioco delle luci e delle ombre (il *chiaroscuro*). L'impostazione delle scene è essenziale, i gesti drammatici, i corpi tesi nell'azione. *La Morte della Vergine* (1604) è un esempio di quest'arte: l'evidenza del dolore e del pianto; la teatralità della grande tela rossa che scende sulla scena sottostante; il realismo della Madonna, in cui l'artista ritrae una povera donna annegata in mare. L'opera provocò scandalo (i piedi scoperti della Madonna!) e non venne accettata dai committenti; fu però acquistata da un intenditore, il grande artista fiammingo Peter Pane Rubens.

Altro grande artista barocco fu **Pietro da Cortona**. Nei suoi affreschi le figure, atteggiate in pose classiche, sono spesso inserite in uno spazio scenografico e vibrante. La prospettiva rinascimentale ordinava e limitava lo spazio, la nuova prospettiva barocca *apre spazi infiniti* e *libera l'energia del movimento*. Accanto alla rivoluzione caravaggesca, che ebbe grandissima fortuna, si affermò anche una corrente classicista, di ispirazione rinascimentale. I suoi maggiori rappresentanti furono due artisti emiliani, **Guido Reni** e **Il Guercino**. Nell'*Aurora* (1621), Guercino rappresenta il Carro del Sole trainato dai cavalli. La visione *dal basso verso l'alto*, evidenziata dal bel chiaroscuro, diventerà comune in tutta l'arte barocca.

Questo poema, ben lontano dalle tematiche guerresche della tradizione (Ariosto e Tasso), celebra *l'amore sensuale*, argomento fondamentale nella letteratura barocca. Marino dimostra qui la sua capacità *inventiva* e la sua grande abilità tecnica: importante è l'attenzione per il valore *musicale* dei versi. Tuttavia, né Marino né altri poeti italiani raggiunsero risultati particolarmente significativi. Così, nel 1600, l'Italia inizia a perdere quella funzione di guida culturale per l'Europa che aveva avuto nel corso di tutto il Rinascimento.

4. Il poema eroicomico

Alessandro Tassoni (Modena, 1565-1635), scrittore antiaristotelico e antispagnolo, è l'inventore di questo genere letterario, dove argomenti epici (eroici) vengono trattati in tono parodistico e scherzoso (comico). Il genere s'inserisce assai bene nel gusto barocco per l'*invenzione bizzarra* e la mescolanza degli stili, ma i risultati non furono brillanti. (vedi testo 30)

5. Storiografia: Sarpi e la difesa della libertà

Paolo Sarpi, veneziano, fu teologo, scienziato e storico appassionato. Lottò contro le pretese della Chiesa, che voleva instaurare un Tribunale dell'Inquisizione a Venezia. Venne scomunicato dal Papa per la sua aperta difesa delle leggi e della libertà della Repubblica veneziana. La sua opera più nota, la *Istoria del Concilio di Trento*, è importante perché Sarpi conduce l'indagine storica con un metodo rigoroso e moderno, attento ai fatti e alle fonti storiche sicure (relazioni di ambasciatori, diari e lettere di cardinali), anche se esprime chiaramente la propria critica nei confronti della Chiesa, accusata di aver organizzato il Concilio per motivi più politici che spirituali.

6. Teatro

Come si è visto, il Seicento è un'epoca straordinaria per il teatro. È il "secolo d'oro" per Spagna, Francia, Inghilterra. In Italia, fra la scelta di un teatro semplice e fedele alla maniera greca, e un teatro a tinte forti, in cui domina il gusto per l'orrido e per la violenza esasperata (derivante dalle tragedie classiche di Seneca), si preferisce il secondo. L'unica personalità di rilievo è **Federico Della Valle**, autore di numerose tragedie di argomento religioso.

7. Il melodramma italiano

In questo secolo ha grande sviluppo la musica religiosa, ma il Seicento è legato all'affermazione del melodramma. Genere di rappresentazione teatrale sorto nel Cinquecento, il melodramma fu elaborato da un gruppo di musicisti, scienziati e scrittori (la *Camerata de' Bardi*) di Firenze.
Il termine melodramma si riferisce specificamente alla tradizione (librettistica e musicale) italiana, dal Cinquecento all'Ottocento, mentre *opera* è un termine più generico. I primi esperimenti in quest'ambito furono realizzati dal poeta **Ottavio Rinuccini**: l'*Arianna*, il suo primo vero *libretto d'opera*, fu musicato da **Claudio Monteverdi**.

Il capolavoro musicale di Monteverdi, l'*Orfeo*, eseguito nel 1607 a Mantova, alla corte dei Gonzaga, contiene già tutti i più importanti elementi dell'opera: i *recitativi*, le *arie*, i *ritornelli*, gli *inserti di danze*, il *coro*, l'*orchestra*.
Il melodramma divenne, nel corso degli anni, una forma di spettacolo grandiosa, con cantanti e musicisti specializzati e scenari fastosi. I temi trattati (*i soggetti*) erano per lo più mitologici, drammatici e storici, ma anche religiosi, o comici e popolareggianti. L'elemento musicale diventerà comunque sempre più importante rispetto a quello letterario. Il successo del melodramma fu straordinario e si affermò in tutta Europa. In Italia, i due maggiori centri di diffusione di questo genere furono Roma e Venezia (qui venne aperto il primo teatro a pagamento).

In alto: ritratto di Alessandro Tassoni.

Nella pagina a sinistra in alto: ritratto di G. Battista Marino.

Nella pagina a sinistra in basso: *L'Aurora* del Guercino.

il Seicento

T27 Giovan Battista Marino: Guerra di baci

Feritevi, ferite,
viperette mordaci,
dolci guerriere[1] ardite
del Diletto e d'Amor, bocche sagaci!
5 Saettatevi pur[2], vibrate ardenti
l'arme vostre pungenti!
Ma le morti sien vite,
ma le guerre sien paci,
sian saette le lingue e piaghe i baci.

O bocche esperte, ferite e feritevi reciprocamente, piccole vipere capaci di mordere, guerriere dolci e coraggiose del Piacere e dell'Amore. [O bocche ardenti] lanciatevi pure, l'una verso l'altra, le vostre armi acute.

Ma le ferite da voi provocate siano vita, le guerre da voi condotte siano paci d'amore, le frecce siano le lingue, e le ferite siano i baci.

---

1 Dolci guerriere: è una figura retorica detta ossimoro (cfr. Glossario).

2 Pur: rafforza semplicemente l'azione del verbo "saettare".

---

1. Comprensione
Quale di queste affermazioni è vera?

○ **a.** Il poeta descrive un duello fra donne guerriere.
○ **b.** Esse combattono con frecce appuntite.
○ **c.** Non c'è spargimento di sangue, non ci sono morti.
○ **d.** Alla fine trionfa la pace, le ferite si chiudono.

2. Analisi
- Di' se queste affermazioni sono vere o false e spiega brevemente il motivo della tua scelta.

	vero	falso
a. Possiamo dire che il testo ha un carattere sensuale.	○	○
b. Le "viperette" ricordate dal poeta simboleggiano la malvagità (di una donna cattiva si dice che è una vipera).	○	○
c. La pace finale deriva dalla soddisfazione del desiderio.	○	○

- L'abilità di "manipolare" il linguaggio è una caratteristica dello stile barocco, lo scopo è quello di creare un gioco perfetto servendosi di figure retoriche.
a. Le guerriere sono "dolci" e "ardite": qui abbiamo un ossimoro. Infatti i due aggettivi e il sostantivo

....
b. "ardite" e "ardenti" è un'allitterazione (cfr. pag. 277), i due aggettivi sono legati da ....
c. La rima finale "baci" e "paci" nella struttura (i due versi sono consecutivi, quindi è una rima ....) richiama il tema e lo esalta; infatti ....
Cerca e spiega altri esempi di rime significative.

3. Riflessione
Se la poesia popolare non manca di accenti sensuali, poiché privilegia la sincerità, l'immediatezza realistica, il testo di Marino è certo un esempio abbastanza raro nella poesia colta. La donna angelo ha perso le ali e si è fatta carne e sangue, nell'epoca della Controriforma per di più! Che funzione possiamo allora attribuire alla scelta, da parte dei poeti, di figure retoriche eleganti? Si tratta solo di far vedere la propria bravura?

T28 Ciro di Pers: Orologio di polvere

Poca polve inquieta, a l'onda, ai venti
tolta nel lido e n'vetro imprigionata,
de la vita il cammin, breve giornata,
vai misurando ai miseri viventi.

5 Orologio molesto, in muti accenti
mi conti i danni de l'età passata,
e de la morte pallida e gelata
numeri i passi taciti e non lenti.

Io non ho da lasciar porpora ed oro:
10 sol di travagli nel morir mi privo;
finirà con la vita il mio martoro.

Io so ben che 'l mio spirto è fuggitivo;
che sarò come tu, polve, s'io mòro,
e che son come tu, vetro, s'io vivo.

Tu polvere, scarsa e inquieta, che sei stata sottratta all'onda del mare e al vento sulla spiaggia, e imprigionara, nel vetro [della clessidra], misuri a noi, poveri uomini, il cammino della vita, la breve giornata.

Orologio fastidioso, con parole silenziose tieni il conto degli errori del mio passato e numeri i passi muti e veloci della Morte, pallida e fredda.

Morendo, non lascio potere e ricchezze: con la morte mi privo soltanto di dolori; il mio martirio finirà con la vita.

Io so bene che il mio spirito è fuggitivo; che, se muoio, sarò come te, polvere, e che se continuo a vivere sono come te, vetro.

Ciro di Pers
Ciro di Pers (1599-1663), friulano di nobile famiglia, è uno dei poeti più significativi e sinceri della sua epoca.

e **1. Comprensione**
Di' se queste affermazioni sono vere o false.

○ **a.** La polvere di cui si parla è la sabbia che scorre fra le dita.
○ **b.** La sua caduta da un contenitore all'altro segna lo scorrere del tempo.
○ **c.** Al poeta dispiace che la morte lo privi dei successi raggiunti in vita.
○ **d.** Fugacità e fragilità sono le caratteristiche della vita umana.

e **2. Analisi**
- Il tema del sonetto è chiaro, perciò il lavoro va fatto sulla lingua: in questo breve testo incontriamo tre figure retoriche (vedi il glossario a fine volume): l'ossimoro "muti accenti", la litote "non lenti" e la similitudine "…come tu…" versi 13-14. Come può parlare l'oggetto clessidra che è ovviamente muto?
- Come spieghi "inquieta" e "imprigionata" riferiti alla sabbia? In che rapporto simbolico stanno con l'onda e il vento?
....
- Non a caso il poeta parla di polvere anziché di sabbia. Che cosa evoca questo concetto riferito all'esistenza umana?
....

e **3. Riflessione**
Da sempre l'umanità ha cercato di misurare il tempo con vari strumenti: la meridiana o orologio solare, la candela che bruciando rilascia ogni ora una sferetta o un anello, la clessidra. Tutti orologi muti. Poi sono venuti il battito del pendolo e il ticchettio degli orologi meccanici, oggi essi sono di nuovo silenziosi. Come è cambiato il ritmo del tempo nella società di oggi?

il Seicento

La nuova scienza

1. Che cos'è la Nuova Scienza

L'attenzione verso i fenomeni naturali era già stata molto viva nel Rinascimento (astrologia, alchimia), ma si afferma completamente nel corso del Seicento.

Alla base di questa svolta fondamentale sta l'aspirazione ad una "nuova scienza", non più condizionata dalla morale o dalla religione, ma basata sull'*osservazione diretta della natura*, sull'uso di *strumenti tecnici* adeguati e di un metodo capace di interpretare *oggettivamente* i dati raccolti.

Le riflessioni sull'autonomia della ragione e sul metodo saranno centrali in tutta Europa (**Galileo Galilei** e **Isac Newton** nelle scienze, **René Descartes** in filosofia).

2. Due sistemi a confronto

La visione tradizionale credeva in una natura *antropomorfica* (costruita sul modello del comportamento umano), animata da forze di tipo morale (bene e male). Gli scienziati della "rivoluzione scientifica" invece, pensano ad una natura governata da *meccanismi matematici e rigorosi*; anzi, molti di questi studiosi vedono *proprio* nelle leggi matematiche da loro scoperte un segno della razionalità e della potenza di Dio.

3. La fine di un sogno e l'inizio di una nuova era

Tramonta così il sogno di un mondo fatto a "immagine e somiglianza dell'uomo". Il mito rinascimentale dell'uomo al centro dell'Universo crolla definitivamente anche nella scienza. Poeti, filosofi e scienziati condividono dunque questo generale momento di *crisi* a cui si unisce però un grande desiderio di *innovazione*. Gli studi astronomici, insieme alle grandi scoperte geografiche e ai viaggi in terre lontane, contribuiscono a delineare l'idea di un mondo vasto e sconfinato, mutevole, privo di certezze.

4. Gli intellettuali e la Chiesa dell'Inquisizione

Questo nuovo atteggiamento fu però all'inizio molto contrastato. Il secolo della Nuova Scienza inizia infatti violentemente, con il rogo (1600) di **Giordano Bruno** in Campo dei Fiori, a Roma. Bruno, monaco e filosofo, venne giudicato eretico dal Tribunale dell'Inquisizione; la sua morte segna, simbolicamente, la fine del Rinascimento più illuminato e inaugura la figura dell'*intellettuale perseguitato dalla Chiesa*.

5. Campanella e i "filosofi nuovi"

Anche Tommaso Campanella (1568-1639), filosofo e poeta calabrese, venne condannato dall'Inquisizione per le sue idee e fu più volte torturato e rinchiuso a lungo in carcere. Sfuggì alla pena di morte fingendosi pazzo. La sua opera maggiore è la *Città del Sole*, dove descrive un modello ideale (utopistico) di società.

🔍 Il barocco in architettura

Lo stile barocco si sviluppa dopo la crisi del Rinascimento e ha una diffusione internazionale. Si distingue per le linee curve, per la tensione delle forme architettoniche, imponenti e massicce. È caratterizzato dalla magnificenza e dalla ricchezza dei materiali utilizzati (marmo, oro, stucchi). I suoi massimi rappresentanti sono **G. L. Bernini** e **F. Borromini**. Il primo, artista ufficiale della Roma papale, fu scultore e architetto (*San Pietro*). Borromini, il suo rivale, ebbe una vita inquieta, ma le sue opere furono fondamentali per l'elaborazione della poetica barocca.

La chiesa di *Sant'Ivo alla Sapienza* (1642-1650), fu molto criticata all'epoca. La cupola termina con un movimento a spirale che sembra non finire mai: è un'architettura "viva", direttamente ispirata alle *forme naturali*. Come già per la poesia e la scienza, qui la Natura sembra prendere il sopravvento sulle capacità ordinatrici dell'uomo.

Campanella si inserisce così in quella corrente filosofica che si occupò dei possibili modelli di Stato (da F. Bacon a T. Hobbes e J. Locke).

Al contrario della sorte avuta in Italia, **Bruno**, **Campanella**, **Galileo** e **Sarpi** godettero di un forte prestigio nell'Europa del tempo. Tommaso Campanella definì "novi filosofi" quegli intellettuali che, come lui, difendevano tesi filosofiche, politiche o scientifiche libere da qualsiasi posizione dogmatica. I dogmi sono delle verità indubitabili. Quelli dell'epoca erano contenuti in alcuni testi ritenuti sacri: la Bibbia - poiché esprimeva direttamente la parola di Dio - e le opere di Aristotele. Questo grande filosofo greco aveva esplorato liberamente quasi tutti i campi del sapere umano, ma nell'Italia del Seicento era ormai diventato un'autorità indiscutibile.

6. Scienza e fede: la posizione di Galileo

In alcuni scritti lo scienziato espone la sua tesi: l'*autonomia* della ricerca scientifica rispetto alla verità delle Sacre Scritture. Secondo Galileo, il *metodo scientifico* si basa sull'osservazione diretta dei fenomeni naturali, sulla loro "traduzione" in termini matematici, sulla formulazione di ipotesi possibili e quindi sulla loro verifica attraverso l'esperimento concreto. La conoscenza dello scienziato parte quindi dalle *esperienze basate sui sensi e dalle dimostrazioni matematiche*, non dalla Bibbia. Con ciò, Galileo non contesta la Bibbia sul piano morale e teologico; tuttavia, pensa che i brani biblici sulla natura del mondo non siano credibili dal punto di vista scientifico. La Chiesa rifiutò la posizione *mediatrice* di Galileo, che voleva garantire indipendenza e dignità sia alla fede che alla scienza. La condanna della Chiesa frenò per oltre un secolo la ricerca scientifica in Italia.

La lettura delle opere di Galileo, Copernico e Keplero fu proibita dalla Chiesa fino al 1822.

In alto: ritratto di Galileo Galilei.

Nella pagina a sinistra in alto: alcuni strumenti di Galileo conservati nel Museo della Storia della Scienza a Firenze.

A destra: affresco raffigurante Galilei tra i discepoli.

Nella pagina a sinistra in basso: Carlo Rainaldi, decorazione per la facciata di Palazzo Farnese.

Galileo Galilei

Nato a Pisa nel 1564, insegna a lungo all'Università di Padova. Qui perfeziona alcuni strumenti tecnici, come il cannocchiale, e compie fondamentali osservazioni astronomiche che contrastano molti punti della teoria tolemaica (che poneva la Terra al centro dell'Universo) a favore della teoria eliocentrica (proposta da Copernico nel 1543, ma ancora priva di una dimostrazione fisica). Viene invitato come matematico all'Università di Pisa e alla corte del Granduca di Toscana, a Firenze. Il clima culturale di questa corte però è molto meno libero rispetto a Padova, che è nel territorio della Serenssima, e Galileo è accusato di eresia.

Il Saggiatore (1623), l'opera che racchiude le sue osservazioni sulla struttura matematica dell'universo e sulla necessità di un preciso metodo scientifico, ha successo, e Galileo decide di riaffrontare il problema del movimento terrestre intorno al Sole. *Il Dialogo sopra i due massimi sistemi del mondo* (1632), destinato a un vasto pubblico, e quindi scritto in italiano, cosa assolutamente innovativa, riapre la polemica con la Chiesa. Galileo, condannato dal Sant'Uffizio di Roma, deve rinnegare pubblicamente le sue tesi (1633).

Costretto all'isolamento, continua gli studi di fisica sul moto accelerato, la sua più grande scoperta scientifica, e non smette di studiare fino alla morte, nel 1642.

T29 Galileo Galilei: Dal dialogo dei massimi sistemi

Simplicio.

Io vi confesso che tutta questa notte sono andato ruminando le cose di ieri, e veramente trovo di molto belle, nuove e gagliarde considerazioni; con tutto ciò mi sento stringer assai più dall'autorità di tanti grandi scrittori, ed in particolare... Voi scotete la testa, signor Sagredo, e sogghignate, come se io dicessi qualche esorbitanza.

Sagredo.

Io sogghigno solamente, ma credetemi ch'io scoppio nel voler far forza di ritenere le risa maggiori, perché mi avete fatto sovvenire di un bellissimo caso, al quale io mi trovai presente, non sono molti anni, insieme con alcuni altri nobili amici miei, i quali vi potrei anche nominare.

Salviati.

Sarà bene che voi ce lo raccontiate, acciò forse il signor Simplicio non continuasse a credere d'avervi esso mosse le risa.

Sagredo.

Son contento.

Mi trovai un giorno in casa un medico molto stimato in Venezia, dove alcuni per lor studio, ed altri per curiosità convenivano tal volta a veder qualche taglio di notomia per mano di uno veramente non men dotto che diligente e pratico notomista.

Ed accadde quel giorno che si andava ricercando l'origine e nascimento dei nervi, sopra di che è famosa controversia tra i medici galenisti[1] ed i peripatetici[1]; e mostrando il notomista come, partendosi dal cervello e passando per la nuca, il grandissimo ceppo dei nervi si andava poi distendendo per la spinale, e diramandosi per tutto il corpo, e che solo un filo sottilissimo come il refe arrivava al cuore; voltosi ad un gentil uomo ch'egli conosceva per filosofo peripatetico, e per la presenza del quale egli aveva con estraordinaria diligenza scoperto e mostrato il tutto, gli domandò s'ei restava ben pago e sicuro l'origine dei nervi venire dal cervello e non dal cuore; al quale il filosofo, dopo esser stato alquanto sopra di sè, rispose:

"Voi mi avete fatto veder questa cosa talmente aperta e sensata, che quando il testo d'Aristotile non fosse in contrario, ché apertamente dice i nervi nascer dal cuore, bisognerebbe per forza confessarla per vera".

Simplicio.

Vi confesso che ho trascorso tutta la notte ripensando a quanto discusso ieri, e per la verità ho riconosciuto che molte coniderazioni sono belle e interessanti; e tuttavia mi sento convinto assai di più dell'autorità di grandi autori, e in particolare... Vi vedo scuotere la testa, signor Sagredo, e ridacchiare come se stessi dicendo una qualche sciocchezza.

Sagredo.

Mi limito a ridacchiare, ma vi assicuro che mi costa uno sforzo enorme trattenermi dallo scoppiare a ridere perché mi avete ricordato un bellissimo episodio, al quale ho assistito non molti anni fa, assieme ad alcuni nobili amici di cui potrei anche farvi il nome.

Salviati.

Sarà opportuno che ce lo raccontiate, affinché il signor Simplicio non continui a credere di essere lui la causa del vostro riso.

Sagredo.

Bene, accetto.

Mi trovai un giorno nella casa di un medico, molto stimato a Venezia, dove taltolta alcuni si recavano per studio, altri per curiosità, allo scopo di assistere a sezioni di corpi operate da un anatomista altrettanto dotto quanto diligente e preciso.

Accadde quel giorno che si indagasse sull'origine e il punto da cui partono i nervi, questione a proposito della quale esiste una famosa disputa fra i medici che seguono Galeno e quelli che si rifanno ad Aristotele; l'anatomista fece vedere che il fascio dei nervi, partendo dal cervello e scendendo lungo la nuca, si espandeva lungo la colonna dorsale diramandosi poi per tutto il corpo, sicché al cuore arrivava solo un filamento sottilissimo come un filo da cucire; voltandosi verso un gentiluomo che sapeva essere filosofo peripatetico e a motivo del quale aveva scoperto e mostrato tutto con estrema diligenza, gli chiese se ora fosse soddisfatto e convinto che l'origine sta nel cervello e non nel cuore; dopo averci pensato un po', il filosofo rispose: "Voi mi avete fatto vedere questa cosa con tanta chiarezza e acutezza che, se il testo di Aristotele non affermasse esplicitamente il contrario, cioè che i nervi partono dal cuore, bisognerebbe per forza riconoscere he essa è vera".

---

1 galenici e paripatetici: i primi sono i seguaci di Galeno (anatomista e fisiologo del II sec. d.C.), per il quale i nervi hanno origine nel cervello, i secondi seguono la convinzione di Aristotele (filosofo e scienziato greco del IV sec. a.C.) che essi partono dal cuore.

Il contesto

Il *Dialogo sopra i due massimi sistemi del mondo* si articola in quattro giornate, durante le quali i protagonisti discutono sulle caratteristiche e le conseguenze dei due sistemi, il tolemaico e il copernicano. I tre personaggi del nostro brano riprendono la discussione sul principio di autorità. In parole povere, a chi si deve dare credito? A chi afferma un principio in astratto o a chi dimostra una teoria mediante l'evidenza dei fatti? I tre interlocutori rappresentano tre posizioni: Simplicio crede nell'autorità di Aristotele, Sagredo mette in discussione questa autorità e Salviati è un osservatore imparziale.

1. Comprensione

Di' se queste affermazioni sono vere o false.

- ○ **a.** Fra i tre interlocutori ha luogo una disputa sul sistema solare.
- ○ **b.** Sagredo si arrabbia moltissimo con Simplicio e lo accusa di stupidità.
- ○ **c.** Sagredo narra un episodio accaduto qualche tempo prima in casa di un medico.
- ○ **d.** Questi, seguace di Galeno, dimostra che l'origine dei nervi sta nel cervello.
- ○ **e.** La sua dimostrazione convince pienmente anche un filosofo peripatetico.

2. Analisi

- Autoritario e autorevole: i due aggettivi derivano entrambi dal concetto di autorità, ma uno ha valore positivo, l'altro negativo. Come si definisce colui che impone la propria autorità? E colui che convince con i fatti, con la dimostrazione sperimentale?
- Come scrittore Galileo è un innovatore: al posto del latino usa l'italiano (il volgare) per un trattato scientifico, si serve della tecnica del dialogo invece che della esposizione teorica e usa anche l'ironia. A che cosa mirano questi aspetti rivoluzionari dello scienziato rivoluzionario?

Come definiresti l'episodio narrato da Sagredo?

- ○ **a.** È un semplice aneddoto.
- ○ **b.** È una specie di parabola.
- ○ **c.** È solo una provocazione.
- ○ **d.** È una fantasticheria paradossale.

3. Riflessione

- Siamo proprio certi che nessuno si comporta più come il filosofo peripatetico? Come motivi la tua risposta?
- La figura di Galileo ha ispirato il drammaturgo Bertolt Brecht (1898-1956) per il dramma *Vita di Galileo*. Brecht ne fa una figura molto umana nel piacere per il cibo e nella paura della tortura, che lo porta ad abiurare, cioè a rinnegare le sue affermazioni. Eppure, riscrivendo di notte quello che ogni sera deve consegnare all'Inquisizione, Galileo - nel dramma - riesce a far partire per l'Olanda il suo ultimo lavoro scientifico.
Quando esce dal tribunale dell'Inquisizione, dove ha abiurato, il suo ex allievo lo rimprovera "Infelice il paese che non ha eroi". Galileo risponde: "No, infelice il paese che ha bisogno di eroi". Come commenti queste due frasi?

il Seicento

T30 Alessandro Tassoni: Inizia la battaglia

Argomento

Del bel Panaro[1] il pian sotto due scorte
a predar vanno i Bolognesi armati,
ma da Gherardo altri condotti a morte,
altri dal Potta son rotti e fugati.
5 Gl'incalza di Bologna entro le porte
Manfredi, i cui guerrier co' vinti entrati
fanno per una Secchia orribil guerra,
e tornan trionfanti a la lor terra.

1
Vorrei cantar quel memorando sdegno[2]
10 ch'infiammò già ne' fieri petti umani
un'infelice e vil Secchia di legno
che tolsero a i Petroni i Gemignani[3].
Febo[4] che mi raggiri entro lo 'ngegno
l'orribil guerra e gl'accidenti strani,
15 tu che sai poetar servimi d'aio[5]
e tiemmi per le maniche del saio.

2
E tu[6] nipote del Rettor del mondo
del generoso Carlo ultimo figlio,
ch'in giovinetta guancia e 'n capel biondo
20 copri canuto senno, alto consiglio,
se da gli studi tuoi di maggior pondo[7]
volgi talor per ricrearti il ciglio,
vedrai, s'al cantar mio porgi l'orecchia,
Elena trasformarsi in una Secchia[8].
25 [...]

10
Viveano i Modanesi a la spartana
senza muraglia allor né parapetto,
e la fossa[9] in piú luoghi era sí piana,
che s'entrava ed usciva a suo diletto.
30 Il martellar de la maggior campana[10]
fe' piú che in fretta ognun saltar del letto,
diedesi a l'arma, e chi balzò le scale,
chi corse a la finestra, e chi al pitale[11];

---

1 Panaro: scorre presso Modena.

2 Sdegno: offesa.

3 Petroni-Gemignani: bolognesi e modenesi.

4 Febo: Apollo che ispirava i poeti.

5 Aio: maestro.

6 E tu: re Enzo, nipote di Federico II.

Argomento

*Con due squadre i Bolognesi invadono la bella pianura
del Panaro per saccheggiarla, ma alcuni vengono uccisi
da Gherardo, altri sconfitti e messi in fuga dal Podestà di
Modena.
Manfredi insegue gli sconfitti fin dentro le mura di Bologna; i suoi armati, entrati alle spalle degli sconfitti, iniziano una guerra feroce per una Secchia e tornano poi, vit-
toriosi, nella loro città.*

*1
Mi propongo di cantare quella memorabile guerra scate-
nata nell'animo orgoglioso degli uomini da una volgare
Secchia di legno, che i Modenesi sottrassero ai Bolognesi.
Apollo, tu che mi fai girare nella testa l'orrenda guerra e
le strane cose successe, tu che sai fare poesia, sii mio
maestro e guidami tirandomi per le maniche della veste.*

*2
E tu, nipote dell'imperatore che regge il mondo, ultimo
erede del grande Carlo, il cui viso giovane e i cui capelli
biondi nascondono una saggezza da vecchio e un grande coraggio, se talvolta, per dilettarti, distrai lo sguardo
da studi di maggiore impegno, porgendo ascolto al mio
canto vedrai Elena trasformarsi in una Secchia.
[...]*

*10
I Modenesi vivevano in modo semplice, in una città senza mura di cinta o altre difese, con il fossato riempito in
varie parti, così che si poteva entrare e uscire di città
senza problemi.
I rintocchi cupi della campana più grande costrinsero tutti a scendere precipitosamente dal letto e cercare le armi, ci fu chi saltò giù dalle scale, chi corse alla finestra e
chi al vaso da notte;*

---

7 Pondo: peso, importanza.

8 Elena... Secchia: il rapimento di Elena scatenò la guerra di Troia.

9 Fossa: fossato intorno alle mura.

10 Il martellar...: per avvisare del pericolo.

11 Pitale: vaso da notte.

11

35 chi si mise una scarpa e una pianella,
e chi una gamba sola avea calzata,
chi si vestí a rovescio la gonella,
chi cambiò la camicia con l'amata;
fu chi prese per targa[12] una padella
40 e un secchio in testa in cambio di celata[13],
e chi con un roncone[14] e la corazza
corse bravando e minacciando in piazza.

Da T. Tassoni, *La secchia rapita,* Canto ptimo

11

chi si infilò una scarpa e una ciabatta, e chi si infilò solo una gamba della calzamaglia, chi indossò la veste alla rovescia e chi per errore si mise la camicia dell'amante; ci fu chi come scudo afferrò una padella e chi si infilò in testa un secchio a modo di elmo e chi corse in piazza armato di roncone e corazza, urlando e minacciando.

12 Targa: scudo.
13 Celata: parte dell'elmo che copre il viso.
14 Roncone: arma ad asta con uncini.

Alessandro Tassoni

Alessandro Tassoni nacque a Modena nel 1565, fu al servizio di vari cardinali, che seguì in Spagna e a Roma. Morì a Modena nel 1635. Il poema *La Secchia rapita* (1622) narra fatti avvenuti verso la metà del XIII secolo.

e 1. Comprensione

Di' se queste affermazioni sono vere o false e spiega brevemente il motivo della tua scelta.

Il poema racconta — vero falso

a. la guerra di Troia. ○ ○
b un'impresa di Federico II. ○ ○
c. una battaglia fra due città padane. ○ ○

I rintocchi a martello della campana — vero falso

a. fanno scappare tutti dalla città. ○ ○
b. fanno sì che tutti si rinchiudano in casa. ○ ○
c. fanno accorrere tutti sulla piazza. ○ ○

I modenesi — vero falso

a. ne uscirono sconfitti. ○ ○
b. ne uscirono vincitori. ○ ○
c. strinsero un'alleanza con i bolognesi. ○ ○

e 2. Analisi

- Da un punto di vista formale il poema si inserisce perfettamente nella tradizione del 500: le strofe sono delle .... e i versi .... rimati.
- Nell'introduzione all'edizione del 1624 si legge che si tratta di un poema "di nuova spezie, inventata dal Tassoni" e che questi l'ha scritto "per passatempo e per curiosità di vedere come riuscivano questi due stili mischiati insieme, grave e burlesco". Il genere si definisce eroicomico. Che cosa suscita la comicità già nel titolo?
- Vengono citati due stili: grave e burlesco, cioè serio e divertente. Lo vediamo ad esempio nella seconda parte della prima ottava e all'inizio della seconda. Che cosa suona particolarmente buffo nel rapporto linguaggio-argomento?
- Le ottave 10 e 11 descrivono la notte dell'attacco. La ripetizione della formula "ci fu chi... e chi... e chi..." dà chiaramente l'idea

○ **a.** della paura   ○ **b.** della gioia   ○ **c.** della concitazione   ○ **d.** dell'aggressività

e 3. Riflessione

- Burlarsi dei grandi modelli della tradizione esprime il bisogno di liberarsene senza negare di esserne i figli. Lo ha fatto anche il pittore Salvador Dalì dipingendo una *Gioconda* con i baffi o lo scrittore Italo Calvino negli *Antenati*. Ci sono nella tua cultura esempi letterari o di altre espressioni artistiche che mettono in caricatura i grandi Maestri?
- E tu, quale opera d'arte – letteraria, figurativa, musicale – vorresti "tradire" e perché?

Critica

Lo scrittore di scienza

Lo scrittore di scienza, mentre si distingue uscendo idealmente dalla cerchia[1] profana delle persone distratte dietro la pura parvenza fenomenica[2] delle cose, non dimentica tuttavia e non respinge sdegnosamente il mondo dei non iniziati. Al contrario egli si preoccupa di far partecipe del principio conquistato chi ancora ne è privo, insomma di istruire e svolgere una concreta opera educativa. Egli interroga («ed io valendomi dell'occasione domandai... e di nuovo domandai»), interviene concretamente con le sue operazioni ("allora, interponendo io l'ala del mio cappello..."), ascolta le diverse risposte («al che mi fu risposto... allora Monsignore quasi meravigliato rispose...»), e porta così ad una prima unanime constatazione ("e tutti confessarono...").

L'immagine dello scrittore di scienza, se si offre[3] talvolta composta nel raccoglimento dello studioso sprofondato nel silenzio della propria solitaria meditazione, si presenta più spesso atteggiata nel contegno affabile[4] del maestro intento a dimostrare ad altri i risultati dell'assidua esplorazione. Intorno alla figura dello scrittore si forma in tal modo un'atmosfera cordiale, di comunicazione intensa. L'esperienza assume spesso il carattere di un rito sociale. Comunque, il senso della scuola, della società accademica e della comunità scientifica è sempre assai vivo. Gli scritti nati dall'attività svolta nelle accademie, come le *Lezioni accademiche* di Torricelli e i *Saggi di naturali esperienze* di L. Magalotti, e le lettere scambiate fra i vari studiosi (e varrà la pena[5] di ricordare qui, per la loro funzione promotrice di una nuova scuola, quelle di Federico Cesi, il fondatore dell'accademia dei Lincei) costituiscono il genere tipico in cui si traduce in maniera evidente questo contegno[6].

Ma un po' tutte le pagine mantengono questo carattere singolare. E un altro aspetto accomuna questi testi: essi compongono un mondo di cultura, al cui centro domina la figura di Galileo.

Giovanni Getto

---

1 Gruppo.

2 Ciò che si vede dei vari fenomeni.

3 Si presenta.

4 Nell'atteggiamento dolce.

5 È utile.

6 Atteggiamento.

Apoteosi della curva

Un'idea, una forma, può diventare ossessiva, ed ecco che la si ritrova dappertutto, e non perché dietro si celi[1] un simbolismo sessuale, come sostenevano i freudiani. [...] Tanto è vero che la curva era la forma essenziale del barocco che la reazione neoclassica vi identificò il nemico da debellare[2].

La curva fu il fulcro della rivoluzione iniziata in architettura dal Borromini con S. Carlo alle Quattro Fontane; ne nacquero quei miracoli che sono gli interni delle cupole di quella chiesa e dell'altra di Sant'Ivo a Roma. La curva porta in sé movimento, articola[3] come una fuga musicale la facciata di una chiesa con volute[4], superfici concave e convesse[5], frontoni spezzati[6]: un incessante palpitare che trasforma la solidità della pietra nella mobilità dell'onda. [...]

Grazie alla curva si ottiene nella composizione architettonica un continuum vibrante, le superfici acquistano una cedevolezza di tessuto elastico. La curva aiuta anche la creazione di uno spazio illusorio, uno spazio "psicologico": il gioco di forme convesse e concave fa sì che la piazzetta di Santa Maria della Pace, di Pietro da Cortona, appaia assai più vasta di quel che non sia: è un trucco che appartiene alla falsa prospettiva usata sulle scene. Ali d'angeli, la sfera, il sole, la nube, panneggi e chiome mossi dal vento, e rami di palma, tutte queste forme curve ricorrono perpetuamente nell'arte barocca, e son talora investite d'un significato simbolico, come la bolla di sapone emblema della vita umana.

Mario Praz

---

1 Si nasconda.

2 Sconfiggere, battere.

3 Suddivide.

4 Forme tondeggianti come nuvole o fumo.

5 Curve che rientrano o vengono in fuori, come una tazza vista da un lato o dall'altro.

6 Il frontone è il tringolo che si trova sulle colonne in un classico tempio greco: nel periodo barocco, il frontone non è completo.

il Settecento

Il XVIII Secolo

1. Il trionfo della Ragione

Il Settecento è il secolo dell'Illuminismo, un movimento intellettuale che si diffonde in tutta Europa. Le premesse del suo sviluppo nascono con il pensiero scientifico del Seicento, con il razionalismo di Cartesio e con le riflessioni di filosofi come Hobbes e Spinoza, che avevano messo in discussione il concetto di potere, che non deriva più dalla volontà divina, come si affermava in passato.

Partendo da queste idee, i filosofi illuministi analizzano la storia e la realtà basandosi sulla *ragione*. La politica, la religione, la letteratura sono coinvolte nella nuova visione del mondo, così come idee, fedi e istituzioni del passato; si giudica intollerabile tutto ciò che limita la libertà dell'individuo.

2. La borghesia

Liberando l'uomo da ogni forma di schiavitù, l'Illuminismo interpreta la volontà della borghesia, la nuova classe sociale che in vari paesi europei stava diventando sempre più importante. Soprattutto in Inghilterra, ma anche in Olanda e in Francia, i borghesi erano diventati ricchi gra-zie alla grande espansione dei commerci e all'inizio delle prime attività industriali. Così la borghesia vede nei privilegi della nobiltà e del clero i nemici che ostacolano la sua forza inarrestabile. La lotta della borghesia contro una politica antiquata diventa la lotta per affermare il proprio potere.

3. Gli intellettuali

In questo secolo gli intellettuali hanno un rapporto nuovo con la società. Gli Illuministi escono dalle corti dei sovrani e dalle accademie letterarie per stare nella società e conoscerla direttamente; diffondono le loro idee con nuovi strumenti, come giornali e riviste. Essi pensano che l'obiettivo dell'uomo di cultura sia migliorare la società.

Per questo motivo si formano nuove associazioni di intellettuali che non erano limitate ad un unico Stato, ma che diventavano internazionali. Già all'inizio del Settecento, in Inghilterra, informazioni, opinioni, idee politiche sono diffuse da giornali e riviste dallo stile brillante e ironico. Successivamente l'esempio inglese si diffonde in tutta Europa, anche in Italia.

4. L'opposizione

La diffusione della cultura voluta dagli Illuministi ha molti oppositori. Quando in Francia, nel 1751, escono i primi due volumi dell'*Encyclopédie*, l'opera che voleva organizzare e diffondere tutte le conoscenze umane, si scatena la reazione di molti esponenti della Chiesa; questi accusano gli Illuministi di essere corrotti e falsi, tanto che riescono a vietare la diffusione ufficiale dell'opera, con

---

🔍 Storia del '700

Nell'Europa della seconda metà del Settecento gli avvenimenti principali furono: la rivoluzione industriale in Inghilterra e la rivoluzione francese che cancella il potere assoluto dei sovrani, oltre all'ascesa del regno di Prussia.
L'Italia in questo secolo sente ancora gli effetti del declino economico del secolo precedente, è debole, è una pedina nei giochi diplomatici degli Stati europei più potenti. È divisa in molti Stati e controllata da potenze straniere.
L'Austria si insedia nel nord-est del Paese; grazie alle riforme "illuminate" dei sovrani austriaci, si riorganizzano le strutture economiche, sociali, particolarmente in Lombardia. Anche in Toscana e nel Regno di Napoli ci fu una riorganizzazione dello Stato. Ma il potere dei sovrani rimaneva enorme. Così, alla fine del secolo, anche l'Italia viene travolta, come altri Stati, dalla rivoluzione borghese nata in Francia.

un decreto del Parlamento francese. Era infatti evidente a chi deteneva il potere che era troppo pericoloso il progetto di aumentare la cultura dei lettori, proponendo idee nuove, libere da ogni pregiudizio del passato.

5. La religione

Gli Illuministi criticano la religione e la considerano colpevole di mantenere nella popolazione l'ignoranza, la superstizione, il fanatismo. Il clero aveva per secoli condizionato la società, a causa di interessi materiali, economici e politici. Alcuni pensatori arrivano addirittura a negare l'idea stessa di Dio e si definiscono atei. Altri sono deisti, in pratica propongono una religione nuova, laica, dove i valori fondamentali sono tolleranza, giustizia e umanità.

6. La felicità

Il concetto fondamentale per gli Illuministi è il diritto alla felicità. Essi pensano che l'uomo possa arrivare alla felicità liberandosi dai pregiudizi e seguendo la ragione.
I filosofi hanno il compito di indicare questa nuova strada. La felicità è legata al piacere, all'eliminazione del dolore e alla soddisfazione dei desideri.

Ogni uomo, secondo gli Illuministi, ha il diritto di essere felice, un diritto che però per molti secoli istituzioni politiche e religiose oppressive gli hanno negato. Perciò si deve cercare una convivenza libera e pacifica, grazie alle indicazioni date dalla ragione.

7. La politica

La disuguaglianza, la fame, le ingiustizie non devono più esistere. Il messaggio dei filosofi diventa forte quando lottano contro il potere assoluto della nobiltà e della Chiesa. Fondamentale in questo campo è l'opera del francese C.L. de Montesquieu, *Lo spirito delle leggi*, in cui si definisce il nuovo concetto di Stato, che deve assicurare i diritti di tutti garantendo libertà e benessere.
Il potere non può essere nelle mani di un'unica autorità, ma deve essere diviso tra i poteri legislativo, esecutivo e giudiziario. Un altro filosofo, J. J. Rousseau, nell'opera *Il contratto sociale* analizza il potere come un accordo libero tra uomini. L'uomo deve essere libero, ma deve anche rispettare la volontà degli altri. Tutte queste idee esprimono un nuovo modo di vivere, quel nuovo modo che la borghesia desiderava si realizzasse. Una maggiore democrazia avrebbe portato maggiore benessere e felicità.

8. L'Illuminismo in Italia

Gli intellettuali illuministi, aperti alla cultura europea, appassionatamente interessati ai problemi concreti, scientifici, economici, politici, animati in genere da un vivo entusiasmo per il progresso, rimasero in Italia una minoranza rispetto ai letterati di vecchio tipo, pieni di erudizione retorica, poco sensibili ai problemi del mondo contemporaneo. Nel Settecento si è ormai esaurita la spinta intellettuale che aveva fatto dell'Italia nei secoli passati il centro cosmopolita della cultura europea. Le idee illuministiche, espressione di una società in cui andava affermandosi il ruolo centrale della borghesia, si diffondono lentamente in un paese come l'Italia diviso in molti Stati, spesso retti da governanti poco inclini ai nuovi venti di rinnovamento.

Tuttavia, anche in Italia, poco a poco, iniziano a diffondersi le idee illuministiche, grazie anche all'opera di intellettuali che, pur nel contesto arretrato della società italiana contemporanea, operano per un rinnovamento culturale e politico richiamandosi alle grandi figure del pensiero rinascimentale quali "Il gran Galileo, - così scrisse Pietro Verri - l'onore della patria nostra, il gran precursore di Newton, quello di cui sarà glorioso il nome insino che gli uomini conserveranno l'usanza del pensare".

In alto: I giardini della Reggia di Caserta vicino a Napoli.

Nella pagina a sinistra in alto: un gabinetto di fisica sperimentale. I fisici e i matematici del Settecento svilupparono gli insegnamenti di Newton che influenzarono molto gli Illuministi.

Nella pagina a sinistra in basso: nascono le prime industrie.

il Settecento

La letteratura del '700

1. Le espressioni artistiche dell'Illuminismo

L'Illuminismo opera una profonda trasformazione nel modo di concepire e interpretare l'arte. Gli Illuministi sentivano la necessità di far circolare la cultura, perciò l'arte doveva uscire dalle accademie e dalle corti ed entrare in contatto con la realtà del tempo.
Questo significava che la cultura non poteva più essere monopolio della nobiltà, la classe sociale che ormai rappresentava il passato, l'immobilismo, la conservazione di vecchi privilegi. La borghesia, quindi, cerca il rinnovamento totale dell'arte, che diventa ora strumento di riforma della realtà.

L'arte deve essenzialmente comunicare piacere, un piacere complesso che sia in grado di sviluppare la mente e di comunicare sensazioni profonde. Assieme all'idea di piacere si teorizza anche l'idea di buon gusto, cioè di equilibrio e misura. L'artista, per gli Illuministi, non doveva obbedire a regole prefissate, ma creare emozioni, sensazioni, passioni. Quindi le qualità fondamentali dell'artista dovevano essere l'immaginazione, la fantasia, l'entusiasmo. Nonostante la presenza di queste novità, non ci fu un cambiamento totale dei generi letterari, ma ci fu la diffusione di nuove forme di scrittura. Infatti, generi letterari come la tragedia o l'epica apparivano poco adeguati a rappresentare il nuovo mondo, invece il romanzo, il saggio, la commedia borghese ebbero notevole sviluppo. In questo modo si potevano rappresentare i problemi sociali e civili in un linguaggio medio e discorsivo, aprendosi a un pubblico più vasto.

2. La cultura italiana

Dalla metà del Settecento anche la cultura italiana, dopo un secolo di isolamento, torna vicina alle esperienze più avanzate della cultura europea. Fino alla prima metà del Settecento, l'avvicinamento dell'Italia all'Europa era opera di piccoli gruppi o di grandi personalità isolate; invece, successivamente, l'Illuminismo unisce attorno a sé un gruppo sociale e culturale molto forte, che subito diventa classe dirigente. Nei vari Stati in cui l'Italia era divisa, infatti, gli Illuministi collaborano attivamente e ispirano le riforme dei sovrani. Per questi motivi, le idee degli intellettuali italiani sono rivolte soprattutto ai problemi legati all'amministrazione dello Stato e alla vita sociale e civile.

3. I centri culturali

La decadenza economica e il forte assolutismo dei potenti impediscono in Italia una netta affermazione dell'Illuminismo, ma in alcune città le nuove idee cominciano a circolare. A Napoli si critica il potere della Chiesa; si discute e si scrive di nuova economia, di nuova legislazione; ci si batte per la libertà di commercio.

🔍 L'architettura nel '700

L'architettura del Settecento mostra sia linee classiche, armoniose ed equilibrate, sia una ricerca dell'ornamento, soprattutto negli interni dei palazzi e dei teatri, con la presenza di specchi e stucchi dorati. L'architettura a Roma è grandiosa, come nella imponente e pittoresca gradinata di Trinità dei Monti, o nella celebre Fontana di Trevi, ricca di decorazioni. Il maggiore architetto del secolo, **Filippo Juvarra**, nasce a Messina, cresce artisticamente a Roma e costruisce a Torino l'imponente Palazzo Madama e la maestosa Basilica di Superga.

Il palazzo reale più grandioso è stato costruito in questo secolo da un architetto di Napoli, **Luigi Vanvitelli**: la Reggia di Caserta, costruita per Carlo III, con il celebre parco dove si moltiplicano cascate, fontane e giochi d'acqua (cfr. foto a p. 139).

A Milano, nel 1764, viene fondata una rivista di orientamento illuminista, chiamata *Il Caffè*.

Il nome è quello del luogo abituale in cui gli intellettuali si ritrovavano per discutere. Questa rivista è stata fondata da due fratelli, i Verri, che con un altro intellettuale, Cesare Beccaria, furono tra le figure più importanti che lavorarono a Milano.

4. L'Illuminismo lombardo: *Il Caffè*

La rivista *Il Caffè* vuole presentare al pubblico la verità, in modo semplice e chiaro. I problemi sociali ed economici sono alla base dei testi della rivista che prende posizione contro l'ignoranza, contro l'autorità eccessiva del clero, contro ogni divieto alla libera economia e contro il lusso sfrenato.

Alessandro e **Pietro Verri** lottano anche per il rinnovamento della letteratura italiana, che deve essere fatta di "cose", non di "parole", cioè deve comunicare idee precise in modo diretto.

5. Cesare Beccaria

Cesare Beccaria (1738-1794) è stato l'autore di un'opera fondamentale per capire la novità del Settecento: *Dei delitti e delle pene*, opera che diventò famosa in tutta Europa. Il libro, stampato nel 1764, è destinato, idealmente, ai sovrani "illuminati" che fanno del bene all'umanità.

L'idea principale di Beccaria è il rifiuto della tortura e della pena di morte, che erano, fino ad allora, considerate normali condanne.

Invece si vuole lottare contro queste pene orribili che non servono a migliorare l'uomo, ma solo ad annullarlo. Il trattato ha un tono appassionato e vibrante, caratterizzato da frequenti riprese di argomenti.

È uno dei testi più innovativi dell'illuminismo italiano che ha contribuito a creare la moderna civiltà europea. Dopo la pubblicazione, l'opera fu messa all'Indice dei libri proibiti; in Francia Robespierre, in un dibattito, si ispirò al trattato di Beccaria per condannare la pena di morte.

Nel 1786 il granduca di Toscana Pietro Leopoldo applicò le idee del pensatore milanese con una riforma della legislazione penale.

6. L'Illuminismo napoletano

La cultura napoletana si apre alle idee dell'Illuminismo e cerca di praticarle per risolvere i problemi dello Stato, il regno dei Borboni.

Gaetano Filangeri scrive un trattato, incompleto, intitolato *Scienza della legislazione*, in otto volumi. In questa opera si descrive e si analizza la situazione europea per riflettere sui grandi cambiamenti che stavano accadendo. L'autore ha come idea fondamentale "la bontà assoluta delle leggi".

7. La cultura veneta

Anche se Venezia rimane conservatrice in campo politico e sociale, tuttavia dà il suo contributo culturale grazie alla presenza di numerosi intellettuali e all'importanza della sua continua attività editoriale.

Per quanto riguarda il giornalismo, **Gasparo Gozzi** con la *Gazzetta veneta* e con l'*Osservatore veneto* è attento alla cronaca, ma anche ad un linguaggio vivace. La rivista, che esce a partire dal 1760, presenta articoli dedicati alla cronaca veneziana, di una Venezia pittoresca e familiare. Spesso sono presenti dialoghi, a volte favole. È un giornalismo diverso da quello colto o politico del tempo.

Per il teatro, le *Fiabe teatrali* di **Carlo Gozzi**, fratello di Gasparo, inventano un teatro nuovo, fiabesco, anche se non moderno, illuminista, come per le commedie di un altro veneziano, Carlo Goldoni (p. 150).

In alto: ritratto di Cesare Beccaria.

Nella pagina a sinistra in alto: Giambattista Tiepolo, affresco a Palazzo Labia a Venezia.

Nella pagina a sinistra in basso: la scalinata di Trinità dei Monti a Roma.

T31 Cesare Beccaria: Dei delitti e delle pene

Questa inutile prodigalità di supplicii, che non ha mai resi migliori gli uomini, mi ha spinto ad esaminare se la morte sia veramente utile e giusta in un governo bene organizzato. Qual può essere il diritto che si attribuiscono gli uomini di
5 trucidare i loro simili? Non certamente quello da cui risulta la sovranità e le leggi. Esse non sono che una somma delle minime porzioni della privata libertà di ciascuno; esse rappresentano la volontà generale, che è l'aggregato delle particolari. Chi è mai colui che abbia voluto lasciare ad altri
10 uomini l'arbitrio di ucciderlo? Come mai nel minimo sacrificio della libertà di ciascuno vi può essere quello del massimo tra tutti i beni, la vita? E se ciò fu fatto, come si accorda un tal principio coll'altro, che l'uomo non è padrone di uccidersi, e doveva esserlo se ha potuto dare altrui questo
15 diritto o alla società intera?

Non è dunque la pena di morte un diritto, mentre ho dimostrato che tale essere non può, ma è una guerra della nazione con un cittadino, perché giudica necessaria o utile la distruzione del suo essere.
20 Ma se dimostrerò non essere la morte né utile né necessaria, avrò vinto la causa dell'umanità.

Questa inutile abbondanza di torture, che non ha mai migliorato gli uomini, mi ha spinto ad analizzare se la pena di morte sia realmente giusta ed utile in un buon governo. Con quale diritto gli uomini possono ucciderne altri? Questo diritto non può essere quello del sovrano o delle leggi. Le leggi rappresentano la somma delle piccole libertà di cui ogni individuo si è privato; rappresentano la volontà di tutto lo Stato, che è l'unione delle volontà di ogni individuo. Chi mai vorrebbe lasciare ad un altro uomo il potere di ucciderlo? Come mai nella rinuncia ad una piccola parte della libertà di ciascuno si può includere anche la rinuncia al più grande di tutti i beni, la vita? E se ciò è stato fatto, come può questo diritto non essere in contrasto con l'altro principio che dice che l'uomo non può uccidersi? Eppure deve essere in contrasto, se questo diritto è stato dato ad altri, o alla società intera.

Perciò la pena di morte non è un diritto e, come ho dimostrato, non può esserlo, ma è una guerra dello Stato contro un suo cittadino, poiché ritiene che la distruzione della sua vita sia necessaria o utile.
Ma se dimostrerò che la condanna a morte non è né utile né necessaria, avrò difeso l'umanità dalla più grande delle ingiustizie.

Contesto
È questo il brano più famoso del trattato. L'autore vuole convincere i sovrani ad *abrogare* la pena di morte. Essa non solo non ha fondamento legale, ma non è nemmeno utile per la società. Dopo aver parlato della giustizia delle leggi, qui l'autore esamina l'inutilità della pena di morte. In un capitolo successivo criticherà anche l'uso della tortura, che nel Settecento era ancora un metodo impiegato per far confessare i prigionieri.

e 1. Comprensione
Beccaria vuole dimostrare:

- ○ **a.** il suo odio contro lo Stato.
- ○ **b.** la sua comprensione verso i condannati.
- ○ **c.** l'ingiustizia delle leggi attuali.
- ○ **d.** i diritti dei cittadini.

È vero o falso che per Beccaria le leggi
dello Stato devono:

	vero	falso
a. rafforzare il potere del sovrano?	○	○
b. tutelare tutti i cittadini?	○	○
c. assicurare la massima libertà?	○	○
d. essere utili e necessari?	○	○

e 2. Analisi

- Qual è la tua impressione generale sulla comprensibilità di questo testo, anche nella versione originale? Quale aspetto ti ha creato maggiore difficoltà?

a. il lessico, perché ....

b. la sintassi, perché ....

c. le argomentazioni, perché ....

d. ...., perché ....

- Le varie domande che l'autore si pone servono a:

○ **a.** rendere più difficile il testo.
○ **b.** procedere nel discorso in modo logico.
○ **c.** coinvolgere di più i suoi lettori.
○ **d.** dialogare con i sovrani.

- Beccaria usa la prima persona singolare, mentre di solito i filosofi amano usare l'impersonale, che in qualche modo si distanzia dal loro ragionamento. Secondo te Beccarla si impegna in prima persona:

○ **a.** per un senso di superiorità intellettuale.
○ **b.** per dimostrare la sua partecipazione umana.
○ **c.** per un fatto casuale.

- In un saggio che tratta un problema così delicato, anche le scelte lessicali hanno un peso particolare, sono dei precisi segnali. Ne segnaliamo alcune: perché l'autore avrà usato proprio quel termine o quell'espressione, magari ironica?

a. riga 1: prodigalità (generosità) ....

b. riga 5: trucidare (assassinare) ....

c. riga 3: un governo bene organizzato ....

d. riga 10: arbitrio (decisione non fondata su un principio legale) ....

e. riga 13-14: padrone di uccidersi ....

- Come possiamo definire uno stato che esercita la pena di morte? Esercita autorità o autoritarismo?

e 3. Riflessione

Ti è certamente noto che in molti Stati di oggi, che pure si ritengono "civili" viene applicata la pena di morte. Forse sai anche che l'Italia conduce da tempo una campagna internazionale per ottenere almeno la sospensione delle esecuzioni (moratoria). Nel 2007 ha avuto dall'Unione Europea il mandato di presentare e sostenere questa richiesta all'Assemblea delle Nazioni Unite che l'ha approvata. Perfino nel Codice di Guerra italiano, cui sono sottoposti i militari, non è prevista la pena capitale, nemmeno per alto tradimento o diserzione.
Che cosa pensi sull'attualità dell'opera di Beccaria? Come deve agire "un governo bene organizzato" per tutelare i cittadini, la società?

Nella pagina a fianco: incisione tratta dall'opera di Cesare Beccaria, *Dei delitti e delle pene*, edizione del 1765.

In alto: ghigliottina in azione.

il Settecento

Parini e Alfieri

1. Parini: la critica alla nobiltà

La poesia di Giuseppe Parini (1729 - 1799) è poesia illuministica, piena di passione civile, raffinata ed elegante nello stile. Nella sua opera più famosa, *Il Giorno*, scrive una satira in versi per ridicolizzare la vita superficiale e oziosa della nobiltà. Questa classe sociale, che gli intellettuali illuministi consideravano come un nemico da combattere, è descritta da Parini come un insieme di persone squallide, arroganti, che vivono come parassiti sfruttando gli altri.

La satira di Parini contro l'aristocrazia dominante è elegante, ma anche feroce: bene rappresenta perciò il sentimento generale di disprezzo e di condanna che, più tardi, esploderà nella rivoluzione francese.

2. *Il Giorno*

È un poemetto in versi diviso in quattro parti, in cui Parini descrive un "giovin signore", un ricco, giovane aristocratico amante dell'ozio e della superficialità, senza dignità. Il poeta descrive con ironia la giornata di questo tipico nobile arrogante, che non produce niente, ma sfrutta senza rispetto il duro lavoro degli altri. Così Parini, nella sua opere, descrive i mali della sua epoca e sogna una nuova società dove ci siano riforme in favore della cultura e della scienza: una società senza privilegi, più giusta ed umana.

3. Alfieri e la ricerca della libertà

Poeta, scrittore di tragedie e di trattati politici, Vittorio Alfieri (1749 - 1803) ha una personalità intensa ed originale che va oltre l'Illuminismo. Questo anche per ragioni di tipo cronologico, perché vive nel periodo della rivoluzione francese e delle sue conseguenze più eccessive, la violenza e il fanatismo che egli non accetterà mai.
Così Alfieri trasforma la passione politica degli Illuministi in lotta interiore. Egli era di classe sociale aristocratica, un solitario che cercava la serenità spirituale, ma senza trovarla mai.

L'argomento principale delle sue tragedie e dei suoi saggi politici è perciò la ricerca della libertà; intesa come libertà interiore. Nelle sue opere descrive sempre uno scontro tra un tiranno ed un eroe che lotta per la libertà; l'ambientazione, tuttavia, non è realistica, e neanche i personaggi: i due protagonisti, con le loro personalità fortissime, rappresentano non uomini reali, ma idee: la tirannia, il potere assoluto da un lato, la lotta per la libertà dell'altro.

4. *Saul* e *Mirra*: due eroi "romantici"

Dunque i capolavori di Alfieri, le tragedie *Saul* e *Mirra* rappresentano non una lotta politica, ma prima di tutto una lotta interiore; i protagonisti, come lo scrittore, sono inquieti, tormentati; perché provano desideri infiniti che non potranno mai essere soddisfatti. Un altro elemento

---

🔍 La pittura del '700

La pittura nel Settecento italiano è rappresentata dalla scuola veneziana, con colori vivaci e luce limpida. Il più grande pittore è **Giambattista Tiepolo**, con i suoi grandi affreschi decorativi e i suoi quadri d'altare. I suoi colori sono splendidi e leggeri, tanto da sembrare seta.
Sono spettacolari gli affreschi del soffitto di Villa Pisani a Strà (vicino a Padova), o di Palazzo Labia a Venezia. Molte città italiane volevano Tiepolo, che dipinge perciò non solo a Venezia, ma anche a Bergamo, a Milano e addirittura a Würzburg e a Madrid, città dove muore.
Un altro pittore famosissimo è Antonio Canal, detto **Il Canaletto**, che dipingeva con realismo vedute della città lagunare e che fa conoscere Venezia in tutta Europa. Nei suoi quadri e nelle sue prospettive si vede l'atmosfera dorata della Venezia del '700. Anche Francesco Guardi dipinge la città, con le sue feste, ma anche con la malinconia grigia e turchese della sua laguna.

tipico delle tragedie è la presenza costante della morte, con i protagonisti che arrivano all'omicidio o al suicidio per rincorrere la propria ossessione.

In *Saul*, Alfieri mostra un re che è uomo disperato, in lotta con se stesso, pieno di invidia per il giovane valoroso David. La rappresentazione delle sue angosce si conclude con la liberazione da se stesso, con il suicidio.

Allo stesso modo in *Mirra*, la protagonista è sola di fronte ad un sentimento tremendo: l'amore per il proprio padre. Contro questa passione disperata Mirra lotta, fino alla fine; ma la sua libertà può essere solo la morte, il suicidio. Così Alfieri conclude l'età della passione politica dell'Illuminismo e apre una nuova epoca culturale, il cui protagonista è l'eroe romantico, sempre in lotta con se stesso e con il mondo.

Giuseppe Parini

Parini nasce a Bosisio (Como) nel 1729. Studia in un collegio religioso a Milano, città aperta alle idee illuministe. Nel 1754 diventa sacerdote e poi lavora come insegnante privato per famiglie aristocratiche. In questo periodo scrive il *Dialogo sopra la nobiltà* e *Il Mattino*, che è la prima parte del poemetto satirico *Il Giorno* (1763-65), che completa poi con la seconda parte, intitolata *Il Mezzogiorno*. Compone anche numerose *Odi*, opere in versi di argomento sociale e politico.

Scrive anche un *Discorso sopra la poesia*, in cui esalta il linguaggio della poesia. Successivamente aggiunge le due ultime parti al suo poemetto, intitolate *Vespro e Notte*. Muore nel 1799.

Vittorio Alfieri

Nasce ad Asti nel 1749 da famiglia nobile; vive un'infanzia infelice. A nove anni frequenta l'Accademia Militare, poi, dal 1766, inizia a viaggiare in Europa. Gli anni dal 1775 al 1790 sono di intenso lavoro letterario: scrive i trattati politici, venti tragedie, tra cui i capolavori *Saul e Mirra*, le *Rime*, e la *Vita*. Nel 1789 è a Parigi, da cui fugge, addolorato per il fanatismo e la violenza dei rivoluzionari. Muore a Firenze nel 1803.

A sinistra: monumento funebre di Antonio Canova a Vittorio Alfieri, Firenze, Santa Croce in Gerusalemme.

Pagina a sinistra in alto: illustrazione per *Il Giorno* di Parini.

Pagina a sinistra in basso: Canaletto, particolare de *Il ritorno del Bucintoro*.

T32 Giuseppe Parini: E quasi bovi al suol curvati

E quasi bovi al suol curvati ancora
Dinanzi al pungol[1] del bisogno andàro;
E tra la servitude e la viltade
E il travaglio e l'inopia[2] a viver nati
5   Ebber nome di plebe[3]. Or tu garzone
Che per mille feltrato invitte reni[4]
Sangue racchiudi, poi che in altra etade
Arte[5] forza o fortuna i padri tuoi
Grandi rendette; poi che il tempo al fine
10 Lor divisi tesori in te raccolse.
Godi degli ozj tuoi a te da i numi[6]
Concessa parte; e l'umil volgo in tanto
Dell'industria[7] donato a te ministri
Ora i piaceri tuoi, nato a recarli
15 Su la mensa regal, non a gioirne.
Ecco splende il gran desco. In mille forme
E di mille sapor di color mille
La variata eredità de gli avi
Scherza in nobil di vasi[8] ordin disposta.
20 Già la dama s'appressa: e già da i servi
Il morbido per lei seggio s'adatta.
Tu signor di tua mano all'agil fianco
Il sottopon sì che lontana troppo
Ella non sieda o da vicin col petto
25 Ahi di troppo non prema: indi un bel salto
Spicca, e chino raccogli a lei del lembo
Il diffuso volume[9]: e al fin t'assidi
Prossimo a lei.

Quasi come buoi con le schiene curve al suolo continuarono ad andare avanti spinti dal pungolo del bisogno. Nati tra i servi e i poveri, destinati al duro lavoro e alla miseria: si chiamarono "plebe".
Invece tu, giovane signore, hai un sangue nobile che scorre da mille anni nella schiena che non si è mai piegati dal momento che in epoche passate la capacità, la forza o la fortuna hanno fatto diventare grandi i tuoi antenati; e il tempo, alla fine, ti ha fatto ereditare i loro tesori.

Godi dei piaceri che il destino ti ha dato; mentre godi i frutti del continuo lavoro degli umili, nati per servirli alla tua splendida tavola, non per goderne loro stessi.

Ecco, la tavola splende. In mille forme, in mille sapori, in mille colori è disposta sulla tavola la ricchezza della tua famiglia.

Ora la dama (la nobile signora) si avvicina: e subito la servitù le prepara la morbida sedia. E tu, signore, falla scivolare sotto la sua snella figura: che non sia troppo distante dalla tavola o troppo vicina schiacciandole, ahimè, il seno; poi velocemente chinati per accomodarle il gran vestito; e finalmente siediti vicino a lei.

---

1 Pungol: bastone appuntito usato per spingere i buoi.

2 Inopia: assoluta mancanza di mezzi.

3 Plebe: gente miserabile.

4 invitte reni: schiene mai piegate da una sconfitta.

5 Arte: abilità.

6 Numi: dèi, cioè la sorte.

7 Industria: lavoro continuo.

8 Vasi: piatti, coppe ecc. disposti con eleganza.

9 Diffuso volume: ampiezza ingombrante.

Contesto
Parini qui sta descrivendo un momento della giornata del giovane nobile, quando si mette a tavola con la sua dama. L'autore usa il tono dell'ironia per descrivere il contrasto tra la condizione privilegiata della nobiltà e la miseria senza speranza della plebe.

1. Comprensione

La ricchezza del "giovane signore" è dovuta:

○ **a.** alle capacità dai suoi antenati.
○ **b.** alle sue capacità.
○ **c.** alla casualità.

L'atteggiamento del giovin signore nei confronti della servitù è di

○ **a.** indifferenza.
○ **b.** compassione.
○ **c.** crudeltà.

L'autore invita il giovin signore a essere premuroso nei confronti della dama perché

○ **a.** così ne conquisterà l'amore.
○ **b.** cio fa parte di un rito.
○ **c.** essa richiede il suo aiuto.

L'atteggiamento dell'autore è:

○ **a.** ironico nei confronti della plebe.
○ **b.** ironico nei confronti dei due nobili.
○ **c.** indifferente alla miseria dei plebei.
○ **d.** invidioso della ricchezza dei nobili.

e 2. Analisi

- I buoi non sono gli unici animali di cui si serve l'uomo per il suo lavoro.
  Quali virtù – assai utili al suo padrone! – caratterizzano questi animali e i servi?

○ **a.** Sono forti ma difficili da comandare.
○ **b.** Sono forti e sopportano tutto.
○ **c.** Sono pazienti anche se non molto forti.
○ **d.** Si affezionano al loro padrone e lo seguono ovunque.
○ **e.** Sono belli e intelligenti.

- Quali sono le caratteristiche del giovin signore descritte o sottintese nel testo?
a. la gentilezza d'animo – **b.** la comprensione – **c.** le buone maniere –
d. il gusto delle buoma tavola – **e.** la superficialità – **f.** l'ipocrisia – **g.** l'impegno sociale

- La lettura del testo in originale non è certamente facile, il Parini impiega una sintassi piuttosto
  complessa. Ne sai spiegare le caratteristiche alla luce dei seguenti esempi?
  v. 1-2: E quasi bovi al suoi curvati ancora / dinanzi al pungol del bisogno andàro
  v. 8-9: Arte forza o fortuna i padri tuoi / grandi rendette
  v. 16-19: In mille forme / e di mille sapor di color mille / la variata eredità de gli avi / scherza in nobil di vasi ordin disposta
  v. 21: Il morbido per lei seggio s'adatta.

- Nella descrizione delle due sfere sociali, le differenze sono evidenti: la plebe ha la schiena curva, gli antenati del gio-vin signore "le reni invitte", mai piegate dalla sconfitta; il giovin signore gode gli ozi frutto "dall'industria" dei suoi ser-vi. Anche la tavola e le vesti suggeriscono un confronto: come saranno quelle dei servi?

e 3. Riflessione

- Contrapporre il ricco al povero, facendo del primo un parassita sociale e del secondo una vittima, sarebbe oggi un'analisi semplicistica. È evidente che non possiamo applicare i nostri parametri al Settecento: eppure è difficile leg-gere questo testo senza vedervi un'accusa sociale chiara e decisa. Nella società industriale del secolo scorso la ple-be erano gli operai alla catena di montaggio o i minatori, e oggi? Chi sono i giovin signori e chi la plebe?

- Se guardiamo la pittura del Settecento, fatta di paesaggi idilliaci abitati da contadinelle felici, visitati da aristocratici gentili, oppure ascoltiamo i concerti di Vivaldi o Corelli, il Settecento appare un'epoca positiva. Quali immagini del no-stro secolo potrebbero dare a chi lo guarderà fra trecento anni un'impressione analoga?

T33 Vittorio Alfieri: Sublime specchio

Sublime specchio[1] di veraci detti,
mostrami in corpo e in anima qual sono:
capelli, or radi in fronte, e rossi pretti[2];
lunga statura, e capo a terra prono[3];

5 sottil persona in su due stinchi[4] schietti;
bianca pelle, occhi azzurri, aspetto buono;
giusto naso, bel labro, e denti eletti;
pallido in volto, più che un re sul trono:

or duro, acerbo[5], or pieghevol, mite;
10 irato sempre, e non maligno mai;
la mente e il cor meco in perpetua lite;

per lo più mesto, e talor lieto assai,
or stimandomi Achille, ed or Tersite[6];
uom, se' tu grande, o vil? Muori e il saprai.

Specchio illustre di parole sincere, mostra come sono io, nel corpo e nell'anima: i capelli, che ora sono pochi sulla fronte, e rossi; la statura alta e il capo chinato in basso;

figura magra su due gambe dritte; pelle bianca, occhi azzurri, bell'aspetto; naso dritto, belle labbra, bei denti; volto pallido, più di quello di un re preoccupato per il potere:

a volte duro, scontroso, a volte mansueto, dolce; sempre arrabbiato, ma mai cattivo; con la mente e il cuore sempre in guerra fra loro;

quasi sempre triste, ma a volte molto felice, a volte pensando di essere Achille, a volte Tersite; tu sei un uomo grande o solo un vile? Lo saprai solo morendo.

---

1 Specchio: la poesia, espressione sincera dell'animo.
2 Pretti: genuini.
3 Prono: chino.
4 Stinchi: ossa della parte inferiore della gamba, qui gambe.

5 Acerbo: aspro, come un frutto non maturo.
6 Achille… Tersite: personaggi dell'*Iliade*: guerriero bello e coraggioso il primo, uomo brutto e spregevole il secondo.

---

e Un autoritratto

Prima di affrontare le attività che seguono, leggi entrambi i sonetti. Sia nel primo che nel secondo sonetto Alfieri dà una descrizione di se stesso, un autoritratto in versi. L'immagine del poeta è grandiosa: un solitario eroe che sfida la natura selvaggia, i potenti, ma soprattutto la morte. Secondo la percezione diffusa, questo è un atteggiamento "romantico", mentre qui lo troviamo in un autore che appartiene a piena ragione al suo secolo, il razionale Settecento.

1. Comprensione

L'autore si descrive come un uomo:

○ **a.** litigioso.
○ **b.** grande.
○ **c.** contrastato.

La morte viene evocata

○ **a.** come liberatrice.
○ **b.** come momento della verità.
○ **c.** con un senso di terrore.

Il poeta ama la foresta perché:

○ **a.** non gli piacciono gli uomini.
○ **b.** la solitudine lo rasserena.
○ **c.** si sente superiore.

Il poeta rifiuta il suo "secolo" perché

○ **a.** non vi sono eroi.
○ **b.** gli ha procurato molti guai.
○ **c.** gli manca la libertà.

T33 Vittorio Alfieri: Tacito orror di selva solitaria

Tacito orror di solitaria selva
Di sì dolce tristezza il cor mi bea[1],
che in essa al par di me non si ricrea[2]
tra' figli suoi nessuna orrida belva.

5 E quanto addentro più il mio pie' s'inselva,
tanto più calma e gioia in me si crea;
onde membrando[3] com'io la godea,
spesso mia mente poscia si rinselva.

Non ch'io gli uomini abborra[4], e che in me stesso
10 mende[5] non vegga, e più che in altri assai;
né ch'io mi creda al buon sentier più appresso;

ma non mi piacque il vil mio secol[6] mai:
e dal pesante regal giogo oppresso,
sol nei deserti taccion i miei guai.

Il cupo e pauroso silenzio di una foresta solitaria mi riempie lietamente il cuore di una dolce tristezza che nessuno riesce a provare, nemmeno una belva selvaggia in mezzo ai suoi cuccioli.

E quanto più cammino dentro la foresta, tanta più calma e gioia provo; così che ricordando il piacere provato nella foresta, spesso la mia mente ritorna in quel luogo.

Non è che io detesti gli uomini, o che non veda i miei difetti, anzi ne ho più di altri uomini; né credo di essere più vicino di altri alla via della saggezza;

ma il mio secolo, il mio mondo così vile, non mi è mai piaciuto: oppresso dal potere dei governanti, solo nei deserti si quietano le mie pene.

---

1 bea: allieta.

2 ricrea: rallegra.

3 membrando: ricordando.

4 abborra: detesti.

5 mende: errori.

6 secol: epoca, ma anche società.

---

2. Analisi

- Gli elementi fisici descritti nel primo sonetto sono prevalentemente positivi. In fondo anche il pallore aggiunge nobiltà, perché

  ○ **a.** deriva da una grave malattia.
  ○ **b.** nasce dalle tensioni interiori.
  ○ **c.** è un segno di misticismo.

- Il secondo sonetto spiega perché il poeta al verso 4 del primo sonetto dice "e capo a terra prono". Soprattutto quali versi del secondo testo svolgono questa funzione diciamo così esplicativa?

- Analizzando la struttura dei sonetti si nota che in entrambi le quartine e le terzine costituiscono un blocco. Infatti nel primo sonetto le quartine descrivono .... mentre le terzine presentano .... ; nel secondo sonetto le quartine descrivono il gusto per la solitudine, le terzine ....

- Nella prima quartina del secondo sonetto colpisce il verso 2 "di sì dolce tristezza il cor mi bea". Possiamo parlare di ossimoro (cfr. glossario)? Che cosa rivela questo verso sulla psicologia del poeta?

3. Riflessione

- Tra le definizioni letterarie più difficili da dare c'è quella di "romantico, romanticismo". In senso strettamente cronologico Alfieri non è un romantico, ma se prendiamo il termine in senso estensivo, il discorso può cambiare.
  Quali caratteristiche associ spontaneamente al termine romantico?
  a. amore per la libertà – **b.** razionalità – **c.** individualismo – **d.** impegno sociale – **e.** malinconia – **f.** intimo legame con la natura – **g.** il fascino della notte – **h.** linguaggio simbolico

- Quali di questi elementi ritrovi nei sonetti? Si potrebbe dire che Alfieri aveva uno spirito romantico?

il Settecento

Carlo Goldoni

1. Uno scrittore illuminista

Goldoni vive in un periodo particolare per l'affermarsi di una nuova classe sociale, la borghesia: da una parte l'Illuminismo spingeva gli intellettuali borghesi a descrivere

la realtà sociale; dall'altra a Venezia, la sua città, la borghesia mercantile dei traffici e dei commerci diventava la classe sociale più importante, mentre i nobili erano in crisi profonda.
Goldoni, con il suo teatro, è lo scrittore che meglio ha rappresentato la cultura e gli ideali della borghesia italiana del Settecento.
Con la sua cultura illuministica, egli riesce a capire e a descrivere nelle sue commedie le trasformazioni sociali della sua epoca, rinnovando, allo stesso tempo, gli schemi del teatro tradizionale e mettendo in scena personaggi e situazioni moderne. Lo spettatore cui si rivolge non è più l'aristocratico ma il borghese.

2. Un nuovo modo di fare teatro

Il mondo messo in scena da Goldoni descrive situazioni reali, con personaggi che rappresentano tipi umani socialmente definiti che si esprimono in una lingua moderna, non letteraria, a volte anche in dialetto. Prima di lui, si preferiva scrivere tragedie, oppure melodrammi sentimentali, come quelli di Metastasio, caratterizzati da personaggi poco realistici e da un linguaggio di alto livello.

3. La commedia dell'arte

La commedia precedente a Goldoni aveva un realismo volgare, serviva solo per divertire il pubblico e gli attori non seguivano una sceneggiatura, ma improvvisavano continuamente, perché i personaggi non dovevano essere realistici, ma solo degli stereotipi (*maschere*, come Arlecchino, Pantalone), che si ripetevano sempre.

4. La commedia scritta

Goldoni, dunque, rinnova il genere della commedia e, prima di tutto, sostituisce l'improvvisazione con un testo scritto. Questa parte della riforma viene fatta gradualmente, anche perché sia attori che pubblico erano abituati alle parti fisse e alle acrobazie delle maschere; in un primo tempo, Goldoni scrive solo il testo recitato dal protagonista, mentre agli altri attori veniva dato un *cano-*

🔍 La più complessa delle rivoluzioni

La fine del Settecento è davvero un momento incredibile nella storia europea: la Rivoluzione culturale di Voltaire, Diderot, Beccaria e degli altri Illuministi francesi; la Rivoluzione scientifica di Newton, Lavoisier e degli altri scienziati; la Rivoluzione liberista di Adam Smith e di altri teorici della concorrenza dopo secoli di mercato guidato arbitrariamente da una ristretta classe dirigente; la Rivoluzione industriale; la Rivoluzione musicale di Mozart; la Rivoluzione americana che libera un continente dal suo rapporto di dipendenza con l'Europa; la Rivoluzione francese e il conseguente ciclone napoleonico. Ma questi grandi rivolgimenti non riguardano solo la storia con la "S" maiuscola. Anche la vita dei singoli nelle piccole città cambia radicalmente – e Goldoni è forse uno dei più acuti interpreti di questo cambiamento, uno dei massimi intellettuali del suo tempo. Goldoni è veneziano e parigino, così come un altro grande intellettuale, Giacomo Casanova, anche lui veneziano e parigino insieme: sono gli ultimi cantori della Repubblica Serenissima, che lentamente si spegne, per cui a Napoleone basterà poco per venderla all'Austria nel 1797, ponendo fine alla più lunga repubblica della storia.

vaccio, cioè un testo parziale, che essi completavano grazie alla loro abilità d'improvvisazione. Poi, a partire da *La Donna di garbo* del 1743, Goldoni scrive interamente le commedie e semplifica gli intrecci, con un'attenzione alla coerenza psicologica dei personaggi.

5. La commedia realistica

Un'altra novità di Goldoni sono i personaggi, che egli approfondisce e descrive in modo realistico; anche se riprende alcuni personaggi della commedia dell'arte (Arlecchino, Pantalone), egli dà loro una nuova fisionomia, li rende individui realistici.

I personaggi sono contemporanei, sono tipi onesti, o furbi, o intraprendenti, ma sempre descritti con ironia. C'è attenzione anche per il mondo femminile, come per Mirandolina nella commedia *La Locandiera*, che è abile a sedurre e a manipolare gli ingenui uomini che frequentano la sua locanda. I personaggi di Goldoni sono "mercanti" cioè borghesi ricchi grazie ai commerci che dominano con la loro astuzia e intelligenza il mondo ormai in declino della vecchia nobiltà.

6. La nuova commedia borghese

La commedia goldoniana, scritta, senza maschere, fatta di personaggi concreti, è tipica di una sensibilità nuova, borghese, europea.
Goldoni, intellettuale borghese, rappresenta il suo mondo, in modo lieve, con i suoi sogni, con le sue idee. Nei *Rusteghi*, in *Sior Todero Brontolon*, l'autore presenta in modo comico il contrasto tra la nuova e la vecchia generazione; nella *Locandiera*, la protagonista domina gli altri non perché segue grandi ideali, ma perché è furba e intrigante.

Nelle ultime commedie (*Il Campiello*, *Le baruffe chiozzotte*) ci saranno nuovi personaggi, pescatori e artigiani che rappresentano una Venezia del popolo, con scene di vita quotidiana molto movimentate e divertenti.

Carlo Goldoni

Carlo Goldoni nasce a Venezia nel 1707. A 14 anni fugge dal collegio per viaggiare con una compagnia di comici. Poi si iscrive nella più tipica delle facoltà dei borghesi, giurisprudenza, lo studio della legge come freno all'aristocrazia, ma anche come studio umanistico; si laurea nel 1731 a Padova.

Inizia a scrivere nel 1738 la sua prima commedia, *Il Momolo cortesan*, in cui nasce la lingua (oggi detta "dialetto") di Venezia.
Nel 1743 scrive *La donna di garbo*; fino al 1752 lavora al teatro Sant'Angelo di Venezia e scrive molte commedie, tra cui *Il servitore di due padroni*, *La vedova scaltra*, *La Bottega del caffè*, ecc.
Nel 1753 scrive una delle commedie più famose, *La Locandiera*, e passa ad un altro teatro veneziano, quello di San Luca; è ormai un drammaturgo famosissimo.

Poi scrive *I Rusteghi*, *Sior Todero Brontolon*, *Le baruffe chiozzotte* alternando l'uso dell'italiano a quello del veneziano e, nelle *Baruffe*, la varietà di questa lingua che era parlata a Chioggia; dimostra in questo modo una sensibilità per i problemi linguistici del tutto moderna.
Infine si trasferisce a Parigi, a causa di violente critiche alla sua riforma teatrale.
Nel 1783 inizia a scrivere i *Mémoires*, la storia della sua vita, in francese.
Muore a Parigi nel 1793.

Qui sopra in alto: ritratto di Carlo Goldoni.

A sinistra: illustrazione per le *Baruffe Chiozzotte*.

Pagina a sinistra in alto: illustrazione per *Servitore di due padroni*.

Pagina a sinistra in basso: Michele Marieschi, veduta del Canal Grande a Venezia.

T35 Carlo Goldoni: La locandiera

Mirandolina:	Fabrizio, il Cavaliere
Fabrizio:	(*vedendo il cavaliere, s'ingelosisce*): Son qua.
Mirandolina:	(*prende il ferro*[1]): È caldo bene?
Fabrizio:	(*sostenuto*[2]): Signora sì.
Mirandolina:	(*a Fabrizio, con tenerezza*): Che avete, che mi parete turbato[1]?
Fabrizio:	Niente, padrona, niente.
Mirandolina:	(*come sopra*): Avete male?
Fabrizio:	Datemi l'altro ferro se volete che lo metta nel fuoco[3].
Mirandolina:	(*come sopra*): In verità, ho paura che abbiate male.
Cavaliere:	Via, dategli il ferro, e che se ne vada.
Mirandolina:	(*al cavaliere*): Gli voglio bene, sa ella? È il mio cameriere fidato.
Cavaliere:	(*da sé, smaniando*[4]): Non posso più.
Mirandolina:	(*dà il ferro a Fabrizio*): Tenete, caro, scaldatelo.
Fabrizio:	(*con tenerezza*): Signora padrona...
Mirandolina:	(*lo scaccia*): Via, via, presto.
Fabrizio:	(*da sé*): Che vivere è questo? Sento che non posso più. *(Parte)*

---

1 Ferro: ferro da stirro.

2 Sostenuto: con una certa freddezza.

3 Sul fuoco: per farlo scaldare e poter stirare.

4 Smaniando: dando segni di nervosismo.

Il contesto

I personaggi principali della commedia sono: Mirandolina, giovane e graziosa proprietaria della locanda situata a Faenza; Fabrizio, cameriere, giovane innamorato della sua padrona; il Cavaliere di Ripafratta, non più giovane, che stima poco le donne, ma corteggia Mirandolina; il Marchese di Forlipopoli e il Conte d'Albafiorita, anch'essi ospiti della locanda e corteggiatori di Mirandolina.

La scena sta nel terzo atto. Nei primi due Mirandolina, indispettita dall'atteggiamento del Cavaliere nemico delle donne, fa di tutto per farlo innamorare, ma non ha interesse né per lui né per il conte o il marchese. La sua è una specie di vendetta femminile, infatti alla fine sposa l'amato Fabrizio.

e 1. Comprensione

Di' se le affermazioni che seguono sono Vere o False.

	vero	falso
a. Fabrizio e il Cavaliere sono gelosi.	○	○
b. A Fabrizio il Cavaliere non piace.	○	○
c. Mirandolina tratta molto male Fabrizio.	○	○
d. Il Cavaliere non apprezza Mirandolina.	○	○
e. Mirandolina confessa il suo amore per Fabrizio.	○	○
f. Mirandolina mostra indifferenza per il Cavaliere.	○	○
g. Mirandolina è intimidita dal Cavaliere.	○	○

e 2. Analisi

- Servi e popolani della commedia dell'arte parlano spesso in un dialetto colorito e volgare. A proposito di Fabrizio, l'autore avverte: "Fabrizio parlava in veneziano, quando si recitò la prima volta; l'ho fatto allora per comodo del personaggio, solito a favellar da Brighella (maschera popolare); ove l'ho convertito in toscano, sendo disdicevole cosa (essendo scorretto) introdurre senza necessità in una Commedia un linguaggio straniero". L'uso dell'italiano può essere anche un segno di rispetto verso l'uomo semplice. Cosa pensi di questa osservazione?

Cavaliere:	Gran finezze[5], signora, al suo cameriere!
Mirandolina:	E per questo, che cosa vorrebbe dire?
Cavaliere:	Si vede che ne siete invaghita.
Mirandolina:	(*stirando*): Io innamorata di un cameriere? Mi fa un bel complimento, signore; non sono di sì cattivo gusto io. Quando volessi amare, non getterei il mio tempo sì malamente.
Cavaliere:	Voi meritereste l'amore di un re.
Mirandolina:	(*stirando*): Del re di spade, o del re di coppe[6].
Cavaliere:	Parliamo sul serio, Mirandolina, e lasciamo gli scherzi.
Mirandolina:	(*stirando*): Parli pure, che io l'ascolto.
Cavaliere:	Non potreste per un poco lasciar di stirare?
Mirandolina:	Oh, perdoni! Mi preme allestire[7] questa biancheria per domani.
Cavaliere:	Vi preme dunque quella biancheria più di me?
Mirandolina:	(*stirando*): Sicuro.
Cavaliere:	E ancora lo confermate?
Mirandolina:	*(stirando)*: Certo. Perché di questa biancheria me ne ho da servire, e di lei non posso far capitale di niente[8].

---

5 Finezze: gentilezze, attenzioni.

6 Del re... di coppe: si riferisce alle carte da gioco italiane; l'espressione colloquiale vuol dire: re di poco conto.

7 Allestire: preparare.

8 Non posso... niente: non so cosa farmene.

- Un elemento importante è rappresentato dalle didascalie, indicazioni di regia e interpretazione. Che cosa ci svelano qui sulla psicologia dei personaggi?

- Quale atteggiamento manifesta Mirandolina verso il Cavaliere sia nei gesti che nelle parole?

- Il mondo della locanda rispecchia la varietà sociale. Quali categorie vi sono rappresentate? Vi ritroviamo la distinzione che fa il Parini fra la plebe e il giovin signore?

e **3. Riflessione**

Rivolgendosi al letore, Goldoni scrive che "fra tutte le Commedie da me sinora composte, starei per dire essere questa la più morale, la più utile, la più istruttiva" e spiega che in Mirandolina ha voluto rappresentare come possa essere pericolosa e inaffidabile la natura femminile. "La Scena dello stirare, allora quando la Locandiera si burla del Cavaliere che languisce, non muove gli animi a sdegno contro colei, che dopo averlo innamorato l'insulta? [...] Oh di quante Scene mi hanno provveduto le mie vicende medesime!..." Non mancano nella commedia europea esempi di battute pungenti sulle donne, basta pensare al libretto di Lorenzo da Ponte per *Così fan tutte* di Mozart. Noi oggi vediamo in Mirandolina piuttosto dei caratteri di modernità. Quali?

Alcune commedie goldoniane sono ambientate nelle ville venete, dove si andava in villeggitura; qui a lato la Villa di Strà.

Critica

Parini, ribellione e tradizione

Col Parini si riaffaccia[1], nella storia della nostra letteratura, la forza e il peso di una grande coscienza morale: un "uomo", come vide benissimo il De Sanctis, schietto ed intero[2], saldamente piantato con tutta la sua umanità risentita e vigorosa di fronte alle idee e ai sentimenti della sua età, della quale accoglie il contenuto più moderno e più coraggioso, moderandolo in parte e inquadrandolo negli schemi della tradizione italiana di pensiero e d'arte. [...]

L'impressione di un'alta tensione morale, che scaturisce[3] dalle sue scritture più significative rimane intatta; e anzi la suggestione di questa potente forza educativa è tale da mettere un po' in ombra, a prima vista, il letterato esperto ed elegantissimo, ma ancor tutto attaccato in apparenza alle vecchie forme mentre tenta di calare in quelle vecchie forme un contenuto nuovo e ribelle. L'uomo Parini e il letterato Parini paion[4] quasi due persone distinte e non facili a mettersi d'accordo; sì[5] che vien fatto di dar rilievo, secondo i casi, ora all'una e ora all'altra, senza sentirle mai propriamente come una cosa sola. Eppure proprio dall'incontro di questa umanità nuova e robusta con quella educazione letteraria, così sensibile alle norme della tradizione e alla disciplina che ne deriva, si determina una svolta importantissima nella storia del nostro gusto letterario, e cioè l'inizio di un periodo nuovo per quel che riguarda la struttura del discorso poetico.

Natalino Sapegno

---

1 Torna presente.

2 Sincero e non diviso tra lealtà a principi diversi.

3 Nasce.

4 Sembrano.

5 Così.

Goldoni: l'occhio che "registra" la fine di un mondo

All'immobilità dell'ordine politico sembra rispondere l'inerzia[1] di ordine economico. La borghesia veneziana, scissa in gruppi dei 'ricchi' e in una vasta categoria di 'piccoli', sta esaurendo la sua forza sociale. È un'induzione[2] permessa dal testo goldoniano, dalla sensibilità della sua "registrazione"[3].

Vien meno, in Goldoni, la base sociale del suo ottimismo: proprio quando i viaggi fuori Venezia, le amicizie molteplici con italiani e stranieri, tenderebbero ad allargare l'orizzonte della sua indagine.

La partenza per Parigi non sarà solo un avvenimento personale o la conseguenza di polemiche letterarie: è anche il simbolo della contraddizione tra *provincialismo* ed *europeismo* in cui è il Goldoni.

Non è una "crisi" improvvisa, è del tutto chiara a Goldoni. La sua sensibilità, che ne è anzitutto "registratrice", l'aveva in qualche modo documentata in una serie di commedie per questo aspetto significanti. L'impoverimento del "tipo"[4] sociale del mercante, il graduale abbandono del commercio, sono visibili almeno [nelle commedie dal 1753 in poi], che suggeriscono, da punti opposti (la campagna, il commercio), un tema di duplice "debolezza" nella figura del mercante, che coincide, del resto, con il problema fondamentale, e non risolto (il rapporto tra la città e la Regione), della Repubblica Veneta. La borghesia commerciale si rivela incapace di divenire classe consapevole di sé, egemonica[5]: l'indicazione data dal reale[6] è più forte, nel Goldoni, di qualsiasi mito "ideologico". Sembra non restino, al borghese, che il gusto di una gretta[7] solitudine o la ridicola ambizione di scimmiottare la moda dei nobili.

Mario Baratto

---

1 Andare avanti per la spinta accumulata prima, senza immettere nuova energia.

2 Opinione cui si giunge indirettamente.

3 Secondo Baratto la base della poetica goldoniana sta nella sua capacità di "registrare", come una videocamera, quasi senza interventi personali.

4 Personaggio basato sulle caratteristiche di un "tipo": il ricco, il povero, il fannullone, ecc.

5 Dominante.

6 L'osservazione della realtà.

7 Miserabile ed avara.

*l'*Ottocento

Il neoclassicismo: da Monti a Foscolo

1. Il neoclassicismo

Tra la metà del '700 e l'inizio dell'800 il recupero del classicismo caratterizza l'arte e la letteratura italiane ed europee. Il ritorno alla tradizione classica è favorito dalla moda dei viaggi e dalle scoperte archeologiche che caratterizzano il Settecento: nel 1764 viene pubblicato il manifesto dell'estetica neoclassica: la *Storia dell'arte antica* dello storico e archeologo tedesco J. J. Winckelmann: l'arte greca incarna quegli ideali di grazia, nobile semplicità, serenità, bellezza e armonia, che meglio dovrebbero rappresentare il gusto moderno.

2. L'arte neoclassica

Nel periodo giacobino e napoleonico si afferma quindi un'idea dell'arte e della bellezza che si ritrova in tutto il panorama dell'epoca: è il periodo non solo delle sculture di A. Canova e delle incisioni di Piranesi, dei quadri del francese David e dei saggi del tedesco Schiller, ma anche di quello "stile impero" che caratterizza in generale la moda e il costume.
L'ideale supremo è la *grazia*; il mondo antico, latino e ancora di più greco, viene trasfigurato in un mondo dell'armonia, della serenità, della bellezza formale, della compostezza, perdendo in questa visione ideale la reale dimensione storica dell'arte antica, e realizzandosi spesso in vuoto esercizio di stile, in fredda perfezione formale, piuttosto che in vere e proprie opere d'arte.

3. Tra Neoclassicismo e Romanticismo

All'inizio dell'800 il Neoclassicismo incontra da una parte i primi segni del Romanticismo, dall'altra la delusione storica causata dal tramonto degli ideali e delle speranze suscitate dalla Rivoluzione Francese e dal periodo napoleonico.
Il mondo dell'antichità, la Grecia classica diventano così la visione nostalgica, l'ideale perduto di un'età felice, ispirata ad alti valori di eroismo, dignità, nella quale l'uomo era in sintonia con la natura.
Questo desiderio di un impossibile ritorno ad un mondo antico ideale viene contrapposto alla tristezza della realtà, al grigiore dell'epoca della restaurazione, alla distruzione delle illusioni libertarie: gli esempi eroici della classicità diventano così un'alternativa, una speranza in grado di calmare e ispirare le coscienze tormentate dalle delusioni della storia. In questo punto di incontro tra i moderni tormenti della coscienza romantica e i miti neoclassici di equilibrio e bellezza troviamo le opere letterarie di F. Hölderlin, di J. Keats, di U. Foscolo.

4. Il classicismo di Vincenzo Monti

Il massimo rappresentante del neoclassicismo italiano fu Vincenzo Monti (1754-1828), che ispirò e fu ammirato da poeti e letterati quali Foscolo, Leopardi, Manzoni, ma anche W. Goethe e G. Byron. Poeta, autore teatrale, traduttore di classici, celebrò nelle sue opere la Roma dei papi, il giacobinismo, l'ascesa di Napoleone, il ritorno degli Austriaci, riuscendo a mantenere un ruolo di poeta "di regime", di poeta ufficiale in un'epoca di continui cambiamenti. Le sue numerose opere, ricche di riferimenti mito-

---

🔍 L'Italia napoleonica

Gli anni dal 1796 al 1799 vede la conquista di molti territori italiani da parte di Napoleone, e la conseguente nascita di diverse repubbliche democratiche, sul modello di quella francese. Nel 1805, quando Napoleone divenne imperatore, l'Italia fu trasformata in Regno d'Italia: quasi tutta la penisola era sotto l'influenza francese. Dopo la sconfitta definitiva di Napoleone si apre un periodo di restaurazione degli antichi regni e dei vecchi ordinamenti (Congresso di Vienna, 1815). È una delle epoche più vitali per la cultura italiana: in pochi anni si passa dall'entusiasmo per le scelte democratiche delle Repubbliche di fine '700 e dalle speranze che Napoleone favorisse la nascita di uno stato nazionale indipendente, alla delusione per un Regno d'Italia satellite della Francia e alla restaurazione degli antichi regimi assolutisti. Ma le esperienze di quel periodo lasciarono il segno: la conquista del potere economico da parte della borghesia, lo sviluppo della coscienza nazionale, la modernizzazione giuridica e amministrativa, la diffusione di giornali e riviste, sono alla base del Risorgimento, che porterà all'unità d'Italia nel 1861.

logici, riflettono il gusto neoclassico per la perfezione formale e un'inclinazione scenografica che difficilmente supera una certa superficialità. Famosa è la sua traduzione dell'*Iliade* (1810), nella quale Monti tenta di conciliare gli ideali classici dell'antichità con le inquietudini che cominciavano ad affacciarsi nella sensibilità moderna.

5. La poetica di Ugo Foscolo

Ugo Foscolo è il più grande interprete di quei sentimenti che caratterizzano il passaggio dal Neoclassicismo al Romanticismo. Già nella sua prima opera significativa, il romanzo epistolare *Ultime lettere di Jacopo Ortis*, presenta alcuni dei temi principali della sua poetica: accanto al pessimismo storico trovano posto l'amore per la patria e il valore morale e civile dell'esempio degli antenati illustri. I *Sonetti*, composti dopo il 1802, sono tra i suoi capolavori: in una forma equilibrata, in un tono solenne e sereno, il poeta sembra davvero raggiungere il tanto desiderato equilibrio tra il desiderio di un'armonia classica e l'urgenza delle passioni (testi 36 e 37). Le due odi *A Luigia Pallavicini caduta da cavallo* e *All'amica risanata* riprendono invece la tradizione neoclassica del mito, della bellezza, della perfezione formale; i temi neoclassici dominano anche il poemetto incompiuto delle *Grazie*, inno all'Armonia vista come supremo ideale e consolazione.

ULTIME
LETTERE
di
JACOPO ORTIS
Edizione XV ed unica fatta
sovra la prima

Natura clamat et ipse

Londra.
MDCCCXIV.

L'opera maggiore di Foscolo è il poema *Dei Sepolcri* (1806), grande esempio di poesia civile: in esso il poeta celebra la religione laica delle "illusioni", cioè sentimenti universali tra i quali troviamo valori classici quali la gloria, l'eroismo, la bellezza, l'arte, e valori civili quali l'amore per la patria, l'amicizia, gli affetti, in grado di dare un senso al meccanicismo della natura e della vita. (cfr. testo 38)

Ugo Foscolo

Nato nel 1778 a Zante, isola veneziana nel mar Ionio di fronte alla Grecia, da madre greca e padre veneziano; ben presto si trasferisce a Venezia, dove si dedica alla letteratura e alla politica, attratto dalle idee giacobine e rivoluzionarie. Il Trattato di Campoformio (1797), con il quale Napoleone cede Venezia agli Austriaci, è per Foscolo un grave tradimento: il romanzo epistolare *Ultime lettere*

di Jacopo Ortis è segnato da questo senso di delusione storica. Tra il 1799 e il 1804 viaggia per l'Italia, combatte a fianco di Napoleone, ha varie avventure amorose, si dedica ad attività letterarie e all'impegno politico; in questo periodo compone le due odi più famose e i dodici sonetti.

A causa dei debiti e delle sue idee politiche, si trasferisce in Francia, per tornare a Milano nel 1806, dove compone i *Sepolcri* in cui i grandi del passato parlano attraverso le loro tombe, che mantengono vivo il ricordo; nel 1812 è a Firenze: qui, in un periodo di relativa calma inizia a comporre le *Grazie*. Con il ritorno degli Austriaci in Italia, lascia la patria: vive gli ultimi anni a Londra, lottando contro la miseria e la malattia, e lavorando soprattutto nel campo del giornalismo e della critica letteraria. Muore nel 1827.

Uomo impulsivo e passionale, vive intensamente la sua epoca con le sue contraddizioni: dominato da sentimenti profondi e devastanti, non smette mai di cercare un equilibrio superiore ed ideale; scettico, pessimista, laico, crede però nelle "illusioni", in valori quali la poesia, la bellezza, la patria, che permettono all'uomo di elevarsi al di sopra della barbarie.

In alto a destra: ritratto di Ugo Foscolo.

In basso a sinistra: frontespizio delle *Ultime Lettere di Jacopo Ortis* del Foscolo.

Pagina a sinistra in alto: ritratto di Vincenzo Monti.

Pagina a sinistra in basso: incoronazione di Napoleone in un quadro di J.L. David, fedele cronista della storia del tempo.

l'Ottocento

T36 Ugo Foscolo: Alla sera

Forse perché della fatal quïete
tu sei l'imago, a me sì cara vieni,
o Sera! E quando ti corteggian liete
le nubi estive e i zeffiri sereni,

5   e quando dal nevoso aere inquïete
tenebre e lunghe all'universo meni,
sempre scendi invocata, e le secrete
vie del mio cuor soavemente tieni.

Vagar mi fai co' miei pensieri su l'orme
10 che vanno al nulla eterno; e intanto fugge
questo reo tempo, e van con lui le torme

delle cure, onde meco egli si strugge;
e mentre io guardo la tua pace, dorme
quello spirto guerrier ch'entro mi rugge.

Forse perché tu somigli alla la morte, mi sei così cara, o sera! Sia quando le nuvole estive e le brezze lievi ti accompagnano lietamente,

sia quando, dal cielo carico di neve, stendi su tutto il mondo notti lunghe e tempestose, sempre arrivi sempre desiderata, e domini con dolcezza le vie segrete del mio cuore.

Fai vagare i miei pensieri su vie che portano alla morte; e nel frattempo fugge questo tempo colpevole, e con lui se ne va la folla

delle angosce, per cui esso soffre con me; e mentre io guardo la tua pace, si acquieta quello spirito ribelle che ruggisce dentro di me.

---

e 1. Comprensione
Quale affermazione è vera?

	vero	falso
a. Il poeta ama la sera perché favorisce l'ispirazione poetica.	○	○
b. Il poeta ama la sera anche quando appare meno gradevole.	○	○
c. Nell'oscurità della sera egli medita su temi esistenziali.	○	○
d. La fede nell'aldilà riconcilia il poeta con il suo tempo.	○	○
e. La contemplazione della sera conduce a una pace interiore.	○	○

e 2. Analisi
- In tutto il sonetto è presente l'immagine della morte, ma il poeta non la nomina mai. Individua le due metafore (vedi Glossario) usate da Foscolo e descrivi brevemente quale atteggiamento egli manifesta nei confronti della morte e dell'aldilà.
- Nel sonetto si alternano immagini di inquietudine e di serenità. In che misura natura e sentimenti si corrispondono?

e 3. Riflessione
È forse interessante ricordare che Alfieri nel sonetto *Tacito orror...* (testo 34) al verso 12 dice: "ma non mi piacque il vil mio secolo mai". Foscolo parla di "reo tempo": che cosa hanno in comune le due espressioni e quindi i due poeti?

137 Ugo Foscolo: A Zacinto[1]

Né mai più toccherò le sacre sponde
ove il mio corpo fanciulletto giacque,
Zacinto mia, che te specchi nell'onde
del greco mar da cui vergine nacque

5 Venere[2], e fea quelle isole feconde
col suo primo sorriso, onde non tacque[3]
le tue limpide nubi e le tue fronde
l'inclito verso di colui che l'acque

cantò fatali, e il diverso[4] esiglio
10 per cui bello di fama e di sventura
baciò la sua petrosa Itaca Ulisse.

Tu non altro che il canto avrai del figlio,
o materna mia terra; a noi prescrisse
il fato illacrimata sepoltura.

Non toccherò mai più le tue rive sacre dove si stese il mio corpo fanciullo, Zacinto mia, che ti specchi nelle onde del mare greco dal quale pura nacque

Venere, che con il suo primo sorriso fece diventare fertili quelle isole, per cui cantò il tuo cielo limpido e i tuoi boschi l'immortale verso di Omero, che descrisse

le peregrinazioni volute dal destino e gli anni in tanti luoghi estranei e diversi, alla fine dei quali Ulisse, reso bello dalla fama e dalle avversità, baciò Itaca, la sua isola pietrosa.

Tu, terra che mi hai generato, avrai solo il canto del tuo figlio; a noi il destino ha riservato una sepoltura senza lacrime.

---

1 Zacinto: detta anche Zante, è l'isola greca dove è nato Foscolo.
2 Da cui nacque Venere: secondo il mito classico la dea della bellezza e dell'amore nacque dalla spuma del mare greco.

3 Non tacque: perché ne cantò.
4 Diverso: fatto di molte avventure.

---

e 1. Comprensione
Di' se queste affermazioni sono vere o false.

	vero	falso
a. Il poeta è nato nella stessa isola di Ulisse.	◯	◯
b. Egli evoca Venere chiedendo la sua protezione.	◯	◯
c. Nell'isola natale Foscolo ha trascorso solo la fanciullezza.	◯	◯
d. La bellezza del mare greco ha ispirato anche Omero.	◯	◯
e. Certo qualcuno andrà a piangere sulla tomba del poeta.	◯	◯

e 2. Analisi
Ulisse e il poeta: che cosa hanno in comune e che cosa li differenzia?
- I versi 3-11 presentano una struttura complessa fatta di frasi relative dipendenti l'una dall'altra. Possiamo ristrutturarle facendone una serie di coordinate. Che cosa si perde dal punto di vista del messaggio poetico?
- Notiamo poi che le due quartine ripetono solo due rime: onde e acque, come parole singole o contenute nelle parole rimanti. Che atmosfera evoca questo gioco di rime?

e 3. Riflessione
Le isole e il mare della Grecia e Omero sono presenze classiche che evocano un mondo dell'equilibrio e dell'armonia. Perché il poeta introduce il paragone con Ulisse? Con quale sentimento è vissuto il ricordo della classicità?

T38 Ugo Foscolo: Le urne de' forti

A egregie cose il forte animo accendono
l'urne de' forti, o Pindemonte[1]; e bella
e santa fanno al peregrin la terra
che le ricetta. Io quando il monumento
5   vidi ove posa il corpo di quel grande[2],
che temprando lo scettro a' regnatori,
gli allòr ne sfronda, ed alle genti svela
di che lagrime grondi e di che sangue;
e l'arca di colui[3] che nuovo Olimpo
10 alzò in Roma a' Celesti; e di chi[4] vide
sotto l'etereo padiglion rotarsi
più mondi, e il Sole irradiarli immoto,
onde all'Anglo[5] che tanta ala vi stese
sgombrò primo le vie del firmamento;
15 - Tè beata - gridai - per le felici
aure pregne di vita, e pe' lavacri
che da' suoi gioghi a te versa Appennino!
Lieta dell'aer tuo veste la Luna
di luce limpidissima i tuoi colli
20 per vendemmia festanti, e le convalli
popolate di case e d'oliveti
mille di fiori al ciel mandano incensi;
e tu prima, Firenze, udivi il carme
che allegrò l'ira al Ghibellin fuggiasco[6],
25 e tu i cari parenti e l'idioma
désti a quel dolce di Callìope labbro[7]
che Amore in Grecia nudo e nudo in Roma
d'un velo candidissimo adornando,
rendea nel grembo a Venere Celeste.
30 Ma più beata ché in un tempio[8] accolte
serbi l'itale glorie, uniche forse
da che le mal vietate Alpi e l'alterna
onnipotenza delle umane sorti
armi e sostanze t'invadeano ed are
35 e patria e, tranne la memoria, tutto.
Che ove speme di gloria agli animosi
intelletti rifulga ed all'Italia,
quindi trarrem gli auspici -. E a questi marmi
venne spesso Vittorio[9] ad ispirarsi.

Le tombe dei grandi, o Pindemonte, stimolano l'animo a grandi pensieri e azioni; e il luogo che le ospita diventa bello e sacro per il visitatore.

Quando vidi il monumento funebre dove riposa il corpo di quel grande che, mentre rafforza il potere del principe, lo spoglia della gloria e mostra quante lacrime e quanto sangue esso costi; e il sarcofago di colui che a Roma innalzò una nuova sede celeste all'Eterno; e quello di colui che sotto la trasparente volta del cielo vide ruotare molti pianeti e il sole stare immobile, così che per primo aprì la via dell'universo all'Inglese che tanto lo studiò; -Te beata - esclamai - per l'aria felice ricca di vita che ti circonda e per i fiumi che l'Appennino fa scendere verso di te dai suoi monti!

Felice per il tuo clima, la Luna avvolge in una luce limpidissima i tuoi colli che festeggiano la vendemmia, e le vallate vicine, ricoperte di case e oliveti, fanno salire al cielo l'inebriante profumo dei fiori; tu per prima, Firenze, ascoltasti la poesia che rese meno aspro il dolore del Ghibellino costretto all'esilio, tu desti i natali e la lingua al dolce poeta ispirato da Calliope, il quale rivestì con un velo candidissimo quell'Amore che Greci e Romani avevano cantato nella sua sensualità, riportandolo in cielo, fra le braccia di Venere.

Ma sei ancor più beata perché accogli in un unico luogo sacro i grandi che sono le glorie dell'Italia, le uniche forse, da quando la scarsa difesa del confine alpino e le varie vicende che dominano il destino umano ti spogliarono di armi e ricchezze e luoghi sacri e patria, di tutto, esclusa la memoria.

In questo luogo, dove la speranza della gloria risplende agli spiriti coraggiosi e all'Italia, nutriremo i nostri sogni -. Di fronte a questi monumenti marmorei Vittorio venne spesso a cercare ispirazione.

---

1 L'amico poeta a cui è dedicato il *carme*.

2 Machiavelli, autore de *Il Principe*.

3 Michelangelo, per la basilica di S. Pietro.

4 Galileo, che dimostrò la validità del sistema copernicano.

5 Isacco Newton che scoprì, fra l'altro, la legge di gravità.

6 Dante, in realtà era un Guelfo della fazione perdente.

7 Petrarca, che diede voce alla musa Calliiope e idealizzò l'amore.

8 La chiesa di Santa Croce.

9 Vittorio Alfieri che soggiornò a Firenze.

40 Irato a' patrii Numi, errava muto
ove Arno è più deserto, i campi e il cielo
desioso mirando; e poi che nullo
vivente aspetto gli molcea la cura,
qui posava l'austero; e avea sul vólto
45 il pallor della morte e la speranza.
Con questi grandi abita eterno, e l'ossa
fremono amor di patria.

Da *Sepolcri*, v. 151-197

In collera con gli dèi della patria, vagava in silenzio dove l'Arno è più solitario, guardando, pieno di attesa, i campi e il cielo; e poiché nessun essere vivente consolava la sua pena, veniva a raccogliersi qui, severo, portando sul viso il pallore della morte e la speranza.

Divenuto immortale, egli ora abita con questi grandi e le sue ossa vibrano di amor di patria.

Il contesto
Nel 1804 Napoleone aveva vietato la presenza di cimiteri all'interno delle città e delle chiese, che spesso ospitavano le tombe di grandi personaggi della storia e della cultura. Già nel romanzo *Ultime lettere di Jacopo Ortis* Foscolo parla di una visita a Santa Croce, la chiesa fiorentina dove ci sono le tombe o i monumenti di grandi spiriti italiani "l'urne de' forti", attribuendo alle tombe un grande valore educativo.

1. Comprensione
Di' se queste affermazioni sono vere o false.

	vero	falso
a. Il poeta vaga di notte in un cimitero.	○	○
b. Egli evoca i grandi italiani del passato.	○	○
c. Fra questi grandi ci sono anche dei condottieri.	○	○
d. Dalle tombe il poeta trae grande forza spirituale.	○	○
e. Firenze non è solo bella per l'arte e il paesaggio.	○	○
f. Tutto è stato tolto all'Italia, anche la memoria.	○	○

2. Analisi
- Il testo non è certo di facile lettura, perché

○ **a.** è molto ricco di riferimenti storici,
○ **b.** il linguaggio è distante da quello di oggi,
○ **c.** la sintassi è molto complessa.

In quale ordine metteresti queste difficoltà?

- Come hai potuto notare, il poeta non nomina mai i grandi. Da che cosa li riconosciamo allora?
- Quale stato d'animo testimonia questa scelta di "occultamento" dei nomi e la conseguente complessità della sintassi?
- La critica moderna non riconosce all'opera di Machiavelli quello scopo educativo di cui parla il Foscolo; Petrarca non è stato il primo poeta a cantare l'amore ideale e Dante non era ghibellino. Foscolo riflette la cultura critica del suo tempo. Che importanza hanno secondo te questi "errori"? Motiva brevemente la tua risposta.

3. Riflessione
Il tema della memoria, anche se diversa da quella del Foscolo, è oggi sempre più attuale, soprattutto in relazione a eventi storici tragici. Che cosa significa per te la memoria? Quali strumenti possono sostenerla oggi?

Il Romanticismo italiano

1. La nascita del Romanticismo

Dopo il Neoclassicismo si afferma in Europa un grande movimento letterario e sociale, nato in Germania alla fine del Settecento: il Romanticismo. In Germania questa nuova cultura deriva dallo *Sturm und Drang*, "Impeto e assalto", movimento nato in aperta polemica con l'Illuminismo francese.

Questa corrente si è diffusa nei decenni successivi in tutta Europa, fino a diventare, durante la prima metà dell'Ottocento, un riferimento comune alla cultura europea, dalla poesia al romanzo, dalla musica alla filosofia, dalla pittura all'architettura. Il termine "romantico" deriva dal francese antico *romaunt*, ossia "racconto", "narrazione in lingua romanza" e indicava una letteratura di genere fantastico e avventuroso che suscitava nel lettore emozioni particolari, mentre in seguito la parola diventa sinonimo di "sentimentale".

2. Il rifiuto della Ragione

Dopo la caduta del mito della Ragione alla fine del Settecento, con il Romanticismo si assiste ad un rifiuto delle idee precedenti e alla ricerca di una sicurezza interiore che era perduta. L'uomo romantico vive il contrasto tra ideale e reale e di conseguenza il suo spirito si caratterizza per il suo pessimismo e individualismo, per il desiderio di libertà e affermazione dell'individuo rispetto alle regole della società.

La cultura romantica esalta, infatti, la spontaneità dei sentimenti, la libera creatività di ogni persona, ma allo stesso tempo scopre che l'uomo ha dei legami profondi con la società in cui vive, condivide sentimenti, cultura, i valori della tradizione e della nazione. Nasce in questo modo il concetto di nazione, il quale diventa quasi un valore religioso per la cultura del periodo. Il Romanticismo esalta anche i valori religiosi, negati prima dall'Illuminismo, ed in particolare quelli diffusi dal Cristianesimo.

Di conseguenza c'è una rivalutazione del Medioevo, periodo storico in cui c'è stata l'origine della civiltà moderna e cristiana e il formarsi delle diverse nazioni, nonché dell'identità linguistiche.

🔍 L'Italia dopo il Congresso di Vienna

Con il Congresso di Vienna (1815) inizia l'epoca della Restaurazione, cioè del ritorno alla situazione politica esistente prima della Rivoluzione Francese. Le conclusioni del Congresso di Vienna lasciano però molto scontento. In Italia la Restaurazione dei vecchi Stati porta a un rallentamento dello sviluppo civile e politico iniziato durante il periodo di Napoleone. I nobili tornano a governare e nell'Italia del Sud resta la struttura feudale del latifondo (grande proprietà agricola di un unico proprietario). Nell'Italia del Nord, in particolare nella Lombardia, tornata sotto il dominio austriaco, la borghesia è più forte e cerca di diffondere un risorgimento nazionale, ma con poco successo.

3. Il mito del poeta

Il Romanticismo considera l'arte e la poesia come la forma più complessa e totale di espressione dei sentimenti e della spiritualità: la poesia diventa la voce dell'anima, la confessione individuale.

Il poeta romantico esprime il valore dei sentimenti, i quali sono vissuti e analizzati in modo esagerato, e ricerca forme nuove di poesia per dare voce alla propria sensibilità. Le sue opere cercano la creatività e il sentimento e rifiutano le regole dei generi letterari tradizionali. La letteratura romantica deve essere viva e vera, deve mostrare l'animo del poeta, i valori di una società e le azioni eroiche del passato di un popolo.

La poesia di questo periodo, perciò, diversamente da quella classica destinata alle persone colte, è spesso ingenua e popolare, scritta per il popolo e in particolare per la borghesia, la nuova classe sociale attiva in quel periodo in politica e nella cultura.

4. Il Romanticismo in Italia

In Italia il Romanticismo non arriva agli eccessi di quello europeo e riflette le caratteristiche della situazione politica di quel tempo.

Le nuove idee romantiche arrivano in Italia grazie a **Madame De Staël**, colta donna francese che scrive l'articolo *Sulla maniera e l'utilità delle traduzioni* sulla rivista *Biblioteca Italiana*: questo scritto apre una polemica tra i letterati a favore del classicismo o del romanticismo.

All'inizio il Romanticismo italiano si diffonde soprattutto in Lombardia, regione in cui era più presente il desiderio di un "risorgimento nazionale" (cioè della rinascita della coscienza dell'Italia come nazione), e di un cambiamento della situazione politica per portare lo Stato all'unità.

5. La polemica classico-romantica

La polemica tra classicisti e romantici ha il merito di aver fatto chiarezza: i Romantici italiani sono favorevoli alle nuove idee, rifiutano l'imitazione dei classici, pongono come fondamentale il senso della storia ed il concetto di nazione e popolo.

Per questo motivo la letteratura del periodo ha un carattere realistico e popolare, c'è nei romantici italiani il desiderio di una poesia che mostri la concreta realtà storica e una lingua viva e parlata. La poesia, infatti, deve educare il popolo e formare una coscienza civile.

6. Il ruolo delle riviste

Nel Romanticismo italiano hanno molta importanza le riviste perché diventano i centri in cui nascono e si diffondono le nuove idee.

Le riviste hanno il compito di approfondire gli studi letterari, storici, scientifici e filosofici di quel periodo e di svolgere un'opera di educazione politico-sociale. Poeti, scrittori e pensatori italiani accolgono gli stimoli delle letterature straniere e, scrivendo nelle riviste letterarie del tempo, contribuiscono a diffondere la nuova cultura.

Le più importanti riviste di quel momento sono il *Conciliatore* di Milano e l'*Antologia* di Firenze. Il *Conciliatore* (1818 al 1819) cerca di conciliare le nuove idee con la tradizione e vuole stimolare lo sviluppo economico-sociale del paese. Scrivono per il *Conciliatore* molti intellettuali progressisti del periodo: **G. Berchet**, **E. Visconti** e **S. Pellico**, mentre **A. Manzoni** è partecipe, ma non collabora direttamente. La rivista ha grande successo, ma viene chiusa dopo soltanto un anno di attività a causa della censura austriaca.

L'*Antologia* di Firenze (1821 - 1833), vuole soprattutto diffondere la cultura e le principali opere delle letterature straniere contemporanee, perciò pubblica traduzioni e recensioni di autori stranieri (Byron, Stendhal, Scott, Hugo, ecc.) e una letteratura aperta ai problemi della società contemporanea.

In alto a sinistra: ritratto di Madame De Staël.

Pagina a sinistra in alto: una pagina della *Biblioteca Italiana*.

Pagina a sinistra in basso: l'Italia dopo la divisione operata dal Congresso di Vienna.

Giacomo Leopardi

1. La formazione iniziale

Giacomo Leopardi partecipa con interesse alle polemiche e alle discussioni letterarie del suo tempo. Il primo periodo della sua attività è caratterizzato da interessi per i classici, avendo studiato fin da bambino la lingua e letteratura latina e greca. Grazie allo studio dei grandi letterati antichi, Leopardi scopre il proprio mondo interiore e la sua vocazione di poeta e per questo motivo, all'inizio sostiene le ragioni del classicismo.

2. Il pessimismo di Leopardi

Dopo alcuni anni il poeta, sofferente per i dolori fisici e per il pericolo di diventare cieco, capisce che in quel momento storico non è possibile una poesia d'immaginazione come quella degli antichi, e che l'unica forma di poesia possibile per l'uomo moderno è quella di sentimento, in cui egli analizza il suo cuore e la sua condizione rispetto alla società e alla natura. La caratteristica principale della poesia di Leopardi è la visione pessimistica della vita: il poeta medita sulla propria infelicità e sul fatto che il dolore è l'unica realtà per tutti gli uomini, perché esistere significa lottare per sopravvivere.

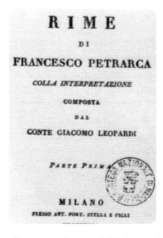

In un primo momento la natura gli sembra buona e vede la ragione, invece, come causa dell'infelicità dell'uomo perché gli permette di conoscere la realtà (fase del suo pensiero chiamata *pessimismo storico*). In un secondo tempo cambia le sue idee e afferma che la vera causa dell'infelicità è la natura, la quale è crudele e indifferente al destino dell'uomo, mentre la ragione aiuta gli uomini a prendere coscienza della loro situazione (*pessimismo cosmico*, ossia più profondo e universale).

3. Leopardi e il Romanticismo

Giacomo Leopardi è un poeta di grande e personale sensibilità romantica, continuamente diviso tra il sentimento e la ragione.
Non accetta, però, tutti i valori del Romanticismo: la sua poesia non è "popolare", non mostra un impegno sociale.
Leopardi non accetta inoltre di avvicinarsi al cattolicesimo come molti romantici e conserva una posizione laica e materialista. Del Romanticismo, però, accoglie in particolare il valore del sentimento e la poesia dell'indefinito e del ricordo.

L'arte romantica

Il Romanticismo considera l'arte come espressione assoluta dell'uomo, come dono divino, ed in particolare la pittura e la musica sono considerate arti pure, capaci di esprimere sentimento, religiosità e interiorità.
La pittura romantica vede un nuovo rapporto con la natura, intesa come luogo dell'esperienza spirituale di ogni uomo, ed è per questo motivo che i dipinti dell'Ottocento mostrano spesso paesaggi con colori caldi e generalmente scuri. Importanti pittori romantici italiani sono **Francesco Hayez** e **Antonio Fontanesi**.
Hayez (Venezia 1791- Milano 1882) inizia come neoclassico, ma poi lavora a Milano e viene a contatto con le nuove idee romantiche: i suoi dipinti hanno origine spesso da un tema storico inserito in un paesaggio reale.
Fontanesi (Reggio Emilia 1818 - Torino 1882) è l'unico pittore romantico italiano di livello europeo. La sua ispirazione è naturalistica, perciò spesso dipinge paesaggi con una luce calda e colori velati, mostrando così il suo romanticismo.

4. Il linguaggio

La poesia di Leopardi, nuova per i contenuti sentimentali e spirituali, è originale anche per il linguaggio. Infatti, a poco a poco il poeta matura un tipo di espressione che unisce la musicalità ad una grande chiarezza di immagini e forme.

Parole della tradizione letteraria sono usate in modo originale e avvicinate ad espressioni della lingua comune, mentre la metrica tradizionale è interpretata in modo nuovo e libero.

5. Gli *Idilli*

La parola *idillio* in greco antico significa piccola immagine, cioè quadretto che descrive un paesaggio o una scena di vita in campagna. Leopardi utilizza questo tipo di componimento perché è una forma di poesia più intima e personale, con la quale può esprimere più liberamente i propri sentimenti. Leopardi scrive i primi sei *Idilli* tra il 1819 e il 1821 dopo la prima crisi interiore: in queste poesie mostra una natura buona, con la quale si sente in sintonia, ma il protagonista è sempre il poeta in prima persona.

Tra il 1829 e il 1830 scrive invece i *Grandi Idilli*, poesie composte nel periodo più doloroso della sua vita, in cui compaiono i ricordi ed il pessimismo coinvolge non soltanto gli uomini, ma tutto il cosmo.

Qui il poeta scompare dietro il paesaggio indefinito, la poesia non è più autobiografica, ma è descrizione e contemplazione della natura.

6. Le ultime opere

Negli ultimi anni di vita, dopo il 1830, Leopardi è sempre più pessimista e scrive poesie che non sono più descrittive come gli *Idilli*, ma mostrano il linguaggio duro della ragione che contempla freddamente le cose e fa tacere il sentimento.

I canti che scrive in questo periodo (*Amore e morte*, *A se stesso*, ecc.) hanno come temi principali l'addio al ricordo e alle illusioni e la morte come liberazione dalle sofferenze. Nel 1835 scrive l'edizione definitiva delle *Operette Morali*, ventiquattro prose scritte tra il 1824 e il 1832.

Sono meditazioni filosofiche sull'infelicità dell'uomo in una forma originale, cioè dialoghi tra personaggi immaginari sul modello dei dialoghi greci di Luciano.

Giacomo Leopardi

Nato a Recanati nelle Marche nel 1798 da una famiglia nobile, la sua giovinezza non è felice a causa di problemi economici, dell'ambiente in cui cresce e della salute. Fin da giovane studia molto e si dedica soprattutto alla poesia, ma ha delle crisi interiori che lo portano a cercare nuove forme di espressione.

Nel 1819 ha una grande crisi che lo avvicina alle idee del Romanticismo e lo porta a scrivere le sue opere migliori. Cerca un lavoro e va a Roma nel 1822, poi negli anni successivi a Milano e a Firenze dove frequenta il gruppo dell'*Antologia* e conosce Manzoni.

Nel 1829 torna a Recanati per una malattia agli occhi che gli impedisce di leggere, ma è molto infelice ed elabora una concezione negativa della natura, molto pessimistica.

Nel 1834 va a Napoli ospite di un amico, e trascorre gli ultimi anni in modo indifferente e ostile alla vita.

Muore a 39 anni a Napoli, nel 1837. Le sue opere più importanti sono gli *Idilli*, una serie di componimenti filosofici chiamati *Operette morali*, lo *Zibaldone*, una raccolta di pensieri, osservazioni e note che permettono di ricostruire il suo pensiero interiore.

In alto: ritratto di Giacomo Leopardi.

In basso: la casa natale di Leopardi a Recanati.

Pagina a sinistra in alto: frontespizio delle *Rime* del Petrarca, interpretate da Leopardi.

Pagina a sinistra in centro: monumento a Recanati dedicato a Giacomo Leopardi.

Pagina a sinistra in basso: Francesco Hayez, *L'ultimo bacio dato da Giulietta a Romeo*, 1823.

T39 Giacomo Leopardi: L'infinito

Sempre caro mi fu quest'ermo colle,
e questa siepe, che da tanta parte
dell'ultimo orizzonte il guardo esclude.
Ma sedendo e mirando, interminati
5 spazi di là da quella, e sovrumani
silenzi, e profondissima quiete
io nel pensier mi fingo, ove per poco
il cor non si spaura. E come il vento
odo stormir tra queste piante, io quello
10 infinito silenzio a questa voce
vo comparando: e mi sovvien l'eterno,
e le morte stagioni, e la presente
e viva, e il suon di lei. Così tra questa
immensità s'annega il pensier mio:
15 e il naufragar m'è dolce in questo mare.

Ho sempre amato questa collina solitaria e questa siepe, che impedisce la vista di gran parte dell'orizzonte più lontano.

Mentre sto seduto e osservo, immagino spazi infiniti al di là della siepe, e silenzi che non sono di questo mondo, e sento una profonda pace, tanto che quasi mi spavento.

E quando sento il vento frusciare tra le piante, paragono questo suono a quel silenzio infinito: e mi si presenta alla mente l'eternità e il tempo passato e quello in cui viviamo e la sua voce.

E così il mio pensiero sprofonda in questa immensità e in questo mare è bello perdersi.

e 1. Comprensione
Quale di queste affermazioni è vera?

Il poeta

○ **a.** siede nella sua stanza.
○ **b.** passeggia meditando.
○ **c.** siede all'aperto e medita.

Davanti al passaggio

○ **a.** il poeta si commuove.
○ **b.** sviluppa pensieri profondi.
○ **c.** resta indifferente.

Il poeta

○ **a.** rimpiange un passato glorioso
○ **b.** si perde nell'immensità di spazio e tempo.
○ **c.** resta indifferente.

e 2. Analisi
- Quali sensi vengono attivati dall'esperienza sul colle?
- Sono tutte reali queste esperienze sensoriali? Su quale verso/quali versi si fonda la tua risposta?
- Se rileggi i sonetti di Alfieri e di Foscolo (T 34 e 36) ritrovi alcuni elementi comuni anche a questo testo: la solitudine, la presenza della natura e la riflessione. Alfieri e Foscolo si muovono in un ambiente immerso nell'oscurità. Perché il verso "io nel pensier mi fingo" può essere la chiave per capire la differenza fra quei due poeti e Leopardi?
- Spazio e tempo erano sempre state categorie ben definite. Che cosa le fa diventare qui così indefinite?

e 3. Riflessione
Senza alcun dubbio, nella sua brevità *L'infinito* è denso e compatto, noi però ti proponiamo un esercizio un po' strano ma interessante, specialmente se puoi confrontare i tuoi risultati con quelli di altri. Ti chiediamo di "salvare" una sola parola per ogni verso in modo tale che questa nuova "poesia" trasmetta le stesse sensazioni di fondo dell'idillio leopardiano.

T40 Giacomo Leopardi: Alla luna

O graziosa luna, io mi rammento
che, or volge l'anno, sovra questo colle
io venia pien d'angoscia a rimirarti:
e tu pendevi allor su quella selva
5 siccome or fai, che tutta la rischiari.
Ma nebuloso e tremulo dal pianto
che mi sorgea sul ciglio, alle mie luci
il tuo volto apparia, ché travagliosa
era la mia vita: ed è, né cangia stile,
10 o mia diletta luna. E pur mi giova
la ricordanza, e il noverar l'etate
del mio dolore. Oh come grato occorre
nel tempo giovanil, quando ancor lungo
la speme e breve ha la memoria il corso,
15 il rimembrar delle passate cose,
ancor che triste, e che l'affanno duri!

O bella luna, io mi ricordo che un anno fa venivo su questa collina a guardarti, pieno di angoscia: tu brillavi in cielo sopra quel bosco, proprio come fai ora, e lo illumini tutto.

Il tuo volto appariva ai miei occhi velato e tremante per il pianto che si raccoglieva sulle ciglia, perché la mia vita era tormentata: e lo è ancora e non cambia stile, o mia cara luna. Eppure mi piace ricordare e ripensare l'epoca del il mio dolore.

Oh, come è piacevole nell'età giovanile, quando la speranza è ancora grande e la memoria è breve, ricordarsi delle cose passate, anche se poi il ricordo è triste e il dolore continua.

---

e 1. Comprensione

Quale di queste affermazioni è vera?

La luna appare velata a causa

- ○ **a.** delle nuvole.
- ○ **b.** delle nebbie.
- ○ **c.** del pianto.

La vita del poeta piena di dolore

- ○ **a.** non è cambiata
- ○ **b.** cambierà presto.
- ○ **c.** è cambiata.

Ricordare il dolore è dolce

- ○ **a.** solo per un momento.
- ○ **b.** quando si è felici.
- ○ **c.** solo nella giovinezza.

e 2. Analisi

La notte lunare stimola il poeta a ricordare. Che cosa gli torna alla mente?

- Spiega brevemente con parole tue il significato dei versi "quando ancor lungo / la speme e breve ha la memoria il corso".
- Come sarebbero questi versi se, invece che della giovinezza, il poeta parlasse della vecchiaia?
- Come possiamo definire il rapporto tra il poeta e la luna?

- ○ **a.** ammirazione
- ○ **b.** amicizia
- ○ **c.** devozione
- ○ **d.** fascinazione
- ○ **e.** timore
- ○ **f.** ……………..

e 3. Riflessione

La presenza della luna è un elemento quasi costante in tutta la poesia romantica, ma anche la musica ne è percorsa. Pensiamo solo a Vincenzo Bellini che, negli stessi anni di Leopardi, compone la romanza "Vaga luna che inargenti" o, nell'opera *Norma*, l'invocazione della protagonista "Casta diva". A tuo giudizio, quale tipo di melodia e quale accompagnamento strumentale corrispondono al sentimento romantico per la luna?

T41 Giacomo Leopardi: A Silvia

Silvia, rimemebri ancora
quel tempo della tua vita mortale,
quando beltà splendea
negli occhi tuoi ridenti e fuggitivi,
5 e tu, lieta e pensosa, il limitare
di gioventù salivi?

Sonavan le quiete
stanze, e le vie d'intorno,
al tuo perpetuo canto,
10 allor, che all'opre femminili intenta
sedevi, assai contenta
di quel vago avvenir che in mente avei.
Era il maggio odoroso: e tu solevi
così menare il giorno.

15 Io gli studi leggiadri
talor lasciando e le sudate carte,
ove il tempo mio primo
e di me si spendea la miglior parte,
d'in su i veroni del paterno ostello
20 porgea gli orecchi al suon della tua voce,
ed alla mano veloce
che percorrea la faticosa tela.
Mirava il ciel sereno,
le vie dorate e gli orti,
25 e quinci il mar da lungi, e quindi il monte[1].

Lingua mortal non dice
quel ch'io sentiva in seno.
Che pensieri soavi,
che speranze, che cori, o Silvia mia!
30 Quale allor ci apparia
la vita umana e il fato!

Quando sovviemmi di cotanta speme,
un affetto mi preme
acerbo e sconsolato,
35 e tornami a doler di mia sventura.
O natura, o natura,
perché non rendi poi
quel che prometti allor? Perché di tanto
inganni i figli tuoi?

Silvia, ricordi ancora quel momento della tua vita destinata a morte prematura, quando la bellezza splendeva nei tuoi occhi gioiosi e timidi, e tu, felice e assorta nei tuoi pensieri, stavi per entrare nella giovinezza?

Le tranquille stanze e le vie attorno alla casa risuonavano del tuo canto ininterrotto, quando sedevi assorta nei lavori femminili felice di quel dolce futuro che ti immaginavi. Era il maggio pofumato: e tu eri solita trascrorrere così la giornata.

Io, interrompendo talvolta gli studii graditi ma anche faticosi, in cui si consumava la prima parte della mia vita e la mia parte migliore, dai balconi della casa paterna ascoltavo il suono della tua voce e quello che faceva la tua mano tessendo veloce la faticosa trama della tela. Contemplavo il cielo sereno, le strade dorate dal sole e gli orti, contemplavo da una parte il mare lontano, dall'altra la montagna.

Nessuno può esprimere quello che provavo dentro di me. Che dolci pensieri, che speranze, che sentimenti, o Silvia mia! Come ci apparivano belli e intensi allora la vita umana e il destino!

*Quando mi torna alla mente questa speranza tanto grande, mi opprime un sentimento doloroso e inconsolabile, e torno a soffrire per la mia sventura.
O natura, perché non mantieni in seguito le promesse fatte un tempo?
Perché inganni tanto i tuoi figli?*

---

1 Recanati sorge fra l'Adriatico e l'Appennino marchigiano.

40 Tu pria che l'erbe inaridisse il verno,
da chiuso morbo combattuta e vinta,
perivi, o tenerella. E non vedevi
il fior degli anni tuoi;
non ti molceva il core
45 la dolce lode or delle negre chiome,
or degli sguardi innamorati e schivi;
né teco le compagne ai dì festivi
ragionavan d'amore.

Anche perìa fra poco
50 la speranza mia dolce: agli anni miei
anche negaro i fati
la giovinezza. Ahi come,
come passata sei,
cara compagna dell'età mia nova,
55 mia lacrimata speme!
Questo è quel mondo? Questi
i diletti, l'amore, l'opre, gli eventi
onde cotanto ragionammo insieme?
Questa la sorte dell'umane genti?
60 All'apparir del vero
tu, misera, cadesti: e con la mano
la fredda morte ed una tomba ignuda
mostravi di lontano.

Tu, prima che l'inverno inaridisse i prati consumta e vinta da un male nascosto, sei morta, tenera creatura. E non hai visto il fiore dei tuoi anni; la lode rivolta ora ai tuoi neri capelli ora ai tuoi occhi innamorati e timidi non ti ha addolcito il cuore; e le tue amiche non hanno parlato con te delle cose d'amore durante i giorni festivi.

Anche la mia dolce speranza sarebbe morta di lì a poco: il destino negò anche ai miei anni la giovinezza.
Ahi come sei svanita, cara compagna della mia gioventù, mia speranza su cui ho versato lacrime!
Questo è dunque quel mondo tanto desiderato?
Questi sono le gioie, l'amore, le attività operose, gli avvenimenti di cui tanto abbiamo parlato insieme?
Questo è il destino degli uomini?
Al manifestarsi della realtà tu, povera, sei morta: e con la mano mostravi da lontano, la fredda morte e una tomba spoglia.

Il contesto
Nel 1818 Teresa Fattorini, figlia del cocchiere della famiglia Leopardi, muore giovanissima. Dieci anni dopo il poeta le dedica questa canzone in strofe libere chiamandola Silvia, come il personaggio di un'opera di Torquato Tasso.

1. Comprensione
- Il poeta cita due momenti dell'anno, maggio e l'inverno. Che cosa simboleggiano?
- Silvia, le amiche, il passaggio da un lato, le "sudate carte" dall'altro: dove si trova il poeta? Quale valore simbolico ha il suo guardare dai balconi della casa?
- Anche da un punto di vista acustico i due luoghi sono diversi. Perché?

2. Analisi
La struttura con versi di varia lunghezza e rima non costante crea secondo te

○ **a.** spontaneità   ○ **b.** musicalità   ○ **c.** poca chiarezza   ○ **d.** difficoltà linguistiche   ○ **e.** forzatura stilistica

- Osservando gli aggettivi notiamo molte coppie che a volte si integrano (v. 4: ridenti e fuggitivi) a volte sembrano contraddirsi (v. 15: leggiadri e v. 16: sudate). Cerca altri esempi e spiega il rapporto che li collega.
- La mano di Silvia corre veloce nel lavoro, una mano alla fine ……………………..……………………..……………..

3. Riflessione
Quale parallelo esiste fra il destino d Silvia e quello del poeta? Potremmo chiederci: Chi è più infelice? Silvia scomparsa prematuramente con i suoi sogni o il poeta? Motiva brevemente la tua risposta.

T42 Giacomo Leopardi: Canto notturno di un pastore errante dell'Asia

Che fai tu, luna, in ciel, dimmi che fai,
Silenziosa luna?
Sorgi la sera, e vai
Contemplando i deserti; indi ti posi.
5   Ancor non sei tu paga
Di riandare i sempiterni calli?
Ancor non prendi a schivo, ancor sei vaga
Di mirar queste valli?
Somiglia alla tua vita
10 La vita del pastore.
Sorge in sul primo albore,
Move la greggia oltre pel campo, e vede
Greggi, fontane ed erbe;
Poi stanco si riposa in su la sera:
15 Altro mai non ispera.
Dimmi, o luna: a che vale
Al pastor la sua vita,
La vostra vita a voi? dimmi ove tende
Questo vagar mio breve,
20 Il tuo corso immortale?

Vecchierel bianco, infermo,
Mezzo vestito e scalzo,
Con gravissimo fascio in su le spalle,
Per montagna e per valle,
25 Per sassi acuti, ed alta rena, e fratte,
Al vento, alla tempesta, e quando avvampa
L'ora, e quando poi gela,
Corre via, corre, anela,
Varca torrenti e stagni,
30 Cade, risorge, e più e più s'affretta,
Senza posa o ristoro,
Lacero, sanguinoso; infin ch'arriva
Colà dove la via
E dove il tanto affaticar fu volto:
35 Abisso orrido, immenso,
Ov'ei precipitando, il tutto obblia.
Vergine luna, tale
È la vita mortale.

Che cosa fai lassù in cielo, luna silenziosa, cosa fai?
Sorgi quando è sera e percorri il cielo guardando i deserti; poi tramonti. Non sei ancora stanca di rifare sempre lo stesso percorso?
Non ne hai ancora abbastanza, desideri ancora guardare queste valli?

La tua vita è simile a quella del pastore. Egli si alza alle prime luci dell'alba, spinge il suo gregge per il pascolo e vede altri greggi, sorgenti e prati erbosi; poi, stanco, verso sera si riposa: non ha mai altri desideri.

Dimmi, luna, che senso ha per il pastore la sua vita e per voi la vostra vita? dimmi qual è lo scopo di questo mio breve percorso senza meta, del tuo viaggio immortale?

Vecchio pallido e malato, vestito di stracci e scalzo, con un pesante carico sulle spalle, attraverso monti e valli, sassi aguzzi, luoghi pieni di sabbia, burroni, in mezzo al vento, alla tempesta, sia nella tremenda calura che poi nel gelo, fugge via, corre, ansima, cade, si rialza, corre sempre più forte, senza sosta o riposo, stracciato, sanguinante; finché giunge là dove erano dirette la via e la corsa faticosa: orribile, immenso abisso, precipitando nel quale dimentica tutto.
Luna immacolata, così è la vita mortale.

Il contesto
Il lungo componimento (143 versi) è del 1829/30 e trae ispirazione dalla lettura di un articolo pubblicato da una rivista francese nel 1826. Secondo il suo autore, i Kirghisi – nomadi dell'Asia Centrale – passavano spesso le notti seduti su una pietra a contemplare la luna, rivolgendole canti o versi malinconici.
Nella parte centrale, che qui manca, il poeta descrive con una certa invidia la vita e il destino del gregge, che non conosce desideri irrealizzabili, dimentica subito i dolori e ignora "il tedio", la noia, la disillusione, l'amarezza. E intanto la luna "solinga, eterna peregrina" guarda indifferente.

Nasce l'uomo a fatica,
40 Ed è rischio di morte il nascimento.
[…]
Forse s'avess' io l'ale
Da volar su le nubi
E noverar le stelle ad una ad una
O come il tuono errar di giogo in giogo,
45 Più felice sarei, dolce mia greggia,
Più felice sarei, candida luna.
O forse erra dal vero
Mirando all'altrui sorte, il mio pensiero:
Forse in qual forma, in quale
50 Stato che sia, dentro covile o culla,
È funesto a chi nasce il dì natale.

L'uomo nasce con fatica, e la nascita rappresenta un rischio mortale.
[…]
Forse se avessi le ali per poter volare sopra le nuvole e contare le stelle o, simile al tuono, potessi scorrere da un monte all'altro, forse sarei più felice, dolce mio gregge, sarei più felice, candida luna.
O forse, guardando il destino degli altri, il mio pensiero non coglie la verità:
in qualunque forma, in qualunque situazione, in una cuccia o in una culla, il giorno della nascita è infelice per chiunque venga al mondo.

---

1. Comprensione

Di' se queste affermazioni sono vere o false.

	vero	falso
a. Il pastore errante è il poeta stesso.	○	○
b. Egli canta la bellezza del paesaggio.	○	○
c. La contemplazione della natura è consolatoria.	○	○
d. La vita umana è solo affanno senza senso.	○	○
e. La tragedia dell'uomo inizia già con la nascita.	○	○

2. Analisi

- Sin dal primo verso il poeta pone alla luna delle domande. Perché non ottiene risposte? Ci sono ragioni di ordine oggettivo e altre di ordine filosofico. Quali sono?
....
....

- Nelle strofe riportate si alternano momenti di calma contemplativa e altri in cui il ritmo si fa veloce. Rileggi la seconda strofa (versi 21-38): qual è il ritmo dei versi? Perché non rimane immutato per tutta la strofa?
....
....

- Che cosa è l'abisso del verso 35? E come interpretare l'oblio finale? È un perdersi nel nulla oppure una riconciliazione con la vita passata o l'approdo in un mondo superiore?
....
....

- La figura del "vecchierel bianco, infermo" non è certo quella del povero, del diseredato plebeo. Chi è allora?
....
....

- Nell'ultima strofa il poeta si chiede se un volo sopra le nubi lo renderebbe più felice. Facciamo della fantascienza e con un'astronave mandiamo Leopardi sulla luna. Secondo te, sarebbe più felice?
....
....

3. Riflessione

- Perché la luce lunare ispira in genere pensieri malinconici e introspettivi?
- Nelle lingue neolatine *luna* è vocabolo femminile; in tedesco è maschile e un poeta tedesco del Settecento definisce l'astro "amico dei pensieri". Quale tradizione poetica intorno alla luna esiste nella tua cultura?

l'Ottocento

Alessandro Manzoni

1. Dall'Illuminismo alla fede

Nella sua giovinezza, Manzoni accetta le idee illuministiche grazie al contatto con il nonno materno, Cesare Beccaria e agli amici della rivista illuminista "Il Caffè", perciò le sue prime opere si rifanno al Neoclassicismo [vedi pag. 156]. Il suo grande impegno morale, però, lo allontana presto dal Neoclassicismo e lo prepara alla conversione al cattolicesimo (1810) dovuta all'influsso della moglie Enrichetta Blondel, molto religiosa. La conversione al cattolicesimo è per Manzoni una riconferma di quei valori spirituali, la libertà, l'uguaglianza, e la fratellanza tra gli uomini, che la Rivoluzione francese gli aveva insegnato e che sente come dovere religioso, prima che civile e sociale. Le sue convinzioni politiche e religiose lo portano ad un grande spirito di partecipazione alle sofferenze e alle speranze del popolo, dei cui sentimenti si fa interprete e portavoce.

2. Manzoni e il Romanticismo

Il Romanticismo di Alessandro Manzoni si ritrova soprattutto nel bisogno di capire e amare gli uomini, di mostrarne i loro dolori, gioie, desideri e delusioni. Con il popolo italiano condivide l'amore per la libertà e per l'indipendenza nazionale: infatti partecipa al dibattito sulla rivista *Il Conciliatore* e viene riconosciuto come principale rappresentante del movimento romantico milanese, ma non ama mettersi in evidenza.

Pensa quindi che l'arte e la letteratura devono essere popolari, vere storicamente e nazionali, devono mostrare impegno morale e civile e di conseguenza devono avere un linguaggio nuovo, che parli al cuore e alla coscienza del popolo.

3. Il problema della lingua

Manzoni s'interessa al problema della lingua in molti suoi scritti, fino agli ultimi anni della sua vita. Al linguaggio rigido e freddo dei classicisti oppone una lingua vera e parlata, quella della classe colta fiorentina.

Manzoni pensa che anche la lingua debba essere nazionale e contribuire all'unità dell'Italia, perciò essa deve essere basata sull'uso ed essere vicina alla realtà storico-sociale del momento.

4. Le tragedie e le odi politiche

Mentre in Italia si discutono le idee del Romanticismo, Manzoni accentua il suo interesse per gli aspetti della debolezza umana e inizia a comporre due tragedie, cercando di creare un nuovo modello di teatro, d'ispirazione storica, e alcune odi politiche.

Nel teatro Manzoni cerca il contatto con il pubblico e cerca di rinnovare contenuti e forme teatrali: nelle trage-

---

La Carboneria e Giuseppe Mazzini

Dopo il Congresso di Vienna nessuno poteva svolgere liberamente attività politica, diffondere le idee liberali e democratiche oppure chiedere l'indipendenza della patria. Per questo motivo molti politici si organizzano in società segrete, associazioni di persone che condividevano le stesse idee politiche. In Italia, una delle più famose società segrete nasce nel Regno di Napoli con il nome di **Carboneria**, chiamata così perché usava il linguaggio dei carbonari, cioè i venditori di carbone: gli iscritti, in gran parte borghesi e militari, lottavano in segreto per ottenere la costituzione e l'indipendenza nazionale.

Giuseppe Mazzini (Genova 1805 - Pisa 1872), inizia la sua attività politica come carbonaro, ma presto capisce che deve cambiare modalità di agire, rendere l'organizzazione delle società segrete più efficiente e con obiettivi chiari a tutti. Nel 1831 fonda, perciò, una nuova società chiamata **La Giovine Italia**, che ha come scopo l'unità della nazione, la sua indipendenza e la repubblica.

die inserisce dei cori come momento di meditazione morale, politica e religiosa sui fatti presentati sulla scena (famoso è il coro dell’*Adelchi,* 1822).

Nelle *Odi* il poeta cerca di conciliare l’impegno politico e la visione religiosa della storia. Nell’ode *Marzo 1821* in particolare, scritta per i moti carbonari di quell’anno, Manzoni esalta la libertà, dono di Dio, ma che l’uomo può conquistare solamente con il sacrificio personale. Nell’ode *Il cinque maggio,* ispirata alla morte di Napoleone, esalta la presenza divina nelle vicende storiche.

5. Il romanzo storico

Il romanzo storico nasce in Inghilterra all’inizio dell’Ottocento, continuando la tradizione del romanzo realistico russo del Settecento.

La narrazione è ambientata in epoche storiche del passato, soprattutto nel Medioevo, con il suo modello di società ideale, e per questo motivo diventa una forma caratteristica di letteratura del Romanticismo.

Le caratteristiche del romanzo storico sono la ricostruzione precisa dell’epoca storica, l’inserimento nei fatti realmente accaduti - veri protagonisti del romanzo - d’avvenimenti d’invenzione, mescolando personaggi reali a immaginari. Dal punto di vista stilistico il romanzo storico utilizza ampie descrizioni di paesaggi per fare da cornice alla storia, e materiale appartenente alle tradizioni di un popolo, ad esempio leggende, fiabe, proverbi, ecc.

6. *I Promessi sposi*

L’opera più famosa di Alessandro Manzoni è il romanzo *I promessi sposi*, in cui realizza pienamente le sue intenzioni: creare un romanzo storico-pedagogico, affidare il ruolo di protagonisti a personaggi del popolo e creare una lingua semplice, in grado di parlare ad un vasto pubblico.

Sullo sfondo di fatti storici del Seicento (dominazione spagnola, rivolte popolari in Lombardia, carestie e guerra dei Trent’anni), Manzoni inserisce una storia d’amore tra due ragazzi del popolo, Renzo e Lucia, amore ostacolato in tutti i modi da un uomo potente, il quale, alla fine, viene sconfitto.

Manzoni scrive tre versioni del romanzo prima di arrivare a quella definitiva del 1840-42, in cui ha operato una grande revisione linguistica.

Alessandro Manzoni

Nato a Milano nel 1785 da un nobile, vive nel vivace ambiente culturale milanese. Nel 1805 raggiunge la madre, Giulia Beccaria, a Parigi dove frequenta vari studiosi che lo aiutano a formarsi una coscienza storica. Nel 1808 sposa Enrichetta Blondel, calvinista molto religiosa, poi cattolica, che influenza il marito, tanto che nel 1810 Manzoni si converte al cattolicesimo. Da questa conversione nascono molte opere di carattere religioso, come ad esempio gli *Inni Sacri* (1815 - 22). A partire dal 1818 ha contatti con il gruppo del *Conciliatore* e si avvicina sempre più al Romanticismo.

Nel 1821 scrive la prima redazione del suo romanzo, *I promessi sposi*, ma non è soddisfatto e dopo alcuni anni va a Firenze per rivedere la parte linguistica dell’opera e togliere tutte le forme lombarde.

Scrive la forma definitiva solamente nel 1840 - 42. Trascorre gli ultimi anni della sua vita sul Lago Maggiore in Lombardia e viene nominato senatore a vita. Muore a Milano nel 1873.

In alto: ritratto di Alessandro Manzoni nel 1841.
In basso: illustrazione tratta da *I Promessi sposi* del Manzoni.
Pagina a sinistra in alto: ritratto di Manzoni ventenne.
Pagina a sinistra in basso: ritratto di Giuseppe Mazzini.

T43 Alessandro Manzoni: La madre di Cecilia

Scendeva dalla soglia d'uno di quegli usci, e veniva verso il convoglio[1], una donna, il cui aspetto annunziava una giovinezza avanzata, ma non trascorsa; e vi traspariva una bellezza velata e offuscata, ma non guasta, da una gran passione[2], e da un languor mortale: quella bellezza molle[3] a un tempo e maestosa, che brilla nel sangue lombardo. La sua andatura era affaticata, ma non cascante; gli occhi non davan lacrime, ma portavan segno d'averne sparse tante; c'era in quel dolore un non so che di pacato e di profondo, che attestava un'anima tutta consapevole e presente a sentirlo. Ma non era il solo suo aspetto che, tra tante miserie, la indicasse così particolarmente alla pietà, e ravvivasse per lei quel sentimento ormai stracco e ammortito ne' cuori. Portava essa in collo una bambina di forse nov'anni, morta; ma tutta ben accomodata[4], co' capelli divisi sulla fronte, con un vestito bianchissimo, come se quelle mani l'avessero adornata per una festa promessa da tanto tempo, e data per premio. Né la teneva a giacere, ma sorretta, a sedere sur[5] un braccio, col petto appoggiato al petto, come se fosse stata viva; se non che una manina bianca a guisa di cera spenzolava da una parte, con una certa inanimata gravezza[6], e il capo posava sull'omero della madre, con un abbandono più forte del sonno: della madre, che, se anche la somiglianza de' volti non n'avesse fatto fede, l'avrebbe detto chiaramente quello de' due ch'esprimeva ancora un sentimento.

Un turpe monatto[7] andò per levarle la bambina dalle braccia, con una specie però d'insolito rispetto, con un'esitazione involontaria. Ma quella, tirandosi indietro, senza però mostrare sdegno né disprezzo, «no!» disse: «non me la toccate per ora; devo metterla io su quel carro: prendete». Così dicendo, aprì una mano, fece vedere una borsa, e la lasciò cadere in quella che il monatto le tese. Poi continuò: «promettetemi di non levarle un filo d'intorno[8], né di lasciar che altri ardisca di farlo e di metterla sotto terra così».

Il monatto si mise una mano al petto[9]; e poi, tutto premuroso, e quasi ossequioso, più per il nuovo sentimento da cui era come soggiogato[10], che per l'inaspettata ricompensa, s'affaccendò a far un po' di posto sul carro per la morticina. La madre, dato a questa un bacio in fronte, la mise lì come sur un letto, le stese sopra un panno bianco, e disse l'ultime parole: «addio, Cecilia! riposa in pace! Stasera verremo anche noi, per restar sempre insieme. Prega intanto per noi; ch'io pregherò per tè e per gli altri». Poi voltatasi di nuovo al monatto, «voi», disse, «passando di qui verso sera, salirete a prendere anche me, e non me sola». (…)

E che altro potè fare, se non posar sul letto l'unica che le rimaneva, e mettersele accanto per morire insieme? come il fiore già rigoglioso sullo stelo cade insieme col fiorellino ancora in boccio, al passar della falce che pareggia[11] tutte l'erbe del prato.

Da *I promessi sposi,* cap. XXXIV

---

1 Il carro che trasporta i morti.

2 sentimento intenso.

3 dolce.

4 curata.

5 sopra.

6 pesantezza.

7 becchino che raccoglieva gli appestati, "turpe" perché miserabile e odiato per la sua funzione.

8 toglierle nulla di ciò che ha addosso.

9 gesto di promessa.

10 vinto.

11 rende tutto uguale.

Il contesto

Malgrado la peste scoppiata a Milano, Renzo ritorna per cercare Lucia e assiste a questa scena.

1. Comprensione

- Quale rapporto esiste fra i tre personaggi descritti nel brano?

2. Analisi

- Perché secondo te, la madre resta anonima?
- La madre viene descritta per aggiunte progressive e in parte contrapposte. Questa tecnica suggerisce

○ emozione immediata   ○ un certo distacco   ○ disagio   ○ profonda partecipazione   ○ sdegno

Motiva brevemente la tua scelta.

- Il monatto: di lui Manzoni dà pochi elementi, ma riesce a descriverne un cammino interiore.
Raccogli e valuta gli elementi più significativi.

3. Riflessione

- Lo sfondo della scena è la città devastata dalla peste e da episodi di egoismo e cattiveria. Che ruolo svolge questa scena al di là della compassione per la madre? Cosa dimostrano i gesti di lei e la reazione del "turpe" monatto?
- Come si inserisce in questa riflessione la similitudine che chiude il brano?

44 Alessandro Manzoni: L'assalto al forno delle grucce[1]

Nella strada chiamata la Corsia de' Servi, c'era, e c'è tutta-via[2] un forno, che conserva lo stesso nome; nome che in toscano viene a dire[3] il forno delle grucce. A quella parte s'avventò[4] la gente. Quelli della bottega stavano interro-gando il garzone tornato scarico, il quale, tutto sbigottito e abbaruffato[5], riferiva balbettando la sua trista avventura; quando si sente un calpestio e un urlio insieme; cresce e s'avvicina; compariscono i forieri[6] della masnada[7]. Serra, serra; presto, presto: uno corre a chiedere aiuto al capitano di giustizia; gli altri chiudono in fretta la bottega, e appun-tellano i battenti. La gente comincia a affollarsi di fuori, e a gridare: "Pane! pane! aprite! aprite!". Poco dopo, arriva il capitano di giustizia, in mezzo a un drappello d'alabardieri[8]. "Largo, largo, figlioli: a casa, a casa; fate luogo al capitano di giustizia", grida lui e gli alabardieri.

La gente, che non era ancor troppo fitta, fa un po' di luogo; dimodoché quelli poterono arrivare, e postarsi[9], insieme, se non in ordine, davanti alla porta della bottega.

"Ma figlioli", predicava di lì il capitano, "che fate qui? A casa, a casa. Dov'è il timor di Dio? Che dirà il re nostro signore? Non vogliam farvi male; ma andate a casa.

Da bravi! Che diamine volete far qui, così ammontati[10]? Niente di bene, né per l'anima, né per il corpo.

A casa, a casa". Ma quelli che vedevan la faccia del dicitore[11], e sentivan le sue parole, quand'anche avessero voluto ubbidire, dite un poco in che maniera avrebber potu-to, spinti com'erano, e incalzati da quelli di dietro, spinti anch'essi da altri, come flutti[12] da flutti, via via fino al-l'estremità della folla, che andava sempre crescendo.

Al capitano, cominciava a mancargli il respiro. "Fateli dare addietro[13] ch'io possa riprender fiato", diceva agli alabar-dieri, "ma non fate male a nessuno. Vediamo d'entrare in bottega: picchiate; fateli stare indietro".

"Indietro! Indietro!" gridano gli alabardieri, buttandosi tutti insieme addosso ai primi, e respingendoli con l'aste dell'alabarde.

Quelli urlano, si tirano indietro, come possono; danno con le schiene ne' petti, co' gomiti nelle pance, co' calcagni sul-le punte de' piedi a quelli che son dietro a loro: si fa un pi-gio[14], una calca, che quelli che si trovano in mezzo, avrebbero pagato qualcosa a essere altrove.

Da *I promessi sposi,* cap. XII

---

1 Stampelle, in milanese *scanc',* collegato al nome Scansi, proprietari del forno.

2 Ancora (ai tempi di Manzoni).

3 Significa.

4 Si scagliò, andò con forza.

5 Come chi ha litigato.

6 Chi preannuncia.

7 Persone rumorose.

8 Gruppo di guardie armate di alabarda, spe-cie di asta con punta di ferro e scure.

9 Prendere posto.

10 Ammucchiati.

11 Parlatore.

12 Onde.

13 Andare indietro.

14 Affollamento caotico.

Il contesto
Arrivato a Milano, Renzo si ritrova per caso in mezzo ad una rivolta del popolo affamato che chiede pane, a causa della carestia dovuta al malgoverno spagnolo.

e 1. Comprensione
Di' se queste affermazioni sono vere o false.

- Correggi le affermazioni non vere presenti in questa sintesi:
  "La folla affamata si dirige con calma verso il forno chiedendo pane. Il capitano di giustizia cerca di convincere i ma-nifestanti a tornarsene a casa e ci riesce poiché quelli più vicini a lui, ascoltando le sue parole, tornano indietro, se-guiti un po' alla volta da tutti".

e 2. Analisi
- Come definisci la figura retorica "come flutti da flutti"?
- Perché l'autore sceglie proprio questa espressione e quale sensazione vuole suggerire?

e 3. Riflessione
- L'attualità ci mette spesso a confronto con folle manifestanti. Quale effetto produce in genere la folla sull'individuo che si trova dentro?

l'Ottocento

La letteratura del Risorgimento

1. Romanticismo e Risorgimento

La storia letteraria italiana della prima metà dell'Ottocento riflette gli aspetti caratterizzanti della situazione sociale e politica di quegli anni.

Questo stretto legame tra Romanticismo e Risorgimento permette di definire l'ideale della nuova letteratura: deve essere nazional-popolare, risorgimentale, storica, borghese. La tensione civile e morale dei primi decenni dell'Ottocento produce una letteratura di chiara ispirazione patriottica e riflette l'ideologia delle due correnti politiche del tempo, i moderati e i democratici. Il Risorgimento influisce sulla letteratura non soltanto per temi e caratteri, ma perché determina anche alcuni tratti formali: si fissano le caratteristiche di alcuni generi tipici del nuovo movimento, come il romanzo e il dramma storico, la poesia patriottica, i libri di memorie, la "ballata" storica. Il clima dei moti, dal 1820-21 al 1848, rivive nella letteratura risorgimentale nei temi della denuncia dell'oppressione, del desiderio di libertà, della delusione e della speranza, della nostalgia della patria lontana e del ricordo delle sofferenze sopportate nelle carceri politiche.

2. La poesia patriottica

La poesia patriottica del Risorgimento intende suscitare amore e spirito di lotta per la patria, l'odio per il dominatore straniero, il desiderio di indipendenza e di unità nazionale. Questo immediato entusiasmo si esprime attraverso un linguaggio facile e musicale, molto vicino al parlato. Tra gli autori di questo genere, una figura di rilievo è **Giovanni Berchet** (Milano 1783 - Torino 1851), il primo e maggiore lirico patriottico. Scrive per il "*Conciliatore*" come teorico del Romanticismo, ma è costretto all'esilio dopo i moti del 1821. Le sue opere hanno lo scopo di fare propaganda patriottica e civile, esprimendo, nelle sue liriche, temi come la malinconia, il dolore dell'esilio, l'amore per la patria e il desiderio di libertà. **Goffredo Mameli** (Genova 1827- Roma 1849), morto per una ferita alla gamba nella difesa di Roma, ha un concetto "attivo" della poesia che deve interpretare l'animo del popolo. È autore della canzone *Fratelli d'Italia*, viva già in tutto il Risorgimento, oggi inno nazionale italiano (musica di Michele Novaro). Molte composizioni di autori risorgimentali sono anche oggi nella memoria degli italiani come un patrimonio comune di emozioni. Anche se questa produzione non raggiunge alti livelli artistici, è però specchio fedele di un sentimento eroico e di un entusiasmo sincero e ha un posto importante nella storia del costume italiano.

3. Gli scrittori autobiografici: Silvio Pellico

Durante il Risorgimento ha fortuna la letteratura autobiografica di carattere politico-patriottico. Questo genere

---

🔍 Giuseppe Garibaldi e i Mille

Giuseppe Garibaldi (Nizza 1807- Caprera 1882) ha una vita molto avventurosa. Condivide le idee di Mazzini e lotta per l'unità e l'indipendenza dell'Italia. Partecipa ai moti del 1834 in Piemonte, viene arrestato e si rifugia in America latina dove combatte per l'indipendenza dei paesi sudamericani. Tornato in Italia nel 1848, prende parte alla Prima guerra d'Indipendenza, ma deve fuggire ancora dal Paese. Nel 1854 torna definitivamente e partecipa come generale alla Seconda guerra d'Indipendenza. Nel 1860 organizza la **Spedizione dei Mille**, chiamata così perché con circa mille volontari (chiamati anche garibaldini) parte da Quarto, vicino a Genova, su due navi a vapore, sbarca a Marsala (Sicilia) e risale la penisola italiana arrivando vittorioso a Napoli. L'esercito piemontese allora si dirige verso sud con lo scopo di riunificare l'Italia: Garibaldi incontra Vittorio Emanuele II a Teano, vicino a Caserta in Campania, e gli consegna i territori da lui conquistati.
Garibaldi muore nell'isola di Caprera, dove si era ritirato, nel 1882.

corrisponde al gusto romantico per l'autobiografismo e propone modelli esemplari di comportamento, provocando la commossa partecipazione dei lettori.

L'autore di memorie più conosciuto è **Silvio Pellico** (1789-1854).

Caporedattore della rivista *Il Conciliatore*, fa parte della Carboneria e per questo motivo è arrestato dagli austriaci. Resta quindici anni in prigione nella fortezza dello Spielberg in Moravia, e, tornato in Piemonte, scrive il libro di memorie *Le mie prigioni* nel 1832, opera molto conosciuta in quel periodo e che descrive gli anni trascorsi in carcere. È un libro semplice, che non condanna mai apertamente gli austriaci, ma che è molto vivo per le descrizioni dei personaggi che compaiono e per l'umanità con cui l'autore guarda il mondo e se stesso.

4. Scritti storici e politici

Nel pensiero storico e politico del Risorgimento si individuano due tendenze, una di tipo cattolico-liberale, la seconda di ispirazione laica e democratica. La prima corrente sostiene la necessità di considerare la Chiesa come centro del processo di sviluppo civile e politico, come era già avvenuto nel Medioevo.

Di questa corrente fa parte **Vincenzo Gioberti** (1801-1851), sacerdote piemontese il quale propone nella sua opera *Primato morale e civile degl'Italiani* (1843) la nascita di uno Stato costituito da una confederazione di Stati italiani guidati dal Papa, ma dopo il fallimento della rivoluzione del 1848, nel suo libro *Rinnovamento d'Italia*, vede nel Piemonte l'unico Stato capace di condurre l'Italia all'indipendenza e all'unità.

La seconda corrente, invece, auspica una rinascita dell'Italia per iniziativa popolare e vuole raggiungere l'indipendenza con metodi rivoluzionari. Tra gli autori democratici, **Giuseppe Mazzini** (Genova 1805-Pisa 1872) è la figura più interessante. Non è solo un politico (*Dei doveri*

dell'uomo, 1861), ma scrive anche saggi letterari (*D'una letteratura europea*) in cui afferma che il suo ideale è una letteratura che diventi guida e coscienza della propria società.

5. Ippolito Nievo

Ippolito Nievo (Padova 1831 - Mar Tirreno 1861), vicino alle idee di Mazzini, partecipa a varie cospirazioni e rivoluzioni di quegli anni, alla Spedizione dei Mille di Garibaldi e muore nel naufragio della nave che lo portava a Napoli nel 1861.

La sua attività di letterato è molto intensa e il suo capolavoro è il romanzo *Le confessioni di un italiano*, pubblicato nel 1867 dopo la sua morte.

Nell'opera, che fu assai famosa nell'Ottocento, Ippolito Nievo racconta la vita di un uomo anziano, Carlo Altoviti, dalla sua fanciullezza fino alla rivoluzione del 1848, mescolando i fatti privati del protagonista con eventi fondamentali della storia risorgimentale italiana.

L'autore intende mostrare come gli italiani in pochi decenni si siano lentamente aperti alle idee di libertà e abbiano conquistato con le lotte e i sacrifici l'indipendenza, uno sviluppo e una maturazione civile e politica nuova.

In alto: ritratto di Vincenzo Gioberti.

A mezza pagina: ritratto di Silvio Pellico.

In basso: ritratto di Ippolito Nievo.

Pagina a sinistra in alto: ritratto di Goffredo Mameli.

Pagina a sinistra in basso: Garibaldi e i Mille in azione.

*l'*Ottocento

Il Verismo

1. Origine del movimento

Il Verismo è il movimento più significativo della cultura italiana di fine secolo. Come la Scapigliatura (cfr. p. 184), esso si sviluppa in ambiente milanese, ma gli scrittori veristi sono soprattutto di origine meridionale e descrivono la vita difficile della gente del Sud.

Il Verismo risente dell'influenza del realismo narrativo inglese e russo, ma ancor più del romanzo naturalista francese. All'interno dell'esperienza italiana esso è legato al Romanticismo realista di Manzoni e alla Scapigliatura.

Due situazioni storico-culturali influenzano in particolare il movimento: il diffondersi delle dottrine positiviste e la questione sociale italiana.

2. Il positivismo

Il Verismo viene influenzato dal determinismo positivista, dal momento storico e dell'ambiente sociale. Come altre realtà anche l'uomo può essere analizzato scientificamente. Anche gli aspetti psicologici, il vizio o la virtù sono osservabili attraverso la lente di ingrandimento del narratore e in tal modo analizzabili e conoscibili. L'opera d'arte, quindi, deve studiare l'uomo con i metodi delle scienze naturali e sociali. Gli aspetti negativi e positivi della realtà umana, devono essere sottoposti ad uno studio scientifico rigoroso e non fantasioso. Il romanzo è il genere letterario più adatto a questo studio. Il romanzo verista è sempre di argomento contemporaneo. L'ambiente è spesso ristretto e regionale. Vi sono descrizioni molto precise di situazioni naturali e umane. I personaggi sono osservati per mezzo di metodi psicologici non generici, ma fondati su presupposti scientifici. Lo scrittore cerca "l'impersonalità" dell'opera letteraria.

Il suo punto di vista non deve prevalere, bisogna lasciar parlare le cose e le persone. Per l'autore verista è importante scomparire dal testo, ossia rispettare la realtà descritta e non elevarla al livello di alta letteratura.

3. La questione della lingua

Il Verismo si pone il problema della lingua. Gli scrittori ricercano lo stile linguistico più adatto per rappresentare questa nuova realtà sociale il più fedelmente possibile. Il linguaggio è vicino alla lingua parlata e vengono usati spesso termini dialettali. Verga, ad esempio, utilizza nelle sue opere un italiano arricchito delle espressioni dialettali della sua nativa Sicilia, cercando di riproporre il vero linguaggio parlato dagli uomini del suo tempo.

4. La questione sociale

Il Verismo esprime la delusione per il parziale fallimento delle speranze suscitate dall'unificazione della penisola:

🔍 Il Regno d'Italia

Il 17 marzo 1861 il Parlamento di Torino proclama Vittorio Emanuele II primo re del Regno d'Italia. In questo momento l'Italia è una, come voleva Mazzini, non è federale, ed è monarchica, come volevano i borghesi, ma all'unità della nazione mancano ancora il Veneto, sotto il dominio austriaco, e Roma, governata dal Papa. Per completare l'unità, l'Italia nel 1866 si allea alla Prussia e inizia la Terza Guerra d'Indipendenza per combattere l'Austria e ottenere il Veneto, come avviene dopo qualche mese. Intanto i rapporti tra la Chiesa cattolica e lo Stato italiano, dopo l'unificazione della penisola, sono molto tesi perché il governo vuole Roma come capitale della nazione, mentre il Papa non vuole rinunciare al possesso della città.

Il 20 settembre 1870 l'esercito italiano entra a Roma con la forza e nel 1871 la città diventa la nuova capitale d'Italia.

la classe dirigente si dimostra infatti incapace di risolvere il conflitto tra Nord e Sud e di migliorare le condizioni di miseria e di arretratezza di molta parte d'Italia.

Il Verismo sottolinea allora i sentimenti più sfiduciati, scettici e pessimistici, senza però un atteggiamento polemico o satirico. Ai veristi interessano i vinti, gli sconfitti, coloro che lottano duramente per la sopravvivenza e che accettano la sorte con rassegnazione. Verga e gli altri veristi hanno una visione pessimista della vita. Essi non credono nella provvidenza e Dio è assente dai loro racconti, così come non credono nel progresso sociale e nella possibilità del cambiamento.

5. Scrittori veristi

Il narratore verista più importante è il siciliano **Giovanni Verga** (vedi pag. 180). Egli rimase fedele alla poetica verista, mentre gli altri scrittori ad un certo momento rinnegarono, almeno in parte, i suoi canoni.

Luigi Capuana (1839-1915), anch'egli siciliano, è famoso soprattutto per il romanzo *Il Marchese di Roccaverdina*, opera in cui l'autore è attento soprattutto all'aspetto eccezionale della vicenda piuttosto che ad una fine analisi psicologica dei personaggi. **Federico De Roberto** (1861-1927), rappresentante anch'egli del Verismo siciliano, è noto soprattutto per *I Vicerè*, storia di una potente famiglia siciliana. L'opera è un vasto quadro del Risorgimento italiano, trattato però in modo scettico e pessimista.

De Roberto non ha fiducia nella democrazia, non crede nei miti romantici dell'amore e della passione, disprezza il popolo e la politica. La sua opera è un ritratto amaro delle vicende storiche del suo tempo.

Matilde Serao (1856-1927) è rappresentante del Verismo napoletano. In particolare è autrice di romanzi d'interesse sociale, con protagonisti poveri e umili (*Giacomino o la morte*, *La virtù di Checchina*). Meritano, inoltre, di essere citati due libri noti ad un vastissimo pubblico in Italia fino ai nostri giorni.

Si tratta di *Cuore*, di **Edmondo De Amicis** (1846-1908), scritto nel 1886 e di *Pinocchio*, di **Carlo Collodi**, pubblicato nel 1883. Il primo è il diario di un anno in una scuola elementare torinese poco dopo l'unità d'Italia. Il libro, di carattere edificante, vuole educare all'amore per la patria, al lavoro, al sacrificio, al rispetto degli altri al di là della classe sociale, all'apprezzamento delle fatiche degli umili. Il libro ha educato generazioni intere di ragazzi perché letto anche nelle scuole fino a pochi decenni fa.

È stato così popolare che è stato coniato il termine "deamicisiano" per indicare un atteggiamento sdolcinato e sentimentale. L'altro libro entrato nel patrimonio culturale di tutti gli italiani, ma anche di molti stranieri (è stato tradotto in molte lingue) è *Pinocchio*.

L'autore è **Carlo Lorenzini**, detto **Collodi**, scrittore tanto prolifico quanto modesto. Pinocchio è un burattino che dopo varie avventure diventa un ragazzo vero. Conosce personaggi fantastici come il Gatto e la Volpe e si comporta come un monello che ha però buon cuore. Alla fine imparerà a dedicarsi ad un lavoro e si preoccuperà del vecchio padre, diventando insomma un buon figlio e un buon cittadino.

Il Verismo conosce i suoi migliori risultati nella produzione di romanzi e novelle, ma al suo interno fiorisce anche una seppur minore produzione poetica e teatrale.

Salvatore Di Giacomo (Napoli 1860-1934) è uno dei poeti più vivi del suo tempo. Nelle sue opere egli descrive scene di ospedale, di ospizio, di prigione, di vagabondi e donne appassionate in un'atmosfera inizialmente sentimentale, ma che nel corso degli anni diventa più raffinata e profonda.

Tra gli autori di teatro quelli che più hanno incontrato il gusto del pubblico sono **Giuseppe Giacosa** (1847-1906) e il veneziano **Giacinto Gallina** (1852-1897).

Il primo combina l'idealismo romantico alle esigenze realistiche dei tempi nuovi; tra le sue opere migliori ricordiamo *La contessa di Challant*. Il secondo si colloca nell'ambito della tradizione goldoniana. Un altro scrittore di teatro merita di essere citato soprattutto per la sua grande capacità di analisi psicologica: è il milanese **Marco Praga** (1862-1929), la cui opera più riuscita è *La moglie ideale*.

In alto: ritratto di Luigi Capuana.

Pagina a sinistra in alto: ritratto di Giovanni Verga e Federico De Roberto.

Pagina a sinistra in basso: la presa di Porta Pia: l'esercito italiano conquista Roma.

Giovanni Verga

1. La prima fase verghiana

Nella produzione artistica del Verga si distinguono due fasi.

Nella prima fase egli parla dell'alta società e degli ambienti artistici (*Una peccatrice*, del 1866; *Storie di una capinera*, del '69; *Eva*, del '73).

Vi compaiono elementi autobiografici e si nota il desiderio di denunciare i difetti della società contemporanea, specie delle classi alte. Sono già personaggi "vinti", come lo saranno i protagonisti dei grandi romanzi della seconda fase, ma appartengono all'alta società: vi si incontra la giovane di buona famiglia costretta a diventare suora, l'artista che non riesce ad avere successo, l'amante rifiutato che sceglie il suicidio.

2. La seconda fase

Nel 1884 inizia la fase propriamente verista con *Nedda*, in cui racconta la storia di una povera contadina vittima della miseria.

Sembra che Verga sia stanco del mondo frivolo dei primi racconti e preferisca personaggi che lottano duramente per sopravvivere. Per un certo tempo scrive ancora romanzi mondani, ma l'interesse si è già spostato verso le classi più umili.

Nel 1880 scrive il ciclo di novelle *Vita dei campi*, nel 1881 *I Malavoglia*, nel 1893 *Mastro don Gesualdo* e *Novelle rusticane*. Queste opere sono ambientate tutte nella Sicilia che Verga conosceva e i protagonisti sono contadini, pastori, pescatori.

I Malavoglia, insieme a *Mastro don Gesualdo*, fa parte di una raccolta di cinque romanzi intitolata *I vinti*. *I Malavoglia* è la storia di una famiglia che lotta per uscire dalla miseria. È un romanzo di un gruppo più che di singoli individui. Contano la tradizione, il lavoro, il culto della casa. Molto importante è il valore della famiglia.

Mastro don Gesualdo rappresenta la lotta del protagonista che supera la miseria, ma non riesce a migliorare la sua posizione sociale. È anch'egli uno sconfitto.

🔍 Il Sud nell'800

Quando avvenne l'unificazione d'Italia si pose la cosiddetta "questione meridionale", cioè il problema della povertà, dell'analfabetismo e del brigantaggio meridionale. Povertà ed analfabetismo erano naturalmente problemi anche del Nord, ma al Sud erano particolarmente gravi. Sia i centri urbani che le campagne ospitavano una popolazione molto povera. Nelle campagne i latifondisti costringevano i contadini ad una vita misera. Nel 1799 era esplosa un'insurrezione contadina alimentata dagli ideali giacobini e il brigantaggio, che si sviluppa in tutto l'Ottocento, esprimeva il grande disagio per la mancata riforma agraria. La mafia nasce in questo periodo.

Con il termine "mafia" in origine si intendeva l'esercito di briganti impiegati dai proprietari terrieri per proteggere le loro terre. Nel corso del 1800 questi briganti divennero così potenti, da imporre la loro volontà ai proprietari terrieri esigendo diritti e soldi in cambio del controllo della terra. Verso il 1900 le "famiglie" mafiose erano tanto influenti nel Sud da controllare quasi ogni attività economica nel loro territorio. Dopo l'unificazione d'Italia, nel 1863 fu votata la legge Pica che dichiarò lo stato di guerra nel Sud e affidò a tribunali militari i processi per brigantaggio. La guerra fra bande non risolse il problema del disagio dei contadini, anzi confermò il dominio dei proprietari terrieri. Dopo l'unità d'Italia, Pasquale Villari, Sidney Sonnino, Giustino Fortunato ed altri, costituirono il gruppo dei cosiddetti "meridionalisti" allo scopo di dedicarsi ai problemi e alle sorti del Sud. Vi furono però anche intellettuali, come Alfredo Niceforo, che spiegarono la "questione meridionale" in termini razzisti, alimentando ostilità e pregiudizi tuttora a volte ancora percepibili.

3. L'ideologia di Verga

Vi è in Verga un grande rispetto per la serietà e i valori degli umili. Egli non osserva più i poveri con paternalismo, ma ne riconosce la forza e la dignità. Verga ha una visione molto pessimistica della vita: non crede in Dio o

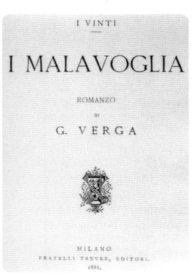

nella Provvidenza e non è un socialista che lotta per un cambiamento sociale. Egli è il poeta dei vinti, di chi non ce la fa e accetta il destino con rassegnazione.

Positivo è il rifiuto del sentimentalismo e del paternalismo con cui in passato si guardava agli umili. Positiva è la scoperta della dignità dei poveri. Negativo è invece il suo atteggiamento rassegnato e conservatore.

4. L'arte e la lingua

Verga accetta le linee generali del Naturalismo francese. Non è attento tanto all'analisi psicologica dei personaggi, quanto alle loro azioni e all'ambiente.
Egli riteneva che il romanzo dovesse trattare di tutta la società, delle classi più basse, ma anche di quelle più agiate. Verga accetta il principio dell'impersonalità dell'opera d'arte. Si deve avere l'impressione di un romanzo che si sia fatto da sé; l'autore non deve rivelarsi nell'opera. La scelta del linguaggio è stata il problema più grave per i veristi.

I naturalisti francesi avevano un pubblico nazionale omogeneo. La società italiana, invece, non parlava una lingua nazionale, bensì dialetti regionali. Per questo la soluzione rivoluzionaria del Verga fu quella di scrivere le sue opere in un italiano arricchito di espressioni dialettali che fedelmente rappresentavano la realtà dei personaggi, che poteva essere letto anche fuori della Sicilia e che non rivelava la personalità del narratore. Verga ebbe un successo immediato, divenne presto un classico e i suoi romanzi furono adottati nelle scuole come testi di lettura.

Giovanni Verga

Nasce a Catania nel 1840. Trascorre i primi anni in Sicilia scrivendo per giornali locali e componendo i primi romanzi storici come *I carbonari della montagna* o *Amore e patria*. Tra il 1865 e il 1871 vive a Milano, dove matura l'esperienza della Scapigliatura, l'ambiente letterario più vivo del tempo (cfr. pag. 184). Scrive in pochi anni tra il 1880 e il 1894 quasi tutti i suoi capolavori tra cui in particolare *I Malavoglia* e *Mastro don Gesualdo*. Più tardi, inariditasi la sua vena poetica, Verga deciderà di ritirarsi a Catania dove morirà molti anni dopo, nel 1922.

In alto a sinistra: frontespizio della prima edizione de *I Malavoglia*.

In alto a destra: ritratto di Giovanni Verga.

In basso: veduta dell'Etna, sfondo di molte opere di Verga.

Pagina a sinistra in alto: la piazza di Vizzini, dove si ambienta la vicenda di *Cavalleria Rusticana*, la più famosa novella.

Pagina a sinistra in basso: la popolazione meridionale spesso viveva in condizioni di estrema miseria.

T45 Giovanni Verga: Voglia di fuggire

Ma d'allora in poi non pensava ad altro che a quella vita senza pensieri e senza fatica che facevano gli altri; e la sera, per non sentire quelle chiacchiere senza sugo[1], si metteva sull'uscio colle spalle al muro, a guardare la gente che passava, e digerirsi la sua mala sorte[2]; almeno così si riposava pel giorno dopo, che si tornava da capo a far la stessa cosa, al pari dell'asino di compare Mosca, il quale come vedeva prendere il basto[3], gonfiava la schiena, aspettando che lo bardassero[4]!

- Carne d'asino! borbottava; ecco cosa siamo! Carne da lavoro! E si vedeva chiaro che era stanco di quella vitaccia, e voleva andarsene a far fortuna, come gli altri; tanto che sua madre, poveretta, l'accarezzava sulle spalle, e l'accarezzava pure col tono della voce, e cogli occhi pieni di lagrime, guardandolo fisso per leggergli dentro e toccargli il cuore. Ma ei diceva di no, che sarebbe stato meglio per lui e per loro; e quando tornava poi sarebbero stati tutti allegri. La povera donna non chiudeva occhio in tutta la notte, e inzuppava[5] di lagrime il guanciale. Infine il nonno se ne accorse, e chiamò il nipote fuori dell'uscio, accanto alla cappelletta[6] per domandargli cosa avesse.

- Orsù, che c'è di nuovo? Dillo a tuo nonno, dillo! 'Ntoni si stringeva nelle spalle; ma il vecchio seguitava ad accennare di sì col capo, e sputava, e si grattava il capo cercando le parole.

- Sì, sì, qualcosa ce l'hai in testa, ragazzo mio! Qualcosa che non c'era prima. «Chi va coi zoppi, all'anno zoppica»[7].

- C'è che sono un povero diavolo! Ecco cosa c'è!

- Bè! che novità! E non lo sapevi? Sei quel che è stato tuo padre, e quel che è stato tuo nonno!

«Più ricco è in terra chi meno desidera».

«Meglio contentarsi che lamentarsi».

- Bella consolazione!

Questa volta il vecchio trovò subito le parole, perché si sentiva il cuore sulle labbra:

-Almeno non lo dire davanti a tua madre. Mia madre... Era meglio che non mi avesse partorito, mia madre.

- Sì, accennava padron 'Ntoni, sì, meglio che non t'avesse partorito, se oggi dovevi parlare in tal modo. 'Ntoni per un po' non seppe che dire:

- Ebbene! esclamò poi, lo faccio per lei, per voi, e per tutti. Voglio farla ricca, mia madre! Ecco cosa voglio. Adesso ci arrabattiamo[8] colla casa e colla dote di Mena; poi crescerà Lia, e un po' che le annate andranno scarse[9] staremo sempre nella miseria. Non voglio più farla questa vita. Voglio cambiare stato, io e tutti voi. Voglio che siamo ricchi, la mamma, voi, Mena, Alessi e tutti.

Padron 'Ntoni spalancò tanto d'occhi, e andava ruminando

---

1 Senza senso.

2 Tentare di accettare il suo cattivo destino.

3 Il carico.

4 Caricassero.

5 Bagnava.

6 Piccola cappella per pregare.

7 "Chi va con gli zoppi, alla fine dell'anno zoppica anche lui".

8 Fatichiamo tanto per raccogliere solo qualche soldo.

9 Quando non ci sarà abbastanza raccolto.

Contesto

I Malavoglia è la storia di una famiglia di pescatori, che affrontano ogni giorno i rischi del mare per pochi soldi. La loro è una vita misera e difficile. 'Ntoni, il nipote di Padron 'Ntoni, che è il capofamiglia, non accetta questa vita dura e povera. Egli ha fatto il servizio militare nelle grandi città d'Italia dove ha visto che la gente vive in modo diverso e meno drammatico. 'Ntoni non vuole più vivere ad Aci Trezza e vuole andarsene in cerca di fortuna e si pone in contrasto con il nonno Padron 'Ntoni che crede nella famiglia, nel lavoro e nella fedeltà alle proprie origini. Purtroppo per gente come i Malavoglia qualsiasi riscatto sociale è impossibile.

1. Comprensione

Prova a riassumere in due frasi le due posizioni contrapposte di Padron 'Ntoni e di 'Ntoni.

1 / .....   2 / .....   3 / .....   4 / .....   5 / .....   6 / .....

Collega ogni proverbio con la parafrasi corrispondente.

1. "Chi va coi zoppi alla fine dell'anno zoppica".
2. "Più ricco è in terra chi meno desidera".
3. "Meglio contentarsi che lamentarsi".
4. "Ad ogni uccello suo nido è bello".
5. "Chi cambia la vecchia con la nuova, peggio trova".
6. "Il buon pilota si prova alle burrasche".

a. Non ci si deve lamentare bensì accontentare.
b. Nelle difficoltà si capisce che è davvero bravo ed esperto.
c. Non si deve desiderare.
d. Le cattive compagnie ci rendono peggiori.
e. Bella è solo la propria casa d'origine.
f. Se si cambia si trova solo qualcosa di peggio.

quelle parole, come per poterle mandar giù[10].
- Ricchi! diceva, ricchi! e che faremo quando saremo ricchi?
'Ntoni si grattò il capo, e si mise a cercar anche lui cosa avrebbero fatto.
- Faremo quel che fanno gli altri... Non faremo nulla, non faremo!... Andremo a stare in città, a non far nulla, e a mangiare pasta e carne tutti i giorni.
- Va, va a starci tu in città. Per me io voglio morire dove son nato; - e pensando alla casa dove era nato, e che non era più sua si lasciò cadere la testa sul petto.
- Tu sei un ragazzo, e non lo sai!... Non lo sai!... Vedrai cos'è quando non potrai più dormire nel tuo letto; e il sole non entrerà più dalla tua finestra!... Lo vedrai; te lo dico io che son vecchio! -
Il poveraccio tossiva che pareva soffocasse, col dorso curvo, e dimenava tristamente il capo:
- «Ad ogni uccello, suo nido è bello».
Vedi quelle passere? Le vedi? Hanno fatto il nido sempre colà, e torneranno a farcelo, e non vogliono andarsene.
- Io non sono una passera. Io non sono una bestia come loro! Rispondeva 'Ntoni. Io non voglio vivere come un cane alla catena come l'asino di compare Alfio, o come un mulo da bindolo[11], sempre a girar la ruota; io non voglio morir di fame in un cantuccio[12], o finire in bocca ai pescicani.
- Ringrazia Dio piuttosto, che t'ha fatto nascer qui; e guardati

dall'andare a morire lontano dai sassi che ti conoscono.
«Chi cambia la vecchia per la nuova, peggio trova».
Tu hai paura del lavoro, hai paura della povertà; ed io che non ho più né le tue braccia né la tua salute non ho paura, vedi!
«Il buon pilota si prova alle burrasche[13]». Tu hai paura di dover guadagnare il pane che mangi; ecco cos'hai! Quando la buon'anima di tuo nonno mi lasciò la Provvidenza[14] e cinque bocche da sfamare, io ero più giovan di te, e non avevo paura; ed ho fatto il mio dovere senza brontolare; e lo faccio ancora; e prego Iddio di aiutarmi a farlo sempre sinché ci avrò gli occhi aperti, come l'ha fatto tuo padre, e tuo fratello Luca, benedetto!
Che non ha avuto paura di andare a fare il suo dovere. Tua madre l'ha fatto anche lei il suo dovere povera femminuccia, nascosta fra quelle quattro mura; e tu non sai quante lagrime ha pianto, e quante ne piange ora che vuoi andartene; che la mattina tua sorella trova il lenzuolo tutto fradicio[15]!
E nondimeno[16] sta zitta e non dice di queste cose che ti vengono in mente; e ha lavorato e si è aiutata come una povera formica anche lei; non ha fatto altro, tutta la vita, prima che le toccasse di piangere tanto, fin da quando ti dava la poppa[17], e quando non sapevi ancora abbottonarti le brache, che allora non ti era venuta in mente la tentazione di muovere le gambe, e andartene pel mondo come uno zingaro.

Da *I Malavoglia*

---

10 Accettare.

11 Il bindolo è un ruota in posizione orizzontale spinta da un asino, mulo, o cavallo, per tirare su acqua dai pozzi.

12 In un angolo.

13 Il bravo pilota dimostra la sua bravura nelle difficoltà.

14 La barca della famiglia Malavoglia.

15 Bagnato dalle lacrime.

16 Nonostante ciò.

17 Il latte del seno.

---

2. Analisi

- Che funzione hanno questi proverbi nel discorso di Padron 'Ntoni? Che cosa ci svelano inoltre sulla sua personalità?
- I proverbi appartengono in genere alla cultura popolare, spesso si ritrovano più o meno uguali in vari dialetti o parlate regionali. Quali di questi esistono anche nella tua tradizione culturale? In che misura vivono ancora oggi nella comunicazione quotidiana?
- 'Ntoni paragona la sua attuale vita a quella degli animali. Di quali animali e perché proprio di questi? Che cosa esprimono queste similitudini?
- Quella dei Malavoglia è una tipica famiglia patriarcale che si regge sulla figura maschile del nonno, Padron 'Ntoni. Che ruolo è assegnato qui alla madre? Con quali sentimenti ne parlano sia l'autore sia gli uomini di casa?

3. Riflessione

- Il destino dei personaggi descritti da Verga è "la mala sorte". In che misura sono cambiate oggi le cose, se sono cambiate?
- Proviamo a cambiare i nomi dei protagonisti e del luogo di origine e leggiamo il testo come un reportage di oggi. Secondo te, si tratta di un'operazione che funziona? Motiva brevemente la tua risposta.

l'Ottocento

La Scapigliatura

1. Il suo significato

Il termine "Scapigliatura" viene citato per la prima volta in un romanzo del milanese **Cletto Arrighi** nel 1862 e si riferisce ad uno stile di vita ribelle ed emarginato, irrequieto e disordinato. Come dei capelli spettinati, "scapigliati".

La Scapigliatura fiorisce in ambiente lombardo dopo il 1860, ossia dopo il compimento dell'unità d'Italia. Dapprima include narratori milanesi come **Arrigo Boito** o **Emilio Praga**. In seguito al gruppo si uniscono prosatori piemontesi. In quegli anni il Piemonte prima e più tardi il resto d'Italia si avviano a diventare uno Stato moderno, dando vita alle prime forme di capitalismo industriale e agrario.

Ciò significa progresso e ricchezza per molti, ma anche povertà ed emarginazione per altri.

I poveri, i "vinti", gli sconfitti dal punto di vista materiale e morale, vengono esclusi dal nuovo sviluppo economico. Anche gli Scapigliati sono dei "vinti": essi rifiutano il progresso e il pensiero positivista, rifiutano la scienza e le strutture borghesi, nelle quali vedono la negazione dei loro ideali artistici; si ribellano alla società, ma senza proporre un altro modello sociale.

La Scapigliatura si sviluppa in particolare a Milano, la città più avanzata del tempo, in cui più veloci erano i cambiamenti dell'ordine sociale ed economico e più intenso era il contrasto tra ricchi borghesi e intellettuali sognatori. Il movimento è perciò un fatto non solo letterario, ma anche sociale, la prima manifestazione del disagio dell'intellettuale in una società capitalista e borghese. Gli Scapigliati non si limitarono a scrivere da scapigliati, ma vissero in prima persona il disagio dell'artista, conducendo spesso una vita irregolare ai margini della società.

2. Caratteri del movimento

Gli scrittori scapigliati vogliono scandalizzare la classe borghese con una vita sregolata vissuta spesso nella miseria e nell'ubriachezza e a volte conclusa col suicidio. Essi provocano scandalo anche con la loro opera letteraria, coi loro temi spesso giudicati immorali, con la loro polemica di impronta socialista o anarchica.

🔍 I Macchiaioli

Il movimento artistico dei Macchiaioli si sviluppa a Firenze intorno alla metà dell'800 ed è considerato il più importante movimento artistico del secolo in Italia. Da ogni parte d'Italia arrivavano giovani artisti attratti da una città che aveva conosciuto uno sviluppo artistico molto importante. Il luogo d'incontro era il Caffè Michelangelo, nel quale si discuteva degli avvenimenti storici e artistici del tempo.

Nel 1856 arriva a Firenze da Parigi Domenico Morelli, che racconta con entusiasmo gli eventi culturali a cui aveva assistito nella capitale francese e proprio l'anno 1856 è considerato l'inizio ufficiale del movimento. Il critico d'arte, in una conferenza del 1877, spiega che la "macchia" è l'arma con cui la nuova pittura combatte la tradizione. Non sono importanti le forme isolate e i contorni perché noi nella realtà non percepiamo mai immagini isolate. Contano la luce e la macchia di colore che la luce produce. Vi è un'evidente analogia tra il movimento dei Macchiaioli e l'Impressionismo francese. Il più brillante esponente del gruppo è il livornese **Giovanni Fattori** (1825-1908). Come molti altri Macchiaioli partecipa ai moti risorgimentali per la liberazione dell'Italia e l'unificazione. Un altro importante Macchiaiolo è **Telemaco Signorini** (1853-1901), critico e teorico del gruppo. Si distingue anche **Silvestro Lega** (1826-1895) che riesce a comunicare nei suoi soggetti una profonda emozione per mezzo di macchie di colore.

Il loro tono è bizzarro, la metrica antitradizionale e il loro linguaggio irriverente e antiletterario. Gli Scapigliati si sentono attratti anche dalle altre arti. Emilio Praga è egli stesso pittore, mentre Arrigo Boito è anche musicista.

Essi vogliono rappresentare la realtà umana così come è realmente, anche nei suoi aspetti più brutti e dolorosi, più squallidi e quotidiani. Rifiutano le convenzioni e le ipocrisie del comportamento comune. È evidente l'influsso di Baudelaire e della poesia decadente francese, ma anche del Naturalismo e del Positivismo filosofico, che si traduce nella ricerca di motivi realistici spesso squallidi e quotidiani. I risultati letterari a cui il movimento giunge sono piuttosto mediocri, ma sono importanti soprattutto perché preparano il terreno per lo sviluppo delle tendenze veriste.

3. Autori scapigliati

La Scapigliatura ha raggiunto i suoi migliori risultati nella prosa piuttosto che nella poesia. Tra i poeti il più significativo è **Arrigo Boito** (1842-1918) con il suo *Libro dei versi*, la leggenda di *Re Orso* e i suoi libretti d'opera (*Otello*, *Falstaff*, ecc.), alcuni musicati dallo stesso autore: *Mefistofele* è uno dei grandi melodrammi italiani. Vi è ancora molto romanticismo nei suoi versi ed egli è un artista molto inquieto e travagliato, ma anche molto sottile. Le sue opere sono molto musicali ed egli stesso era un buon musicista.

Tra i prosatori possono essere citati gli stessi Arrigo Boito ed Emilio Praga (quest'ultimo autore del romanzo incompiuto *Memorie del presbiterio*).

Igino Ugo Tarchetti (1841-1869) esprime nei suoi romanzi il proprio gusto dell'orrendo e del macabro, dello strano e dell'anormale. **Camillo Boito** (1836-1914), fratello di Arrigo, alterna ad un'analisi psicologica sottile effusioni fantastiche e sentimentali. I prosatori scapigliati cercano un equilibrio tra espressione dialettale e lingua letteraria come si avverte nella prosa di **Carlo Dossi** (1849-1910), scrittore aristocratico e solitario che usa una lingua molto ricercata, ricca di termini arcaici e preziosi, di neologismi e parole dialettali.

Le sue due opere che la critica ritiene migliori sono *L'altrieri – nero su bianco* del 1868 e *Vita di Alberto Pisani* del 1870 (testo 46).

Una caratteristica degli Scapigliati e di Dossi in particolare, è la loro trasformazione del linguaggio e delle strutture narrative tradizionali.

Gli Scapigliati spesso inventano nuove parole o le trasformano per rinnovare il linguaggio.

In *Note azzurre*, per esempio, Dossi mescola all'italiano il dialetto, usa neologismi e forme nuove o derivate dalle lingue straniere. A volte trasforma anche l'ortografia delle parole. **Alberto Cantoni** (1841-1904) e **Giovanni Faldella** (1846-1928), pur non appartenendo in senso stretto alla Scapigliatura, furono vicini al gruppo e amici degli scapigliati.

I quadri di vita degli Scapigliati non ritraggono una realtà epica e drammatica, quanto piuttosto situazioni quotidiane, un ambiente umile spesso grigio e squallido. Dalla scapigliatura prendono origine i narratori veristi e realisti e in questo, come abbiamo accennato, consiste l'importanza storico-letteraria della Scapigliatura.

In alto: il Naviglio a Milano in un quadro di Angelo Inganni,1845.

In basso: ritratto dei fratelli Camillo (a sinistra) e Arrigo Boito.

Pagina a sinistra in alto: Frontespizio di *La Scapigliatura e il 6 Febbraio* di Cletto Arrighi.

Pagina a sinistra in basso: particolare de *Il campo italiano dopo la battaglia*, Giovanni Fattori, 1862.

T46 Carlo Dossi: L'ultima notte

Notte. Un padiglione[1] di nubi, si stende sulla pianura; il bujo tinge. È una di quelle notti, in cui i viaggiatori sàlgono a contracuore[2] nelle carrozze, e i cavalli agùzzano spesso inquietamente le orecchie, e le perdute vigilie[3] sèntono più che mai il desio di pigliare la fuga.

Alberto stà asserragliando[4] la piccola porta in fondo al giardino della casa del mago[5]. Bàrnaba[6] ne è appena uscito con una carriola vuota.

Solo! E se ne stette, un momento, soggiogato dal peso della sua tanta sciagura; poi, corse alla casa, corrèndogli il sàngue ancor più.

Ma, di botto, arrestossi[7]. Era alla porta; e, di là, ella attendeva. S'arrestò còlto da raccapriccio, battendo i denti e i ginocchi.

Si vinse. Con uno slancio, aperse le imposte, precipitossi[8] al didentro. Dal davanzale del vasto camino, un lume, schiarava[9] sul tavolone di marmo una bara, nuda, simbolo di morte il più odioso. Ma il chiaro non arrivava alla volta[10].

Ombre paurose stendevansi sulle pareti.

[…]

Apparve una figura di donna, tutta di bianco, dalle mani intrecciate e guantate; i calzari di raso e un fazzoletto sul viso. Il martello sfuggì ad Alberto. Ei restò presso di lei rannicchiato; immoto e freddo com'essa. Sotto quel fazzoletto, era lo spasimato sembiante[11]; avrebb'egli avuto coraggio di discoprirlo? E, qui, un serrato contrasto di sì e di no. Fè per stènder la mano; la mano non gli ubbidì. Volea, ma non poteva; i polsi gli rallentàvano; momenti, durante i quali, il legame tra lo spirito e il corpo era interrotto.

Ma, infine, si riappiccò[12]. E Alberto, pote allungare la mano sul fazzoletto. … Ella! - Bianca del muto bianco della camelia[13], finamente aperte le labbra, gli occhi velati, si dormia tranquilla, come se[14] in luogo fuor dalle nubi del mondo. Parea sfinita d'amore. Morte, aveala fatta[15] sua con un bacio lievissimo.

E a dire, che, proprio in questo momento, egli avrebbe forse

---

1 Gruppo.

2 A malincuore, malvolentieri.

3 Sentinelle.

4 Chiudendo.

5 Il prozio da cui Alberto ha ereditato la casa, così detto dai vicini per i suoi misteriosi esperimenti scientifici.

6 Il becchino.

7 Di colpo si fermò.

8 Si precipitò.

9 Illuminava.

10 Al soffitto.

11 Il volto desiderato.

12 Il legame (soggetto) si ristabilì.

13 Un fiore bianco.

Contesto

Il brano è tratto da *Vita* di *Alberto Pisani*, autobiografia arricchita di molti elementi fantastici, ricco di riferimenti letterari (*Ultime lettere di Jacopo Ortis* dì Ugo Foscolo, l'atmosfera da incubo di E.T.A. Hoffmann, Laurence Sterne).

e 1. Comprensione

Rispondi brevemente a queste domande.

a. Dove entra Alberto?
b. Cosa trova all'interno?
c. Come reagisce il protagonista?
d. Cosa trova sul corpo dell'amata e qual è la sua reazione?
e. Qual è il suo ultimo gesto?

e 2. Analisi

Di' quale di queste affermazioni è vera.

Nella prima parte del brano la descrizione evoca
○ **a.** un'atmosfera di serena attesa.
○ **b.** un clima di grande paura.
○ **c.** un senso di cupa inquietudine.

potuto - trionfando di lei e di lui - attinger la vita, tra le sue braccia di fuoco!

Oh fosse, quel che vedea, un sogno! ... Sì! lo dovea[16]; sogno ben sensibile, ben agghiacciante, ma sogno.

Il ribrezzo lo strinse.

E pensò ch'era un sogno, ma il grande, quel della vita, quello di cui ci svegliamo morendo - se ci svegliamo-

La fantasia di lui infiammava[17]; i suoi nervi strappàvano[18].

Sì; ci svegliamo. L'ànima non può finire.

Quella di lei, forse lì intorno, tristamente mirava il bel corpo dal quale era stata divisa. ...

E se peranco[19] indivisa? E se fluita al cervello, ùltimo spaldo[20]? ...

Ma già il nulla si avanza da tutte le parti; ancora un secondo, ed ogni vita è scomparsa; e, sulla vita, si riunisce l'oblio.

Senonché, il nulla, come il finito, è inconcepibile.

E... se fosse... non - morta?

Quì, Alberto si piegò su di lei, speranzoso, bramoso di un segno che dicessegli[21] si, di un fuggitivo rossore, un sospiro. Orribilmente gli bàttean le tempie.

Ah!... egli ha scorto, tra le socchiuse palpebre, rianimàrsele l'occhio[22].

E le apre, o meglio, le straccia, in sul petto, la veste; e le preme la mano sopra il nudo del cuore...

Ed ascolta...

Un battito! ... Vive! - Per lui essa deve rinàscere...

No! Un medaglione[23] che le giace sul seno tosto[24] risponde «vivrà per un altro». Incendia di gelosia. Attorno a lui, tutto gira.

Strappa di tasca una terzetta[25] a due colpi, e gliela scàrica contro. Il medaglione, salta in cento frantumi.

Poi, volge l'arme a sé.

Ci ha un terribile istante, in cui la paura gli aggroviglia le vene: ei serra gli occhi; ma il colpo... parte.

L'arme, piomba fumante, giù dalla tàvola, in una cesta di rose; Alberto, cade sul desiato[26] corpo di lei, morto.

Da *Vita di Alberto Pisani*

---

14 Come se fosse.

15 L'aveva fatta.

16 Doveva esserlo.

17 Si infiammava.

18 Si tendevano fino a spezzarsi.

19 Ancora.

20 Ultimo rifugio.

21 Gli dicesse.

22 Che l'occhio si rianimava.

23 Con l'immagine del marito.

24 Subito.

25 Una piccola pistola.

26 Desiderato.

"E qui un serrato contrasto di sì e di no. Fé per stènder la mano; la mano non gli ubbidì. Volea, ma non poteva... il legame tra lo spirito e il corpo era interrotto". Quali dei seguenti sostantivi definiscono questi stati d'animo?

○ **a.** Incertezza
○ **b.** Contrarietà
○ **c** Nervosismo
○ **d.** Lacerazione

In generale la descrizione

○ **a.** ha carattere strettamente realistico.
○ **b.** è assolutamente surreale.
○ **c.** oscilla fra realismo e visionarietà.
○ **d.** non ha particolari caratteristiche.

Su quali elementi in particolare si fonda la tua risposta? Cita qualche esempio.

Come si evolvono gli stati d'animo del protagonista?
Metti in ordine: *speranza, inquietudine e paura, gelosia, indecisione e contrasto interiore.*
Come condizionano i suoi gesti?

3. Riflessione

Abbiamo accennato sopra ai modelli "romantici" che hanno ispirato Dossi, anche se in modo indiretto. La scrittura di Dossi ha però caratteristiche diverse. Cerca di definire gli elementi che evidenziano la sua appartenenza alla Scapigliatura.

*l'*Ottocento

Il Melodramma (1)

1. Le origini

L'opera in musica nasce in Italia e rappresenta uno dei suoi simboli artistici e culturali più conosciuti ed amati nel mondo. Le origini del melodramma risalgono alla tradizione musicale italiana della fine del Cinquecento e del Seicento.

Molto importante fu il genio musicale di **Claudio Monteverdi** (1567-1643). In quest'epoca si iniziano a rappresentare drammi interamente cantati (il «recitar cantando»), sulla base del sistema metrico utilizzato nel teatro letterario del tempo. Questo procedimento sarà di fatto utilizzato, in sintonia con i paradigmi artistici delle varie epoche, come modello base del *libretto*, termine ormai entrato in molte lingue straniere in riferimento al testo letterario dell'opera in musica. La produzione del genere operistico vive la sua stagione di massimo splendore nell'Ottocento, epoca in cui si adattano in musica opere di grandi scrittori come V. Hugo, A. Dumas, W. Shakespeare. L'Ottocento si lascia alle spalle l'opera buffa settecentesca, di cui **Gioacchino Rossini** farà una parodia in *Il barbiere di Siviglia* (1816). In seguito egli si dedicherà alla composizione di opere serie quali *Semiramide* (1823) e *Guglielmo Tell* (1829).

2. Caratteristiche del melodramma

L'uso affermatosi verso il Seicento di cantare un dramma per intero rimarrà una delle caratteristiche tipiche della grande opera lirica italiana, che non ricorre praticamente

🔍 Il teatro

Andare all'opera nell'Ottocento rientrava nelle abitudini sociali e per l'*élite* era praticamente un obbligo.

La suddivisione politica dell'Italia preunitaria aveva dato luogo ad un policentrismo culturale che si realizzava in un gran numero di teatri e rappresentazioni.

Per avere un'idea delle dimensioni del fenomeno operistico in Italia si pensi che si producevano circa una cinquantina di partiture nuove all'anno (di cui alcune sarebbero entrate per sempre nel patrimonio culturale mondiale) e che a Napoli, tra il 1830 ed il 1840, sei teatri offrivano un totale di settecento spettacoli all'anno.

Alcuni teatri, come la Scala di Milano, il San Carlo di Napoli e la Fenice di Venezia sono diventati luoghi di culto del melodramma.

mai all'alternanza di parti in prosa recitate e di parti in versi cantati. L'opera è scritta in versi, in genere endecasillabi e settenari senza uno schema fisso di rime. Ma ci sono anche parti in versi e strofe che danno vita all'*aria* che esprimono i momenti di particolare *pathos* dei personaggi o i passaggi di particolare valore umano e morale. Fin dalle origini vanno delineandosi altre due caratteristiche che resteranno sostanzialmente invariate in tutto il teatro d'opera e che riguardano i suoi contenuti:

• i soggetti del dramma, infatti, non sono in genere mai di carattere fiabesco o fantastico, ma sono orientati verso il realismo;

• vengono rappresentati soprattutto lo scontro delle passioni e le vicende umane ed affettive.

Il melodramma ottocentesco instaura un profondo rapporto con il pubblico che si immedesima nei personaggi, nei loro sentimenti e nelle loro vicende. Si può dire che il rapporto tra pubblico e melodramma nell'Italia ottocentesca è paragonabile al rapporto tra pubblico e romanzo popolare in Francia o in Inghilterra. Le tensioni e l'esaltazione del sentimento dell'uomo romantico spezzano le architetture razionali del Settecento; se l'opera buffa era puro momento di svago, il melodramma romantico diviene partecipazione emotiva.

Giuseppe Verdi

Nacque nel 1813 vicino a Parma, da una famiglia di modeste origini. Iniziò a studiare musica con l'organista del paese. Uscire dal provincialismo del paese natale non fu facile; dovette studiare privatamente perché non venne ammesso al Conservatorio di Milano. Nel '36, tuttavia, vinse il posto di maestro di musica nel suo paese e nel '39 andò in scena alla Scala *Oberto conte di San Bonifacio*, che ottenne un certo successo. In quegli anni, tuttavia, Verdi visse un periodo di crisi e di doloroso sconforto dopo la morte della moglie e dei figli.
Infine, nel 1842, giunse il grande successo con *Nabucco*, suggellato l'anno seguente con *I lombardi alla prima crociata*. Entrambe su libretto di Solera.

Di grande importanza fu, tuttavia, l'incontro con il librettista Francesco Maria Piave, con cui collaborò alla realizzazione di grandi opere fra le quali *Ernani* ('44), *Macbeth* ('47), *Rigoletto* ('51), *La Traviata* ('53), *Il Trovatore* ('53), *Simon Boccanegra* ('57) e *La forza del destino* ('62). La grande produzione dell'opera verdiana coincise con l'epoca del risveglio patriottico risorgimentale di cui il Maestro divenne simbolo, anche se la realizzazione del dramma musicale verdiano ha connotati molto più profondi e complessi.

Dopo *Aida* ('71), Verdi, rallentò molto la sua produzione, ma scrisse ancora la splendida *Messa da Requiem* ('74) dedicata alla memoria di A. Manzoni e collaborò con Arrigo Boito alla realizzazione di due grandi opere tratte da Shakespeare, *Otello* ('87), e *Falstaff* ('93). Morì a Milano nel 1901.

In alto: ritratto di Giuseppe Verdi.

In basso: una scena di un'opera verdiana.

Pagina a sinistra in alto: ritratti di Vincenzo Bellini e Gaetano Donizetti.

Pagina a sinistra in basso: una scena dell'*Aida* di Verdi.

Il Melodramma (2)

3. Il primo Ottocento

Nel melodramma romantico della prima metà del secolo spiccano soprattutto due figure: **Gaetano Donizetti** (1797-1848), - *L'elisir d'amore* (1832), *Lucia di Lammermoor* (1835), *Don Pasquale* (1843) - e **Vincenzo Bellini** (1801-1835) - *La sonnambula* (1831), la *Norma*, dello stesso anno, *I puritani* (1835). Nelle opere di entrambi questi artisti, di forte connotazione romantica, l'enfasi lirica si traduce in importanti episodi melodici entrati nel gusto e nella tradizione popolare.

4. Verdi e l'unità d'Italia

Con la nascita del Regno d'Italia (1861) il melodramma si incarna nel grande genio di **Giuseppe Verdi** (1813-1901). Lo sviluppo intellettuale e musicale del Maestro è ampio e complesso, tuttavia si possono distinguere alcune fasi principali. In un primo periodo egli si dedica a soggetti storico-romantici: *Nabucco* (1842), *I lombardi alla prima crociata* (1843), *La battaglia di Legnano* (1849), che divennero, come nel caso dello splendido coro del *Nabucco*, simboli delle battaglie risorgimentali per la libertà (in quel tempo il regno Lombardo-veneto era sotto il dominio austriaco) ed incorsero in severe censure. In una seconda fase, il Maestro, dopo il fallimento dei moti del '48 e le sconfitte del '49, abbandona i soggetti storico-politici per dedicarsi ad un maggior approfondimento psicologico dei personaggi. Questa fase darà i maggiori frutti nella trilo-

gia popolare: *Rigoletto* (1851), che ebbe problemi con la censura, *Il Trovatore* (1853), ambientato nella Spagna del XV secolo, opera fortemente drammatica e intensamente melodica, e infine *La Traviata* (1853). Donizetti e Bellini erano stati i grandi lirici dell'amore, ma in Verdi la tematica sociale è sempre presente. *La Traviata* narra la storia di una prostituta parigina, Violetta e del suo amore per Alfredo. Un amore non più collocato in un lontano medioevo, ma ambientato nelle contraddizioni della società borghese contemporanea. Marguerite Gautier, la protagonista del romanzo *La signora delle camelie*, era esistita realmente. Si tratta di una delle opere di maggiore indagine psicologica di Verdi ed è una delle opere più intense di tutto il panorama operistico romantico. I due preludi raggiungono una straordinaria raffinatezza musicale.

Infine, dopo la maestosa *Aida* (1871), che andò per la prima volta in scena al Cairo per l'inaugurazione del canale di Suez, Verdi approda ai drammi shakesperiani con due libretti di Boito (v. pag. 185): *Otello* e *Falstaff*. Proprio con l'ultima sua opera Verdi rivisita l'opera comica, in contrapposizione all'opera drammatica wagneriana.

🔍 Cantanti e prime donne

L'allestimento di ogni opera, nuova o di repertorio, iniziava dalla formazione del cast degli artisti. Verso la metà dell'Ottocento prevale il repertorio, e i cantanti sono scritturati in base ad esso, ma per molto tempo impresari e compositori scelgono i soggetti e le strutture delle loro opere in base al tipo di cast che riescono a formare. Sono obbligati a rispettare le "convenienze teatrali", che devono tener conto della distribuzione degli *a solo* e delle parti corali, nel rispetto delle caratteristiche canore e drammatiche degli artisti. Nell'Ottocento essi diventano stelle e primedonne che impongono i loro cavalli di battaglia e condizionano spesso il compositore.

Il pubblico del bel canto va a teatro per ascoltare i suoi beniamini che spesso legano indissolubilmente la loro voce ad una determinata aria o cavatina di un determinato personaggio. Dei grandi interpreti contemporanei dell'arte lirica ricordiamo tre artisti insuperabili: il tenore italiano **Enrico Caruso** (1873-1921), il soprano di origine greca **Maria Callas** (1923-1977) e **Luciano Pavarotti** (1935-2007), che ha spesso tentato una fusione tra le varie forme musicali coinvolgendo nei suoi concerti anche cantanti di rock, italiani e non.

5. Il melodramma verista

Nel 1890 **Pietro Mascagni** (1863-1945) ottiene un grande successo con la *Cavalleria rusticana*, opera in un unico atto il cui soggetto è tratto da una novella di Giovanni Verga (Cfr. pag. 180). Nasce il melodramma verista, che pone maggior enfasi nell'aria rispetto al recitativo e nella ricchezza dell'invenzione melodica accentua l'elemento lirico espressivo. I soggetti sono tratti dalla realtà contemporanea o sono narrati come fatti di cronaca. Prevale l'influsso della letteratura realista, in particolare francese (Zola).

6. Giacomo Puccini

In questo periodo si afferma uno dei grandi geni della musica italiana: **Giacomo Puccini** (1858-1924). Egli scrisse dodici opere. Ottenne il primo grande successo internazionale con *Manon Lescaut* (1893), in cui si delinea il primo dei ritratti femminili di delicate e infelici eroine piccolo-borghesi che avranno grande popolarità.
Si pensi alla Mimì di *La Bohème* (1896), che narra la vita di un gruppo di giovani artisti squattrinati sullo sfondo della bohème parigina del 1830; *Madame Butterfly* (1904), con un ufficiale americano che seduce un'ingenua ragazza giapponese, la *Tosca* (1900), ispirata ai moduli veristi, opera dai notevoli effetti scenici. Per un certo tempo l'opera pucciniana ha ottenuto più successo di pubblico

che favore della critica, anche se oggi egli è riconosciuto come il massimo protagonista della fase crepuscolare dell'opera italiana.
La sua opera si articola in un percorso che va da una prima fase *romantica* e *borghese*, ad una fase di rinnovamento che lo porta dalla Scapigliatura al modernismo novecentesco: la *Fanciulla del West* (1910), il *Trittico* (1918, composto dagli atti unici *Il tabarro*, *Suor Angelica* e l'atto comico *Gianni Schicchi*), e l'incompiuta *Turandot*.

Giacomo Puccini

Nasce a Lucca nel 1858 da una famiglia di musicisti. Malgrado le difficoltà finanziarie dovute alla morte del padre, può compiere gli studi musicali.
Nel 1876 si reca a piedi da Lucca a Pisa per assistere per la prima volta in vita sua ad un'opera, l'*Aida* di Verdi.
Nel 1880, per perfezionare gli studi, si trasferisce a Milano, dove per un periodo divide l'appartamento con Mascagni. Entra in contatto con gli ambienti intellettuali milanesi, incontra Arrigo Boito, Marco Praga e frequenta il gruppo della Scapigliatura. Con il librettista Fontana lavora alle due prime opere: *Le villi* (1883) e *Edgar* (1889). Inizia la collaborazione con l'editore Giulio Ricordi. Il 1 febbraio del 1893, al Teatro Regio di Torino va in scena *Manon Lescaut*, che lo consacra definitivamente tra i grandi compositori del teatro d'opera.

A questo lavoro partecipano anche i librettisti Illica e Giacosa, della cui collaborazione Puccini si avvarrà anche per *La Bohème* (1896), *Tosca* (1900), *Madame Butterfly* (1904). Dal 1891 si trasferisce a Torre del Lago, presso Lucca. L'inizio del nuovo secolo segna un periodo di crisi per Puccini.
Dopo una serie di progetti non realizzati, tra cui un'opera su libretto di D'Annunzio, va in scena nel 1917 il cosiddetto Trittico, formato da *Il tabarro*, *Suor Angelica* e *Gianni Schicchi*.

A partire dal 1920 si dedica alla composizione di *Turandot*, su un soggetto tratto da una favola teatrale di Carlo Gozzi. L'opera rimase incompleta (manca il finale dell'ultimo atto). Puccini morì a Bruxelles nel 1924. *Turandot* andò in scena nel 1926 alla Scala di Milano, diretta dal grande Maestro Arturo Toscanini, che alla prima si arrestò nel punto in cui il Maestro aveva cessato il lavoro.

In alto: ritratto di Giacomo Puccini.
In basso: costumi di scena.
Pagina a sinistra in alto: ritratto di Giuseppe Verdi.
Pagina a sinistra in basso: il tenore Luciano Pavarotti.

*l'*Ottocento

T47 Giuseppe Verdi: Il Trovatore

Leonora:
Tacea la notte placida
E bella in ciel sereno
La luna il viso argenteo
Mostrava lieto e pieno...
Quando suonar per l'aere,
Infino allor sì muto,
Dolci s'udiro e flebili[1]
Gli accordi di un liuto,
E versi melanconici
Un Trovator cantò
Versi di prece[2] ed umile
Qual d'uom che prega Iddio
In quella ripeteasi
Un nome... il nome mio!...
Corsi al veron[3] sollecita...
Egli era! egli era desso[4]!...
Gioia provai che agli angeli
Solo è provar concesso!...
Al core, al guardo estatico
La terra un ciel sembrò.

Da *Il Trovatore*, Atto I, Scena II

Azucena:
Stride la vampa[5]! – la folla indomita
Corre a quel fuoco – lieta in sembianza;
Urli di gioia – intorno echeggiano:
Cinta di sgherri[6] – donna s'avanza!
Sinistra splende – sui volti orribili
La tetra[7] fiamma – che s'alza al ciel!
Stride la vampa! – giunge la vittima
Nerovestita, – discinta[8] e scalza!
Grido feroce – di morte levasi;
L'eco il ripete – di balza[9] in balza!
Sinistra splende – sui volti orribili
La tetra fiamma – che s'alza al ciel!

Atto II, Scena I

---

1 Appena udibili.
2 Preghiera.
3 Balcone.
4 Proprio lui.
5 La grande fiamma.
6 Soldatacci.
7 Cupa.
8 Con le vesti stracciate.
9 Monte.

Il contesto
Presentata con grande successo nel 1853 *Il Trovatore* è una delle opere più famose di Verdi. La vicenda si svolge in Spagna nel XV secolo: Leonora ama riamata Manrico, lo zingaro trovatore, figlio presunto di Azucena, ma il brutale Conte di Luna la vuole sua. Alla fine Manrico viene ucciso, Leonora si lascia morire e Azucena rivela al conte che uccidendo Manrico ha ucciso il proprio fratello.

e 1. Comprensione
Di' quale di queste affermazioni è vera.

Leonora
- a. rievoca un dolce momento.
- b. ricorda un amore infinito.
- c. parla con l'amante.

Azucena descrive
- a. una festa zingara.
- b. un tragico incendio.
- c. un cupo rogo di morte.

e 2. Analisi
- Le due figure femminili protagoniste della tragedia evidenziano caratteri diversi. Cerca di definirli brevemente.
  Azucena, la gitana, è ....   Leonora, l'amata contesa, ...
- In entrambe le scene è presente un elemento sonoro. Che cosa differenzia le due atmosfere evocate?
  Scena di Leonora: ....   Scena di Azucena: ....
- Quale ritmo caratterizza i due testi tratti dal libretto di Salvatore Cammarano?

e 3. Riflessione
Linguaggio non sempre di vero spessore poetico, intreccio tragico di amore e morte, passioni violente e sangue, sfondo storico poco realistico: sono difetti che si rimproverano spesso al teatro d'opera. Eppure esso continua a essere frequentato. Ne sapresti dire il perché?

T48 Giacomo Puccini: Tosca

Tosca:
Vissi d'arte, vissi d'amore,
non feci mai male ad anima viva!...
Con man furtiva[1]
quante miserie conobbi, aiutai...
Sempre con fe' sincera,
la mia preghiera
ai santi tabernacoli salì.
Sempre con fe' sincera
diedi fiori agli altar.
Nell'ora del dolore
perché, perché Signore,
perché me ne rimuneri[2] così?
Diedi[3] gioielli
della Madonna al manto,
e diedi il canto
agli astri, al ciel, che ne ridean[4] più belli.
Nell'ora del dolore,
perché, perché Signore,
perché me ne rimuneri così?

da *Tosca*, Atto II, Scena V

Cavaradossi:
E lucevan le stelle..., e olezzava[5]
la terra... - stridea l'uscio
dell'orto... - e un passo sfiorava la rena...[6]
Entrava ella, fragrante[7],
mi cadea fra le braccia...
Oh! dolci baci, o languide carezze,
mentr'io fremente
le belle forme discioglieva dai veli[8]!
Svanì per sempre il sogno mio d'amore.
L'ora è fuggita...
e muoio disperato!
E non ho amato mai tanto la vita!...

Da *Tosca*, Atto III, Scena II

---

1 Di nascosto.
2 Mi ricompensi.
3 Ofrii in dono.
4 Gioivano.

5 Emanava profumi.
6 Sabbia.
7 Fresca e odorosa.
8 Vesti.

Contesto
Presentata nel gennaio 1900 *Tosca* è ambientata a Roma il 17 e 18 giugno 1800, quando la polizia segreta dello Stato Pontificio vedeva ovunque spie e traditori. Floria Tosca è una cantante, bella e libera, ama riamata il pittore Mario Cavaradossi. Scarpia, il capo della polizia, cerca invano di sedurla e la ricatta condannando a morte Cavaradossi. Promette a Tosca una finta esecuzione e la fuga se lei gli si concederà. Durante la cena Tosca lo uccide, poi corre dall'amante per fuggire con lui, ma l'esecuzione è stata reale e Tosca si getta dalle mura del carcere.

e 1. Comprensione
Di' quale di queste affermazioni è vera.

Tosca

○ **a.** afferma la libertà della propria arte.
○ **b.** dà voce alla propria infelicità.
○ **c.** si ribella alle impossizioni esterne.

Cavaradossi esprime

○ **a.** le sue idee politiche.
○ **b.** gioia per l'arrivo di Tosca.
○ **c.** dolore per la morte vicina.

e 2. Analisi
- Che cosa hanno in comune sul piano dei sentimenti i due brani tratti dal libretto di Salvatore Cammarano?
- In entrambi i testi c'è un elemento sensuale, meno evidente nelle parole di Tosca. Cerca le espressioni che giustificano questa affermazione.
- Tosca e Cavaradossi sono due artisti, di fronte ai quali sta Scarpia, il capo della polizia segreta. La scelta non è certo casuale. Perché?

e 3. Riflessione
In occasione del centenario è stata prodotta un'edizione televisiva di Tosca; le scene del dramma sono state girate nei "luoghi di Tosca": la chiesa di Sant'Andrea della Valle, Palazzo Farnese, Castel Sant'Angelo. In che misura questa fusione di finzione e realtà può, secondo te, contribuire ad avvicinare il pubblico al teatro d'opera?

Giosuè Carducci

1. Il pensiero politico

La storia interiore di Carducci è molto legata agli eventi politici italiani. Egli partecipò con intensità alle vicende che seguirono l'Unità d'Italia e fu un oppositore del governo: sosteneva infatti il partito repubblicano rifiutando la soluzione monarchica data all'unificazione e fu violentemente anticlericale. In seguito le sue posizioni si attenuarono e da "populista" sostenitore dei diritti della "plebe", si avvicinò alla posizione borghese man mano che egli stesso si inseriva nella borghesia. Dopo l'incontro con la regina Margherita nel 1878 si attenuò il suo repubblicanesimo fino a diventare un sostenitore della monarchia, con grave scandalo dei circoli giovanili repubblicani. Anche la sua posizione anticlericale si ammorbidì fino al riconoscimento del valore storico e civile del cristianesimo e del cattolicesimo.

2. La poetica

L'educazione di Carducci è stata essenzialmente classica, fondata su autori greci e latini e sulla tradizione italiana. Disprezzava gli scrittori moderni e il Romanticismo. Esaltava gli autori italiani rifiutando il modello straniero. Solo in seguito apprezza Hugo, Heine e persino Baudelaire. Una costante del suo pensiero è l'amore per la patria, a volte espresso in forma retorica, ma sempre intenso e sincero. Un'altra costante è la totale dedizione alla poesia, che egli concepiva come il modo più elevato di esprimere la propria personalità. Carducci fu un uomo vitale, ma anche malinconico, combattivo, ma anche solitario. Il simbolo del suo mondo interiore è la Maremma toscana, in cui ambienta molte sue poesie.

3. Le opere

L'inizio della sua produzione poetica coincide con un profondo interesse per i classici: espressione di questo suo classicismo sono le raccolte *Juvenilia* (1850-60) e *Levia Gravia* (1861-71).

In un secondo momento egli unisce al modello classico spunti dal mondo moderno ed esprime la sua insofferenza per la classe dirigente e il suo clericalismo ipocrita. In contrapposizione al presente "vile", stanno i grandi del passato più vicino: Garibaldi, Mazzini, gli eroi del Risorgimento, mentre in seguito si accosta agli scrittori moderni (Hugo, Heine) da cui ricava espressioni più vicine alla lingua parlata, a volte persino dure e volgari.

Nelle *Rime Nuove*, pubblicate nel 1887, vi sono sia poesie ispirate ai classici, che poesie intime. Nelle prime lo spunto viene da grandi personaggi del passato (Omero, Virgilio, Petrarca, Dante) o da opere d'arte o momenti storici che egli rievoca. Nelle seconde invece ricorda even-

---

🔍 L'Italia dall'Unità al 1901

L'Unità d'Italia fu proclamata nel 1861, ma il Regno d'Italia non includeva ancora tutto il territorio nazionale. Il 1866 fu l'anno della Terza Guerra d'Indipendenza che portò all'annessione del Veneto. Nel 1870 fu conquistata Roma che divenne capitale d'Italia. Nel 1876 la sinistra parlamentare ottenne il potere. Con la legge elettorale del 1882 venne esteso il diritto di voto, ma furono ancora esclusi gli analfabeti e coloro che non possedevano proprietà e le donne. Dopo l'Unità inizia una politica di espansione coloniale in Africa (Eritrea e Somalia). Nel 1892 nasce il Partito Socialista Italiano. In questo periodo la crisi economica e un forte contrasto politico tra conservatori e liberali causarono forti proteste, specialmente da parte delle classi più povere.

Nel 1898 scoppiarono tumulti contro l'alto costo della vita. La reazione del governo Rudinì fu durissima e a Milano furono uccisi molti dimostranti a colpi di cannone. Il responsabile della strage (il generale Beccaris) fu premiato dal re Umberto I. Molti socialisti furono arrestati. Il 29 luglio 1900 un anarchico, Gaetano Bresci, venne dall'America per vendicare i morti di Milano e uccise il re Umberto I, gli succedette Vittorio Emanuele III che diede l'incarico di formare il nuovo governo al liberale Zanardelli. Il periodo che segue è caratterizzato da una politica liberale e da un intenso sviluppo economico dovuto soprattutto alla diffusione dell'industria.

ti della sua vita privata, come la morte del figlio Dante (in *Pianto antico*) o un viaggio in Maremma (*Traversando la maremma toscana*, *Davanti a San Guido*) o il ricordo di una donna amata in gioventù. Lo stato d'animo è malinconico e triste (*San Martino*; vedi testo 49). Vi sono poi rievocazioni storiche (*La leggenda di Teodorico*) e nei dodici sonetti di *Ça ira* egli celebra la Rivoluzione Francese che considera uno dei momenti più alti della storia contemporanea. Vi sono poi poesie in cui egli rievoca il passato greco che rappresenta un rifugio in un mondo di pura bellezza lontano dal presente triste.

Più si inserisce nel nuovo Stato italiano, più forte diventa la sua insofferenza per la mediocrità e meschinità del suo tempo e cerca rifugio nel sogno e nell'arte. Nel 1887 escono le *Odi barbare*. Sono chiamate così perché, mentre le rime classiche greche e latine sono caratterizzate dalla lunghezza o brevità delle sillabe, quelle delle lingue moderne (cioè "barbare") si basano sulla distinzione tra sillabe accentate o non accentate. Egli scrive rime che rendono il ritmo dei versi latini, ma devono essere lette secondo l'accento delle lingue moderne: per questo egli le definisce "barbare". I temi sono quelli delle *Rime Nuove*, ma con un accentuarsi del motivo dell'evasione nel passato o nell'arte. Nel 1897 e '98 viene composta l'ultima raccolta *Rime e Ritmi* in cui si percepiscono un'inquietudine e una tensione, dietro l'ottimismo ufficiale, che anticipano il clima del Decadentismo.

Vengono riproposte le forme metriche "barbare" che, pur nel richiamo ai classici, aprono la via allo scardinamento delle forme metriche tradizionali. Dietro quella solennità classica si affaccia già il "verso libero" che verrà usato nel Novecento per esprimere in forme metriche nuove la sensibilità irrequieta dell'epoca. Carducci fu autore anche di opere in prosa e di critica letteraria.

Giosuè Carducci

Nasce a Val di Castello in Versilia nel 1835. Trascorre l'infanzia nella Maremma toscana, scenario di molte sue poesie. Inizia fin da piccolo lo studio dei classici latini e italiani.
Si laurea nel 1856 alla Scuola Normale di Pisa.
Nel '58 il fratello Dante si toglie la vita e subito dopo muore il padre. Più tardi nel '70 muore il figlioletto Dante e nell'81 l'amata Lidia.
Da giovane deve provvedere al sostegno della famiglia con un intenso lavoro di insegnante ed editore.
Nel 1860 il ministro Mamiani gli offre la cattedra di letteratura italiana all'Università di Bologna dove insegnerà fino al 1904.

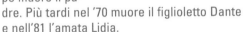

Dal padre eredita la forte passione politica. In un primo tempo egli è repubblicano, in seguito diventa monarchico e il suo iniziale anticlericalismo si attenua. Nell'ultimo periodo della sua vita conosce onore e fama.
Nel 1890 è nominato senatore e nel 1906 gli è conferito il Premio Nobel. Muore nel 1907 a Bologna.

In alto: foto di Giosuè Carducci da vecchio.

In centro: diploma del premio Nobel ricevuto da Carducci.

In basso: veduta della Bologna dell'Ottocento.

Pagina a sinistra in alto: foto di Giosuè Carducci in età giovanile.

Pagina a sinistra in basso: foto di Umberto I.

*l'*Ottocento

T49 Giosuè Carducci: San Martino   T50 Pianto antico

La nebbia a gl'irti[1] colli
Piovigginando sale,
E sotto il maestrale[2]
Urla e biancheggia il mar;

5 Ma per le vie del borgo
Dal ribollir de' tini[3]
Va l'aspro[4] odor de i vini
L'anime a rallegrar.

Gira su' ceppi[5] accesi
10 Lo spiedo scoppiettando:
Sta il cacciator fischiando
Su l'uscio a rimirar

Tra le rossastre[6] nubi
Stormi d'uccelli neri,
15 Com'esuli pensieri,
Nel vespero[7] migrar.

L'albero a cui tendevi
La pargoletta[1] mano,
Il verde melograno
Da' bei vermigli[2] fior,

5 Nel muto orto solingo[3]
Rinverdì tutto or ora,
E giugno lo ristora
Di luce e di calor.

Tu fior de la mia pianta
10 Percossa e inaridita[4],
Tu de l'inutil vita
Estremo unico fior,

Sei ne la terra fredda
Sei ne la terra negra[5];
15 Né il sol più ti rallegra
Né ti risveglia amor.

---

1 Perché ricoperti di alberi spogli.

2 Forte vento che proviene da nord ovest.

3 Nel passaggio da mosto a vino.

4 L'odore del mosto è acido.

5 Grossi pezzi di legno nel camino.

6 È il tramonto.

7 L'ora dell'ultima preghiera prima della notte.

---

1 Di bambino.

2 Di un rosso acceso.

3 Senza la voce e la presenza del bambino.

4 Colpita e per questo senza più vita.

5 Scura, la terra del cimitero.

---

e **1. Comprensione**
Di' quale di queste affermazioni è vera.

San Martino dipinge

○ **a.** un paesaggio autunnale.
○ **b.** una festa di primavera.
○ **c.** una giornata estiva.

Pianto antico

○ **a.** è la descrizione del figlio.
○ **b.** evoca un ricordo felice.
○ **c.** evoca un'esperienza dolorosa.

e **2. Analisi**
In *San Martino* sono sollecitati vari sensi: la vista, l'udito, l'odorato. Cita i passaggi relativi a ognuno di essi.
- In *Pianto antico* entra in gioco soprattutto la vista che sollecita la memoria. L'udito viene coinvolto – per così dire – al negativo. In che modo?
- Il *San Martino* domina un senso di vitalità, trasmesso da ....
  In *Pianto antico* domina invece ....
- In *San Martino* gli uccelli neri sono una metafora per ....
  Di che cosa sono metafora le due piante evocate in *Pianto antico*?

e **3. Riflessione**
Antico è il dolore di un padre, antico è il ritmo delle stagioni. Quale aggettivo potrebbe sostituire "antico"?

151 Giosuè Carducci: Alla stazione in una mattina d'autunno

Oh quei fanali come s'inseguono
accidiosi[1] là dietro gli alberi,
tra i rami stillanti di pioggia
sbadigliando la luce su 'l fango!

5 Flebile, acuta, stridula fischia
la vaporiera[2] da presso. Plumbeo[3]
il cielo e il mattino d'autunno
come un grande fantasma n' è intorno.

Dove e a che move questa, che affrettasi
10 a' carri fóschi[4], ravvolta e tacita
gente? a che ignoti dolori
o tormenti di speme lontana?

Tu pur pensosa, Lidia, la tessera
al secco taglio dai de la guardia[5],
15 e al tempo incalzante i begli anni
dai, gì' istanti gioiti e i ricordi.

Van lungo il nero convoglio e vengono
incappucciati di nero i vigili,
com'ombre; una fioca lanterna
20 hanno, e mazze di ferro: ed i ferrei

freni tentati[6] rendono un lugubre
rintócco lungo: di fondo a l'anima
un'eco di tedio risponde
doloroso, che spasimo pare.

25 E gli sportelli sbattuti al chiudere
paion oltraggi[7]: scherno par l'ultimo
appello che rapido suona:
grossa scroscia su' vetri la pioggia.

30 Già il mostro, conscio di sua metallica
anima, sbuffa, crolla, ansa, i flammei[8]
occhi sbarra; immane pe 'l buio
gitta il fischio che sfida lo spazio.

Va l'empio mostro; con traino[9] orribile
35 sbattendo l'ale gli amor miei portasi.
Ahi, la bianca faccia e 'l bel velo
salutando scompar ne la tenebra.

Meglio a chi 'l senso smarrì de l'essere,
meglio quest'ombra, questa caligine[10]:
40 io voglio io voglio adagiarmi
in un tedio che duri infinito.

---

1 Svogliati.

2 Locomotiva a vapore.

3 Scuro e pesante come il piombo.

4 Vagoni scuri.

5 Controllore.

6 Battuti.

7 Offesa.

8 Fiammeggianti.

9 Andatura.

10 Nebbia scura e densa.

---

e 1. Comprensione

Di' se queste affermazioni sono vere o false.

	vero	falso
a. Il poeta è alla stazione per partire.	○	○
b. L'atmosfera è triste per la nebbia e la pioggia.	○	○
c. Gli sportelli dei vagoni sbattono allegramente.	○	○
d. Con tristezza il poeta si congeda da Lidia che parte.	○	○
e. Il poeta si sente oppresso da un senso di grande vuoto.	○	○

e 2. Analisi

- Quale fra i numerosi aggettivi che descrivono la scena ti sembra il più adatto a caratterizzarne l'atmosfera?
- La scena è assolutamente realistica, eppure è vista attraverso gli occhi di un poeta. Considera ad esempio la descrizione del treno nei versi 29-34. Che cosa colpisce in questa immagine? Cerca altri esempi analoghi.
- Che cosa si vede e si sente in questa stazione? Che sensazioni evocano questi elementi visivi e acustici? Quale potrebbe essere la sensazione olfattiva?
- Il "tedio", parola che colleghiamo a Leopardi, non è solo la noia. Prova a definirne il significato.

e 3. Riflessione

Un proverbio italiano dice "Partire è un po' morire". Cosa ne pensi? Esiste un detto analogo anche nella tua cultura?

Il Decadentismo

1. Caratteristiche del Decadentismo

Verso la fine dell'Ottocento il termine "decadentismo" viene usato in senso negativo, per definire le caratteristiche del movimento di pensiero che si stava sviluppando come reazione al Positivismo e al Naturalismo; il termine viene però adottato e trasformato in senso positivo da coloro che sentivano propria la crisi che dominava quel periodo.

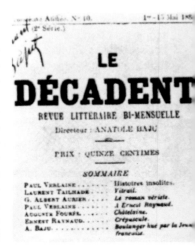

cettature diverse, nel quale c'è qualcosa che sfugge al pensiero logico: è l'età dell'irrazionalismo e dell'esistenzialismo.

Ecco allora che si sviluppa la tensione a cercare e indagare che cosa c'è oltre la realtà visibile, a scoprire il "mistero" nascosto al di là del reale, che sfugge all'uomo comune: ma per questo compito servono strumenti nuovi, quali l'intuito e l'immaginazione, una sensibilità eccezionale, una disposizione ad ascoltare la realtà per coglierne i messaggi più nascosti e incomprensibili, un sentimento di tensione, di ansia, di inquietudine che non permettono di trovare pace.

La crisi della realtà diventa presto anche crisi della personalità dell'uomo: l'io pensante, razionale, non è più la base della conoscenza; anche l'uomo, come la realtà, va in mille pezzi; il diffondersi del sentimento dell'ansia, la scoperta dell'inconscio, la valorizzazione dell'immaginazione, sono i segni più evidenti dell'irrazionalismo.

Il Decadentismo è un movimento che investe tutta l'Europa, e trova espressione non solo nella poesia e nella narrativa, ma anche nel teatro, nella musica, nella filosofia, nelle arti figurative.

2. L'artista decadente

In questa situazione anche l'artista e il letterato perdono la certezza del loro compito di analizzare e criticare la realtà e di essere gli interpreti della società borghese e dei suoi valori.

L'artista decadente quindi si sente sempre più lontano dalla società e dall'uomo comune: il disadattamento e l'incapacità di inserirsi nella realtà comune gli aprono strade diverse.

Il letterato si ritiene l'unica persona eccezionale in grado di cogliere il mistero e il messaggio nascosto della realtà: non gli resta che isolarsi dal contesto sociale e storico, dal mondo comune, che viene aspramente criticato, per chiudersi in se stesso e coltivare la sua sensibilità esasperata, per esplorare tramite la poesia e l'arte gli

riodo. Infatti, la fine del XIX secolo è un periodo di profonda crisi storica, sociale, economica, per tutta l'Europa: tramonta così la fede positivistica nella ragione e nel progresso e la convinzione che sia possibile indagare, analizzare e controllare il reale in modo oggettivo. La realtà non appare più come un oggetto da esplorare con gli strumenti della ragione, ma un universo dalle mille sfac-

aspetti più sconosciuti e misteriosi della natura e dell'uomo, i simboli dell'universo, oppure per chiudersi nel sogno di paradisi artificiali: ecco allora i "poeti-veggenti", i "poeti maledetti", i simbolisti, i cantori dell'estetismo e del sensualismo, i teorizzatori dell'identità tra vita e arte. Ancora, il senso di isolamento e spaesamento può portare l'artista ad una crisi esistenziale caratterizzata dall'ansia e dalla malattia, dall'incapacità di comunicare e di mantenere relazioni con gli altri, da una frattura profonda tra l'uomo e la storia, la società, il suo tempo, da un eccessivo intimismo, dal culto del passato e del sogno, da quel sentimento definito "male di vivere".

3. Il Decadentismo in Italia

In Italia possono essere fatti rientrare nella poetica del Decadentismo di fine Ottocento innanzitutto **Giovanni Pascoli** e **Gabriele D'Annunzio**: nella loro interpretazione della crisi di fine secolo, nella loro ricerca artistica e stilistica, si possono trovare le radici di movimenti quali le avanguardie e il crepuscolarismo, e di artisti, da Svevo e Pirandello fino a Montale, che caratterizzeranno il corso del '900.

Tematiche decadenti si possono trovare anche nell'opera di **Antonio Fogazzaro** e nel movimento artistico della **Scapigliatura** milanese (vedi pag. 184): quest'ultimo movimento si lega al Decadentismo più per l'atteggiamento di violenta rottura con la tradizione, per la ribellione alle convenzioni del mondo borghese dei suoi interpreti, che per gli esiti artistici delle opere letterarie che ha prodotto.

Antonio Fogazzaro

Antonio Fogazzaro (Vicenza 1842 - 1911), con la sua visione del cristianesimo, che riteneva andasse riformato per accogliere le scoperte del progresso scientifico, il suo spirito inquieto, la sua critica alla società contemporanea, ha interpretato con uno spirito decadente non sempre consapevole la crisi di fine secolo che investe l'Italia.

Ha scritto poesie, saggi, ma soprattutto romanzi, tra i quali ricordiamo *Malombra*, *Piccolo mondo antico*, *Piccolo mondo moderno*, *Il santo*, *Leila*. Si oppone decisamente al Verismo e al Naturalismo, mettendo al centro della sua opera l'attenzione per le atmosfere, per l'interiorità, per la psicologia dei suoi personaggi, accostata ad un gusto particolare per il mistero, l'irrazionalità, il mondo onirico e paranormale. Il romanzo che più si avvicina alle tematiche decadenti è *Malombra*, nel quale, in un'atmosfera da storia dell'orrore, con castelli misteriosi, deliri, allucinazioni, tempeste notturne, appare una delle prime figure di "inetto" della letteratura italiana nel personaggio di Corrado Silla, debole, passivo, fallito, che bene incarna la mancanza di valori sicuri e profondi che l'autore sentiva nella società dell'epoca.

In alto: ritratto di Antonio Fogazzaro e una bozza di stampa con correzioni autografe di *Piccolo mondo antico*.

A fianco: frontespizio del romanzo *Piccolo Mondo Antico*.

Pagina a sinistra in alto: copertina della rivista "Le décadent".

Pagina a sinistra in basso: in un quadro di Giovanni Boldini, il conte Roberto de Montesquiou, personaggio di *A Rebours* romanzo di Karl Huysman, preso a modello dell'intellettuale decadente.

I poeti crepuscolari

1. Le origini del Crepuscolarismo

I primi anni del Novecento in Italia sono segnati da una parte da tensioni ideologiche e sociali, e dall'altra dallo sviluppo di una borghesia industriale che punta solo al profitto e al denaro riprendendo il modello della borghesia dell'Europa nord-occidentale.

In questo quadro, neppure le speranze di sviluppo e pace sociale rappresentate da Giolitti fermano il disagio e la ribellione di buona parte degli ambienti culturali e intellettuali italiani. Questi segni di delusione e di disagio esistenziale si focalizzano in reazioni spesso confuse e contraddittorie, ma che comunque sono espressione della nuova sensibilità novecentesca, e che sono comuni alla maggior parte della letteratura di questi anni in Europa.

Tra queste reazioni, in particolare, il rifiuto della tradizione letteraria, rappresentata da Pascoli, D'Annunzio e Carducci, caratterizza i due movimenti letterari più importanti del primo decennio del '900: Crepuscolarismo e Futurismo.

2. La poetica crepuscolare

Il Crepuscolarismo non è un vero e proprio movimento letterario, una scuola ben definita, come è stato il Futurismo: sotto questo nome vengono raccolti diversi poeti accomunati dal rifiuto di quella che ormai si era affermata come la tradizione letteraria dell'epoca:

• il culto dell'eroe e del poeta-vate tipico di D'Annunzio, come vedremo
• la retorica magniloquente di Carducci,
• l'austerità seriosa di Pascoli.

A questa tradizione i poeti crepuscolari, collegandosi direttamente con il simbolismo franco-belga, oppongono il rovesciamento delle passioni romantiche, caratterizzato da sentimenti di noia esistenziale e inquietudine, da un vuoto di ideali e di miti, da un senso di profonda delusione sia esistenziale sia storica. Il tono è spento, basso, spinto verso il banale e la quotidianità; l'estraneità verso i tempi moderni comporta la riscoperta dell'infanzia, della memoria, dei momenti passati.

Il ruolo del poeta viene spogliato di ogni connotazione eccezionale, e riportato ad una dimensione quotidiana piccolo-borghese: l'unica possibilità è rifugiarsi in una provincia umile e dimessa, della quale i Crepuscolari raccontano i luoghi deserti e tristi, i giardini, i monasteri, i salotti borghesi polverosi, le corsie degli ospedali, quelle che, con le parole di Gozzano, sono "le belle cose di pessimo gusto".

Per i poeti crepuscolari non c'è la possibilità di una consolazione, di una speranza, di un riscatto alla loro condi-

---

L'Italia Giolittiana

Giovanni Giolitti (1842-1928) è stato Presidente del Consiglio per circa un decennio, dal 1903 al 1914, ed ha segnato profondamente con la sua politica l'Italia prima della guerra. Aveva ereditato un'Italia profondamente in crisi, attraversata da forti tensioni sociali e da profonde e drammatiche differenze tra Nord e Sud all'interno, e con una fallimentare politica colonialista ed espansionistica.
Giolitti riesce, nel giro di pochi anni, a sviluppare una politica di ripresa dell'economia e di forte espansione industriale, portata avanti anche grazie ad un atteggiamento aperto e collaborativo nei confronti delle forze liberali e socialiste, le cui ali più moderate possono allearsi con la borghesia illuminata per garantire all'Italia un decennio di benessere e di sviluppo. Ma le parti più estremiste della destra nazionalista e della sinistra rivoluzionaria stanno già lavorando per portare il paese verso la catastrofe della Prima Guerra Mondiale.

zione di emarginazione e di isolamento: possono solo descriverla, con toni patetici oppure con lucidità, disincanto e ironia, risultando in questo fondamentali interpreti dei più importanti sentimenti che caratterizzano la condizione dell'uomo e dell'artista del '900.

3. I poeti crepuscolari

Tra i diversi autori che si possono riconoscere nella poetica crepuscolare, ricordiamo i due esponenti più significativi:

Sergio Corazzini (1886-1907), morto giovanissimo di tubercolosi. Intorno a lui si riuniva un circolo detto "scuola romana"; la poesia di Corazzini è caratterizzata da una malinconia patetica, dai toni dimessi, che non lasciano spazio all'ironia, come invece succede in altri poeti crepuscolari; tipicamente novecentesco è il rapporto che egli stabilisce tra malattia e poesia: la malattia è metafora dell'impotenza che caratterizza sia la vita sia la poesia.

Corrado Govoni (1884-1965): le sue prime opere sono nella tradizione simbolista, ma ben presto se ne distacca per accogliere i temi del Crepuscolarismo; la sua terza raccolta, *Fuochi d'artificio* (1905), propone un gusto particolare per immagini fantasiose e impressioni visive, uditive, tattili, accostate liberamente: sono caratteristiche che lo porteranno dal Crepuscolarismo verso il Futurismo; è stato un autore molto fecondo, sempre coerente con la sua poetica in tutte le sue opere.

4. Guido Gozzano

Nato a Torino nel 1883 da una famiglia agiata, trascorre la sua breve esistenza (morirà nel 1916) segnata dalla tubercolosi senza avvenimenti straordinari, tra Torino e i suoi salotti borghesi e i suoi circoli letterari, e la campagna del Piemonte; unica eccezione è un viaggio in India,

compiuto nel tentativo di migliorare la propria salute.
Nel 1907 pubblica la sua prima raccolta di poesie, *La via del rifugio*, nel 1911 escono i *Colloqui*, suo capolavoro poetico; di lui ci sono rimasti inoltre un poemetto incompiuto, *Le farfalle*, una ricca raccolta di lettere e una serie di scritti in prosa.
Nella sua opera, i temi comuni agli altri artisti crepuscolari, il senso di isolamento e malinconia, la delusione esistenziale e storica, il ripiegamento su se stesso, la regressione nel passato, la malattia vissuta come simbolo della vita e della poesia, l'attrazione sentimentale per le "belle cose di pessimo gusto", sono caratterizzati da una disincantata lucidità e da una forte ironia, che spesso viene rivolta verso se stesso, diventando autoironia, che toglie ogni speranza e ogni tono patetico.
La lingua che Gozzano usa nelle sue poesie è notevole, soprattutto nella scelta delle parole e nella ricerca di particolari sonorità.

In alto: Guido Gozzano con Amalia Guglielmetti.

A sinistra: Il Palombaro, autografo di Corrado Govoni, fra Crepuscolarismo e Futurismo.

Pagina a sinistra in alto: foto di Sergio Corazzini.

Pagina a sinistra in basso: ritratto di Giovanni Giolitti.

T52 Guido Gozzano: Toto Merùmeni

Col suo giardino incolto, le sale vaste, i bei
balconi secentisti[1] guarniti di verzura[2],
la villa sembra tolta da certi versi miei[3],
sembra la villa - tipo, del Libro di Lettura…

5 Pensa migliori giorni la villa triste, pensa
gaie brigate[4] sotto gli alberi centenari,
banchetti illustri nella sala da pranzo immensa
e danze nel salone spoglio[5] da gli antiquari.

Ma dove in altri tempi giungeva Casa Ansaldo,
10 Casa Rattazzi, Casa D'Azeglio, Casa Oddone[6],
s'arresta un automobile fremendo e sobbalzando,
villosi[7] forestieri picchiano la gorgòne[8].

S'ode un latrato e un passo, si schiude cautamente
la porta… In quel silenzio di chiostro e di caserma
15 vive Totò Merùmeni con una madre inferma,
una prozia canuta[9] ed uno zio demente.

II
Totò ha venticinque anni, tempre sdegnosa[10],
molta cultura e gusto in opere d'inchiostro[11],
scarso cervello, scarsa morale, spaventosa
chiaroveggenza[12]: è il vero figlio del tempo nostro.
Non ricco, giunta l'ora di "vender parolette"[13]
(il suo Petrarca!…) e farsi baratto o gazzettiere[14],
Totò scelse l'esilio. E in libertà riflette
ai suoi trascorsi[15] che sarà bello tacere.

Non è cattivo. Manda soccorso di denaro
al povero, all'amico un cesto di primizie;
non è cattivo. A lui ricorre lo scolaro
pel tema, l'emigrante per le commendatizie[16].

Gelido, consapevole di sé e dei suoi torti,
non è cattivo. È il buono che derideva il Nietzsche[17]:
"… in verità derido l'inetto che si dice
buono, perché non ha l'ugne[18] abbastanza forti…"

---

1 Barocchi.

2 Piante.

3 La villa dei nonni.

4 Gruppi di persone.

5 Spogliato.

6 Nobili e potenti famiglie piemontesi.

7 Avvolti in pellicce.

8 Il battente della porta ha la forma della testa di un mostro mitologico.

9 Con i capelli bianchi.

10 Un carattere schivo.

11 Lavori letterari, citazione da Ariosto.

12 Capacità di intuizione.

13 Fare l'avvocato, citazione da Petrarca.

14 Dispregiativi: chi approfitta della sua posizione.

15 Esperienze passate.

16 Lettere di raccomandazione.

17 Citazione da "Così parlò Zarathustra".

18 Unghie.

Contesto

La poesia fa parte dei *Colloqui*. Il nome del protagonista, Totò Merùmeni, è ricavato dal titolo di una commedia latina di Terenzio: *Heautontimoroumenos*, che significa "il punitore di se stesso".

e 1. Comprensione

Quali sono le caratteristiche della personalità di Totò? Scegli quelle che ti sembrano adeguate ed aggiungi eventualmente ciò che ti sembra mancare:

1. indifferenza per uomini e cose

2. bontà senza eroismo

3. ambizione ed eroismo

4. eccentricità di modi

5. estraneità a carriere e potere

6. entusiasmo per la letteratura

7. mediocrità di aspirazioni

8. passionalità e sensualità

9. ....

Dopo lo studio grave, scende in giardino, gioca
coi suoi dolci compagni sull'erba che l'invita;
i suoi compagni sono: una ghiandaia roca[19],
un micio, una bertuccia[20] che ha nome Makakita…

III
La Vita si ritolse tutte le sue promesse.
Egli sognò per anni l'Amore che non venne,
sognò pel suo martirio attrici e principesse,
ed oggi ha per amante la cuoca diciottenne.

Quando la casa dorme, la giovinetta scalza,
fresca come una prugna al gelo mattutino,
giunge nella sua stanza, lo bacia in bocca, balza
su lui che la possiede, beato e resupino[21]…

IV
Totò non può sentire. Un lento male indomo[22]
inaridì le fonti prime del sentimento;

l'analisi e il sofisma[23] fecero di quest'uomo
ciò che le fiamme fanno d'un edificio al vento.

Ma come le ruine[24] che già seppero il fuoco
Esprimono[25] i giaggioli dai bei vividi fiori,
quell'anima riarsa esprime a poco a poco
una fiorita[26] d'esili versi consolatori…

V
Così Totò Merùmeni, dopo tristi vicende,
quasi è felice. Alterna l'indagine e la rima.
Chiuso in sé stesso, medita, s'accresce, esplora,
intende la vita dello Spirito che non intese prima.

Perché la voce è poca, e l'arte prediletta
immensa, perché il Tempo – mentre ch'io parlo! – va,
Totò opra[27] in disparte, sorride, e meglio[28] aspetta.
E vive. Un giorno è nato. Un giorno morirà.

---

19 Uccello dalla voce stridula.

20 Scimmia.

21 Steso sulla schiena.

22 Inguaribile.

23 Argomentazione complessa.

24 Rovine.

25 Fanno nascere.

26 Fioritura.

27 Agisce.

28 Qaulcosa di meglio.

---

e **2. Collegamento**

- Totò è "gelido, consapevole di sé e dei suoi torti / non è cattivo": a queste affermazioni segue l'esplicita citazione di Nietzsche, il filosofo e poeta tedescco che con l'immagine del superuomo influenzò molti scrittori europei. Con che tono Gozzano fa questa citazione? E quale valore si può dare all'espressione – ripetuta – "non è cattivo"?
- Gozzano cita espressioni derivate da Ariosto e Petrarca – vedi le note. Secondo te, il verso "La Vita si ritolse tutte le sue promesse" potrebbe essere un ricordo leopardiano?
- Le scelte linguistiche di Gozzano sono spesso segnate dall'ironia, come ad esempio "villosi" (verso 12) per dire "impellicciati": villoso indica chi è coperto di peli, un po' scimmiesco. Cerca qualche altro esempio di questa ironia.

e **3. Riflessione**

Nella rubrica "Il contesto" abbiamo indicato l'origine del nome del protagonista. Ora sei in grado di spiegare la scelta fatta dall'autore.

Guido Gozzano con la madre

Giovanni Pascoli

1. Le opere

Pascoli inizia a comporre poesia in gioventù, ma comincia a pubblicare le sue opere piuttosto tardi. La sua prima raccolta esce nel 1891, con il titolo *Myricae*: il titolo, in latino, si riferisce alle tamerici, semplici piante selvatiche che richiamano la campagna e le cose umili; il libro è infatti organizzato come il diario di una giornata in campagna. Nel 1897 escono i *Poemetti*, nei quali il poeta riporta temi e suggestioni presi dalla poesia straniera, in particolare inglese, inseriti nella storia di una famiglia contadina.

Nel 1903 vengono pubblicati i *Canti di Castelvecchio*, nel 1904 i *Poemi conviviali*, dove trovano posto personaggi e vicende dell'antichità e della mitologia classica, e due anni dopo *Odi e Inni*.
Le canzoni di *Re Enzo*, *Poemi italici*, *Poemi del Risorgimento* escono postumi, dopo la morte del poeta: qui trovano posto la retorica patriottica e civile e il recupero erudito e letterario del Medioevo, tema tipico dell'arte di fine '800. Accanto alla poesia in italiano, Pascoli compone liriche in latino; notevole è anche la sua produzione di critico letterario.

2. I temi della poesia pascoliana: tra Classicismo e Decadentismo

Già in *Myricae* sono presenti i temi principali dell'opera di Pascoli: le cose semplici, la campagna assolata e ricca della sua terra, la natura, la famiglia, il mondo quotidiano, l'infanzia, ma anche l'idea del male e dell'irrazionalità sempre presenti nell'uomo e nella società. Sono elementi che il poeta racconta e riscopre con uno stupore, una malinconia e una sottile inquietudine che attraversano tutta la sua produzione. La sua infatti non è una poesia puramente descrittiva: le piccole cose, la natura, sono simboli da indagare fino nelle parti più nascoste, per poter rivelare il mistero e il segreto che conservano e che sfugge all'uomo comune; in questo modo il poeta fugge dalla realtà per rifugiarsi in un mondo interiore, nel mito dell'infanzia e del nido familiare, unica protezione dei valori dell'uomo contro la storia e la società irrazionali e violente, che offendono i poveri, gli umili, i semplici.

Di fronte a questa visione pessimistica del vivere sociale Pascoli torna all'innocenza dell'infanzia: egli infatti teorizza in un famoso saggio la sua "poetica del fanciullino": la poesia nasce dalla capacità tipica dei bambini di notare e di stupirsi delle cose più semplici e più piccole: "…è dentro di noi un fanciullino… noi cresciamo e lui resta piccolo… e senza lui, non solo non vedremo tante cose a cui non badiamo per solito, ma non potremmo nemmeno pensarle e ridirle": il poeta è quindi colui che sa scoprire ed ascoltare questo fanciullino, questo bam-

🔎 **L'emigrazione**

Gli ultimi decenni dell'Ottocento e i primi del Novecento sono per tutta l'Europa un periodo complesso e difficile sul piano storico e sociale, caratterizzato da grandi tensioni internazionali, da forti spinte imperialistiche e coloniali e da una profonda crisi economica, detta la "grande depressione". Anche l'Italia risente della generale crisi, e reagisce schiacciando le proteste dei movimenti operai e introducendo una serie di misure protezionistiche per difendere i prodotti agricoli nazionali, misure che danneggiano i piccoli agricoltori.
Si assiste quindi in questi decenni ad un fenomeno di enormi proporzioni: in trent'anni circa otto milioni di italiani sono costretti a lasciare la patria per emigrare in Nord Europa e in America e fuggire così dalla disoccupazione e dalla miseria.

bino, nascosto in tutti gli uomini, capace di superare l'odio e l'ingiustizia del mondo contemporaneo per ispirare pietà e fratellanza.

In questo senso la poesia ha un profondo valore morale e sociale. La poesia di Pascoli è influenzata anche dalla sua cultura classica: egli non riprende, come Carducci, stili e contenuti del mondo antico, ma rende protagonisti dei suoi versi i grandi personaggi del mito e della storia, attribuendo loro i suoi sentimenti di inquietudine e stupore. Se gli esiti della poesia di Pascoli risultano a volte eccessivi nella commozione, nell'infantilismo patetico, nel moralismo e nel populismo retorici, il rifiuto della società, la fuga dalla realtà, la sensazione della continua presenza del mistero e dell'irrazionalità ne fanno a pieno titolo un rappresentante del Decadentismo europeo.

3. La lingua di Pascoli

La poesia di Pascoli è caratterizzata da un simbolismo ricco e particolare, tipico della tradizione simbolista europea: le cose piccole e umili che egli ama descrivere nei più nascosti particolari vengono trasfigurate e deformate a rappresentare il tormentato misticismo dell'animo del poeta, innalzate a simboli del mistero della vita.

Notevolissima è in Pascoli la musicalità della parola e del verso: usa infatti in modo originale e raffinatissimo la rima, l'allitterazione, l'onomatopea, cioè la riproduzione dei suoni e dei rumori della natura, e la sinestesia, realizzata mettendo una accanto all'altra parole che si riferiscono a diversi sensi: immagini, suoni, odori. Interessante è anche la sua capacità di usare in modo sperimentale parole provenienti da settori e linguaggi diversi: termini tecnici del mondo della campagna, espressioni dialettali e popolari, forme auliche e classiche, parole straniere.

La lingua di Pascoli, infine, rompe definitivamente la tradizione sconvolgendo la sintassi, frantumando la frase, creando un complesso insieme di lampi, di sensazioni immediate, di frammenti musicali che a volte risultano eccessivi e di maniera.

Giovanni Pascoli

Nasce a San Mauro di Romagna il 31 Dicembre 1855, in una famiglia numerosa, ben presto colpita da numerose disgrazie. Nel 1867 il padre del poeta viene assassinato per motivi mai chiariti da persone mai scoperte: è un'esperienza che segna profondamente l'animo di Pascoli. Negli anni successivi muoiono anche la madre e quattro fratelli. Pascoli studia in collegio a Urbino e nel 1873 ottiene una borsa di studio per la Facoltà di Lettere a Bologna. Negli anni dell'università si avvicina alle idee socialiste e anarchiche, partecipa a numerose manifestazioni e fa propaganda: a causa della sua attività politica perde la borsa di studio, viene arrestato e incarcerato. Quest'ultima esperienza sconvolge la sua vita: da allora si ritira dalla politica e dalla vita sociale, finisce gli studi e si dedica all'insegnamento di latino, greco e letteratura italiana, prima nei licei, poi in diverse università. Muore a Bologna il 6 aprile 1912.

Pascoli è stato un uomo solo e chiuso, segnato dal trauma della morte dei genitori e dal profondo senso di ingiustizia che gli ispirava la società. Senza nessuna fiducia nell'uomo e nel mondo, senza il sostegno di una fede o di un'ideologia, non gli rimane altro che chiudersi in se stesso per coltivare i suoi personali miti: il nido familiare, la campagna, l'infanzia.

In alto: foto di Giovanni Pascoli.

A sinistra: la casa di Giovanni Pascoli.

A destra: disegno di Pascoli per *La cavallina storna*.

Pagina a sinistra in alto: la prima edizione di *Myricae*, con dedica all'amico Alfredo Caselli.

Pagina a sinistra in basso: sbarco di emigranti in un porto americano.

l'Ottocento

T53 Giovanni Pascoli: Lavandare

Nel campo mezzo grigio e mezzo nero
resta un aratro senza buoi, che pare
dimenticato, tra il vapor[1] leggero.

5 E cadenzato dalla gora[2] viene
lo sciabordare[3] delle lavandare
con tonfi spessi[4] e lunghe cantilene:

Il vento soffia e nevica la frasca[5],
e tu non torni ancora al tuo paese!
quando partisti, come son rimasta!
10 come l'aratro in mezzo alla maggese[6].

_____

1 Nebbia.

2 Canale.

3 Rumore dell'acqua mossa.

4 Colpi cupi.

5 Il ramo è coperto di neve.

6 Terreno lasciato a riposo per riprendere fertilità.

T54 Mezzogiorno

L'osteria della Pergola è in faccende,
piena è di grida, di brusìo[1], di sordi
tonfi; il camin fumante a tratti splende.

Sulla soglia, tra il nembo[2] degli odori
5 pingui[3], un mendico[4] brontola: Altri tordi
c'era una volta, e altri cacciatori.

Dice, e il cor s'è beato. Mezzogiorno
dal villaggio a rintocchi lenti squilla;
e dai remoti campanili intorno
10 un'ondata di riso empie la villa[5].

_____

1 Rumore soffocato di voci.

2 Nuvola.

3 Oleosi.

4 Mendicante.

5 Paese.

---

1. Comprensione
Di' se queste affermazioni sono vere o false.

Lavandare   vero falso

a. Il poeta descrive un gruppo di donne al lavatoio. ○ ○

b. La stagione evocata è la primavera. ○ ○

c. Nel silenzio si sentono solo le voci delle donne. ○ ○

d. I campi sono spogli e scuri. ○ ○

e. Un contadino guida i buoi che arano. ○ ○

Mezzogiorno   vero falso

a. Il poeta descrive l'atmosfera di un'osteria di campagna. ○ ○

b. Tutta la scena si svolge all'interno del locale. ○ ○

c. L'atmosfera è serena e gioiosa. ○ ○

d. Anche il mendicante in fondo è contento. ○ ○

e. Il silenzio avvolge la campagna intorno. ○ ○

2. Analisi
Per il significato di *Myricae* vedi a pag. 204. Come definiresti la tipologia dei testi di questa raccolta usando una definizione delle arti grafiche? Si tratta di:

○ a. affreschi   ○ b. ritratti   ○ c. bozzetti   ○ d. acquarelli   ○ e. scene d'insieme

- Analizza gli elementi acustici presenti nei due testi.
  Lavandare: ....   *Mezzogiorno*: ....

- *Mezzogiorno* descrive gli odori dell'osteria. Che odore possiamo immaginare per *Lavandare*?

- Un ulteriore confronto si può fare con la luce. Quali caratteristiche presenta nei due testi?
  Lavandare: ....   *Mezzogiorno*: ....

- A conclusione definisci le due atmosfere evocate e cita il verso o il passaggio che le caratterizza.
  Lavandare: ....   *Mezzogiorno*: ....

3. Riflessione
La pittura italiana della fine dell'Ottocento è caratterizzata dalla produzione dei "Macchiaioli", pittori che raffigurano paesaggi campestri e scene di vita semplice, quotidiana. Il più noto è Giovanni Fattori. Come si può spiegare questo interesse di poesia e pittura per le "piccole cose"?

155 Giovanni Pascoli: Il gelsomino notturno[1]

E s'aprono i fiori notturni,
nell'ora che penso a' miei cari.
Sono apparse in mezzo ai viburni[2]
le farfalle crepuscolari[3].

5 Da un pezzo si tacquero i gridi:
là sola una casa bisbiglia.
Sotto l'ali dormono i nidi,
come gli occhi sotto le ciglia.

Dai calici[4] aperti si esala
10 l'odore di fragole rosse.
Splende un lume là nella sala.
Nasce l'erba sopra le fosse[5].

Un'ape tardiva sussurra
trovando già prese le celle[6].
15 La Chiocetta[7] per l'aia[8] azzurra
va col suo pigolìo[9] di stelle.

Per tutta la notte s'esala
l'odore che passa col vento.
20 Passa il lume su per la scala;
brilla al primo piano: s'è spento...

È l'alba: si chiudono i petali
un poco gualciti[10]: si cova,
25 dentro l'urna[11] molle e segreta,
non so che felicità nuova[12].

---

1 Pianta dai fiori bianchi molto profumati che si aprono di notte.

2 Specie di caprifoglio.

3 Le falene dalle ali grigie o scure.

4 I calici dei fiori.

5 Tombe.

6 Dell'alveare.

7 Nel gergo dei contadini la Chiocetta è la costellazione delle Pleiadi, una chioccia è una gallina che cova le uova o ha i pulcini.

8 L'aia è il cortile della casa di campagna, della fattoria.

9 Il verso che fanno i pulcini.

10 Spiegazzati.

11 Cavità.

12 Nell'ovario del fiore, fecondato nel corso della notte, sta germogliando una nuova vita.

Contesto

La poesia è stata scritta per il matrimonio di un amico di Pascoli, poi è stata inclusa nella raccolta *Canti di Castelvecchio*; nel testo infatti si alternano immagini della vita notturna della campagna e della natura a scene che alludono ad un rapporto amoroso.

e 1. Comprensione

Di' quale di queste affermazioni è vera.

La notte descritta è
a. silenziosa e buia.
b. serena e profumata.
c. inquieta e buia.

Nella casa le luci
a. restano accese tutta la notte.
b. a un certo punto si accendono.
c. a un certo punto si spengono.

Nel silenzio notturno
a. la vita continua a palpitare.
b. non si muove nulla.
c. si sentono voci lontane.

e 2. Analisi

- Il poeta usa una definizione contadina per la costellazione delle Pleiadi: la Chiocetta. In che modo continua la metafora?
- Se leggiamo la poesia senza alcuna chiave interpretativa essa appare come una descrizione affettuosa e sensibile di una natura notturna. Quali aspetti ne mette in risalto il poeta?
- Interpreta ora il testo partendo dall'informazione contenuta nel "Contesto" e sottolinea quelli che a tuo giudizio sono i punti più simbolici.

e 3. Riflessione

- Che impressione deve aver fatto nella società tanto per bene dell'epoca la lettura di questa lirica? E oggi, che sensazioni suscita?

*l'*Ottocento

T56 Giovanni Pascoli: Italy

Sacro all'Italia raminga[1] CANTO PRIMO

A Caprona, una sera di febbraio,
    gente veniva, ed era già per l'erta[2],
    veniva su da Cincinnati, Ohio.
La strada, con quel tempo, era deserta.
5   Pioveva, prima adagio, ora a dirotto,
    tamburellando su l'ombrella aperta.
La Ghita e Beppe di Taddeo lì sotto
    erano, sotto la cerata ombrella
    del padre: una ragazza, un giovinotto.
10 E c'era anche una bimba malatella,
    in collo a Beppe, e di su la sua spalla
    mesceva giù le bionde lunghe anella.
Figlia d'un altro figlio, era una talla[3]
    del ceppo vecchio nata là: Maria:
15   d'ott'anni: aveva il peso d'una galla[4].
Ai ritornanti per la lunga via,
    già vicini all'antico focolare,
    la lor chiesa sonò l'Avemaria[5].
Erano stanchi! avean passato il mare!
20   Appena appena tra la pioggia e il vento
    l'udiron essi or sì or no sonare.

Maria cullata dall'andar su lento
    sembrava quasi abbandonarsi al sonno,
    sotto l'ombrella. Fradicio e contento
25 veniva piano dietro tutti il nonno.

III
E i figli la rividero alla fiamma
    del focolare, curva, sfatta, smunta[6].
    "Ma siete trista! siete trista, o mamma!"
Ed accostando agli occhi, essa, la punta
30   del pannelletto[7], con un fil di voce:
    "E il Cecco è fiero? E come va l'Assunta?"
"Ma voi! Ma voi!" "Là là, con la mia croce."(…)
Beppe sedé col capo indolenzito
    tra le due mani. La bambina bionda
35   ora ammiccava qua e là col dito.
Parlava, e la sua nonna, tremebonda,
    stava a sentire e poi dicea: "Non pare
    un luì[8] quando canta tra la fionda[9]?"
Parlava la sua lingua d'oltremare:
40   "...a chicken-house" "un piccolo luì..."
    "...for mice and rats" "che goda a cinguettare,
zi zi" "Bad country, Joe, your Italy!"

---

1 Che migra.

2 Salita.

3 Una pianta molto giovane.

4 Piccolo rigonfiamento che si forma sulle piante.

5 L'Avemaria si suona al tramonto.

6 Pallida.

7 Grembiule.

8 Un uccellino.

9 Fronde, rami.

Contesto

Il poemetto (di 450 versi, diviso in "canti") racconta il ritorno di una famiglia di emigranti per cercare di far guarire la figlioletta malata, si rifà ad un avvenimento realmente successo nel piccolo paese di Caprona, in Toscana.

e 1. Comprensione

Di' se queste affermazioni sono vere o false.

                                                            vero falso

a. Nella prima parte viene descritta la partenza della famiglia per l'America.   ○ ○

b. La famiglia sta arrivando a piedi sotto la pioggia.   ○ ○

c. La bimba malata è portata in braccio e appare molto provata.   ○ ○

d. L'incontro con la famiglia di origine è molto lieto.   ○ ○

e. Alla notizia dell'arrivo della famigliola dall'America parenti e amici vengono in visita.   ○ ○

f. Il dialogo fra nonna e nipotina è pieno di allegria, malgrado le difficoltà linguistiche.   ○ ○

g. Nella seconda parte viene evocata la situazione difficile di chi cerca lavoro all'estero.   ○ ○

h. L'invito finale rivolto agli emigranti è di rinunciare a inutili sogni di ritorno e di integrarsi nelle nuove patrie.   ○ ○

V

Oh! no: non c'era lì né pie né flavour
    né tutto il resto. Ruppe in un gran pianto:
45   "Joe, what means nieva? Never? Never? Never?"[10]
Oh! no: starebbe in Italy sin tanto
    ch'ella guarisse: one month or two, poor Molly!
    E Joe godrebbe questo po' di scianto[11]!
Mugliava il vento che scendea dai colli
50   bianchi di neve. Ella mangiò, poi muta
    fissò la fiamma con gli occhioni molli.
Venne, sapendo della lor venuta,
    gente, e qualcosa rispondeva a tutti
    Joe, grave: "Oh yes, è fiero... vi saluta... (...)
55 Il tramontano discendea con sordi
    brontoli. Ognuno si godeva i cari
    ricordi, cari ma perché ricordi:
quando sbarcati dagli ignoti mari
    scorrean le terre ignote con un grido
60   straniero in bocca, a guadagnar danari
per farsi un campo, per rifarsi un nido...

XVII

La madre[12] li vuol tutti alla sua mensa
    i figli suoi. Qual madre è mai, che gli uni
    sazia, ed a gli altri, a tanti, ai più, non pensa?
65 Siedono a lungo qua e là digiuni;
    tacciono, tralasciati nel banchetto
    patrio, come bastardi, ombre, nessuni:
guardano intorno, e quindi sé nel petto,

70   sentono su la lingua arida il sale
    delle lagrime; infine, a capo eretto,
escono, poi fuggono, poi: - Sii male...[13] -

XVIII[15]

Non maledite! Vostra madre piange
    su voi, che ai salci[14] sospendete i gravi
    picconi, in riva all'Obi, al Congo, al Gange[15].
75 Ma d'ogni terra, ove è sudor di schiavi,
    di sottoterra[16] ove è stridor di denti,
    dal ponte ingombro delle nere navi,
vi chiamerà l'antica madre, o genti,
    in una sfolgorante alba che viene,
80   con un suo grande ululo[17] ai quattro venti
fatto balzare dalle sue sirene

---

10 Maria sente "nieva", nevica, e capisce che non potrà mai più (*never*) tornare in America.

11 Riposo.

12 La madrepatria, l'Italia.

13 Non completa la parola "maledetta".

14 Salici, alberi.

15 Nomi di grandi fiumi di paesi lontani.

16 Miniere.

17 Il suono delle sirene che richiamerà in patria gli emigranti.

---

e **2. Analisi**

- Il testo presentato si può dividere in due parti. Trova per ciascuna un titolo che ne caratterizzi l'atmosfera.

  Versi 1-61: ....   Versi 62-fine: ....

- Riferendosi alla casa Pascoli usa due termini: focolare (v. 27) e nido (v. 61). Che valore ha questa scelta lessicale?

- Tre aggettivi descrivono la nonna "curva, sfatta, smunta" (v. 28). Che tipo di esistenza evocano i tre aggettivi? Quale altra espressione potremmo aggiungere per definire uno stato psicologico che non è solo suo?

- La commistione di lingue – italiano, inglese e forme di contaminazione fra le due – è un elemento fortemente realistico, presente in misura abbastanza consistente nel poemetto. Con quale spirito Pascoli compie questa operazione? Con un senso di superiorità, di snobismo o di partecipata comprensione?

- Da qualche tempo la poesia si era avvicinata a temi quotidiani e sociali, mantenendo però un linguaggio "nobile". Pascoli compie un'operazione sperimentale. Cerca di definirne le caratteristiche e di immaginare le reazioni del mondo "accademico".

e **3. Riflessione**

Fra Ottocento e Novecento l'emigrazione italiana sia in Europa che oltre oceano, sia dal sud che dal nord raggiunse quote enormi. Che cosa caratterizza l'Italia di oggi? A chi potrebbe rivolgere Pascoli il proprio poemetto?

Critica

Foscolo e il rinnovamento della poesia italiana

Fu, in fatto di teoria della poesia e di critica o storia letteraria, tra i profondi rinnovatori, tra i primissimi che trassero profitto[1] dalle dottrine che un secolo innanzi[2] aveva enunciate il Vico; ed ebbe piena coscienza dell'intimo nesso[3] di poesia e vita, e a coloro che erano dotti[4] di regole e di modelli d'arte, ma non avevano mai accolto nel loro seno[5] le umane passioni né combattuto le lotte della volontà, che non avevano trepidato[6] e sofferto e amato e odiato, negò la possibilità di produrre e di giudicare poesia. La polemica contro gli accademici, i letterati da tavolino e gli "uomini claustrali[7]", contro le scuole della vecchia Italia, corre attraverso di tutte le sue pagine; e la sua idea positiva è l'interpretazione storica della poesia, della vera poesia, la quale, nutrendosi degli affetti e passioni degli uomini nei vari tempi, non può essere compresa se non a quel modo. Romantico in questa parte, e romantico nel miglior senso, culminante nell'ammirazione del "poema primitivo"; ma in pari tempo classico, perché non gli piacque la "tinta[8] sentimentale", e "spesso artefatta", degli scrittori moderni, e amò la naturalezza degli antichi che "descrivevano le cose come le vedevano, senza volerle ingrandire agli occhi dei lettori sazievoli[9]", e mise al sommo dell'arte l' "armonia". Allo stile andante e scorrevole preferì sempre quello energico, condensato e sobrio[10], lo stile degli scrittori greci a quello moderno francese, che "stempera[11] un pensiero in dieci periodi". Alle teorie romantiche sul dramma "nazionale" e sul dramma "storico" oppose che la poesia non è punto[12] legata ai "soggetti nazionali" e non sa che cosa farsi dell'esattezza storica. Possedeva fortissimo il senso della forma poetica, che non è quella estrinseca[13], conforme a modelli e regole, e il senso della grande poesia; onde[14] giudicò in modo nuovo Dante e gli altri poeti, e s'avvide[15] che molto di ciò che ancora i letterati del suo tempo chiamavano poesia non era tale, e che di poesia l'Italia fu quasi affatto[16] priva nei due secoli, pur così pieni di versi, che corsero tra Tasso e Alfieri.

Benedetto Croce

1 Che seppero imparare.

2 Prima.

3 Profonda unitarietà.

4 Sapienti.

5 Vissuto direttamente, in prima persona.

6 Atteso con passione e paura.

7 Persone che se ne stanno chiuse in un convento, staccate dalla vita quotidiana.

8 Colorazione, aspetto, caratteristica.

9 Che devono essere saziati, riempiti di cose strabilianti e meravigliose.

10 Non troppo ricco stilisticamente.

11 Diluisce.

12 Per niente.

13 Esteriore.

14 E per questa ragione.

15 Si rese conto.

16 Del tutto, completamente.

"Lirica" secondo Leopardi

Si badi a non confondere il senso che Leopardi attribuisce alla parola "lirica" con quello moderno che include in esso qualsiasi forma, anche la più complessa e differenziata, di poesia. La lirica per Leopardi è tale[1] proprio perché si contrappone da un lato alla narrativa (all'epos[2]), [...] e dall'altro lato al dramma, come genere imitativo[3], inventivo, che importa[4] una volontà di costruzione, di ordinamento, di regolarità imposta dall'esterno, e insomma di studio e di artificio allo scopo di divertire e ingannare l'ozio di uomini corrotti dalla civiltà.

La lirica è il canto che non conosce durata, né regola, né ordine, all'infuori della sincerità dell'ispirazione; che esprime il palpito[5] del cuore nella sua immediatezza e "momentaneità"; è la voce pura e semplicissima del sentimento, che non racconta e tanto meno appresenta[6] (non immagina trame, né crea personaggi in un ambiente fittizio[7] inventato), sì[8] soltanto dice liberamente, schiettamente[9], le sue pene e le sue gioie nell'attimo stesso in cui le prova.

È insomma, in un certo senso, la lirica quale la intendevano i rètori[10], come un genere distinto e per eccellenza personale, soggettivo; ma depurato di ogni intrusione[11] di elementi narrativi e drammatici, da ogni funzione educativa e civile, e ricondotto alla sua origine, alla sua prima natura di puro movimento affettivo e melodico.

Solo se si tien presente il vero significato che Leopardi attribuisce alla parola "lirica", si potrà veramente intendere il valore e tutta la portata della sua poetica[12], e derivarne un criterio per l'intelligenza[13] e la valutazione della sua poesia.

Con l'avvertenza tuttavia che il processo[14] dell'attività letteraria di Leopardi si adegua con piena coerenza all'espressione più matura e consapevole della sua poetica solo nel momento della composizione di grandi idilli.

Natalino Sapegno

1 È quello che è "lirica".

2 Parola greca da cui deriva "epica" e sta per narrazione di fatti eroici.

3 Realistico, che imita la realtà.

4 Richiede.

5 Battito.

6 Mette in scena.

7 Finto, che non esiste se non sulla scena.

8 Bensì, ma.

9 Sinceramente.

10 Maestri di letteratura, critici dell'antichità.

11 In cui non si possono trovare.

12 Idea di poesia e letteratura.

13 Comprensione.

14 Il progredire nel tempo.

Critica

Manzoni e la lingua italiana

La misura della grandezza de *I Promessi Sposi* è data anche dalla novità della soluzione linguistica, tale da aver fatto del capolavoro manzoniano il modello della lingua parlata e scritta dell'Italia unita. La lingua del *Fermo e Lucia*[1], come dice lo stesso Manzoni, è «un composto di frasi un po' lombarde, un po' toscane, un po' francesi, un po' anche latine», con una eterogeneità[2] espressiva che era il corrispettivo di quella tematica: lo scrittore, infatti, nell'accingersi[3] a scrivere un romanzo storico, cioè un'opera realistica intenzionalmente rivolta a un pubblico vasto, si trova a dover affrontare il problema della mancanza di una lingua adatta al compito, essendo la lingua scritta quella di una letteratura classicistica, astratta e lontana dall'uso comune, e mancando del tutto una lingua parlata media fuori dei dialetti regionali. [...]
Attorno alle questioni linguistiche, sorte[4] durante il lavoro concreto del romanzo, Manzoni si arrovellò[5] per decenni, lasciando una massa di scritti editi e soprattutto inediti, in parte raccolti nel postumo[6] *Sentir messa* (1885). Il problema di fondo di Manzoni è quello di una lingua «viva e vera», che faccia parte cioè di un concreto contesto storico e sia giustificata dalla pratica della comunicazione reale, non essendo per lui pensabile una letteratura realistica senza uno strumento espressivo che fondi la sua esistenza sulla realtà dei rapporti sociali: quella che egli chiama necessità di «sliricarsi[7]» ha come corrispettivo linguistico il passaggio da una lingua soggettiva, liricamente espressiva e "poetica", com'è essenzialmente quella della tradizione letteraria italiana, a una lingua oggettiva, della comunicazione comune, uguale tanto per lo scrittore che per i lettori. Da un punto di vista teorico Manzoni insiste quasi ossessivamente sul concetto di "lingua d'uso", anche qui rompendo tutti i ponti[8] con le concezioni tradizionali miranti sempre a un'idea di lingua letteraria bella per se stessa, per le doti di armonia o sublimità o antichità: la lingua è, invece, per Manzoni un puro strumento avvalorato[9] dall'uso concreto che di essa si fa, fuori del quale diventa artificiosa e libresca, avulsa[10] da qualsiasi realtà.

Elio Gioanola

---

1 La prima versione de *I promessi sposi*.

2 Presenza di elementi di diversa natura e origine.

3 Nel momento in cui inizia.

4 Che sono nate, venute alla luce.

5 Si preoccupò di trovare una soluzione.

6 Testo pubblicato dopo la morte dell'autore.

7 Abbandonare le forme della poesia lirica.

8 I legami, i collegamenti.

9 Che riceve il suo valore, che viene giustificato.

10 Staccata.

Verga, il pessimismo sociale estremo

In Verga la rappresentazione popolare[1] è solo un momento di un quadro più vasto, e non rappresenta un fattore particolarmente significativo. Dietro ai proletari dei *Malavoglia* e di tante novelle siciliane del Verga, c'è una visione di carattere più metafisico[2] che storico, un atteggiamento morale più ontologico[3] che terreno, un'indignazione e un pessimismo più universali che umani. Verga non assegna al "popolo" un posto privilegiato nella grande vicenda del dolore.
Quel che affascina lo scrittore non è la sofferenza dei ceti subalterni[4], considerati come aventi leggi e manifestazioni proprie, bensì la ciclica inesorabile riconferma di una legge comune a tutti i ceti, a tutti gli uomini, a tutte le creature viventi: dal miserabile asino della novella *Rosso Malpelo*, ai pescatori dei *Malavoglia*, all'aspirante borghese *Mastro Don Gesualdo*, fino ai personaggi immaginati ma non compiuti[5] degli ultimi romanzi del "ciclo dei vinti". [...]
E quando lo scrittore esce da questa sua condizione di marmoreo[6] e impassibile testimone, è solo per giudicare erroneo, anzi folle e disperato, ogni tentativo di sottrarsi[7] con la violenza, l'organizzazione, il programma politico, ad una condizione di inferiorità e di dolore, che il destino ci ha assegnato. La ribellione popolare si muove in Verga tra i due poli della violenza cieca e animalesca [...] e del facile tradimento di classe.
Non c'è via di mezzo tra questi due estremi: ossia, non c'è speranza concreta di miglioramento, perché la "lotta per l'esistenza, per il benessere, per l'ambizione" non comporta deviazioni dalla sua linea di ferreo e tremendo egoismo.
Il paradosso, solo apparente a guardar bene, dell'arte verghiana sta in questo: che *proprio* il rifiuto della speranza populista e delle suggestioni socialiste porta lo scrittore siciliano alla rappresentazione più convincente, che sia stata data del mondo popolare in Italia durante tutto l'Ottocento.

Alberto Asor Rosa

---

1 Del popolo.

2 Generale.

3 Che riguarda le cose come sono in sé, più che come si realizzano nelle situazioni concrete.

4 Classi sociali oppresse.

5 Realizzati.

6 Distaccato, freddo come una statua di marmo.

7 Liberarsi.

Critica

Dal Romanticismo alla Scapigliatura

Nel 1861, alla proclamazione del nuovo Regno italico, il Romanticismo è oramai agonizzante[1]. Infatti al momento di tensione, alle istanze rivoluzionarie, ai più o meno «eroici» idealismi, che avevano offerto materia[2] agli scrittori del nostro Romanticismo, il quale era stato – se si eccettuano le tre grandi esperienze di Foscolo, Manzoni e Leopardi – un tutt'uno col Risorgimento, subentrano nuovi, più «prosaici», ma reali e impellenti problemi connessi alla raggiunta unità (cui mancano ancora però il Veneto, Roma, Trento e Trieste).

Sono questi gli anni in cui comincia ad aprirsi quella frattura[3] fra la borghesia, la classe politica che aveva realizzato il Risorgimento e l'Unità e dei cui ideali il Romanticismo era stato portavoce, e la letteratura e gli intellettuali più sensibili, frattura destinata a farsi sempre più profonda nei decenni successivi, tranne alcuni casi isolati, quali quelli di Giovanni Prati e di Aleardo Aleardi, che tendono a perpetuare, in toni languidi, patetici[4] e retorici, gli ideali che avevano illuminato le precedenti generazioni, che risultano oramai svuotati di ogni carica vitale ed emotiva.

Gli anni a cavallo fra il '60 e il '70 sono quelli in cui si colloca un tentativo di rivolta ad opera di alcuni intellettuali del Nord, conosciuta con il nome di Scapigliatura (nome che questi intellettuali si diedero dal titolo del romanzo di Cletto Arrighi: *La Scapigliatura e il 6 febbraio*, pubblicato nel '62). La Scapigliatura fiorì a Milano, la città che, fin dai tempi dell'Illuminismo, si era dimostrata la più aperta e disponibile a recepire[5] le esperienze culturali d'Oltralpe[6], e si presentò subito come una fronda[7] antiromantica e antiborghese.

Nel loro programmato disordine gli scapigliati esprimono la volontà di contestazione, di rivolta contro il perbenismo[8] di una borghesia che non riusciva più a mascherare, sotto finti idealismi, le sue vere intenzioni, che erano in realtà la corsa al potere e la corsa al profitto.

Giovanni Getto, Giolle Solar

La lingua di Pascoli

Lingua nuova è per buona parte quella usata da Pascoli per ampliamento della lingua tradizionale. In quanto la sua lingua annette alla lingua normale le lingue speciali e fin quelle specialissime che sono le sequenze foniche dei nomi propri, è evidentemente una lingua nuova. E se naturalmente una lingua del tutto non esperita […] in Pascoli non c'è, una qualche traccia della relativa[1] nostalgia, almeno indiretta, si può forse ritrovare. Pensate alla nota che chiude Myricae. Il suo finale cita una traduzione di una fra le liriche più popolari della raccolta, Orfano: «La naiv, dadora, flocca flocca flocca...[2]». Una traduzione «in che lingua? In una lingua fraterna», risponde Pascoli senza precisare meglio (si tratta di una variante ladina[3]). E non precisa meglio perché essa non ha una storia e un nome riconosciuto, perché è una lingua priva di tradizione letteraria, una lingua del tutto vergine. Pascoli contempla con interno compiacimento il trasferimento del proprio mondo linguistico in un ambiente come questo, sprovvisto di un'esperienza anteriore. Ora, la linea[4] pascoliana persiste ed è ancora attuale, specialmente se si adotta il punto di vista da cui ci siamo posti, quello linguistico; ed è attualità vivacissima se si pensa agli esperimenti compiuti in questi ultimi anni da un animoso poeta, romagnolo del resto, ma che ha cominciato a scrivere in friulano, Pier Paolo Pasolini […]

Pascoli e il suo fermento nuovo si vengono a trovare in lotta e in concorrenza con qualche cosa di marcito dalla tradizione («noi, marci di storia», scrisse una volta Bacchelli): dunque, con uno strumento marcito dalla tradizione, di cui si riesce a ripristinare la vitalità.

Gianfranco Contini

Ritratto di Giovanni Pascoli insieme a Ermenegildo Piscopio

---

1 Sta morendo.

2 Argomenti.

3 Rottura, distanza.

4 Che amano lasciarsi andare all'auto-osservazione, alla contemplazione della propria infelicità, senza reagire.

5 Accogliere, accettare.

6 La Francia.

7 Movimento contestatore, ribelle.

8 Desiderio, spesso ipocrita e solo superficiale, di ordine, rispetto delle convenzioni sociali.

---

1 Che la riguarda.

2 "La neve, ricca, fiocca" (cade).

3 Lingua parlata nelle valli Alpine tra Sud Tirolo e Veneto.

4 Tradizione.

il primo Novecento

il primo Novecento

Il primo Novecento

1. L'età giolittiana

Gli anni compresi fra l'inizio del secolo e lo scoppio della Prima Guerra Mondiale vengono detti oggi "età giolittiana" dal nome di Giovanni Giolitti (1842-1928), statista che fu a lungo capo del governo italiano e influenzò tutta la vita politica del periodo con la sua personalità (cfr. 200).
Giolitti cercò di rafforzare lo stato liberale e di smorzare i conflitti sociali favorendo lo sviluppo economico e l'entrata nella vita politica delle rappresentanze operaie del Nord.

Incoraggiò, dunque, non la violenza, ma il libero gioco delle forze in concorrenza, poiché il governo non doveva identificarsi con nessuna delle parti, ma facilitarne l'incontro.

2. L'incremento dell'industria

Grazie all'azione del governo vi fu un intenso sviluppo industriale ed un miglioramento del tenore di vita. Fu rafforzato molto, in tal modo, il ruolo della borghesia; vi fu anche un'evoluzione del proletariato operaio del Nord, ma la condizione dei contadini e dei braccianti, sia del Nord che del Sud, rimase invariata. Lo sviluppo tumultuoso dell'industria provocò anche l'accentramento urbano nel triangolo industriale (Milano, Torino, Genova) e l'aumento del dislivello tra il Nord ed il Sud fece crescere le tensioni sociali e provocò una massiccia emigrazione all'estero dei ceti più sfavoriti.

3. Il dibattito culturale

Le tensioni provocate da uno sviluppo sociale non omogeneo, l'affacciarsi di nuove classi (il proletariato, i ceti medi) ed i contrasti che nascevano in essi e fra di essi favorirono un intenso dibattito culturale. Si verificò, infatti, la crescita di inquietudini intellettuali e morali, la tendenza ad una visione della vita di tipo spiritualistico, in

---

🔎 Per la prima volta guerra totale

La Prima Guerra Mondiale esplode a causa delle molteplici ragioni di attrito tra la Germania e l'Inghilterra (concorrenza industriale e navale), tra la Germania e la Francia (possesso di Alsazia e Lorena), fra l'Austria e la Russia (questione balcanica), fra l'Austria e l'Italia (Trento e Trieste).
Il conflitto assume per la prima volta nella storia, il carattere di guerra totale, perché impegna a fondo non solo gli eserciti, ma tutte le energie economiche, politiche e morali dei popoli in lotta. Perfino la cultura si offre come strumento di propaganda.
In Italia l'interventismo ha la meglio, perché il governo ed il re, sostenuti da demagogiche manifestazioni di piazza, impongono, di fatto, la dichiarazione di guerra.
Il 1917 è l'anno più duro. Il proletariato industriale torinese, infatti, alimenta una sommossa che rivela in pieno la protesta contro la prosecuzione del conflitto.
La guerra modifica la situazione mondiale facendo perdere all'Europa il suo primato politico sugli Stati Uniti. La conferenza di Parigi, inoltre, approva lo statuto della Società delle Nazioni, che, in linea di principio, avrebbe dovuto mutare la logica dei rapporti internazionali, ma di fatto viene utilizzata dalle grandi potenze solo per la salvaguardia dei loro interessi particolari.

polemica con le correnti ideologiche che avevano caratterizzato il Positivismo. Crebbe, inoltre, il nazionalismo. L'Italia in questo periodo fu dunque teatro di uno scontro vivacissimo di idee.

4. Le riviste

Le riviste, luogo naturale dello scontro ideologico, assunsero un'importanza fino ad allora sconosciuta. Altro importante strumento di diffusione divenne *la terza pagina* dei giornali, nata nel 1901 sul *Giornale d'Italia*, poi adottata anche da tutti gli altri giornali: era una pagina dedicata a commenti, dibattiti e a un genere nuovo, l'*elzeviro*, cioè l'articolo di fondo dal carattere prettamente letterario della terza pagina. Tra le riviste più famose si segnalano *Il Marzocco*, fondata nel 1896, poi, nel 1903, la *Critica* di Benedetto Croce; *Il Leonardo*, pubblicato tra il 1903 ed il 1907; *Il Regno* che, uscito tra il 1903 ed il 1906, fu l'organo delle correnti nazionalistiche. Ancora più importante *La voce* che ebbe tra i suoi collaboratori intellettuali come Benedetto Croce e Luigi Einaudi.

5. Il pubblico

L'aumento dell'alfabetizzazione, il costituirsi di uno strato più ampio ed articolato di ceti medi, la diffusione della lettura e della cultura anche fra i gruppi operai, avevano allargato il pubblico. Cominciò, dunque a costituirsi il pubblico di massa, con il quale la letteratura dovette fare i conti. Conseguenza di ciò fu uno stratificarsi delle opere letterarie su più piani e questo costrinse lo scrittore a scrivere per un lettore meno definito che in precedenza.

6. La narrativa

Il genere letterario più ricco di opere e più diffuso tra il pubblico fu la narrativa. La novella e, soprattutto, il romanzo riuscirono a soddisfare tutte le esigenze del lettore, sia di quello che chiedeva solo evasione, sia di quello che chiedeva un dignitoso intrattenimento, sia, infine, di quello che chiedeva un'interpretazione del mondo. Caratteristica della narrativa del primo Novecento, non fu più solo la dissoluzione del Naturalismo, ma l'invenzione di un romanzo tutto diverso, fondato su altri principi artistici: se la condizione dell'uomo era quella che era, tragica e dolorosa, che senso aveva l'analisi di una società, il racconto di una storia? Il romanzo non poteva che essere l'analisi dell'uomo, la presa di coscienza della sua miseria, la polemica contro il senso comune. La nuova narrativa fu concepita, allora, come uno strumento per la diffusione di idee, l'accentuazione di un personaggio che diviene portavoce dell'autore. Come nei romanzi della scrittrice sarda Grazia Deledda (1871-1936), che porta nel nuovo secolo la tradizione verista dell'Ottocento. Ricevette il premio Nobel nel 1926.

In alto: pubblicazioni di inizio secolo.

Nella pagina a fianco in alto: il *Quarto Stato*, di Giuseppe Pellizza da Volpedo, quadro simbolo dell'Italia fra i due secoli.

Nella pagina a fianco in basso: la guerra diviene di posizione ed è combattuta in trincea.

il primo Novecento

Gabriele D'Annunzio

1. Un uomo a cavallo tra due secoli

Gabriele D'Annunzio è stato uno degli scrittori più rappresentativi del periodo a cavallo tra Ottocento e Novecento.

Dal punto di vista artistico, è stato pronto a cogliere ogni suggestione letteraria, abbracciando, nella sua vasta produzione, diversi generi: prosa e poesia, teatro drammatico e opera, romanzo e novella, discorso e articolo giornalistico.

Inoltre, con i suoi atteggiamenti eccessivi, i suoi valori radicali, in parte ripresi poi dall'ideologia fascista, non sempre condivisibili ma per lo più sinceri, con le sue passioni sempre esibite, ha segnato profondamente i decenni che vanno dalla fine dell'Ottocento allo scoppio della Seconda Guerra Mondiale.

2. Le prime opere

Le prime opere di D'Annunzio lasciano chiaramente vedere l'ampiezza degli studi e degli interessi del giovane poeta, che sperimenta stimoli e modelli raccolti dalla cultura non solo italiana, ma anche europea. Pubblica la sua prima raccolta di poesie, *Primo Vere*, all'età di sedici anni: pur essendo ancora acerbo e scolastico, il poeta già dimostra di saper cogliere le idee più nuove dell'epoca, avendo come modello le *Odi barbare* di Carducci, uscite solo due anni prima. La seconda raccolta, *Canto Novo*, è del 1882: accanto al modello carducciano, propone una sensualità e una fisicità del tutto nuove. Nello stesso anno pubblica le novelle *Terra vergine*, che, insieme a quelle che scriverà in seguito, nel 1902 saranno raccolte in *Le novelle della Pescara*: sono racconti di tipo verista, che si rifanno al Naturalismo francese, ambientati nell'Abruzzo contadino, ma arricchiti da particolari orridi e sensuali.

Le successive raccolte di poesie, *Intermezzo di rime*, su modello decadente e parnassiano, e *Isaotta Gottadàuro* ed altre poesie, dove si ritrovano la lirica italiana del '300 e i preraffaelliti inglesi, sono contraddistinte da metri e soluzioni formali tradizionali e preziose. Nel 1889 esce *Il piacere*, primo romanzo di D'Annunzio: la prosa è lirica, raffinata, la debole trama ruota intorno alla vita dissoluta del protagonista, che l'autore condanna solo esteriormente; questa dimensione della "bontà", della condanna della lussuria e del desiderio di purezza, ripreso dai grandi romanzieri russi, caratterizza anche i due romanzi successivi, *Giovanni Episcopo* e *L'innocente*. Le poesie di quegli anni sono raccolte in due libri, *Elegie romane* (1892) e *Poema paradisiaco* (1893): quest'ultimo, in particolare, influenzato dal Simbolismo decadente francese, è notevole per lo stile, musicale e lirico.

🔍 Roma capitale

Il Regno d'Italia viene proclamato nel 1861, ma solo nel 1870 si realizzano le condizioni affinché anche ciò che era rimasto dello Stato Pontificio e Roma siano annessi all'Italia. Nel 1870, infatti, il governo italiano autorizza l'occupazione di Roma, mettendo fine al potere temporale dei papi. Roma può così diventare, nel 1871, la capitale del Regno d'Italia: questa sua nuova condizione comporta dei profondi cambiamenti nel suo aspetto. Dalla distruzione di interi quartieri che avevano ancora una struttura e un aspetto medievali, si sviluppa infatti un'architettura neo-rinascimentale molto scenografica, il cui simbolo più imponente è l'Altare della Patria, un enorme monumento che nasconde i Fori dell'antica Roma. Una caratteristica di questa nuova architettura è infatti di non tener conto di ciò che la circonda e, come si è detto sopra, di ciò che viene distrutto per farle spazio. Malgrado questo, alcuni quartieri di fine Ottocento hanno un loro equilibrio che invece manca del tutto negli edifici che ospitano i ministeri della nuova capitale e che sono di solito eccessivi nella decorazione, nel fasto, nelle dimensioni.

3. Il mito del Superuomo

Ormai per D'Annunzio la poetica della bontà e della ricerca di purezza e redenzione è superata: nel decennio successivo tutta la sua opera sarà influenzata da una personale versione del mito del superuomo, che il poeta elabora partendo da F. Nietzsche e R. Wagner: il culto della bellezza e dell'arte, della sensualità e del vitalismo, l'esaltazione della razza, della violenza e della tecnologia moderna, la celebrazione delle personalità superiori alle quali tutto è concesso, il senso di decadimento dell'età contemporanea, sono tutte idee che hanno una forte presa sulla società borghese dell'epoca e contribuiscono ad accrescere la popolarità di D'Annunzio. I romanzi della fine dell'800 sono centrati sul mito del superuomo, così come le opere che il poeta inizia a scrivere per il teatro, caratterizzate da intrighi, lussuria, ferocia e da una lingua retorica ed enfatica: ricordiamo *La città morta* (1898), *La figlia di Iorio* (1903) e *La fiaccola sotto il moggio* (1905). Il ritorno alla poesia avviene con il suo capolavoro: le

Laudi, composte da tre libri, ai quali poi se ne aggiungeranno altri due: i primi, *Maia* ed *Elettra*, sono legati al superomismo e ad un patriottismo nazionalista e antidemocratico che piacerà al fascismo; il terzo libro, *Alcyone*, è invece un'immersione nella natura attraverso la descrizione, in toni diversi, di un'estate, dall'esaltazione dionisiaca e solare, alla malinconia della decadenza, espressa con una lingua musicale, originale e raffinata.

4. D'Annunzio "notturno"

Dopo il primo decennio del '900 D'Annunzio trova una vena più malinconica e raccolta, privata e autobiografica. Si apre l'ultimo periodo della sua storia, detto "notturno". Nel 1916 compone il *Notturno*, un diario autobiografico sul periodo della guerra, e sempre autobiografico è *Le faville sotto il maglio*, in vari volumi usciti tra il 1924 e il 1928, prose nostalgiche sul passato, scritte però con la consapevolezza di essere una persona e un artista eccezionale. Con questa svolta privata si chiude l'opera di un artista che, malgrado le polemiche e le critiche, influenzerà a lungo tutta la letteratura italiana.

Gabriele D'Annunzio

Nato nel 1863 in Abruzzo, è un autore molto precoce e a 16 anni pubblica la prima raccolta di poesie, *Primo vere*, che ha subito successo. Nel 1881 si stabilisce a Roma, dove continua a scrivere e pubblicare in poesia e in prosa, si dedica alla vita mondana e alle avventure amorose; malgrado sia costretto a sposarsi e a lavorare per un giornale per mantenere la famiglia, continua una vita dissoluta e disordinata, definendo così la sua immagine di poeta raffinato e sensuale. Tuttavia, abbandonata la moglie e sommerso dai debiti, deve lasciare Roma: in Abruzzo e a Napoli passa anni tristi e di miseria, malgrado il successo delle sue opere in Italia e all'estero. Nel 1895 inizia il suo amore con l'attrice Eleonora Duse: per lei inizia a scrivere opere teatrali, e con lei, dopo un altro periodo a Roma, dove viene eletto deputato in Parlamento, si trasferisce vicino a Firenze. Sono anni felici, di vita sfarzosa, appariscente ed elegante, ricca anche di opere letterarie.

Lasciata l'attrice nel 1904, continua una vita scandalosa, dispendiosa e dissoluta, tanto che presto ricominciano i problemi economici: è costretto infatti ad espatriare, e trascorre 5 anni in Francia, dove però non cambia abitudini di vita.

Lo scoppio della Prima Guerra Mondiale lo riporta in Italia, dove, malgrado abbia 52 anni, si arruola; la sua popolarità è al massimo: incarna il poeta-vate, il superuomo eroico, che si realizza nell'azione e nella guerra.

Alla fine del conflitto mondiale D'Annunzio si trasferisce sul lago di Garda, nella villa detta "Il Vittoriale degli italiani", dove resta fino alla morte, avvenuta nel 1938. Con l'avvento del fascismo si ritrova onorato, ma anche emarginato dalla vita sociale: passa gli ultimi anni rinchiuso nella sua villa-museo, con pochi amici, dedicandosi all'arte e alla letteratura.

Qui sopra: foto di Gabriele D'Annunzio in divisa di Ardito fiumano.

A sinistra: caricatura di D'Annunzio in stile liberty, 1906.

Nella pagina a fianco in alto: D'Annunzio sulla spiaggia di Francavilla a Mare nel 1887.

Nella pagina a fianco in basso: la presa di Roma.

il primo Novecento

T57 Gabriele D'Annunzio: La sera fiesolana

Fresche le mie parole ne la sera
ti sien come il fruscìo che fan le foglie
del gelso ne la man di chi le coglie
silenzioso e ancor s'attarda a l'opra lenta
5 su l'alta scala che s'annera[1]
contro il fusto che s'inargenta
con le sue rame spoglie
mentre la Luna è prossima a le soglie
cerule[2] e par che innanzi a sé distenda un velo
10 ove il nostro sogno si giace
e par che la campagna già si senta
da lei sommersa nel notturno gelo
e da lei beva la sperata pace
senza vederla.

15 Laudata sii pel tuo viso di perla,
o Sera, e pe' tuoi grandi umidi occhi ove si tace
l'acqua del cielo!

Dolci le mie parole ne la sera
ti sien come la pioggia che bruiva[3]
20 tiepida e fuggitiva,
commiato lacrimoso[4] de la primavera,
su i gelsi e su gli olmi e su le viti
e su i pini dai novelli rosei diti[5]
che giocano con l'aura che si perde,
25 e su 'l grano che non è biondo ancora
e non è verde,
e su 'l fieno che già patì la falce
e trascolora[6],
e su gli olivi, su i fratelli olivi
30 che fan di santità pallidi i clivi[7]
e sorridenti.
Laudata sii per le tue vesti aulenti[8],

o Sera, e pel cinto che ti cinge come il salce[9]
il fien che odora

35 Io ti dirò verso quali reami
d'amor ci chiami il fiume[10], le cui fonti
eterne a l'ombra de li antichi rami
parlano nel mistero sacro dei monti;
e ti dirò per qual segreto
40 le colline su i limpidi orizzonti
s'incurvino come labbra che un divieto
chiuda[11], e perché la volontà di dire
le faccia belle
oltre ogni uman desire
45 e nel silenzio lor sempre novelle
consolatrici, sì che pare
che ogni sera l'anima le possa amare
d'amor più forte.

Laudata sii per la tua pura morte,
50 o Sera, e per l'attesa che in te fa palpitare
le prime stelle!

Da *Alcyone*

---

1 Appare scura.
2 Vicina a sorgere al limite del cielo.
3 Faceva un fruscìo leggero.
4 Perché la pioggia sembra pianto.
5 I germigli sembrano dita.
6 Il fieno, seccandosi, ingiallisce.
7 Pendii delle colline.
8 Odorosi.
9 Ramoscello di salice.
10 L'Arno, che scorre vicino a Fiesole.
11 La curve delle colline.

---

e 1. Comprensione
Di' se queste affermazioni sono vere o false.

	vero	falso
a. La lirica è dedicata a una donna.	○	○
b. È descritta una sera di fine primavera.	○	○
c. La natura è personificata.	○	○
d. La scena è ricca di presenze umane.	○	○

e 3. Riflessione
Come abbiamo visto, la sera è un momento signficativo
per i poeti. Quali pensieri può evocare questo momento?
In che misura possono essere influenzati dal luogo e
dal momento dell'anno?

e 2. Analisi
- Il fluire dei versi dalle rime irregolari, la personificazione
della natura, linguaggio e forme che riportano alle origini
della poesia italiana creano un'atmosfera

○ a. realistica   ○ b. surreale   ○ c. tranquillizzante
○ d. inebriante   ○ e. inquietante

- Il poeta si richiama al *Cantico delle creature* di Francesco
d'Assisi (testo 1). Qual è il suo spirito?

- La luna e la natura sono vocaboli di genere femminile. Si
limita a questo la presenza femminile? Come motivi la tua
risposta?

T58 Gabriele D'Annunzio: I pastori   T59 Nella belletta

Settembre, andiamo. È tempo di migrare[1].
Ora in terra d'Abruzzi[2] i miei pastori
lascian gli stazzi[3] e vanno verso il mare:
scendono all'Adriatico selvaggio
5 che verde è come i pascoli dei monti.

Han bevuto profondamente ai fonti
alpestri, che sapor d'acqua natìa
rimanga ne' cuori esuli a conforto,
che lungo illuda la lor sete in via.
10 Rinnovato hanno verga d'avellano[4].

E vanno pel tratturo[5] antico al piano,
quasi per un erbal fiume silente,
su le vestigia[6] degli antichi padri.
O voce di colui che primamente
15 conosce[7] il tremolar della marina[8]!

Ora lungh'esso il litoral cammina
la greggia. Senza mutamento è l'aria.
Il sole imbionda sì la viva lana
Che quasi dalla sabbia non divaria.
20 Isciacquìo, calpestìo, dolci romori.

Ah, perché non son io co' miei pastori?

Da *Alcyone*

Nella belletta[9] i giunchi hanno l'odore
delle pèrsiche mézze e delle rose
passe[10], del miele guasto e della morte.

Or tutta la palude è come un fiore
lutulento[11] che il sol d'agosto cuoce,
con non so che dolcigna afa[12] di morte[13].

Ammutisce la rana, se m'appresso.
Le bolle d'aria salgono in silenzio[14].

---

1 Lasciando i pascoli di montagna, per passare l'inverno in pianura.
2 La regione natale di D'Annunzio.
3 I recinti dove si ricoverano le pecore.
4 Il ramo di nocciolo.
5 Antico percorso di pastori e greggi durante le migrazioni stagionali.
6 Tracce.
7 Per primo riconosce.
8 Citazione da Dante, *Purgatorio*, I, 117.
9 Fango di palude, termine dantesco.
10 Appassite.
11 Sporco di fango, latinismo.
12 Aria umida e pesante carica di odori dolciastri.
13 Ammutolisce.
14 Il gas che si sprigiona.

---

e **1. Comprensione**
Segna l'affermazione corretta.

I pastori
- a. Un pastore racconta la propria vita.
- b. Il percorso delle greggi è antico.
- c. L'abbandono dei pascoli è doloroso.
- d. Il poeta cammina assieme ai pastori.

Nella belletta
- a. Caldo e odori dolciastri pesano nell'aria.
- b. Malgrado ciò domina un senso di vitalità.
- c. Il poeta si allontana con ribrezzo dalla palude.

e **2. Analisi**
- In entrambe le liriche il paesaggio è una presenza rilevante. Quali caratteristiche presenta?
I pastori: ....   *Nella belletta:* ....
- Quale sentimento domina in ciascuna lirica?
I pastori: a. gioia del ritorno   b. nostalgia   c. attesa del futuro   d. distacco oggettivo

Nella belletta: a. senso di ribrezzo   b. ammirazione   c. distacco oggettivo   d. gusto decadente

- Nella prima lirica il poeta descrive un evento, nella seconda invece ....
- Malgrado le differenze rilevate, le due liriche hanno un punto comune nel linguaggio. Che cosa rilevi
  aiutandoti con le indicazioni contenute nelle note?

e **3. Riflessione**
Confrontando le tre poesie dannunziane qui proposte otteniamo un'immagine variegata del poeta. Qual
è l'elemento "decadente" comune?

Luigi Pirandello

1. La formazione politico-culturale

Pirandello si formò nella cultura positivistica, partecipando però, contemporaneamente, a quelle tendenze che, nella nuova Italia, lamentavano il fallimento degli ideali risorgimentali.

In alcune novelle (*Mal giocondo*, 1889, *Zampogna*, 1909) e nel romanzo *I vecchi e i giovani* attaccò questa Italia affarista, lamentò quella che gli sembrava corruzione e decadenza. Pirandello guardò alla democrazia con sprezzante antipatia (*Il fu Mattia Pascal*, 1904) e vide i dirigenti delle leghe socialiste come ambiziosi e pericolosi. Per lui voler modificare i rapporti di classe era non solo inutile, ma dannoso.

La sua visione era fondata sul contrasto fra la vita (come fluire ininterrotto) e le *forme* (nelle quali l'uomo è costretto a fissarla). L'uomo è prigioniero di schemi e l'unica soluzione è la distruzione di sé.

2. La poetica

Nel suo saggio, *L'Umorismo* (1908), Pirandello definì l'umorismo come "il sentimento del contrario", cioè la presenza del critico e del poeta nello stesso uomo, il quale, mentre si abbandona al sentimento, è vittima di un demonietto maligno che ne smonta i meccanismi per vedere come sono fatti. Noi avvertiamo il contrasto tra l'essere ed il sembrare, tra la sostanza e le forme, e questo contrasto ci fa ridere. L'umorista scopre e denuncia le menzogne convenzionali, ma, nello stesso momento, ne vede anche il lato doloroso e tragico. Si smonta il meccanismo non per ridere, ma per compatire.

3. La narrativa

Pirandello passò gradatamente da modelli veristici ad altri novecenteschi. Il suo primo romanzo, *L'esclusa* (1903), pur sembrando verista, in realtà rompeva quegli schemi per la novità grottesca dell'invenzione e dello stile.
Del tutto nuovo è *Il fu Mattia Pascal* (1904): la storia di un uomo che, ritenuto morto, si lascia credere tale, cambia nome e città, ma, soffocato dalle convenzioni sociali, finge un nuovo suicidio per riprendersi il vecchio nome.

🔍 Socialisti, Comunisti, Popolari

Il quadro politico italiano, al termine della Prima Guerra Mondiale, appare profondamente mutato: è in corso un rapido processo di sindacalizzazione, i piccolo-borghesi si aggregano in movimenti autonomi in aperta polemica con tutti gli altri movimenti.

Il Partito Socialista: era rivoluzionario e rifiutava ogni collaborazione con i governi borghesi, si proponeva di socializzare i mezzi della produzione e dello scambio, di distribuire collettivamente i prodotti, di abolire il servizio militare, di promuovere il disarmo universale, in seguito all'unione di tutte le repubbliche proletarie internazionali.

Il Partito Popolare: nell'immediato dopoguerra giunge a maturazione il lungo processo di accostamento dei cattolici allo Stato italiano. Benedetto XV autorizzò Don Luigi Sturzo a fondare un partito dichiaratamente cattolico: nel 1919 nasce il Partito Popolare Italiano, che si batteva per la fine del latifondo e per la difesa della piccola e media proprietà contadina, per il decentramento amministrativo, per la libertà di insegnamento a favore delle scuole private.

Il Partito Comunista: nel 1921 si riunì a Livorno il XVII Congresso del Partito Socialista, nel quale i dissidenti, guidati da Antonio Gramsci, uscirono dal Partito e fondarono il Partito Comunista d'Italia. Questo partito aveva un'organizzazione fortemente centralizzata, periodicamente eliminava i "piccolo-borghesi", si impegnava per l'instaurazione della dittatura del proletariato.

Nemmeno così, tuttavia, può ritornare alla famiglia di un tempo ed allora si rassegna a restare ai margini della vita. Con quest'opera muore l'Ottocento verista e nasce il mondo tormentato del Novecento.

I vecchi e i giovani (1913) è un vasto affresco dell'ultimo Ottocento, mentre *Uno, nessuno, centomila* (1926) è la sintesi di tutte le sue teorie relativistiche. Sotto il titolo *Novelle per un anno* sono comprese numerose novelle, che è possibile ordinare secondo un criterio, dapprima regionalistico, poi sociale, per concludersi con novelle di tipo surrealistico, invenzioni ai margini della realtà.

4. Il teatro

Il teatro pirandelliano si definì come negazione di quello naturalista. In *La ragione degli altri* (1889) vi è un modo diverso di considerare la vita: le cose sono quali sembrano e cambiano significato col passare del tempo. Ne *Il berretto a sonagli* (1917) e *Pensaci Giacomino!* (1916) si propongono prospettive nuove, trascinando i personaggi a gesti assurdi e rivoluzionari.

Il personaggio pirandelliano, proprio perché vede le cose, gli uomini, le loro passioni con *Il sentimento del contrario*, deve smascherare il sistema di convenzioni dentro cui questi si adagiano. In *Così è (se vi pare)* (1917) si afferma l'impossibilità di conoscere la verità e la pietà rimane l'unico rimedio. Con i *Sei personaggi in cerca d'autore* (1921) Pirandello diede inizio a quella che egli chiamò la trilogia del "teatro nel teatro" (*Ciascuno a suo modo*, 1924; *Questa sera si recita a soggetto*, 1930): il teatro diviene il luogo di rappresentazione dei conflitti propri della vita dell'uomo.

Luigi Pirandello

Nato ad Agrigento nel 1867, studiò filologia romanza a Roma e a Bonn, facendo proprie molte delle inquietudini del mondo tedesco di fine secolo.

Sposatosi, visse a Roma, dove si dedicò all'attività letteraria e giornalistica. Il fallimento di un'impresa nella quale aveva investito i suoi capitali e quelli della moglie lo costrinse a dedicarsi all'insegnamento presso il Magistero Superiore Femminile.

Furono anni molto tristi, anche a causa di una malattia mentale della moglie.

Dopo la Prima Guerra Mondiale la sua attività si rivolse quasi interamente al teatro.

Nel 1921 la rappresentazione di *Sei personaggi in cerca d'autore* gli diede improvvisamente una risonanza europea, poi anche mondiale. La sua vita cambiò completamente: costituì una compagnia teatrale e scrisse moltissimo. Fu membro e presidente dell'Accademia d'Italia.

Nel 1934 gli venne assegnato il premio Nobel per la letteratura. Morì a Roma nel 1936.

In alto: Luigi Pirandello in divisa di Accademico d'Italia.

In basso: pergamena del premio Nobel ricevuto nel 1934.

A sinistra: scena tratta da *Sei personaggi in cerca d'autore* e a metà pagina la locandina di una rappresentazione di *Liolà*.

Nella pagina a fianco in alto: foto di Pirandello.

Nella pagina a fianco in basso: comizio in piazza nell'immediato dopoguerra.

T60 Luigi Pirandello: Il fu Mattia Pascal

Recisa[1] di netto ogni memoria in me della vita precedente, fermato l'animo alla deliberazione di ricominciare da quel punto una nuova vita, io era invaso e sollevato come da una fresca letizia infantile; mi sentivo come rifatta vergine[2] e trasparente la coscienza e lo spirito vigile e pronto a trar profitto di tutto per la costruzione del mio nuovo io.

Intanto l'anima mi tumultuava nella gioia di quella nuova libertà. Non avevo mai veduto così uomini e cose; l'aria tra essi e me s'era d'un tratto quasi snebbiata; e mi si presentavan facili e lievi le nuove relazioni che dovevano stabilirsi tra noi, perché ben poco ormai io avrei avuto bisogno di chiedere loro per il mio intimo compiacimento.

Oh levità[3] deliziosa dell'anima, serena, ineffabile ebbrezza! La fortuna mi aveva sciolto di ogni intrico[4], all'improvviso, mi aveva sceverato[5] dalla vita comune, reso spettatore estraneo della briga in cui gli altri si dibattevano ancora [...].

Sorridevo. Mi veniva di sorridere così di tutto e a ogni cosa: a gli alberi della campagna, per esempio, che mi correvano incontro con stranissimi atteggiamenti nella loro fuga illusoria[6]; a le ville sparse qua e là, dove mi piaceva d'immaginar coloni[7] con le gote gonfie per sbuffare contro la nebbia nemica degli olivi o con le braccia levate a pugni chiusi contro il cielo che non voleva mandar acqua: e sorridevo a gli uccelletti che si sbandavano spaventati da quel coso nero che correva per la campagna, fragoroso; all'ondeggiar dei fili telegrafici, per cui passavano certe notizie ai giornali, come quella da Miragno[8] del mio suicidio nel molino della Stìa; alle povere mogli dei cantonieri[9] che presentavan la bandieruola[10] arrotolata, gravide e col cappello del marito in capo.

Se non che, a un certo punto, mi cadde lo sguardo su l'anellino di fede[11] che mi stringeva ancora l'anulare della mano sinistra. Ne ricevetti una scossa violentissima:

strizzai gli occhi e mi strinsi la mano con l'altra mano, tentando di strapparmi quel cerchietto d'oro, così, di nascosto, per non vederlo più.

Pensai ch'esso si apriva e che, internamente, vi erano incisi due nomi: *Mattia - Romilda*, e la data del matrimonio. Che dovevo farne?

Aprii gli occhi e rimasi un pezzo, accigliato[12], a contemplarlo nella palma della mano.

Tutto, attorno, mi s'era rifatto nero.

Ecco ancora un resto della catena che mi legava al passato! Piccolo anello, lieve per sé, eppur così pesante!

Ma la catena era già spezzata e, dunque, via anche quest'ultimo anello.

Feci per buttarlo dal finestrino, ma mi trattenni. Favorito così eccezionalmente dal caso, io non potevo più fidarmi di esso; tutto ormai dovevo creder possibile; finanche[13] questo: che un anellino buttato nell'aperta campagna, trovato per combinazione da un contadino, passando di mano in mano, con quei due nomi incisi internamente e la data, facesse scoprir la verità, che l'annegato della *Stìa* cioè non era il bibliotecario Mattia Pascal.

"No, no" pensai, "in luogo più sicuro ...
Ma dove?".

Il treno, in quella[14], si fermò a un'altra stazione. Guardai, e subito mi sorse un pensiero, per la cui attuazione provai dapprima un certo ritegno[15].

Lo dico, perché mi serva di scusa presso coloro che amano il bel gesto, gente poco riflessiva, alla quale piace di non ricordarsi che l'umanità è pure oppressa da certi bisogni, a cui purtroppo deve obbedire anche chi sia compreso da un profondo cordoglio[16].

Cesare, Napoleone e, per quanto possa parere indegno, anche la donna più bella... Basta.

Da una parte c'era scritto *Uomini* e dall'altra *Donne*[17]; e lì intombai[18] il mio anellino di fede.

---

1 Tagliata di netto.

2 Tornata pura, senza rimorsi.

3 Leggerezza.

4 Complicazione.

5 Liberato.

6 In realtà è il treno che si muove.

7 Contadini.

8 Il paese di Mattia Pascal.

9 Addetti ai controllo dei passaggi a livello.

10 Piccola bandiera per segnalazioni.

11 Anello d'oro che si scambia durante le nozze.

12 Serio e inquieto.

13 Perfino.

14 In quel momento.

15 Senso di vergogna.

16 Lutto, tristezza.

17 Le scritte sopra ai gabinetti.

18 Seppellii.

Il contesto

Mattia Pascal, esasperato dalla vita insopportabile che è costretto a condurre con la moglie e con la suocera, si allontana dalla famiglia. Da una notizia di cronaca viene a sapere che nel cadavere di un suicida trovato in un suo podere, la moglie e i compaesani hanno creduto di riconoscere lui; decide, così, di approfittarne per crearsi una nuova vita, libera da ogni condizionamento sociale.

Vivendo sotto il falso nome di Adriano Meis, constata però dolorosamente che le leggi e le convenzioni sociali non gli consentono il minimo atto di reale autonomia: nemmeno di divenire proprietario di un cagnolino.

Decide, allora, di simulare il suicidio di Adriano Meis e di tornare al suo paese. Qui trova che la moglie si è creata una nuova famiglia, mentre gli stessi compaesani quasi non lo riconoscono più, sebbene la sua assenza sia durata appena due anni.

1. Comprensione

Il sentimento che Mattia Pascal prova è:

○ infelicità
○ allegria
○ sollievo

Vedendo la fede nuziale, Mattia Pascal prova:

○ tenerezza
○ oppressione
○ felicità

Mattia Pascal sta "fuggendo":

○ in automobile
○ in treno
○ a piedi

Mattia Pascal vuole:

○ distruggere l'anello
○ ritornare indietro
○ conservarlo come ricordo

2. Analisi

- Le prime righe del brano descrivono le sensazioni di Mattia Pascal che conseguono dalla prima frase del testo stesso. Che peso ha la parola "recisa"?
- Quali altri termini danno con pari efficacia il peso del passo compiuto?
- Mattia Pascal descrive con molta precisione lo stato d'animo del suo "nuovo io". Quale delle espressioni usate ti sembra evocarlo nel modo più efficace?
- Un oggetto "normale" sembra minacciare il nuovo io. Che valore simbolico ha questo oggetto in sé e in quanto parte di una catena? Quale interpretazione dai del gesto risolutivo?

3. Riflessione

Un presunto suicidio e un finto suicidio (vedi *Il contesto*) sono le situazioni
paradossali vissute da Mattia Pascal, per tornare poi al punto di partenza.
In che misura l'ironia, spesso autoironia, può salvare dalla disperazione, dal nichilismo?

In alto: Luigi Pirandello e copertina del romanzo

T61 Luigi Pirandello: Così è (se vi pare)

La signora Frola s'introdurrà tremante, piangente con un fazzoletto in mano, in mezzo alla ressa degli altri, tutti esagitati.

SIGNORA FROLA. Signori miei, per pietà! Lo dica lei a tutti, signor Consigliere!

AGAZZI. *(facendosi avanti, irritatissimo).* Io le dico, signora, di ritirarsi subito! Perché lei, per ora, non può stare qua!

SIGNORA FROLA. *(smarrita).* Perché? Perché? *(alla signora Amalia).* Mi rivolgo a lei, mia buona signora...

AMALIA. Ma guardi ... guardi, c'è lì il Prefetto...

SIGNORA FROLA. Oh, lei, signor Prefetto! Per pietà! Volevo venire da lei!

IL PREFETTO. No, abbia pazienza, signora! Per ora io non posso darle ascolto. Bisogna che lei se ne vada! Se ne vada via subito di qua!

SIGNORA FROLA. Sì, me n'andrò! Me n'andrò oggi stesso! Me ne partirò, signor Prefetto! per sempre me ne partirò!

AGAZZI. Ma no, signora! Abbia la bontà di ritirarsi per un momento nel suo quartierino[1] qua accanto! Mi faccia questa grazia![2] Poi parlerà col signor Prefetto!

SIGNORA FROLA. Ah! Sì? E allora, sì ... sì, mi ritiro subito! Volevo dir loro[3] questo soltanto: che per pietà, la finiscano! Loro credono di farmi bene e mi fanno tanto male! Io sarò costretta ad andarmene, se loro seguiteranno a far così; a partirmene oggi stesso, perché lui sia lasciato in pace! - Ma che vogliono, che vogliono ora qui da lui?[4] Che deve venire a fare qua lui? - Oh, signor Prefetto!

IL PREFETTO. Niente, signora, stia tranquilla! Stia tranquilla, e se ne vada, per piacere!

AMALIA. Via, signora, sì! Sia buona!

SIGNORA FROLA. Ah, Dio, signora mia, loro mi priveranno dell'unico bene, dell'unico conforto che mi restava; vederla almeno da lontano la mia figliola! *(piange)*

IL PREFETTO. Ma chi glielo dice? Lei non ha bisogno di pentirsene! La invitiamo a ritirarsi ora per un momento. Stia tranquilla!

SIGNORA FROLA. Ma io sono in pensiero per lui! Per lui, signor Prefetto! Sono venuta qua a pregare tutti per lui; non per me!

IL PREFETTO. Sì, va bene! E lei può star tranquilla anche per lui, gliel'assicuro io. Vedrà che ora si accomoderà[5] ogni cosa.

SIGNORA FROLA. E come? Vi vedo qua tutti accaniti addosso a lui!

IL PREFETTO. No, signora! Non è vero! Ci sono qua io per lui! Stia tranquilla!

SIGNORA FROLA. Ah! Grazie! Vuol dire che lei ha compreso...

IL PREFETTO. Sì, sì, signora io ho compreso.

SIGNORA FROLA. L'ho ripetuto tante volte a tutti questi signori: è una disgrazia già superata, su cui non bisogna più ritornare.

IL PREFETTO. Sì, va bene, signora, ... se le dico che io ho compreso!

SIGNORA FROLA. Siamo contente di vivere così, la mia figliuola è contenta. Dunque ... Ci pensi lei, ci pensi lei ...

---

1 Nel suo alloggio.

2 Mi faccia questo favore.

3 La forma di cortesia "Lei" rivolta a più persone è "Loro"; oggi si usa più frequentemente "Voi", che all'epoca di Pirandello e ancora oggi in contesti regionali è il modo di rivolgersi con rispetto a membri della famiglia.

4 Del signor Ponza.

5 Sistemerà

6 Vestita a lutto.

7 Staccando le parole.

Il contesto

In una cittadina di provincia arriva un funzionario (Ponza) statale con la moglie e la suocera (Signora Frola). La signora Frola prende alloggio separatamente e pare sia obbligata a comunicare con la figlia solo per mezzo di bigliettini. Nell'ambiente piccolo-borghese questo strano comportamento suscita le più varie supposizioni ed una inquieta curiosità, che cresce a causa delle giustificazioni contraddittorie fornite rispettivamente dalla signora Frola e dal signor Ponza.

La prima sostiene che il genero, geloso, proibisce alla moglie di comunicare con la propria madre in altro modo, nonché di frequentare chicchessia. Il secondo sostiene, invece, che la suocera è impazzita per la morte della figlia continuando a crederla viva, e che egli con la seconda moglie si sforza di assecondarla in questa follia per risparmiarle il dolore di riconoscere la verità.

Ma la signora Frola capovolge la situazione dichiarando che è pazzo lui, credendo di avere sposato una seconda moglie. Ma qual è la verità? Non resta che costringere la moglie a svelare in presenza dei due chi essa veramente sia, solo così potrà essere ricostituita la normalità.

perché, se no, non mi resta altro che andarmene, proprio! e non vederla più, neanche così da lontano... Lo lascino in pace, per carità!
A questo punto, tra la ressa si farà un movimento; tutti faranno cenni; alcuni guarderanno verso l'uscio; qualche voce repressa si farà sentire.
VOCI. Oh Dio... eccola, eccola!
SIGNORA FROLA. Che cos'è? Che cos'è?

SCENA NONA
La signora Ponza che si farà avanti rigida, in gramaglie [6] col volto nascosto da un fitto velo nero, impenetrabile.

SIGNORA FROLA. *(cacciando un grido straziante, di frenetica gioia).* Ah! Lina... Lina... Lina...
E si precipiterà e s'avvinghierà alla donna velata. [...]
Ma contemporaneamente, dall'interno, si udranno le grida del signor Ponza che subito dopo si precipiterà sulla scena.
PONZA. Giulia! ... Giulia! ... Giulia! ...
[...] Il signor Ponza s'accorgerà subito della suocera così perdutamente abbracciata alla moglie e inveirà furente. Ah! L'avevo detto io! Si sono approfittati così, vigliaccamente, della mia buona fede?
SIGNORA PONZA. *(volgendo il capo velato quasi con austera solennità).* Non temete! Non temete! Andate via.
PONZA. *(alla signora Frola).* Andiamo, sì, andiamo ...
SIGNORA FROLA. [...] Sì, sì ... andiamo, caro, andiamo.
E tutti e due abbracciati, carezzandosi a vicenda, tra due diversi

pianti, si ritireranno bisbigliandosi tra loro parole affettuose. Silenzio. Dopo avere seguito con gli occhi fino all'ultimo i due, tutti si rivolgeranno ora, sbigottiti e commossi, alla signora velata.
SIGNORA PONZA. *(dopo averli guardati attraverso il velo, dirà con solennità cupa).* Che altro possono volere da me, dopo questo, lor signori? Qui c'è una sventura, come vedono, che deve restar nascosta, perché solo così può valere il rimedio che la pietà ha presentato.
IL PREFETTO. Ma noi vogliamo rispettare la pietà, signora. Vorremmo però sapere che lei ci dicesse -
SIGNORA PONZA. *(con un parlare lento e spiccato [7]).* - Che cosa? La verità? È solo questa; che io sono, sì, la figlia della signora Frola.
TUTTI *(con un sospiro di soddisfazione)* - Ah!
SIGNORA PONZA. *(subito, come sopra).* - E la seconda moglie del signor Ponza.
TUTTI *(stupiti e delusi, sommessamente)* - Oh! E come?
SIGNORA PONZA. *(subito, come sopra).* - Sì; e per me nessuna! Nessuna!
IL PREFETTO. Ah, no, per sé, lei, signora: sarà l'una o l'altra!
SIGNORA PONZA. Nossignori. Per me, io sono colei che mi si crede *(guarderà attraverso il velo, tutti, per un istante; e si ritirerà. Silenzio).*
LAUDISI. Ed ecco, o signori, come parla la verità! *(volgerà attorno uno sguardo di sfida derisoria).* Siete contenti? *(scoppierà a ridere).* Ah! Ah! Ah! Ah!

---

e 1. Comprensione dei fatti
Segna l'affermazione corretta.

	vero	falso
a. Tutti vogliono che la signora Frola vada via per sempre.	○	○
b. La signora Frola è sicura che il Prefetto ha capito la situazione.	○	○
c. Il signor Ponza è arrabbiato con la signora Frola.	○	○
d. La verità della vicenda è una sola.	○	○

e 2. Comprensione dei significati
Comprendere gli eventi è semplice e vale per tutte le lingue: basta sapere l'italiano. Comprendere il significato profondo di una frase può essere più difficile. Soprattutto se è una frase di Pirandello. Cosa significa secondo te "io sono colei che mi si crede"?

e 3. I personaggi dissociati
I personaggi di Pirandello sono dissociati, non conoscono neppure la loro identità. Il Prefetto, persona razionale, che rappresenta il buon senso, dice, rispondendo alla signora Ponza che afferma di essere più persone insieme:
"Ah, no, per sé, lei, signora: ...."
Negli stessi anni, un grande psicoanalista stava affrontando gli stessi temi, a Vienna: si tratta naturalmente di
.... Quali paralleli si possono riscontrare fra il mondo di Pirandello e quello degli studi psicoanalitici?

e 4. Le istruzioni di scena
Ci sono molte istruzioni per la regia e per gli attori (e spesso le abbiamo tagliate un po'). Secondo alcuni le istruzioni di scena, sono le parti che in un romanzo sarebbero la narrazione, le descrizioni. Cosa ne pensi? Ritieni questo testo profondamente teatrale oppure potrebbe essere anche un romanzo? Che differenza c'è fra la lettura e la rappresentazione di un brano teatrale? È assolutamente necessario per un regista seguire queste indicazioni alla lettera?

il primo Novecento

I poeti ermetici

1. L'Ermetismo

La lirica degli anni Trenta, dal 1930 circa alla Seconda Guerra Mondiale, è stata battezzata col termine *Ermetismo*, che indica non solo un modo di rappresentare, ma anche di vedere le cose e che può essere esteso anche ai prosatori ed ai saggisti. Gli *ermetici* (chiamati anche "lirici nuovi" in un'antologia curata nel '43 da Luciano Anceschi) costituirono una vera e propria "scuola" sia per il loro ritrovarsi in comuni maestri (Mallarmé, Rimbaud, Valéry, Ungaretti), sia perché tutti rappresentano il contrasto fra il mondo reale, disgregato ed inorganico, ed un sognato mondo di favola.

2. La poetica

Alle radici di questa poesia è presente una fortissima esigenza autobiografica. Infatti, la solitudine più desolata e consapevole, il lirismo individuale sono i presupposti di tutta la lirica moderna. In questa solitudine, dunque, il poeta esplora la sua coscienza e ne fa emergere i dati più oscuri ed irreali: da qui il predominio del subcosciente e del sogno. La poetica di questa generazione tende, perciò, ad un tono alto e si pone in aperta polemica con tutta la tradizione più vicina, contro la retorica di D'Annunzio, il sentimentalismo di Pascoli, il rivoluzionarismo dei Futuristi.

Si punta ad una essenzialità poetica, che rappresenti la tragica condizione esistenziale dell'uomo. Mentre da una parte si nota una difesa dei valori poetici, dall'altra, invece, si afferma un'evasione dalla realtà che impedisce di denunciare la tragica situazione di quegli anni.

3. La tecnica

Si impiega una tecnica che si serve, fondendole assieme, di tutte le conquiste dai Simbolisti a Ungaretti e Montale. È fondamentale l'uso dell'*analogia* (viene sostituito il paragone con l'identità, eliminando la parola "come") e della *sinestesia* (associazione tra due parole relative a due sfere sensoriali diverse; es. *parole calde*, *silenzio verde*). C'è la convinzione che la poesia sia tanto maggiore, quanto più si allontana dal linguaggio comune e, dunque, dal modo comune di vedere e sentire.

Perciò, lo scrittore scrive in modo da allontanare la realtà in un mondo di mito: con l'insistenza su poche parole, ma sempre uguali, con la scelta molto accurata di parole ritenute "musicali", con la soppressione dell'articolo, con

---

⌕ Il Ventennio

Il Fascismo è un tipo di totalitarismo nuovo ed originale, che non si fonda solo sull'uso tradizionale della polizia e dell'esercito, ma inventa uno scenario demagogico che gli consente di organizzare il consenso di massa, soprattutto della piccola borghesia. La politica economica del Fascismo passa attraverso diverse fasi: liberista negli anni 1922-1925 (con forte sviluppo della produzione), poi interventista dopo il 1925. La crisi internazionale del 1929 aumenta gli interventi della mano pubblica nell'economia e costringe lo Stato a farsi banchiere e finanziatore della grande industria. Dopo la guerra d'Etiopia e le sanzioni, viene lanciata l'autarchia: si possono comprare solo prodotti italiani. In breve, la politica economica si basa sulla compressione dei salari e sulla distruzione delle organizzazioni sindacali e politiche del proletariato. Con la politica estera il Fascismo deve, nei fatti, moderare la volontà di potenza, dichiarata soprattutto ad uso demagogico interno. La cultura di questo ventennio è borghese, cioè fatta da borghesi e rivolta a borghesi. L'Italia, infatti, è divisa in due strati: in alto, aristocratici e borghesi; in basso, piccolo borghesi ed operai, tutti confusi nel termine popolo. Il Fascismo è il primo regime in grado di programmare ed attuare una politica totalitaria dell'informazione attraverso l'uso spregiudicato di tutti gli strumenti possibili: dalla stampa al cinema.

l'uso di un tono sentenzioso ed epigrammatico. Viene, perciò, usata una serie di artifici di tecnica per ottenere un effetto sempre identico.

4. La lirica

Questo tipo di lirica esprime proprio i sentimenti della società di quest'epoca: una libertà repressa, ma insopprimibile, che trova espressione nell'opera singola. Il lavoro letterario è, allora, l'attività suprema e globale dell'uomo, la ricerca della forma come moralità. L'arte è intesa come artigianato e mestiere e l'esercizio di questo mestiere è un compito pieno che assolve da ogni altro dovere. Questo atteggiamento portò, tuttavia, a volte, a considerare la poesia come un alibi che copriva il proprio disinteresse e conformismo di fronte alle vicende del mondo ed al destino degli uomini. Fu, in ogni caso, chiusura "ermetica" in se stessi.

5. Gli Ermetici

I più, fra gli Ermetici, composero seguendo questi principi fino alla seconda guerra e durante la guerra stessa. Poi l'esperienza umana del conflitto ed i nuovi valori introdotti dalla Resistenza e dalla Liberazione portarono parecchi a cambiare la loro tematica in un "post-ermetismo" che tende ad esprimere, con moduli e tecniche tipici dell'Ermetismo, temi sociali nel senso più largo del termine. Della scuola "ermetica" vanno ricordati **Alfonso Gatto** (1909-1976) per le sue descrizioni di paesaggi e le sue memorie; **Libero de Libero** (1906-1981) per l'asprezza del linguaggio e per il tono alto del discorso; **Mario Luzi** (1914-2005) all'inizio formatosi sui modelli del simbolismo europeo, poi dai toni più semplici ed umani; **Vittorio Sereni** (1913-1983) che esprime la desolata esperienza della guerra e della prigionia. Ma soprattutto va ricordato il premio Nobel, **Salvatore Quasimodo**.

Salvatore Quasimodo

Nacque a Modica, in provincia di Ragusa, nel 1901. Nel 1908 si stabilì a Messina e vi rimase fino al 1920, compiendo gli studi secondari. Si trasferì, quindi, a Roma, per frequentare la facoltà di ingegneria, ma non riuscì a superare il biennio. Costretto a lavorare per vivere, si stabilì nel 1926 in Calabria. Qui cominciò a scrivere i primi versi, che furono pubblicati su *Solaria*. Nel 1938 si dedicò al giornalismo e nel 1941 fu nominato, per chiara fama, professore di letteratura italiana presso il Conservatorio di Musica di Milano. Le sue opere sono state raccolte in due volumi: *Tutte le poesie* (1960) e *Il poeta e il politico* e *Altri saggi* (1960). Nel 1959 ottenne il premio Nobel per la letteratura. Morì a Napoli nel 1968.

Giuseppe Ungaretti

Nacque ad Alessandria d'Egitto nel 1888 da genitori lucchesi, vi rimase fino al 1912. Poi si recò a Parigi dove fu a contatto con le correnti di avanguardia e dove conobbe Papini, Soffici, Palazzeschi. Venne in Italia nel 1914 e dal 1915 al 1918 combatté sul Carso e sull'Isonzo.

Durante e subito dopo la guerra pubblicò *Il porto sepolto* (1916) e *Allegria di naufragi* (1919). Le liriche raccolte nel 1933 con il titolo di *Sentimento del tempo* parteciparono al nuovo clima di restaurazione classicista.
Nel 1936 Ungaretti si trasferì a San Paolo del Brasile, professore di italiano in quell'università e lì nel 1939 gli morì il figlio Antonello. Nel 1942 ritornò a Roma perché fu nominato titolare di letteratura italiana moderna e contemporanea. Morì nel 1970. Tutta la sua opera fu raccolta più tardi nei volumi *Il dolore* (1947), *La terra promessa* (1945 e 1950), *Un grido e paesaggi* (1952), *Il taccuino del vecchio* (1960), *Il deserto e dopo* (1961), *Morte delle stagioni* (1967).

Qui sopra: ritratti di Quasimodo e di Ungaretti.

In alto: da sinistra Alfonso Gatto, Oreste Del Buono e Vittorio Sereni.

Nella pagina a fianco in alto: la rivista *Primato* che diede inizio alla riflessione sull'Ermetismo, 1940.

Nella pagina a fianco in basso: la Marcia su Roma del 1922.

il primo Novecento

T62 Salvatore Quasimodo: Uomo del mio tempo

Sei ancora quello della pietra e della fionda[1],
uomo del mio tempo. Eri nella carlinga[2],
con le ali maligne[3], le meridiane di morte[4],
- t'ho visto - dentro il carro di fuoco, alle forche[5],
5   alle ruote di tortura. T'ho visto: eri tu
con la tua scienza esatta persuasa[6] allo sterminio,
senza amore, senza Cristo. Hai ucciso ancora,
come sempre, come uccisero i padri, come uccisero
gli animali che ti videro per la prima volta.

10 E questo sangue odora come nel giorno
quando il fratello disse all'altro fratello[7]:
"Andiamo ai campi". E quell'eco[8] fredda, tenace,
è giunta fino a te, dentro la tua giornata.
Dimenticate, o figli, le nuvole di sangue
15 salite dalla terra, dimenticate i padri:
le loro tombe affondano nella cenere,
gli uccelli neri, il vento, coprono il loro cuore.

---

1 Arnese per lanciare le pietre.
2 Abitacolo del pilota.
3 Cariche di morte.
4 Gli strumenti di volo e di puntamento.
5 Patiboli.
6 Piegata, asservita.
7 Il riferimento è all'episodio biblico di Caino e Abele (*Genesi, 4, 8*).
8 L'eco delle parole di Caino.

T63 Milano, agosto 1943

Invano cerchi tra la polvere,
povera mano, la città è morta.
È morta: s'è udito l'ultimo rombo
sul cuore del Naviglio[1]. E l'usignolo
5   è caduto dall'antenna[2], alta sul convento,
dove cantava prima del tramonto.
Non scavate pozzi nei cortili:
i vivi non hanno più sete.
Non toccate i morti, così rossi, così gonfi:
10 lasciateli nella terra delle loro case:
la città è morta, è morta.

Da *Giorno dopo giorno*

---

1 Il corso d'acqua che attraversava Milano.
2 Il parafulmini.

---

e 1. Comprensione

Uomo del mio tempo

L'uomo evocato nella lirica

○ **a.** è rimasto ignorante.
○ **b.** è rimasto malvagio.
○ **c.** lotta per la pace.

Milano, agosto 1943

Dopo il bombardamento

○ **a.** anche i vivi sono come morti.
○ **b.** non ci sono sopravvissuti.
○ **c.** si sente il canto degli uccelli.

e 2. Analisi

Di' quale di queste affermazioni è vera.

○ **a.** Le due liriche non trattano lo stesso tema.
○ **b.** In entrambe c'è un'invocazione agli uomini.
○ **c.** Entrambe le liriche sono un'amara riflessione sul progresso scientifico.

- Quali sono le caratteristiche del linguaggio poetico che esprime il sentimento di profondo dolore? È

○ **a.** ermetico e di difficile comprensione   ○ **b.** semplice ma intenso   ○ **c.** fortemente emotivo   ○ **d.** retorico e altisonante

- La malvagità della natura umana sembra inevitabile. Che significato ha l'esortazione a dimenticare l'eco delle parole di Caino? Si tratta di un atteggiamento nichilista o è un messaggio di speranza?
- Nella seconda lirica il poeta invita a lasciare i morti sotto le macerie delle loro case. È insensibile, cinico? Come motivi la tua risposta?
- Nella breve poesia *Generale, il tuo carro armato* Bertolt Brecht descrive le distruzioni di cui è capace l'uomo con le armi di guerra e conclude: "Ma (l'uomo) ha un difetto: sa pensare". Come si collegano i due poeti?

e 3. Riflessione

Prova a leggere le due liriche con gli occhi di oggi, oltre sessant'anni dopo. In che misura sono ancora attuali?

T64 Giuseppe Ungaretti: San Martino del Carso[1]

Di queste case
non è rimasto
che qualche
brandello[2] di muro.

5 Di tanti
che mi corrispondevano[3]
non è rimasto
neppure tanto[4].

Ma nel cuore
10 nessuna croce manca.

È il mio cuore
il paese più straziato.

_____

15 **1** Altopiano del Friuli; nella Prima Guerra Mondiale qui si combatté
a lungo. La poesia è stata scritta in trincea il 27 agosto 1916.
2 Piccolo pezzo.
3 Erano in affettuoso contatto.
4 Altrettanto.

T65 Chiaroscuro

Anche le tombe sono scomparse

Spazio nero infinito calato[1]
da questo balcone
al cimitero

5 Mi è venuto a ritrovare
il mio compagno arabo[2]
che s'è ucciso l'altra sera

Rifà giorno

Tornano le tombe
10 appiattite nel verde tetro[3]
delle ultime oscurità
nel verde torbido
del primo chiaro

_____

1 Sceso con la notte.
2 Il poeta era nato ad Alessandria d'Egitto.
3 Cupo, luttuoso.

---

e **1. Comprensione**

San Martino del Carso

 ◯ **a.** Ciò che vede il poeta è un paese completamente distrutto.

 ◯ **b.** Per fortuna tutti i suoi amici si sono salvati.

 ◯ **c.** Il poeta compie una visita pietosa al cimitero del paese.

Chiaroscuro

 ◯ **a.** Ciò che vede il poeta è il buio che avvolge il cimitero.

 ◯ **b.** Nel cimitero riposa un amico arabo suicida.

 ◯ **c.** Al ritorno dell'alba ritornano visibili anche le sagome delle tombe.

e **2. Analisi**

- Quali sono i temi che hanno in comune le due poesie?
- Nella prima lirica possiamo immaginare una luminosa giornata estiva. Sono di conforto luce e sole? Come motivi la tua risposta?
- In *Chiaroscuro* ci sono due momenti, quello notturno e quello del ritorno della luce. Che cosa porta la notte?

 ◯ **a.** oblio   ◯ **b.** ricordi   ◯ **c.** sogni   ◯ **d.** illusioni

- È lieto il ritorno della luce? Osserva i due toni di verde ricordati dal poeta.
- In entrambe le liriche c'è la presenza del cimitero. Come è evocato nella prima?
- Forse le parole "nel cuore / nessuna croce manca" potrebbero appartenere anche a *Chiaroscuro*. Cosa ne pensi?
- Il linguaggio poetico di Ungaretti è molto scarno, antiretorico ma suscita intensa emozione. Quale delle due poesie ti tocca di più e perché?

e **3. Riflessione**
È sempre molto difficile analizzare una poesia, soprattutto ermetica, senza correre il rischio di "rovinarla". Prova a rileggere le liriche e di' se trovi giusta l'affermazione di un critico: "Le poesie di Ungaretti lavorano dentro di noi. In apparenza povere, si arricchiscono a ripensarle, e ci arricchiscono".

il primo Novecento

Il movimento futurista

1. La poetica del Futurismo

Il Futurismo è stato un movimento complesso, di portata europea, che ha coinvolto non solo il campo della letteratura e dell'arte, ma anche il costume, la politica, i comportamenti della società dell'epoca, e al quale hanno aderito artisti di diversa provenienza.

Il Futurismo, fondato da **Filippo Tommaso Marinetti**, nasce nel primo decennio del '900 e si sviluppa per circa trent'anni; come il Crepuscolarismo, rifiuta la tradizione del passato, ma non per rinchiudersi in un mondo intimo e quotidiano, bensì per esaltare tutto ciò che è nuovo, moderno, aggressivo e spettacolare: da qui nasce l'esaltazione della guerra "sola igiene del mondo", e della lotta, l'amore per il pericolo, la velocità, la macchina e il mondo industriale e il disprezzo per la tradizione e la morale, per la decadenza, per la contemplazione, per le accademie e i musei. Per diffondere le loro idee, i Futuristi usano uno strumento nuovo: il "manifesto", con il quale si vuole arrivare all'opinione pubblica in maniera diretta

e fortemente polemica. Il primo manifesto è il *Manifesto del Futurismo*, pubblicato da Marinetti sul giornale francese *Le Figaro* nel 1909; ad esso seguono numerosi altri manifesti dedicati alle diverse arti.

2. L'influsso del Futurismo russo

Il Futurismo italiano ha grande influenza anche all'estero, in particolare in Russia: nel periodo a cavallo della Rivoluzione d'Ottobre (1917) il Futurismo russo si sviluppa come un movimento culturale e politico di rottura con la tradizione. Il suo più importante portavoce è Vladimir V. Majakovskij (1893-1930), poeta e autore di testi teatrali.
Il Futurismo russo, a differenza da quello italiano, non punta solo alla rottura polemica con il passato e alla sperimentazione di ogni novità, ma ha un forte legame con l'azione politica e sociale: l'arte e le tecniche espressive dei futuristi russi vengono intese come mezzi per agire sulla società: al linguaggio prezioso e irreale del Simbolismo, a quello convenzionale della tradizione, viene infatti sostituito il linguaggio della strada, del popolo, scorretto e aggressivo, ma capace di interpretare i problemi del popolo, vero protagonista della storia. Il passaggio dal clima rivoluzionario al regime sovietico dominato dalla burocrazia, delude e mette in crisi il movimento russo; Majakovskij è il simbolo di questo fallimento: morirà suicida nel 1930.

3. La letteratura futurista

L'impossibilità di descrivere in modo razionale e organizzato la realtà, porta la poesia e la prosa futurista alla di-

---

🔍 L'arte futurista

Il Futurismo è stato un movimento che non ha coinvolto solo la letteratura, ma ha invaso tutti i campi dell'arte: la pittura e la scultura, la musica e la danza, il cinema e il teatro, l'architettura.
In particolare, i risultati più notevoli li ha ottenuti nel campo della scultura e della pittura, con pittori quali **Umberto Boccioni**, **Carlo Carrà**, **Gino Severini**, **Giacomo Balla**: il *Manifesto tecnico della pittura futurista* viene pubblicato nel 1910, il *Manifesto della scultura futurista* è del 1912. In linea con le diverse avanguardie dell'arte contemporanea, rivolte tutte al rifiuto della rappresentazione naturalistica della realtà, l'arte futurista propone una diversa idea dello spazio, nel quale si deve cogliere il movimento, l'azione, il flusso della vita; interessante è inoltre l'uso di materiali nuovi e accostati in modo originale, di colori vivaci e spesso non realistici, linee impetuose, nervose, dinamiche.

struzione della metrica e all'uso del verso libero, alla rottura della sintassi, all'abolizione dell'aggettivo e dell'avverbio, all'assenza di punteggiatura, all'utilizzo di analogie, onomatopee, rumori e suoni, segni matematici, ad una originale organizzazione grafica per realizzare la cosiddetta "poesia visiva".

Le tecniche letterarie futuriste vengono riassunte in due espressioni: il "paroliberismo", o "parole in libertà", e la "immaginazione senza fili", che permettono di creare analogie imprevedibili attraverso successioni di immagini non legate tra loro logicamente, che rappresentano in modo diretto le sensazioni del poeta. Nel campo della prosa, il Futurismo teorizza la nascita del "romanzo sintetico", nel quale si trasferiscono le tecniche delle parole in libertà e dell'immaginazione senza fili.

4. Poeti futuristi

Al Futurismo sono legati i nomi di numerosi artisti. Molti di loro hanno attraversato un periodo futurista, per poi maturare diverse scelte artistiche e culturali: ricordiamo in particolare le figure di **Corrado Govoni** (1884-1965) e di **Aldo Palazzeschi** (1885-1974), che hanno alternato ad un periodo futurista opere che si rifanno alla poetica crepuscolare. Le loro figure permettono di sottolineare la vicinanza di due movimenti artistici apparentemente lontani, ma che si contraddistinguono tutti e due per la carica di novità e per l'azione di rottura con la tradizione.

Tra gli artisti che si sono riconosciuti nel movimento Futurista vanno ricordati, oltre a Marinetti, il gruppo fiorentino di **Giovanni Papini** (1881-1956), **Ardengo Soffici** (1879-1964).

5. L'importanza del Futurismo

L'importanza del Futurismo italiano sta nel suo essere stato un movimento autentico di rottura della tradizione e di sperimentazione di nuove tecniche artistiche. I suoi risultati migliori li possiamo trovare non tanto nel campo letterario, quanto in quello della pittura e delle arti figurative, con le opere di Boccioni, Balla, Carrà. L'influenza del Futurismo italiano, della sua carica di novità e di sperimentalismo, sarà notevole all'estero, in Russia, in Francia e in Germania, e si estenderà dal Dadaismo e dal Cubismo fino alle avanguardie artistiche degli anni Sessanta.

Filippo Tommaso Marinetti

Nato ad Alessandria d'Egitto nel 1876, la sua prima lingua è il francese: infatti, le sue prime opere sono in francese, fortemente influenzate dal Simbolismo.
Partecipa come volontario alla Prima Guerra Mondiale, e nel dopoguerra si lega al regime fascista e a Mussolini. Muore a Bellagio nel 1944.
È l'iniziatore del Movimento Futurista: suo infatti è il *Manifesto del Futurismo* del 1909; nel 1910 pubblica il romanzo *Mafarka il futurista*, nel 1912 cura l'antologia *Poeti futuristi*, nel 1914 esce *Zangtumbtumb*, romanzo che porta alle estreme conseguenze la tecnica del paroliberismo: la copertina riprodotta a sinistra illustra bene questa logica; il saggio *Guerra sola igiene del mondo* è del 1915; la sua attività artistica continua con numerose opere fino alla morte.

Tutta la sua opera, sempre fortemente sperimentale, esalta la vita moderna, la velocità, il mito del superuomo ripreso da D'Annunzio. Per anni il Futurismo e in particolare Marinetti sono stati trascurati dalla critica, che oggi invece mostra molto interesse per la loro opera.

In alto: ritratto di Marinetti dipinto da Carlo Carrà nel 1919.

A lato: copertina di *Zang, tumb, tumb*, disegnata da Marinetti nel 1914 per il libro più significativo del movimento futurista.

In basso: schizzi realizzati da Marinetti.

Nella pagina a fianco in alto: il gruppo futurista. Da sinistra Russolo, Carrà, Marinetti, Boccioni, Severini.

Nella pagina a fianco in basso: Carlo Carrà, *Ciò che mi ha detto il tram*, 1911.

il primo Novecento

T66 Filippo Tommaso Marinetti: All'automobile da corsa[1]

Veemente dio d'una razza d'acciaio,
Automobile ebbrrra di spazio,
che scalpiti e frrrremi[2] d'angoscia
rodendo il morso con striduli denti...
5 Formidabile mostro giapponese,
dagli occhi di fucina[3],
nutrito di fiamma
e d'olî minerali,
avido d'orizzonti e di prede siderali[4]...
10 io scateno il tuo cuore che tonfa diabolicamente,
scateno i tuoi giganteschi pneumatici,
per la danza che tu sai danzare
via per le bianche strade di tutto il mondo!...
Allento finalmente
15 le tue metalliche redini,
e tu con voluttà ti slanci
nell'Infinito liberatore!
All'abbaiare[5] della tua grande voce
ecco il sol che tramonta inseguirti veloce
20 accelerando il suo sanguinolento[6]
palpito, all'orizzonte...

Guarda, come galoppa, in fondo ai boschi, laggiù!...
Che importa, mio dèmone bello?
Io sono in tua balìa[7]!... Prrrendimi!... Prrrendimi!...
25 Sulla terra assordata, benché tutta vibri
d'echi loquaci;
sotto il cielo accecato, benché folto di stelle[8],
io vado esasperando la mia febbre
ed il mio desiderio,
30 scudisciandoli[9] a gran colpi di spada.
E a quando a quando alzo il capo
per sentirmi sul collo
in soffice stretta le braccia
folli del vento, vellutate e freschissime...
35 Sono tue quelle braccia ammalianti e lontane
che mi attirano, e il vento
non è che il tuo alito d'abisso,
o Infinito senza fondo che con gioia m'assorbi!...
Ah! ah! vedo a un tratto mulini
40 neri, dinoccolati,
che sembran correr su l'ali
di tela vertebrata

---

1 La poesia, scritta inizialmente in francese, è stata tradotta dallo stesso autore.

2 La ripetizione di "r" in questi primi versi, e anche più avanti nella poesia, vuole riprodurre il rombo del motore dell'automobile, secondo la tecnica dell'onomatopea, usata spesso dai futuristi.

3 La "fucina" è il laboratorio del fabbro, dove viene lavorato il metallo.

4 L'automobile è un mostro che vuole conquistare spazi oltre la terra, spaziali, celesti.

5 Il rombo del motore viene accostato, qui come nel verso 64, all'abbaiare di un cane; in altri versi (4, 15, 30, 59) l'automobile richiama l'immagine di un cavallo.

6 il colore del sole al tramonto viene reso con un aggettivo molto forte, che, come il termine "galoppa" del verso 22, avvicina il sole al mondo animale.

7 L'uomo è al servizio della macchina.

8 Anche la terra e il cielo sono sopraffatti, resi sordi e ciechi, dalla forza della macchina.

9 Colpendoli come con una frusta.

---

e 1. Comprensione

Come vedi le note hanno voluto dare un sostanzioso aiuto alla comprensione non solo lessicale. Nel testo sono presenti numerosi elementi naturali che vengono vinti dall'automobile.
Quali sono questi elementi naturali sottomessi alla forza e al dinamismo della macchina?

....

....

....

e 2. Analisi

- L'automobile, simbolo al tempo del poeta della società tecnologica e del progresso, viene paragonata dall'autore ad una divinità, mostruosa e diabolica: sottolinea nel testo tutte le parole e le espressioni che richiamano questo paragone. Questo mostro fa paura?

come su gambe prolisse[10]...
Ora le montagne già stanno per gettare
45 sulla mia fuga mantelli di sonnolenta frescura,
là, a quella svolta bieca.
Montagne! Mammut, in mostruosa mandra[11],
che pesanti trottate, inarcando
le vostre immense groppe,
50 eccovi superate, eccovi avvolte
dalla grigia matassa delle nebbie!...
E odo il vago echeggiante rumore
che sulle strade stampano
i favolosi stivali da sette leghe[12]
55 dei vostri piedi colossali...
O montagne dai freschi mantelli turchini!...
O bei fiumi che respirate
beatamente al chiaro di luna!
O tenebrose pianure!... Io vi sorpasso a galoppo
60 su questo mio mostro impazzito!...

Stelle! mie stelle! l'udite
il precipitar dei suoi passi?...
Udite voi la sua voce, cui la collera spacca...
la sua voce scoppiante, che abbaia, che abbaia...
65 e il tuonar de' suoi ferrei polmoni
crrrrollanti a prrrrecipizio
interrrrrminabilmente?...
Accetto la sfida, o mie stelle[13]!...
Più presto!... Ancora più presto!...
70 E senza posa, né riposo!...
Molla i freni! Non puoi?
Schiàntali, dunque,
che il polso del motore centuplichi i suoi slanci!
Urrrrà! Non più contatti con questa terra immonda!
75 Io me ne stacco alfine, ed agilmente volo
sull'inebriante fiume degli astri
che si gonfia in piena nel gran letto celeste!

---

10 I mulini sono descritti con metafore animali: "dinoccolato" si dice di una persona alta e magra, le pale sembrano ali, o lunghe gambe.

11 Mandria.

12 Sono gli stivali che nelle fiabe permettono di percorrere distanze enormi in poco tempo.

13 Le stelle, lontane nel cielo, sembrano sfidare la macchina a raggiungerle: alla fine il mostro meccanico vince sulla natura, permettendo all'uomo di staccarsi dalla terra "immonda", sporca e corrotta.

- Nel glossario che conclude questa antologia trovi alcune figure retoriche che Marinetti usa in maniera molto intensa: leggi la definizione delle varie figure e indica alcuni esempi nel testo:

a. onomatopea: *versi:* ....

b. iperbole: *versi:* ....

c. ossimoro: *versi:* ....

d. allitterazione: *versi:* ....

e. personificazione: *versi:* ....

- Qual è a tuo parere l'esempio più convincente per ciascuna di queste figure?

e **3. Riflessione**

Al giorno d'oggi l'uomo ha raggiunto le stelle – o i pianeti – e pensa sempre a nuove sfide, non solo di velocità. Eppure il fascino dell'automobile resta invariato, sia che pensiamo alle auto da corsa sia nella vita quotidiana. Perché è così secondo te? Che cosa rappresenta e offre l'automobile?

il **primo Novecento**

Eugenio Montale

1. I motivi della poesia montaliana

Fino dalle prime opere Montale si oppone alla tradizione poetica solenne sul modello di Carducci e D'Annunzio (i "poeti laureati") per comporre una poesia essenziale e severa, povera, a prima vista, ma nella quale egli recupera Dante e gli stilnovisti, Leopardi e Gozzano, la poesia metafisica europea e la lirica anglo-americana.

Il motivo che domina tutta la sua opera è lo scacco dell'individuo di fronte all'impossibilità di conoscere la realtà, di vivere la storia con i suoi terribili sconvolgimenti, di essere parte di una società priva di valori profondi.

La poesia non può dare soluzioni a questo dolore, può solo registrarlo con lucidità e coerenza; lo stesso poeta dice più volte di non avere risposte, può solo testimoniare la sua volontà di "resistenza nella vita"; nello stesso tempo però egli non smette di cercare la "maglia rotta nella rete", "l'anello che non tiene", il miracolo che possa offrire una via di uscita a questa situazione esistenziale drammatica: un miracolo che spesso è negativo, è la scoperta del nulla, del vuoto.

Eppure il poeta identifica due possibili vie di scampo: una è costituita dalle figure femminili, dalla donna, l'altra è la memoria.

Le figure femminili presenti nella poesia di Montale sono considerate *visiting angels*, presenze consolatrici, angeliche, sul modello di Petrarca, guida per il poeta che deve attraversare il buio della vita, messaggere di speranza. Anche la memoria, il ricordo, hanno una funzione consolatrice di fronte alla furia distruttrice della storia, possono fornire al poeta un mezzo per difendersi dalla mancanza di significato del presente.

2. Caratteristiche della poesia di Montale

La poesia di Montale, pur avendo a volte un aspetto esteriore semplice e lineare, è il frutto di un lavoro molto raffinato sulla lingua e sul ritmo del verso.

Dal punto di vista metrico, il poeta usa il verso libero, ma recupera spesso i versi tradizionali, con un gusto per il ritmo che lascia vedere la sua iniziale formazione musicale, evidente anche nell'uso raffinatissimo delle rime, delle assonanze, delle allitterazioni.

Il lessico di Montale è molto ricco e particolare: accanto a termini letterari troviamo parole prese dal linguaggio comune e dalla tecnica.

Tutta la sua poesia è dominata da simboli, che rappresentano il mondo e le cose: alla lezione dei simbolisti francesi Montale accosta la tecnica del "correlativo oggettivo", teorizzata dal poeta inglese T. S. Eliot, secondo la quale gli stati d'animo sono direttamente rappresentati da oggetti, che sostituiscono i sentimenti e le situazioni.

🔎 Il "Ventennio"

Grazie alla sua elevata cultura industriale, la Germania dimostrò nel dopoguerra una grande capacità di ripresa. Ma la fortissima svalutazione del Marco favorì l'avanzata delle correnti nazionalistiche e reazionarie. Undici anni dopo la Rivoluzione d'Ottobre, nel 1928 iniziò in Russia la politica dei piani quinquennali: la Russia riuscì ad ammodernare le proprie strutture produttive, pagando, però, il prezzo della dittatura di Stalin.
Nel frattempo in America prevaleva la filosofia dell'isolazionismo. In questo contesto, la politica italiana tenta l'invasione dell'Etiopia, voluta dal Duce, che provoca una notevole tensione internazionale, favorevole al nazismo e all'espansione germanica nell'Europa centro-orientale.
La guerra civile spagnola, nella quale intervennero Italia e Germania a difesa del generale Francisco Franco, fu il primo atto di aggressione che il fascismo ed il nazismo attuarono contro l'Europa democratica.

3. Gli *Ossi di seppia*

Pubblicata in prima edizione nel 1925, è la prima raccolta di Montale. È formata da cinque sezioni che ruotano intorno ad alcuni temi comuni: il mare e il paesaggio arido, aspro, roccioso della sua terra natale, la Liguria, è la metafora, il simbolo dell'esistenza dolorosa e negativa, della realtà illusoria e incomprensibile. Montale, in sintonia con molti artisti del '900, rappresenta qui l'uomo come un essere in crisi, che sente su di sé tutta la sofferenza del "male di vivere", pur sperando sempre in un "miracolo" che lo salvi.

4. Le *Occasioni* e *La bufera e altro*

Le Occasioni (1939) si staccano dall'ambiente della Liguria per soffermarsi su attimi e situazioni casuali (le "occasioni", appunto), che mettono in moto i sentimenti e la memoria del poeta. Divisa in quattro sezioni, compare in questa raccolta la donna angelo-demone, salvatrice e messaggera, piena di luce in un mondo oscuro e cupo; l'uso del simbolismo e del correlativo oggettivo è qui maturo e raffinato.

Ne *La bufera e altro* (1956) accanto alla donna-angelo compare un elemento nuovo e drammatico, violento e infernale: la guerra (la "bufera" appunto), la seconda guerra mondiale, vista non solo come fenomeno storico, ma come il simbolo del dramma, del dolore dell'umanità, e la raccolta, meno compatta delle precedenti, è dominata dai temi del destino e della storia, dalla morte.

5. Le ultime opere

Satura (1971), *Diario del '71 e del '72* (1973), *Quaderno di 4 anni* (1977), sono centrate sulla società di massa del dopoguerra; il tono è dimesso, umile, quando il poeta si occupa dei ricordi e della moglie morta, polemico, amaro e satirico quando tratta temi di attualità, relativi alla società contemporanea. Lo stile si avvicina alla prosa, il lessico accoglie molte parole comuni e termini tecnici, mentre resta sempre raffinato l'uso della metrica.

Eugenio Montale

Nato nel 1896 a Genova, dopo gli studi si dedica alla musica, studiando canto, e alla poesia. Nel 1917 viene arruolato e combatte nella Prima Guerra Mondiale.

Nel 1920, tornato a casa, entra in contatto con i circoli letterari dell'epoca e inizia a pubblicare le sue poesie. In quegli anni ha un'intensa attività letteraria e culturale: nel 1925 escono gli *Ossi di seppia*, prima notevole raccolta di poesie, si schiera con un gruppo di intellettuali antifascisti, scrive saggi letterari.

Nel 1927, spinto da ragioni economiche, si trasferisce a Firenze, dove vivrà per 20 anni; sono anni ricchi di contatti con il mondo culturale e letterario antifascista; senza lavoro proprio a causa delle sue idee politiche, dal 1938 vive solo di traduzioni e articoli, mentre continua a dedicarsi alla poesia: nel 1938 escono *Le Occasioni*, nel 1943 una parte di *La bufera e altro*, raccolta uscita completa nel 1956.

Dopo la seconda guerra mondiale inizia a collaborare con il quotidiano "Il Corriere della Sera" che, nel 1948, lo assume: da allora si trasferisce a Milano, dove vivrà fino alla morte.

L'attività di giornalista, critico letterario e musicale, inviato speciale e prosatore occupa gli anni del dopoguerra; alla poesia torna solo nel 1966, con *Xenia*, e poi con *Satura* (1971); nel 1967 è nominato senatore a vita, nel 1975 riceve il premio Nobel per la letteratura. Continua a comporre e pubblicare poesie (*Diario del '71 e del '72*, *Quaderno di 4 anni*) fino alla morte, avvenuta a Milano nel 1981.

Qui sopra: Eugenio Montale nel 1955.

A lato: frontespizio della prima edizione di *Ossi di Seppia*.

Nella pagina a fianco in alto: Montale in età giovanile.

Nella pagina a fianco in basso: la guerra in Spagna provocò 500.000 morti proponendosi come anteprima del secondo conflitto mondiale.

T67 Dino Campana: La petite promenade du poète[1]

Me ne vado per le strade
strette oscure e misteriose:
vedo dietro le vetrate
affacciarsi Gemme e Rose[2].
5 Dalle scale misteriose
c'è chi scende brancolando[3]:
dietro i vetri rilucenti
stan le ciane[4] commentando.

La stradina è solitaria:
10 non c'è un cane; qualche stella
nella notte sopra i tetti:
e la notte mi par bella.

E cammino poveretto
nella notte fantasiosa,
15 pur mi sento nella bocca
la saliva disgustosa[5]. Via dal tanfo[6]
via dal tanfo, e per le strade
e cammina e via cammina,
già le case son più rade.
20 Trovo l'erba: mi ci stendo
a conciarmi[7] come un cane:
Da lontano un ubriaco
canta amore alle persiane[8].

Da un *Quaderno*

---

1 La piccola passeggiata del poeta, titolo dato scherzosamente in francese; il luogo di riferimento è un quartiere malfamato di Firenze.

2 I nomi evocano anche le pietre preziose e le rose.

3 Perché ubriaco.

4 Donnette.

5 In conseguenza di una sbronza.

6 Puzza intensa.

7 Stendermi.

8 Finestre chiuse.

---

e 1. Comprensione

Di' se queste affermazioni sono vere o false.

	vero	falso
a. Il poeta percorre di notte una stradina maleodorante.	○	○
b. La strada è piena di gente che canta.	○	○
c. Alle finestre si affacciano delle donne.	○	○
d. Il poeta non vede l'ora di abbandonare la strada.	○	○
e. In mezzo ai campi incontra un cane randagio.	○	○

e 2. Analisi

- L'atmosfera notturna non esercita sul poeta il fascino tipico delle notti romantiche. Attraverso quali elementi Campana distrugge questo "mito"?
- Il poeta cita due volte la parola "cane". Quale sensazione si lega a questa parola?
- La stradina nel quartiere fiorentino di San Frediano è malfamata, dietro le finestre abitano quelle che si chiamavano "donne di malaffare". Che atteggiamento si coglie da parte del poeta nei loro confronti pensando ai nomi femminili che egli cita?
- La struttura della poesia è libera, solo alcuni versi rimano, certo non in modo casuale. Che cosa sottolineano alcune di queste rime?

e 3. Riflessione

Campana era uno spirito inquieto con se stesso e il suo tempo. Quali erano i protagonisti della scena letteraria negli anni che precedono immediatamente la Prima Guerra Mondiale? In che modo egli dimostra in questo testo il suo distacco da questa scena letteraria?

> **Dino Campana** (1895-1932) nasce a Marradi, in provincia di Firenze, e muore nel manicomio di Castel Pulci, poco lontano da Firenze. Conduce vita sregolata, inquieta. Nel 1914 pubblica i *Canti orfici*, caratterizzati da linguaggio fortemente ermetico e visionario, come suggerisce l'aggettivo "orfico", che rinvia ai riti misterici collegati alla figura di Orfeo.

T68 Eugenio Montale: Mottetto XII[1]

Ti libero la fronte dai ghiaccioli
Che raccogliesti traversando l'alte
Nebulose; hai le penne lacerate
Dai cicloni, ti desti a soprassalti[2].
5 Mezzodì[3]: allunga nel riquadro[4] il nespolo[5]
L'ombra nera, s'ostina in cielo un sole
Freddoloso; e l'altre ombre che scantonano[6]
Nel vicolo non sanno che sei qui.

Da *Le occasioni*

___

1 I *Mottetti* sono 20 brevi testi dedicati alla donna angelo. Il Mottetto è una forma poetica breve (in genere 5 versi) spesso di contenuto amoroso. Dal XIII sec. si diffonde come componimento di carattere religioso, spesso parafrasando nel testo il Vecchio o il Nuovo Testamento. La parola è di origine francese, da mot=parola.
2 Ti svegli varie volte, di colpo.
3 Mezzogiorno.
4 Di una finestra.
5 Il nespolo è un albero.
6 Che svoltano veloci nel vicolo.

T69 Forse un mattino

Forse un mattino andando in un'aria di vetro,
arida, rivolgendomi[1], vedrò compirsi il miracolo:
il nulla alle mie spalle, il vuoto dietro
di me, con un terrore di ubriaco.
5 Poi, come s'uno schermo, s'accamperanno di gitto[2]
Alberi case colli per l'inganno consueto[3].
Ma sarà troppo tardi; e io me n'andrò zitto
Tra gli uomini che non si voltano, col mio segreto.

Da *Ossi di seppia*

___

1 Voltandomi indietro.
2 Si collocheranno di colpo.
3 Di ogni giorno.

---

e 1. Comprensione
Di' se queste affermazioni sono vere o false.

Mottetto XII

	vero	falso
a. La donna proviene da distanze celesti.	○	○
b. Il mezzogiorno ha cancellato tutte le ombre.	○	○
c. Tutti sanno che la donna è presso il poeta.	○	○

Forse un mattino

	vero	falso
a. Nel mattino il poeta farà una serena passeggiata.	○	○
b. Vedrà le cose come proiettate su uno schermo.	○	○
c. Gli uomini gli chiederanno il suo segreto.	○	○

e 2. Analisi
- Quali sono i luoghi evocati dalle due liriche?
  In *Mottetto XII* sono tre: **a.** .... **b.** .... **c.** il fuori
  In *Forse un mattino* c'è un luogo che appare reale, cioè ....
  e un non luogo desiderato, cioè ....
- Gli "altri" sono presenti in entrambe le liriche. Con quali caratteristiche?
- In entrambe le liriche è presente un senso di inquietudine.
  Quali elementi lo evocano?
  In *Mottetto XII*: .... In *Forse un mattino*: ....
- Che cosa rappresentano gli spazi siderali da cui proviene la donna?
  E in che cosa consiste il "miracolo" auspicato?

e 3. Riflessione
Il linguaggio ermetico crea suggestioni da scoprire. La prima lirica
non ha rime, la seconda ne ha tre: vetro/dietro – gitto/zitto – consueto/segreto.
Quali parole o espressioni di ciascuna lirica ti suggeriscono l'immagine
più suggestiva?

Eugenio Montale riceve il Premio Nobel nel 1975

il primo Novecento

Altri scrittori del primo Novecento

Nel ventennio fascista (1923-45) la letteratura in prosa fu guidata dagli stessi atteggiamenti psicologici che caratterizzarono la poesia: realtà filtrata attraverso la memoria, uso della fantasia, dei sogni.

1. I Rondisti

Questa concezione della letteratura fu sperimentata dai Rondisti (scrittori che pubblicarono nella rivista *La Ronda*). Tra questi **Vincenzo Cardarelli** (1887-1959), che fondò nel 1919 la rivista *La Ronda*. Tra le sue prose si ricordano *Viaggi nel tempo*, *Il sole a picco*, *Il cielo sulle città*. Cardarelli fu il sostenitore più vivace di un "Neoclassicismo" formale ed accademico che si ispirava a Leopardi ed al Cinquecento. Altri Rondisti furono **Antonio Baldini** (1899-1962), autore di fantasie, diari e saggi critici e **Bruno Barilli** (1880-1952), giornalista e compositore.

2. I Solariani

Si definirono in tal modo quei letterati che collaborarono con la rivista *Solaria*. Non furono tanto dei narratori, quanto dei prosatori che tendevano a rappresentare se stessi anche quando componevano novelle o romanzi: **Giovanni Comisso** (1895-1969), dalla prosa curatissima, come pure **Gianna Manzini** (1896-1974).

3. Il romanzo

Da una parte si mirò alla disgregazione del tessuto narrativo ottocentesco, ma dall'altra si verificò un ritorno vero e proprio al romanzo. Dal momento, però, che la dissoluzione del romanzo ottocentesco era stata causata dal processo psicologico e culturale dei tempi, sulle orme di Joyce, Musil, Woolf e altri sperimentatori, non era possibile tornare indietro. Quindi, i romanzi non furono più come quelli dell'Ottocento: l'attenzione fu dedicata all'uomo nella sua drammatica solitudine; la tecnica usata fu quella della "deformazione", che serviva a rappresentare un mondo governato dall'irrazionalità e dal caso.

Questi elementi sono evidenti nello scrittore **Federico Tozzi** (1883-1920), che nei suoi romanzi *Con gli occhi chiusi* (1919), *Il Podere* (1921), *Tre Croci* (1918) rappresenta la figura dell'inetto, dell'uomo incapace di accettare le leggi della conflittualità che reggono il mondo, un mondo che gli appare incomprensibile ed assurdo.

Rilevante è anche la figura di **Italo Svevo** (1861-1928), romanziere della Trieste legata alla Mitteleuropa, all'Europa dell'impero Austro-Ungarico (il suo vero nome era Ettore Schmitz). Amico di James Joyce, profondo innovatore, la sua sofisticata e raffinata scrittura non fu compre-

---

🔍 La seconda guerra mondiale

Il I° settembre 1939, con l'invasione della Polonia da parte dell'esercito tedesco di Hitler, inizia la Seconda Guerra Mondiale. È un conflitto davvero mondiale: in circa due anni coinvolge tutti i continenti, trascinando nella guerra numerosissimi Stati e aprendo moltissimi fronti. Nel corso di sei anni si svolge una guerra totale, che, ancora più della Prima Guerra Mondiale, coinvolge non solo i militari, ma soprattutto le popolazioni civili, che vede la tragedia del popolo ebraico e che, con il lancio della prima bomba atomica su Hiroshima, apre l'epoca del terrore nucleare. Non è solo una guerra tra popoli e nazioni, ma anche uno scontro ideologico tra Stati come la Germania, l'Italia e il Giappone che volevano creare un nuovo ordine a spese delle democrazie, del popolo ebraico, del bolscevismo russo, e le altre potenze occidentali che, insieme alla Russia, combattevano per la libertà e per la democrazia.

sa e per decenni è stato dimenticato, mentre oggi *Una vita* (1892), *Senilità* (1898) e *La Coscienza di Zeno* (1923) sono inclusi tra i capolavori del Novecento.

4. I Surrealisti

Il movimento surrealista esplose nei primi anni del secolo in Francia e Spagna e si irradiò in tutta Europa. L'espressione dei Surrealisti forzava il reale, per farne rappresentazione simbolica. Tra i vari autori, uno dei più significativi fu **Dino Buzzati**, per anni ignorato dalla critica, ma oggi sempre più rivalutato. Un altro surrealista fu **Alberto Savinio**, scrittore e pittore, fratello del più noto pittore **Giorgio De Chirico**, che si proponeva di rendere "il viscere della realtà", cioè la profondità che non tutti riescono a vedere e che l'artista deve "svelare".
Si sta riscoprendo oggi la figura di **Tommaso Landolfi**, nato nel 1908, frequentatore degli Ermetici, autore di una trentina di volumi tra liriche, romanzi e racconti. In un suo libro, *La bière du pécheur* (il titolo francese suggerisce ambiguamente due significati: la *bara* del peccatore, la *birra* del pescatore), si pone in netta polemica ed antitesi con D'Annunzio: "Tutto si potrà trovare nelle mie passate opere ed in me, fuorché... la vita". Il suo male di vivere si traduce in favole o simboli, nei quali il reale è continuamente forzato a sfiorare il surreale. Tra le opere più significative i *Racconti* (tutti i racconti fino al '61), *La pietra lunare* (1939), *Rien va* (1963), *Des mois* (1967), *Le labrene* (1974), *Racconto d'autunno* (1975).

5. La letteratura d'opposizione

Negli anni tra il 1930 ed il 1945 circa si formarono alcuni scrittori molto diversi tra loro, ma che possono essere raggruppati sotto alcuni denominatori comuni. Alcuni li definiscono come "Realisti degli anni Trenta", "letteratura d'opposizione" li definiscono altri, perché si distinsero soprattutto per la loro opposizione al fascismo. Il loro fu quasi un antifascismo inconsapevole, presente nei libri quasi all'insaputa dell'autore, ma certamente percepito da critici e lettori.
Fra questi citiamo Alberto Moravia, (cfr. p. 247) che fu costretto a pubblicare sotto pseudonimo, Elio Vittorini, (cfr. p. 247) a cui furono sospese le pubblicazioni su *Solaria*, Cesare Pavese, (cfr. p. 248) che fu mandato al confino, cioè esiliato in un paesino del Sud, lontano dagli intellettuali e dai mezzi di comunicazione di massa.

Dino Buzzati

Nacque a Belluno nel 1906; fu giornalista, novelliere, romanziere, pittore.
Fu poco conosciuto in vita: fu estraneo alla vita politica, diffidente verso la psicanalisi, tormentato dall'orrore per la "città - inferno".
Nel suo primo romanzo, *Bàrnabo delle montagne* (1933), la sua visione del mondo si esprime nel tema dell'attesa "tutti vivono come se da un'ora a un'altra dovesse arrivare qualcuno".
Il suo capolavoro fu *Il deserto dei Tartari* (1940): il sentimento della vita come attesa e angoscia diventa la storia di un ufficiale che passa tutta la vita in una guarnigione nel deserto dei Tartari, in attesa di un attacco che non verrà mai.

Gli stessi motivi si trovano anche in altri suoi romanzi: *Il segreto del bosco vecchio* (1935), *I sette messaggeri* (1942), *Paura alla Scala* (1949), *Un amore* (1963), *Settanta racconti* (1968). Morì a Milano nel 1972. Il suo nome viene spesso accostato a quello dello scrittore di lingua tedesca Franz Kafka.

In alto: ritratto di Dino Buzzati.

In basso: dipinto di Buzzati.

Nella pagina a fianco in alto da sinistra: Vincenzo Cardarelli, Massimo Bontempelli e Alberto Savinio.

Nella pagina a fianco in basso: la bomba atomica lanciata nel 1945 su Hiroshima apre l'epoca della guerra nucleare.

il primo Novecento

T70 Vincenzo Cardarelli: Chi ha vissuto una sera d'estate in riva a un lago...

Chi ha vissuto una sera d'estate in riva a un lago sa che cosa sia la beatitudine. Un calore fermo, avvolgente sale in quell'ora dalle acque che sembrano lasciate lì, immobili e qua e là increspate, dall'ultimo fiato[1] di vento che il giorno andandosene ha esalato, e il loro aspetto è morto e grigio. Si prova allora, più che in qualunque altro istante della giornata, quella dolce infinita sensazione di riposo auditivo che danno le lagune[2], dove i rumori non giungono che ovattati[3]. Come sanno d'acqua le parole che dicono i barcaioli che a quell'ora stanno a chiacchierare sulla caletta[4]! Come rimbalzano chiocce[5] nell'aria! I rintocchi delle squille lontane[6] arrivano all'orecchio a grado a grado e rotondi, scivolando dall'alto del cielo pianamente a guisa di lentissimi bolidi[7].

La sera scorre placida, è tutta un estatico bambolarsi[8], un fluire di cose silenziose a fior d'acqua. Naufraga d'un tratto in un chiacchericcio alto, intenso, diffuso, simile al clamore d'una festa lontana, appena s'accendono i lumi, tra le risate e le voci varie e gaie che escono dagli alberghi dopo cena e il fragore allegro e plebeo[9] d'un pianoforte meccanico che giunge dall'altra riva.
Poi tutto sfuma e rientra ben presto nel gran silenzio lacustre, dove più non si ode che il battere degli orologi che suonano ogni quarto d'ora, a poca distanza l'uno dall'altro, da tutti i punti della sponda, e quel soave, assiduo scampanio[10] delle reti che i pescatori lasciano andare di sera alla deriva, che fa pensare insistentemente a un invisibile gregge in cammino.

---

1 Soffio.
2 Superfici d'acqua delimitate.
3 Attutiti.
4 Piccola insenatura per il ricovero delle imbarcazioni.
5 Rauche, stridule, come il verso della gallina.

6 Campane.
7 Stelle cadenti o meteore.
8 Imbambolarsi, cullarsi.
9 Perché la musica è popolare.
10 Prodotto dagli anelli metallici ai bordi delle reti.

---

1. Comprensione
Di' quale di queste affermazioni è corretta.

Verso sera sul lago:
- ○ **a.** sale il vento che muove l'acqua del lago.
- ○ **b.** sale il calore dall'acqua immobile.
- ○ **c.** l'aspetto dell'acqua è vivace e colorato.

I rumori sul lago sono: ○ **a.** attenuati ○ **b.** amplificati ○ **c.** ripetuti

Dopo cena si sente: ○ **a.** il rumore di una festa ○ **b.** il suono di un pianoforte ○ **c.** il rumore dell'acqua

2. Analisi
- Questo tipo di scrittura è chiamato "prosa d'arte". A volte si trova anche la definizione "prosa poetica". Prova a tracciarne le caratteristiche.
- L'autore sottolinea in vari punti il "riposo auditivo" che si gode di sera sul lago: quali elementi creano questa sensazione?
- Quali sono invece i rumori? Hanno tutti la stessa intensità e la stessa durata?
- "Lentissimi bolidi" è un ossimoro, poiché a un bolide si associa il senso della velocità. Anche le stelle cadenti (cfr. nota 7) sono veloci: quale aggettivo useremmo noi, che non scriviamo in prosa d'arte, per restare nell'atmosfera evocata?

3. Riflessione
La sera, il lago, le luci e i rumori attenuati agiscono sempre sull'animo dei poeti o dei loro personaggi, come abbiamo visto in Manzoni (cfr. testo 43). Ma non occorre essere poeti per sentire le atmosfere. Prova a confrontare le sensazioni che si possono provare oggi in villeggiatura sul lago con quelle di Cardarelli. Ci sarà ancora tanto dolce silenzio?

> **Vincenzo Cardarelli.**
> Nacque a Tarquinia nel 1887. Il suo vero nome era Nazareno Caldarelli. Fondò nel 1919 la rivista *La Ronda*. Tra le sue prose si ricordano *Viaggi nel tempo, Il sole a picco, Il cielo sulle città*. La raccolta completa delle poesie risale al 1942. Morì a Roma nel 1959.

T71 Emilio Cecchi: Colori

Ci sono animali dal colore assolutamente sbagliato.
Su altri la Natura provò svariati colori, ma senza arrivare a una conclusione soddisfacente.
E lasciò correre per il mondo le diverse prove, quasi dicendo: "Io non ci ho più pazienza; vedetevela un po' fra voialtri". E come si danno quadri d'autore e repliche di bottega[1], così fra gli animali; con la pratica s'impara a distinguere le opere d'ispirazione genuina dalle varianti e dai falsi. Altre bestie portano addosso le tracce d'un ritocco, d'una raschiatura[2]. Probabilmente erano lavori di scuola, sui quali il maestro posò la mano sapiente.
Sulle prime, ad esempio, non ci s'accorge che anche la pantera nera è ritoccata; o, meglio, ridipinta. Sembra uscita di getto, senza la minima sbavatura[3], dallo stampo della Creazione. L'accozzo[4] de' suoi colori è così elementare: sul nero che la fascia come una maglia elastica, gli occhioni biancastri. Soltanto quando la belva sbadiglia, l'accordo svaria[5] in un istante nel rosso della lingua e nell'avorio dorato delle zanne. Poi il nero si richiude come una scatola, come uno scatto. In un'armonia così austera, a nessuno vien l'idea d'andare a cercare un dubbio, un pentimento[6].

Eppure, ci fu il dubbio, e ci fu la correzione. A certe epoche, e in una luce diffusa, dentro al pelame si veggono[7] rifiorire coroncine come quelle che screziano il mantello dei leopardi, delle comuni pantere e di altri grossi gatti. È come il lutto dei poveri che, non potendo comprarsi roba nuova, passano al tintore qualche vestito usato. Poi il nero stinge e inverdisce; e di sotto al nero trasparischono i fiori e i quadretti della vecchia stoffa. Quando me n'avvidi, confesso che restai mortificato; come se contemplando un oggetto nuovo, del quale fossi orgoglioso, a un tratto ci avessi scoperto una menda[8]. Grande ammiratore di tali fiere, mi toccava ad ammettere che, in certo modo, eran ritinte. La stessa impressione di chi, adorando una bella donna, viene ad accorgersi che quella ha i capelli truccati. Magari non ci sarà un gran male. Ma avrebbe potuto avvertirlo. Del resto, dopo un momento, le pantere erano tornate a piacermi come prima. Il loro velluto mi pareva come prima tetramente immacolato. Capii che avevo avuto torto ad impermalirmi[9]. E trassi, anzi, un ammonimento.

---

1 I quadri originali del maestro e le copie dei discepoli.
2 Per rimuovere una parte di colore.
3 Imprecisione.
4 Mescolanza.
5 Cambia.

6 Correzione migliorativa.
7 Si vedono.
8 Un rattoppo.
9 Arrabbiarmi.

---

e 1. Comprensione

Il tema di questo testo:

○ **a.** sono i colori degli animali.   ○ **b.** è la natura del colore.   ○ **c.** sono le tecniche dei pittori.

e 2. Analisi

- L'autore analizza il colore della pantera. L'animale lo interessa come tale o vale come figura simbolica?
- Secondo te, perché Cecchi prende spunto proprio dalla pantera? Che colore è il nero?
- Il lessico che egli usa è in buona parte tecnico, specifico della critica d'arte. Ciò fa pensare alla Natura come a
  ....
- Il tono della sua analisi è

○ **a.** solenne e accademico   ○ **b.** sarcastico   ○ **c.** aspramente critico   ○ **d.** leggero e ironico

---

Emilio Cecchi.
Nacque a Firenze nel 1884, morì a Roma nel 1966. Fu tra i fondatori della *Ronda*. Non fu solo scrittore di "elzeviri" o "capitoli", ma autore di ricerche storiche e di pagine critiche, tra le più acute e penetranti del Novecento, sulla letteratura italiana, su quella di lingua inglese, sulle arti figurative.
Interessanti per capire l'umore della sua scrittura sono i titoli delle raccolte: *Pesci rossi* (1920), *L'osteria del cattivo tempo*, *Qualche cosa*, *Corse al trotto vecchie e nuove*, *America amara*.

Critica

Ermetica la poesia, ermetica la critica

Ad intendere il valore positivo della poesia ermetica e a rendere più difficile l'apprezzamento del raggiunto fatto artistico del linguaggio analogico e ermetizzante è stata di ostacolo la poetica[1] che ha di sovente accompagnato o seguito quei testi. Una poetica che non manca di alcune ambizioni dell'estetica[2] ed ha insistito sulla poeticità dell'ineffabilmente ambiguo[3], «sulla bivalenza di significato dell'aggettivazione», sulla neutralità e refrattarietà[4] sentimentale della parola per porre infine dell'«oscurità[5]» il carattere proprio della poesia.

Ne è derivata una critica di sostegno che si è avvalsa[6] essa stessa della bivalenza dell'aggettivazione, della neutralità della parola, del gusto di ciò che è *ineffabilmente ambiguo* e infine della trasposizione analogica. *L'amore dell'ambiguo* è apparso adunque il comune piano di quella poesia e di questa critica. Pur riconoscendo il significato polemico della critica ermetizzante, bisogna convenire[7] che essa, almeno per il momento, è mancata di una precisa coscienza[8] teorica e speculativa[9] mentre nel caso della concreta poesia si sono avute esperienze di ben altro valore positivo. Tuttavia tale è l'autoconsapevolezza critica di questa poesia[10], tale [è] ufficialmente la poetica dell'ermetismo: amore della bivalenza aggettivale, delle espressioni polisenso[11], dell'ambiguità e dell'oscurità come essenziali all'arte. Gli ermetici evitano perfino di impegnarsi nei titoli. Pubblicando due poesie su *Corrente*, Montale ha scritto che il titolo di esse «puramente possibile e indicativo, vuol essere il riflettore di un momento».
Come già, per quanto in un senso assai diverso, per Mallarmé[12], qui si vuole mirare ad un tale legame essenziale di immagini che per coglierne il senso unitario sia resa superflua l'elocuzione indicativa[13] e basti l'attenzione del lettore. Ma di fatto poi l'attenzione del lettore non basta. E in un tal procedimento inoltre si nasconde il pericolo di trasformare il gusto della suggestione poetica nella gioia puramente intellettuale dell'indovinare, che è la secca[14] in cui è andata ad arenarsi spesso anche la poesia di Mallarmé.

Ora, comunque siano da considerare queste ricerche[15], piuttosto cronologiche e documentarie che concettuali, delle origini dell'ermetismo critico, è certo che sui due punti della *suggestione* e della *parola pura* si incentrano gli aspetti fondamentali della sua poetica. La quale, partendo dall'idea della suggestione e quindi dal pensiero di una necessaria collaborazione del lettore all'opera d'arte, si completa poi nel concetto di una assoluta purezza della poesia, libera da riferimenti sentimentali, psicologici, ecc.; e perciò accentua il valore magico della parola astratta, isolata, come una trascendente realtà a cui sia affidato il miracoloso equilibrio del canto.

S. F. Romano

Giuseppe Ungaretti fra Montale e Quasimodo.

1 Questo è il soggetto dell'intera, lunga frase: "La poetica (…) è stata di ostacolo ad intendere il valore positivo…". Intendere significa "comprendere".

2 "Poetica" è l'idea della poesia e della letteratura di un dato autore, "estetica" è una filosofia organica della bellezza e del valore letterario.

3 "Ineffabile" è ciò che non può essere detto, "ambiguo" è ciò che, pur detto, ha tuttavia vari significati possibili.

4 Il fatto di respingere il sentimento.

5 Mancanza di chiarezza nei significati.

6 Che ha utilizzato.

7 Ammettere.

8 Consapevolezza.

9 Di pensiero.

10 Gli autori di questo tipo di poesia sono così consapevoli loro stessi dei problemi critici.

11 Che hanno più significati. (Parola creata dallo stesso Romano).

12 Poeta simbolista francese.

13 Un spiegazione che indichi come unire le immagini l'una all'altra.

14 Zona del mare in cui il fondo è molto vicino alla superficie, anche se non si vede, e quindi le navi si "arenano", cioè si fermano incastrate nella sabbia, così come si è fermata la poesia di Mallarmé.

15 Si tratta della ricerca, cioè del saggio, dello stesso Romano, che cerca di capire come si è evoluta ("cronologiche") e su che basi ("documentarie") la critica ermetica.

il secondo Novecento

il secondo Novecento

Il secondo Novecento

1. La fine della guerra

Il 10 luglio del'43 le forze alleate sbarcarono in Sicilia ed iniziarono, risalendo la penisola, a liberare l'Italia occupata dalle truppe tedesche. Alla fine di quell'anno l'Italia era un paese tagliato in due: a sud di Napoli gli alleati ed il re, al nord i tedeschi, che avevano liberato Mussolini e lo avevano messo a capo della cosiddetta repubblica di Salò (dal nome della località sul lago di Garda dove aveva sede). Il settentrione divenne, inoltre, lo scenario principale in cui si sviluppò la resistenza armata, la lotta partigiana contro i nazifascisti.

2. La ricostruzione

Il paese esce dal conflitto distrutto moralmente e con una situazione economica gravemente compromessa. La produzione industriale nel '45 è scesa a meno di un terzo di quella del '38, e vi è un alto tasso di disoccupazione. L'inchiesta sulla miseria condotta nei primi anni Cinquanta rivela che quasi un terzo delle famiglie italiane non consuma mai carne. 2.800.000 famiglie vivono in case sovraffollate (900.000 di queste vivono con una media di quattro persone per stanza o in luoghi di fortuna come magazzini, baracche o addirittura grotte). L'85% delle famiglie povere è concentrata al Sud, dove la povertà raggiunge percentuali molto più alte del resto del paese. Agli inizi degli anni cinquanta solo l'8% delle famiglie italiane possiede allo stesso tempo acqua, elettricità e servizi igienici interni. È su queste macerie che l'Italia inizia il periodo della ricostruzione, che non è solo economica, ma è anche morale e civile. Cresce il bisogno di un'identità diversa e di nuovi valori. È in questo periodo che inizia un nuovo corso della vita artistica e letteraria italiana. Nasce la grande stagione del cinema e della letteratura neorealisti.

3. Il Neorealismo

L'esperienza del conflitto, della Resistenza, il ritorno alla democrazia e la nascita di una nuova società cambiano profondamente il rapporto tra società e cultura. Si impone la necessità di una nuova letteratura che si distacchi profondamente dalla retorica letteraria dell'ultimo ventennio. Matura nel primo dopoguerra il bisogno di una letteratura coscientemente attenta alla realtà sociale, ai percorsi di vita del singolo e della collettività. Una letteratura non solo consolatoria di fronte alle tragedie dell'umanità, ma in prima fila contro gli orrori del mondo. Il Neorealismo na-

---

⌕ Dal Regno alla Repubblica

Finita la guerra e caduto il regime fascista l'Italia tornò alla democrazia. Il 2 giugno del 1946 rappresenta una data storica: in quel giorno, infatti, il popolo italiano fu chiamato a scegliere, attraverso un referendum, tra monarchia e repubblica. Vittorio Emanuele III aveva abdicato in favore del figlio, Umberto, nel tentativo di far dimenticare il coinvolgimento della casa reale con il fascismo e la fuga del re a Brindisi, ma l'Italia scelse di divenire una repubblica con il 54,2% di voti a favore. Allo stesso tempo gli italiani votarono per eleggere l'Assemblea Costituente, che avrebbe avuto il compito di redigere la Costituzione della Repubblica. Il voto fu a suffragio universale: per la prima volta, infatti, il diritto di voto era esteso alle donne.

La Costituzione entrò in vigore il 1° gennaio del '48. Essa presentava una serie di articoli molto avanzati. Tuttavia, lo sforzo dell'Assemblea fu vanificato da una sentenza della Corte di Cassazione che introdusse una distinzione tra le parti della Costituzione di immediata applicazione e le "norme programmatiche" che si sarebbero realizzate in un futuro imprecisato. Fu così che rimasero in vigore codici e normative fascisti (come il Testo unico di pubblica sicurezza, del 1931) e che alcune importanti istituzioni furono introdotte solo dopo molti anni. La Corte Costituzionale entrò in funzione nel '56 e solo due anni dopo il Consiglio Superiore della Magistratura. Alcune norme che contraddistinguono un paese civile, come la parità tra i sessi e i diritti politici e civili delle donne, furono applicate solo dopo lunghissimi ritardi.

sce sulla spinta di una forte passione civile che diviene artistica testimonianza dell'Italia dell'epoca, della sua condizione di arretratezza e di miseria, ma con fiducia nella sua forza di ripresa e di rinnovamento. Negli anni '40 si afferma dunque la letteratura come impegno, come dimostrano i continui dibattiti sul ruolo di politica e cultura e sul ruolo dell'intellettuale nella società, che trovano spazio nelle numerose riviste che vedono la luce nel nuovo contesto democratico; una fra tutte il *Politecnico*, diretto da Elio Vittorini. Il Neorealismo esprimeva nella letteratura e nel cinema la responsabilità civile di molti scrittori e registi, ma non ebbe una solida coscienza stilistica. La sua parabola si concludeva già alla metà degli anni Cinquanta.

4. Oltre il Neorealismo

Una svolta importante è rappresentata dalla pubblicazione de *Il Gattopardo* (1958) di **Tomasi di Lampedusa**.
Nella vicenda del principe di Salina e della sua casata, ambientata in Sicilia all'epoca dello sbarco garibaldino, l'autore propone una visione del divenire storico intrisa di fatalismo e rassegnazione, che ricordano il mondo verghiano e sospingono il romanzo lontano dai modelli neorealisti di letteratura impegnata, avvolgendolo in un'aurea quasi decadentista. Trovi la pagina iniziale de *Il Gattopardo* a pag. 28

5. Giorgio Bassani (1916-2000)

Un altro romanzo che in certo modo segna il superamento del Neorealismo è *Il giardino dei Finzi Contini* (1962), che narra la storia di una famiglia di origine ebraica (come lo stesso Bassani) nella Ferrara del periodo bellico, in cui, peraltro, sono ambientate molte sue opere fra le quali le *Cinque storie ferraresi* (1955). In Bassani il romanzo approda all'elegia, al conflitto interiore, ad una malinconica visione della fragilità del mondo e degli uomini. Il realismo nella sua poetica diviene memoria lirica, lontana dalle forme documentarie del Neorealismo. La sua concezione pessimista della vita e le suggestioni decadenti della solitudine dell'uomo compaiono, tra le altre opere, anche ne *Gli occhiali d'oro* (1958) e *Dietro la porta* (1958).

6. Carlo Emilio Gadda (1915 -1973)

Nel panorama letterario l'opera di Gadda si distingue per una originalissima e personale ricerca linguistica, che lo porta a mescolare elementi di diversi dialetti con aspetti dell'italiano colto e scientifico, nella descrizione di una realtà caotica e ambigua che le tecniche narrative neorealiste non erano in grado di cogliere. Ricordiamo tra le sue opere più famose, *Quer pasticciaccio brutto de via Merulana* (1957) e *La cognizione del dolore* (1963)

7. La ricerca di un nuovo linguaggio

Nel decennio che va dalla fine della guerra alla metà degli anni '50 la società italiana vive profonde trasformazioni economiche e sociali. Di fronte alla nuova realtà industriale ed al miracolo economico i modelli neorealisti sembrano insufficienti sia nei loro presupposti ideologici che sotto il profilo stilistico-formale. La ricerca di un nuovo linguaggio letterario si concentra nei dibattiti che trovano spazio soprattutto in riviste quali *Officina* e *Rendiconti*, a cui collaborarono importanti figure della cultura italiana quali **Pasolini**, **Fortini** e **Roversi**, e *Il menabò*, fondato da **Vittorini** e **Calvino**, che ospita una prima rassegna di scrittori della neo-avanguardia, che in quegli anni definiscono la loro poetica e trovano espressione soprattutto nelle pagine di un'altra rivista: *Il verri*.

8. La neo-avanguardia

In rottura con i modelli della tradizione, ma fortemente in polemica anche con le istanze artistiche contemporanee, gli scrittori neo-avanguardisti rifiutano qualsiasi ideologia alla base dell'opera letteraria, ponendo la ricerca sul linguaggio al centro della loro poetica. Ma per loro il linguaggio della società contemporanea è falso e alienato. Non resta dunque che il suo scardinamento sintattico e semantico come simbolo dell'impossibilità di comunicare, come appare nella raccolta poetica *Laborintus* (1956) di **Edoardo Sanguineti**, che insieme a **Umberto Eco**, **Renato Barilli**, **Nanni Balestrini** ed altri rappresentanti della neo-avanguardia fondarono il *Gruppo '63*, che si scioglierà alla fine degli anni Sessanta.

In questa pagina: Umberto Eco.

Nella pagina a fianco in alto: l'arrivo degli Alleati.

Nella pagina a fianco in basso: Alcide De Gasperi, primo capo del governo dopo la guerra.

il secondo Novecento

Gli scrittori neorealisti (1)

1. Le origini

"Il libro apparirà al lettore in stridente contrasto con l'immagine pittorica che dell'Italia meridionale si trova frequentemente nella letteratura". Così scriveva **Ignazio Silone** (1900-1978) nella prefazione di *Fontamara*, romanzo uscito in Svizzera nel 1930 e rimasto ignorato in Italia per vent'anni.

Narra la storia di un piccolo paese dell'Abruzzo, Fontamara appunto, che diviene simbolo di un mondo contadino in cui si affrontano gli emarginati, i "cafoni" e i borghesi, con un impianto narrativo di tipo realistico che si distacca palesemente, per stile e contenuto, dal formalismo allora dominante.

Nel 1930 appare anche *Gente in Aspromonte*, di **Corrado Alvaro** (1895-1956), scrittore e giornalista che con questo romanzo descrive realisticamente la vita nella sua terra, la Calabria.

Un anno prima, nel 1929, **Alberto Moravia** aveva pubblicato *Gli indifferenti*, romanzo che offre un crudo ritratto della borghesia romana degli anni Venti.

Se dunque la stagione del Neorealismo fiorisce tra il 1943 ed il 1949, se una sua consapevolezza politico-ideologica si espresse dopo il 1947-48, si deve tener presente che le sue origini risalgono alla fine degli anni Venti, e dunque prima della guerra e della resistenza, nella reazione intellettuale alla cultura di regime fascista, dominante in quegli anni.

2. La poetica del Neorealismo

Il Neorealismo non elaborò una vera e propria poetica. Come disse Italo Calvino:

"Il Neorealismo non fu una scuola. [...] Fu un insieme di voci, in gran parte periferiche, una molteplice scoperta delle diverse Italie, anche – o specialmente – delle Italie fino allora più inedite per la letteratura". Tuttavia, attraverso le opere di questo "insieme di voci" è possibile riconoscere alcuni aspetti fondamentali. In primo luogo il Neorealismo si pone in rapporto con l'attualità, con la realtà quotidiana e le problematiche della società contemporanea.

Tuttavia, esso prende le distanze dal Naturalismo. È importante tener presente che quando si parla di Realismo in letteratura non si intende un'oggettiva descrizione del reale (che peraltro non è mai possibile), ma significa piuttosto il ricorso ad una tecnica narrativa e descrittiva che si ispira alla realtà e trae da essa spunto per un materiale narrativo che di tale realtà diviene paradigma, rivelandone e denunciandone le contraddizioni.

In questo modo le tematiche fondamentali del Neorealismo riguardano ad esempio la critica della borghesia durante il ventennio fascista, che si esprimeva nel cosiddetto cinema dei *telefoni bianchi*, con storie sentimentali,

---

🔍 L'urbanizzazione: nuove città

Il volto della società italiana cambia rapidamente. Si sta compiendo, pur tra mille contraddizioni, il passaggio da una società prevalentemente agricola ad un paese fortemente industrializzato e neo-capitalista.

Alla fine degli anni '50 il numero degli italiani impiegati nelle industrie supera quello dei lavoratori delle campagne. L'Italia vive il cosiddetto "miracolo economico".

All'indomani dell'unificazione dell'Italia, nel lontano 1861, D'Azeglio pronunciò la famosa frase "Fatta l'Italia bisogna fare gli italiani". Ora, nella società dei consumi, a "fare gli italiani" ci pensano il mercato, la comunicazione di massa e la televisione, che dal 1954 inizia ad invadere le case. Grandi masse di italiani si spostano, soprattutto emigrando dal Sud verso il Nord (più di un milione tra il '58 ed il '63), cambiando il volto delle grandi aree urbane. Ad essere investite dal fenomeno sono soprattutto Milano, Torino e Genova, ossia le aree delle grandi industrie, ma anche Roma e Bologna.

Se da un lato crescono i simboli della nuova Italia industriale e del benessere (la Torre Velasca, il grattacielo Pirelli a Milano, ecc.) si sviluppano nell'*hinterland* allucinanti periferie dormitorio in cui alloggia la massa anonima della manodopera a basso costo.

un po' dolciastre, le condizioni di miseria durante la guerra e nell'immediato dopoguerra, la resistenza, la dura ripresa della vita cittadina tra le macerie morali e materiali del conflitto.

3. La realtà del Meridione

Oltre a Silone e Alvaro, altri scrittori affrontarono temi legati alla realtà di povertà e arretratezza del Sud del paese. Tra questi ricordiamo **Carlo Levi** (1902-1975). Antifascista, fu arrestato e obbligato al confino nel paesino di Eboli. Da questa esperienza nacque la sua opera più nota: *Cristo si è fermato a Eboli* (1945), in cui rivive l'esperienza umana del confino denunciando allo stesso tempo l'abbandono e l'arretratezza delle popolazioni della Basilicata.

4. Elio Vittorini (1908-1966)

Vittorini fu uno dei padri della corrente neorealista e fu anche tra le voci più originali del dibattito culturale del dopoguerra. La sua terra natale, la Sicilia, farà da sfondo a uno dei suoi romanzi più noti: *Conversazione in Sicilia* (1941), che narra il ritorno del protagonista, Silvestro, nell'isola, con un linguaggio realista che, tuttavia, si carica di simbolismi nella presa di coscienza dell'umanità offesa. *Uomini e no* (1945) è invece basato sulla sua esperienza di partigiano a Milano.

5. Vitaliano Brancati (1907-1954)

Sempre ambientate nel Meridione, ma con soggetti più inerenti a problematiche esistenziali venate di erotismo sono le opere di Brancati, del quale ricordiamo tra gli altri, due romanzi di successo: *Don Giovanni in Sicilia* (1941) e *Il bell'Antonio* (1949).
La sfera individuale dei suoi personaggi è dominata dal tema ossessionante della donna e dell'eros, ma essi divengono antieroi descritti con toni a volte ironici a volte moraleggianti, nel contrasto con la realtà siciliana, sonnolenta e provinciale, di una borghesia ben diversa da quella presentata dalla ridondante retorica di regime.

Alberto Moravia

Alberto Moravia, pseudonimo di Alberto Pincherle, nasce a Roma nel 1907. A dieci anni si ammala gravemente ed è costretto ad una lunga permanenza a letto. In questo periodo di intense letture si conferma la sua vocazione di scrittore. Nel '29 pubblica il suo primo lavoro, *Gli indifferenti*. Il romanzo viene censurato dal fascismo che ne proibisce la diffusione. Colpito dalle leggi razziali del 1938 deve affrontare un periodo di clandestinità. In *La ciociara* (1957) Moravia ripercorre in modo autobiografico la dura esperienza della guerra. Le opere tra il '47, in cui pubblica *La romana*, ed il 1959, anno dei *Nuovi racconti romani*, sono quelle che maggiormente si avvicinano al linguaggio neorealista e sono state spesso utilizzate come soggetti cinematografici. Ricordiamo inoltre *Il conformista* (1951), *Il disprezzo* (1954) e *Racconti romani* (1954). Nel 1960 pubblica *La noia*. In quegli anni Moravia, sensibile anche alle istanze della neo-avanguardia, si avvicina al romanzo sperimentale e approfondisce tematiche legate alla psicanalisi.

ALBERTO MORAVIA

GLI INDIFFERENTI

ROMANZO

MILANO — MCMXXIX
EDIZIONI · ALPES.

Tra le altre opere ricordiamo *La vita interiore* (1978), *Io e lui* (1971), *La cosa* (1983), *L'uomo che guarda* (1985). Nel 1983 è deputato al parlamento europeo. Muore a Roma nel 1990.

Qui sopra in alto: foto di Alberto Moravia.

Qui sopra in basso: frontespizio della prima edizione de *Gli indifferenti*, 1927.

Nella pagina a fianco in alto: foto di Ignazio Silone.

Nella pagina a fianco in basso: la Torre Velasca a Milano.

il secondo Novecento

Gli scrittori neorealisti (2)

7. La Resistenza

La lotta armata contro i nazifascisti tra il 1943 ed il 1945 fu tra i grandi temi della stagione neorealista.

Oltre a *Il sentiero dei nidi di ragno* (1947) di **Calvino**, di cui parleremo in seguito, sulla guerra partigiana scrissero: **Renata Viganò** (1900-1976), che partecipò attivamente alla lotta clandestina e il cui romanzo *L'Agnese va a morire* (1949), tradotto in molte lingue, è forse uno degli esempi più intensi della letteratura neorealista di quegli anni;

Beppe Fenoglio (1922-1963), che combatté anch'egli tra le file partigiane. Fra le sue opere, ambientate nelle Langhe piemontesi, ricordiamo il romanzo breve *La malora* (1954), che è una delle migliori espressioni del Neorealismo letterario e i romanzi pubblicati postumi: *Il partigiano Johnny* (1968) e *La paga del sabato* (1969). Fenoglio descrive con un realismo spinto quasi alla cronaca, ma anche con certa ironia, l'esperienza partigiana che fu al centro della sua breve vita.

8. Primo Levi (1919-1987)

Riconducibile per alcuni versi a questo filone memorialistico e di denuncia è l'opera di Primo Levi. Nasce nel 1919 a Torino da una famiglia ebraica. Divenuto partigiano dopo la caduta del fascismo, viene fatto prigioniero e deportato nel campo di concentramento di Auschwitz dove rimane quasi un anno, tra il 1944 ed il 1945.

L'esperienza traumatica del lager sarà al centro della sua produzione narrativa, impegnata sia nella realistica descrizione dell'esperienza vissuta, come in *Se questo è un uomo* (1947), sia nel tentativo di capire le ragioni profonde e universali che possono spingere l'essere umano a generare tanta violenza in *I sommersi e i salvati* (1985).

Ricordiamo tra le altre opere *La tregua* (1963) che narra il lento ritorno alla vita dopo l'esperienza del lager, anche se nulla potrà ritornare come prima. Si toglie la vita a Torino nel 1987.

9. Cesare Pavese (1908-1950)

Sullo sfondo delle Langhe piemontesi sono ambientate molte opere di Cesare Pavese, poeta e narratore, tra le più grandi voci della letteratura italiana del Novecento. Dopo la pubblicazione di *Paesi tuoi*, scritto nel 1939 e pubblicato nel 1941, egli venne annoverato dalla critica tra gli scrittori neorealisti.

Tuttavia, bisogna tener presente che il percorso artistico ed intellettuale di Pavese si articola in un complesso intreccio tra vita e letteratura che dà luogo ad una ricerca poetica spesso originale, come nella raccolta di poesie *Lavorare stanca* (1936), in cui la poesia-racconto si distacca dai modelli ermetici.

Nella sua prosa confluiscono l'impegno politico, come ne *Il compagno* (1947) ed il realismo simbolico del ritorno mi-

---

○ La Vespa e la "Seicento"

L'Italia si va riprendendo dalle ferite della guerra, ma la rete di comunicazione, ancora molto dissestata, non consente un rapido sviluppo del mercato automobilistico. Tuttavia, la necessità di mobilità individuale spinge un ingegnere aeronautico, D'Ascanio, a progettare nel 1946 un veicolo rivoluzionario a due ruote: la Vespa. Alla fine del 1949 ne sono stati prodotti 35.000 esemplari ed in dieci anni più di un milione. La Vespa diviene ben presto non solo un successo commerciale, ma un simbolo che accompagna varie generazioni fino agli anni 1960 -1970 ed oltre. Diviene un fenomeno di costume, presente in campagne pubblicitarie ed in decine di film. Simbolo del boom economico e dei venti di rinnovamento del 1968. A partire dal 1955 la FIAT produce una vettura che diventerà un altro simbolo degli anni 1960: la Fiat 600. Ne vengono prodotti vari modelli (tra cui la curiosa seicento multipla). 900.000 esemplari invadono il mercato e rappresentano la vettura dell'italiano medio nell'epoca della motorizzazione di massa, ora possibile grazie ad una rete stradale rinnovata.

tico alla campagna quale luogo di recupero dell'infanzia e di purezza, contrapposto al vivere cittadino privo di autenticità, come traspare ne *La bella estate* (1949) che include i racconti *Tre donne sole* e *Il diavolo sulle colline*. Infine il tema della solitudine, presente in tutta l'opera di Pavese e che nei *Dialoghi con Leucò* (1947) acquista i tratti della ricerca filosofica che richiama il Leopardi delle *Operette Morali*, allontanandosi dai canoni della letteratura neorealista.

Nelle ultime opere del dopoguerra, *Prima che il gallo canti* (1948), che contiene il romanzo breve *La casa in collina* e *La luna e i falò* (1950) egli approda alla profonda solitudine interiore ed alla disillusione che lasciano ormai spazio ad ossessive ricorrenze di morte. La parabola umana ed artistica di Pavese si conclude con la famosa frase "Non parole. Un gesto. Non scriverò più" che suggella *Il mestiere di vivere*, diario iniziato ai tempi del confino e pubblicato postumo, nel 1952, dopo il suicidio.

10. Vasco Pratolini (1913-1991)

Nato a Firenze da una famiglia operaia, Pratolini ebbe un'infanzia dura, nel quartiere di Santa Croce, che farà spesso da sfondo alle vicende dei suoi romanzi. Ebbe una formazione autodidatta. Nella sua opera si possono distinguere alcune fasi: prima del 1945 prevalgono nei suoi romanzi tematiche riconducibili alla sua esperienza autobiografica. Ricordiamo *Il tappeto verde* (1941) e *Il quartiere* (1944).

Dopo l'esperienza della Resistenza, i temi narrativi di Pratolini assumono una dimensione storico-sociale ed a questa fase risalgono *Cronaca familiare* (1947) e *Cronache di poveri amanti* (1947), ambientato nella Firenze degli anni Venti. Qui l'esperienza sentimentale ed individuale si trasforma in storia collettiva ed elegia dell'amicizia e della solidarietà. In seguito Pratolini, dopo il racconto in chiave giocosa *Le ragazze di San Frediano* (1954), lavora ad un grande affresco della società nella trilogia *Una storia italiana*, composta da *Metello* (1955), *Lo scialo* (1960) e *Allegoria e derisione* (1966).

All'indomani della sua pubblicazione *Metello* sollevò un acceso dibattito sul suo coerente o meno impianto neorealista. Sta di fatto, comunque, che alla metà degli anni Cinquanta la stagione del Neorealismo volgeva ormai al termine.

Cesare Pavese

Nasce nel 1908 in un paesino delle Langhe piemontesi, terra a cui sarà sempre intimamente legato. Si forma nel contesto della cultura liberale antifascista piemontese. Compie studi sulla letteratura inglese ed americana ed intraprende un'intensa attività di traduttore. Nel '34 diviene direttore della rivista *Cultura* ed è tra i primi collaboratori della casa editrice Einaudi. Arrestato come dissidente, viene condannato al confino dove inizia a scrivere il diario *Il mestiere di vivere*. Durante l'occupazione tedesca si rifugia con la famiglia della sorella nel Monferrato. Dopo la liberazione si iscrive al Partito Comunista e collabora con *L'Unità*. La personalità di Pavese come uomo ed intellettuale è molto complessa. La sua opera è pervasa da un profondo disagio esistenziale (acuito da amare delusioni amorose) che lo spingerà a togliersi la vita in una stanza d'albergo di Torino (1950). La profondità umana che pervade la sua opera poetica e narrativa fa di Pavese uno dei maggiori scrittori della letteratura italiana contemporanea.

Qui sopra in alto: uno degli ultimi ritratti di Cesare Pavese.

Qui sopra: partigiani contadini.

Nella pagina a fianco in alto: il Corriere della Sera annuncia la rivolta di Milano contro i fascisti.

Nella pagina a fianco in basso: la Vespa, prodotta dalla Piaggio a partire dal 1946-47.

T72 Primo Levi: Se questo è un uomo

Voi che vivete sicuri
Nelle vostre tiepide case,
Voi che trovate tornando a sera
    Il cibo caldo e visi amici:
5   Considerate se questo è un uomo
    Che lavora nel fango
    Che non conosce pace
    Che lotta per mezzo pane
    Che muore per un sì o per un no.
10   Considerate se questa è una donna,
    Senza capelli e senza nome
    Senza più forza di ricordare
    Vuoti gli occhi e freddo il grembo
    Come una rana d'inverno.
Meditate che questo è stato:
15 Vi comando queste parole.
Scolpitele nel vostro cuore
Stando in casa andando per via,
Coricandovi alzandovi;
Ripetetele ai vostri figli.
    O vi si sfaccia la casa,
20   La malattia vi impedisca,
    I vostri nati torcano il viso da voi.

Il viaggio
Ero stato catturato dalla Milizia fascista il 13 dicembre 1943. Avevo ventiquattro anni, poco senno[1], nessuna esperienza, e una decisa propensione, favorita dal regime di segregazione[2] a cui da quattro anni le leggi razziali mi avevano ridotto, a vivere in un mio mondo scarsamente reale, popolato da civili fantasmi cartesiani[3], da sincere amicizie maschili e da amicizie femminili esangui. Coltivavo un moderato e astratto senso di ribellione.[…]

A quel tempo, non mi era stata ancora insegnata la dottrina che dovevo più tardi rapidamente imparare in Lager[4], e secondo la quale primo ufficio dell'uomo è perseguire i propri scopi con mezzi idonei, e chi sbaglia paga; per cui non posso che considerare conforme a giustizia[5] il successivo svolgersi dei fatti.
[…]
Al momento del mio arrivo, e cioè alla fine del gennaio 1944, gli ebrei italiani nel campo[6] erano centocinquanta circa, ma entro poche settimane il loro numero giunse a oltre seicento. Si trattava per lo più di intere famiglie, catturate dai fascisti o dai nazisti per loro imprudenza, o in seguito a delazione[7]. […]
E venne la notte *(del 20 febbraio 1944)*, e fu una notte tale, che si conobbe che occhi umani non avrebbero dovuto assistervi e sopravvivere. Tutti sentirono questo: nessuno dei guardiani, né italiani né tedeschi, ebbe animo di venire a vedere che cosa fanno gli uomini quando sanno di dover morire.
Ognuno si congedò dalla vita nel modo che più gli si addiceva.
Alcuni pregarono, altri bevvero oltre misura, altri si inebriarono di nefanda ultima passione. Ma le madri vegliarono a preparare con dolce cura il cibo per il viaggio, e lavarono i bambini, e fecero i bagagli, e all'alba i fili spinati erano pieni di biancheria infantile stesa al vento ad asciugare; e non dimenticarono le fasce[8], e i giocattoli, e i cuscini, e le cento piccole cose che esse ben sanno, e di cui i bambini hanno in ogni caso bisogno. Non fareste anche voi altrettanto? Se dovessero uccidervi domani col vostro bambino, voi non gli dareste oggi da mangiare?
Nella baracca 6 A abitava il vecchio Gattegno, con la moglie e i molti figli e i nipoti e i generi e le nuore operose.

---

1 Saggezza.

2 Isolamento dagli altri.

3 Idee razionali.

4 Parola tedesca, è il campo di concentramento, non solo quello di Auschwitz in Polonia in cui fu internato Primo Levi.

5 Inevitabili, date le premesse.

6 Si tratta del campo di Fòssoli, in Emilia, centro di raccolta degli ebrei italiani prima della deportazione.

7 Tradimento.

Il contesto
Se questo è un uomo viene pubblicato nel 1947 da una piccola casa editrice, dopo essere stato respinto da importanti editori. Solo dopo molti anni (1958), ripubblicato da Einaudi, conoscerà, assieme alle altre opere di Primo Levi, una grande diffusione e la traduzione in varie lingue. È il diario fatto a posteriori del percorso attraverso l'esperienza del Lager fino alla liberazione, il 25 gennaio 1945. Sono le tappe dell'annientamento progressivo di ogni dignità e identità dell'individuo.

Tutti gli uomini erano falegnami; venivano da Tripoli[9], attraverso molti e lunghi viaggi, e sempre avevano portati con sé gli strumenti del mestiere, e la batteria di cucina, e le fisarmoniche e il violino per suonare e ballare dopo la giornata di lavoro, perché erano gente lieta e pia. Le loro donne furono le prime fra tutte a sbrigare i preparativi per il viaggio, silenziose e rapide, affinché avanzasse tempo per il lutto[10]; e quando tutto fu pronto, le focacce cotte, i fagotti legati, allora si scalzarono, si sciolsero i capelli, e disposero al suolo le candele funebri, e le accesero secondo il costume[11] dei padri, e sedettero a terra a cerchio per la lamentazione[12], e tutta notte pregarono e piansero. Noi sostammo numerosi davanti alla loro porta, e ci discese nell'anima, nuovo per noi, il dolore antico del popolo che non ha terra, il dolore senza speranza dell'esodo ogni secolo rinnovato.

L'alba ci colse come un tradimento; come se il nuovo sole si associasse agli uomini nella deliberazione di distruggerci. I diversi sentimenti che si agitavano in noi, di consapevole accettazione, di ribellione senza sbocchi[13], di religioso abbandono, di paura, di disperazione, confluivano ormai, dopo la notte insonne, in una collettiva incontrollata follia. Il tempo di meditare, il tempo di stabilire erano conchiusi, e ogni moto di ragione si sciolse nel tumulto senza vincoli, su cui, dolorosi come colpi di spada, emergevano in un lampo, così vicini ancora nel tempo e nello spazio, i ricordi buoni delle nostre case.

Molte cose furono allora fra noi dette e fatte; ma di queste è bene che non resti memoria.

---

8 Per avvolgere i neonati.
9 La Libia era stata colonia italiana.
10 La cerimonia descritta subito dopo.

11 Tradizione.
12 Forme rituali per esprimere il dolore.
13 Vie d'uscita.

---

1. Comprensione

- La poesia che costituisce l'exergo, che introduce cioè il libro, è
  ○ **a.** una specie di preghiera laica.
  ○ **b.** una maledizione lanciata contro i persecutori.
  ○ **c.** un forte monito a riflettere per non dimenticare.
- Levi viene catturato sulle montagne piemontesi come oppositore politico della Repubblica di Salò, nata dopo l'8 settembre 1943. Dove e quando inizia il viaggio verso Auschwitz?
- Chi sono i prigionieri del campo di raccolta italiano? Hanno tutti consapevolezza di ciò che li attende?

2. Analisi

- Levi ha sempre rifiutato sia l'etichetta di eroe che quella di profeta. Con quale tono descrive se stesso all'inizio del libro?
- Indicando i motivi per cui gli ebrei rinchiusi a Fòssoli erano stati rastrellati, Levi ne indica uno particolarmente odioso. Quale?
- L'ultima notte nel campo viene trascorsa in vario modo dai vari internati, ma Levi si sofferma a descrivere i gesti delle madri e il rituale del lutto. Perché secondo te ha dedicato la sua attenzione a questi due momenti così carichi di sentimenti umani?
- Perché gli occhi non avrebbero dovuto vedere una simile notte e perché è bene che non si conosca ciò che gli uomini si dissero in quella notte?
- Di professione Levi era chimico, la sua lingua riflette la formazione dello scienziato che analizza e descrive. Eppure il suo non è un rapporto freddo, solamente oggettivo. Quali esempi puoi citare a sostegno di questa affermazione?

3. Riflessione

Nella prefazione a *I sommersi e i salvati*, pubblicato nel 1986, Levi riflette a fondo sulla condizione umana nel Lager e sulle cause che hanno scatenato e permesso la grande tragedia ed esprime la speranza che il suo libro possa far riflettere e pone queste domande: "quanto del mondo concentrazionario è morto e non ritornerà più come la schiavitù e il codice dei duelli? quanto è tornato o sta tornando? che cosa può fare ognuno di noi, perché in questo mondo gravido di minacce, almeno questa minaccia venga vanificata?".

Che risposte puoi dare a queste domande il cui senso è ancora attuale?

T73 Ignazio Silone: Fontamara

L'impresario[1] cercò di dire qualche cosa, ma non glielo permettemmo. La nostra pazienza era esaurita.

«Non vogliamo più sentire chiacchiere» gridavamo.

«Basta coi discorsi. Ogni vostro discorso è un imbroglio. Ba-
5 sta coi ragionamenti. L'acqua è nostra e resterà nostra. Ti mettiamo fuoco alla villa, com'è vero Cristo».

Le parole esprimevano esattamente il nostro stato d'animo; ma quello che ristabilì la calma fu don[2] Circostanza. «Queste donne hanno ragione» si mise a urlare, separandosi dai
10 colleghi e venendo verso di noi. «Hanno dieci volte ragione, cento volte ragione, mille volte ragione». Noi allora tacem-
mo di colpo, fiduciose. Don Circostanza prendeva le nostre difese e noi sapevamo che era un grande avvocato. La sua voce suscitò in noi una commozione infantile, veramente
15 inspiegabile. Alcune di noi non riuscirono a nascondere le lagrime. «Queste donne hanno ragione» continuò l'Amico del Popolo. «Io le ho sempre difese e le difenderò sempre. Che cosa vogliono in fondo queste donne? Essere rispettate». «E vero!» interruppe Marietta e corse a baciargli le
20 mani. «Vogliono essere rispettate e noi dobbiamo rispettar-
le» continuò don Circostanza rivolto con braccio minaccio-
so verso i notabili[3].

«Esse meritano il nostro rispetto. Queste donne non sono prepotenti. Esse sanno che la legge è purtroppo contro di lo-
25 ro, e non vogliono andare contro la legge. Esse vogliono un accordo amichevole col podestà[4]. Esse fanno appello al suo buon cuore. Esse non fanno appello al capo del comune, ma al benefattore, al filantropo, all'uomo che nella nostra povera terra ha scoperto l'America[5]. È possibile un accordo?».
30 Quando don Circostanza ebbe finito di parlare in nostro fa-
vore, noi lo ringraziammo e alcune di noi gli baciarono le mani per le sue buone parole, ed egli si pavoneggiava per i nostri complimenti. Poi vi furono varie proposte di accomodamento. Una proposta fece il canonico don Abbacchio[6],
35 un'altra il notaio, un'altra il collettore delle imposte[7]. Ma erano proposte impossibili perché non tenevano conto della scarsa quantità d'acqua del ruscello e degli usi dell'irriga-
zione. L'impresario non diceva nulla. Lasciava parlare gli al-
tri e sorrideva, col sigaro spento a un angolo della bocca.
40 La vera soluzione la presentò don Circostanza.

Queste donne pretendono che la metà del ruscello non basta per irrigare le loro terre.

Esse vogliono più della metà, almeno così credo di interpretare i loro desideri. Esiste perciò un solo accomodamento
45 possibile. Bisogna lasciare al podestà i tre quarti dell'acqua del ruscello e i tre quarti dell'acqua che resta saranno per i Fontamaresi. Così gli uni e gli altri avranno tre quarti, cioè, un po' più della metà.

«Capisco» aggiunse don Circostanza «che la mia proposta

50 danneggia enormemente il podestà, ma io faccio appello al suo buon cuore di filantropo e di benefattore».

Gli invitati, riavutisi dalla paura, si misero attorno all'Impre-
sario per supplicarlo di sacrificarsi in nostro favore. Dopo essersi fatto pregare, l'Impresario finalmente cedette. Fu in
55 fretta portato un foglio di carta. Io vidi subito il pericolo.

«Se c'è da pagare qualche cosa», mi affrettai a dire «bada-
te che non pago».

«Non c'è nulla da pagare» spiegò ad alta voce l'Impresario.

«Niente?» mi disse sottovoce la moglie di Zompa.
60 «Se non costa niente, c'è imbroglio».

---

1 Il proprietario dell'impresa che deve fare i lavori.

2 Titolo onorifico per le persone importanti.

3 Le persone che contano.

4 In epoca fascista il responsabile del governo.

5 Per dire: Scoprire qualcosa di ovvio.

6 L'abbacchio è un agnello da latte e costituisce un piatto tipico dell'Italia centrale, soprattutto a Pasqua.

7 L'esattore delle tasse.

Sopra: la copertina della prima edizione di Fontamara

Nella pagina a fianco: ritratto di Ignazio Silone e coper-
tina della prima edizione di *Bread and wine* la traduzione di *Pane e vino*, di Ignazio Silone.

Il contesto

La popolazione di Fontamara, piccolo borgo di braccianti abruzzese, vive in condizioni di stentata sopravvivenza. Agli scarsi raccolti e alle catastrofi naturali si aggiungono le violenze e i soprusi dei potenti della zona.
L'esasperazione raggiunge il massimo quando il nuovo podestà decide di far deviare abusivamente sulle sue terre un corso d'acqua di vitale importanza per le povere coltivazioni di Fontamara.
il brano narra il colloquio tra le donne del paese, scese a protestare, e le autorità.

1. Comprensione
Di' se queste affermazioni sono vere o false.

	vero	falso
a. Le donne vogliono delle scuse perché sono state insultate.	○	○
b. Di fronte alle donne c'è anche il parroco del paese.	○	○
c. Le donne credono a don Circostanza.	○	○
d. L'impresario non cerca nessun accordo.	○	○
e. Don Circostanza dichiara di voler aiutare le donne.	○	○
f. Le donne scoprono di essere state ingannate.	○	○

2. Analisi
Durante il colloquio con le autorità le donne esprimono diversi stati d'animo.
Suddividi il testo in quattro sezioni e riordina i seguenti titoli indicando le righe a cui si riferiscono:

a. *La fiducia*; **b.** *La diffidenza*; **c.** *La speranza*; **d.** *La rabbia*.

1. .... - righe ....

2. .... - righe ....

3. .... - righe ....

4. .... - righe ....

- Colpisce il fatto che lo scontro avvenga fra le donne e i notabili. Nella società rurale del primo Novecento le donne non erano certo politicizzate.
  Come si spiega quindi la loro dura protesta?
- In che cosa consiste l'abile imbroglio della proposta di don Circostanza?
- Solo due delle autorità hanno un nome, esso è peraltro molto significativo: il prete si chiama don Abbacchio (cfr. nota 6; l'aggettivo "abbacchiato" è sinonimo di "depresso"), il mediatore è don Circostanza.
  Che cosa sottolineano questi nomi?
- Volendo fare un gioco linguistico si potrebbero trovare dei nomi altrettanto significativi per gli altri notabili. Vuoi provarci?

3. Riflessione
I regimi autoritari, di destra e di sinistra, hanno spesso proibito durante il loro governo la pubblicazione e la diffusione di opere artistiche, soprattutto libri (anche *Fontamara*) e film. Di che cosa hanno paura questi regimi?
Secondo te, la censura ottiene gli effetti desiderati? In quali modi è praticamente sempre stata aggirata?

T74 Alberto Moravia: Non approfondire

Agnese poteva avvertirmi invece di andarsene così, senza neppure dire: crepa.[1] Non pretendo di essere perfetto e se lei mi avesse detto che cosa le mancava, avremmo potuto discuterne. Invece no: per due anni di matrimonio, non una parola; e poi, una mattina, approfittando di un momento che non c'ero, se ne è andata di soppiatto[2], proprio come fanno le serve che hanno trovato un posto migliore. Se ne è andata e, ancora adesso, dopo sei mesi che mi ha lasciato, non ho capito perché.

Quella mattina, dopo aver fatto la spesa al mercatino rionale (la spesa mi piace farla io: conosco i prezzi, so quello che voglio, mi piace contrattare e discutere, assaggiare e tastare, voglio sapere da quale bestia mi viene la bistecca, da quale cesta la mela), ero uscito di nuovo per comprare un metro e mezzo di frangia[3] da cucire alla tenda, in sala da pranzo. Siccome non volevo spendere più che tanto, girai parecchio prima di trovare quello che faceva al caso mio, in un negozietto di via dell'Umiltà. Tornai a casa che erano le undici e venti, entrai in sala da pranzo per confrontare il colore della frangia con quello della tenda e subito vidi sulla tavola il calamaio[4], la penna e una lettera. A dire la verità, mi colpì soprattutto una macchia d'inchiostro,

---

1 Letteralmente: muori; un po' come dire "va al diavolo".
2 Di nascosto.

3 Bordo ornamentale.
4 Recipiente per l'inchiostro.

Hai già trovato questo testo a pag. 25. Qui hai la possibilità di approfondire l'analisi.

e 1. Comprensione

Agnese se n'è andata:

○ **a.** perché ha trovato un lavoro migliore.
○ **b.** scusandosi per il gesto.
○ **c.** dopo aver fatto le pulizie.
○ **d.** perché sua madre sta male.

Quando Alfredo guarda il tavolo della sala da pranza:

○ **a.** è curioso di sapere chi ha scritto la lettera.
○ **b.** pensa che Agnese abbia lasciato una bolletta fuori posto.
○ **c.** non riesce a leggere la lettera perché è macchiata.
○ **d.** si irrita subito per il tappeto sporco.

Come reagisce Alfredo dopo aver letto il messaggio di Agnese?

○ **a.** Strappa la lettera e la butta dalla finestra.
○ **b.** Si rassegna, sapeva che Agnese lo avrebbe lasciato.
○ **c.** Si precipita a cercare Agnese fuori di casa.
○ **d.** Non si agita, capisce il perché del gesto e si comporta come sempre.

In alto: ritratto di Moravia dipinto da Carlo Levi nel 1932.
Sopra: caricatura di Moravia degli anni Ottanta.

sul tappeto della tavola. Pensai: "Ma guarda come ha da essere sciattona[5]... ha macchiato il tappeto".

Levai il calamaio, la penna e la lettera, presi il tappeto, andai in cucina e lì, fregando[6] forte col limone, riuscii a togliere la macchia. Poi tornai in sala da pranzo, rimisi a posto il tappeto e, soltanto allora, mi ricordai della lettera. Era indirizzata a me: Alfredo. L'aprii e lessi: "Ho fatto le pulizie. Il pranzo te lo cucini da te, tanto ci sei abituato. Addio. Io torno da mamma. Agnese".

Per un momento non capii nulla. Poi rilessi la lettera e alla fine intesi: Agnese se n'era andata, mi aveva lasciato dopo due anni di matrimonio. Per forza di abitudine riposi la lettera nel cassetto della credenza dove metto le bollette e la corrispondenza e sedetti su una seggiolina, presso la finestra. Non sapevo che pensare, non ci ero preparato e quasi non ci credevo. Mentre stavo così riflettendo, lo sguardo mi cadde su pavimento e vidi una piccola piuma bianca che doveva essersi staccata dal piumino[7] quando Agnese aveva spolverato. Raccolsi la piuma, aprii la finestra e la gettai di fuori. Quindi presi il cappello e uscii di casa.

Da *Racconti Romani*

5 Disordinata.
6 Strofinando.

7 Una specie di piccola scopa fatta di piume, usata per togliere la polvere.

---

e 2. Analisi

- Quali caratteristiche riconosci nello stile di questo testo?

○ **a.** precisione   ○ **b.** approssimazione   ○ **c.** fantasia   ○ **d.** immediatezza

○ **e.** artificiosità   ○ **f.** ridondanza   ○ **g.** essenzialità

- Moravia descrive minuziosamente quello che fa Alfredo sia al mercato che al ritorno a casa. Prova a pensare la scena come se tu fossi un regista: che funzione avrebbero questi dettagli?

- Che cosa ci dicono sul carattere di Alfredo? Con quali aggettivi lo definiresti?

○ **a.** sensibile   ○ **b.** premuroso   ○ **c.** pignolo   ○ **d.** esasperante

○ **e.** disordinato   ○ **f.** fantasioso   ○ **g.** arido

- Come si può interpretare simbolicamente il gesto di gettare la piuma dalla finestra?

○ **a.** È il rifiuto del ricordo della vita con Agnese.

○ **b.** È l'accettazione del fatto che è finita la storia con Agnese.

○ **c.** È un segno di disprezzo per tutto quello che riguarda Agnese.

e 3. Riflessione

Riflettendo su quello che hai letto e risposto, ti sorprende che Agnese se ne sia andata senza spiegazioni? Che cosa avrebbe dovuto scrivere in fondo?

il secondo Novecento

T75 Vitaliano Brancati: Darei dieci anni

Giovanni diventava sempre più entusiasta del piacere che dà la donna e l'offerta che faceva per ottenerlo, nei discorsi serali, si elevava continuamente ("Darei dieci anni della mia vita!.. Mi farei pestare come un tappeto... Leccherei la pianta dei piedi al padre che la mise al mondo!... Berrei questo e berrei quello!"), ma delle donne in particolare cominciava ad avere una bassa opinione. "Dio ha affidato in custodia a delle stupide la cosa più bella che esista al mondo!" diceva. "E che uso ne fanno? Balordo!... Io mi mordo le mani quando vedo la signora Leotta, quel pezzo di donna che fa fermare gli orologi, portare il corpo divino che Dio le ha dato, puntualmente ogni pomeriggio alle cinque, in via Lincoln, a quell'imbecille di Gallodindia![1]".
Non riusciva mai a trovare una buona qualità nell'uomo che aveva avuto fortuna presso una bella donna. Si trattava sempre di uno sciocco e il suo aspetto era sempre "dilavato"[2]. D'altronde, se la loro esperienza del piacere era enorme, quella delle donne era poverissima. Spogliato delle bugie, di quello che essi narravano come accaduto e che era

invece un puro desiderio, o era accaduto a un qualche altro, il loro passato di don Giovanni si poteva raccontarlo in dieci minuti.
Dobbiamo dirlo chiaramente? Giovanni Percolla, a trentasei anni, non aveva baciato una signorina per bene, né aveva mai sentito freddo aspettando di notte, dietro il cancello, una ragazza che, un minuto dopo lo spegnersi della lampada nella camera del padre, si avvicinasse fra gli alberi tenebrosi del giardino incespicando nella lunga camicia bianca. Non aveva scritto né ricevuto una lettera d'amore, e il ricevitore del telefono non gli aveva mai accarezzato l'orecchio con le parole "amor mio".-
Con le signore poi... Ecco, con le signore era andata così! Una vicina, quarantenne, vedova e graziosa, aspettando nel salotto le sorelle di Giovanni, uscite per delle compere, aveva iniziato col padrone di casa una conversazione talmente gradita che le risate di lei si sentivano dalla strada. Poi, in verità, non si era sentito più nulla. Ma i rapporti si erano fermati a quel punto e a quella volta, perché la vedova ave-

1 Significa tacchino, con evidente intento ironico.

2 Pallido, smorto.

---

e 1. Comprensione
Di' quale di queste affermazioni è vera.

Quale sentimento prova Giovanni verso le donne?

○ **a.** Stima
○ **b.** Odio
○ **c.** Timore
○ **d.** Ammirazione

Giovanni non vuole sposarsi perché:

○ **a.** crede di essere ancora troppo giovane.
○ **b.** non ha ancora trovato la donna giusta per lui.
○ **c.** teme di dover rinunciare alle sue abitudini.
○ **d.** preferisce stare con gli amici.

In base a quanto hai letto, il protagonista del romanzo, Giovanni:

○ **a.** è un grande seduttore.
○ **b.** racconta avventure mai vissute.
○ **c.** ha molta esperienza con donne più anziane di lui.
○ **d.** confida i suoi problemi agli amici.
○ **e.** non conosce l'amore.
○ **f.** trascorre molto tempo assieme alle donne.

Cupole a Catania. Sullo sfondo, il vulcano Etna.

va confidato a Giovanni che potevano incontrarsi "soltanto alle quattro del pomeriggio", ora in cui Giovanni soleva dormire. "Eh, no! Io devo dormire!".

Dopo quella signora, nessun'altra signora.

La sua vita era, invece, piena di cameriere d'albergo e di donne facili. Ma anche qui, piaceri brevi e intensi, preceduti da lunghi discorsi fra sé e con gli amici. Più di un'ora con una donna, Giovanni non era mai stato; le sue scarpe non lo avevano atteso a lungo ai piedi di un letto a due piazze. Ed egli non sapeva come una giovane si svegli all'alba, aprendo gli occhi sorridenti sugli occhi che la guardano da vicino.

"Sposati!" gli diceva qualche zio.

Egli, fra le coltri[3], mugolava[4] come un gatto disturbato nella cenere calda[5]: "Mamma mia!... Lasciatemi stare un altro anno!".

Il pensiero di dover dormire, tutte le notti, con una donna, gli dava le caldane[6], come quello del servizio militare a un cinquantenne che non ha mai fatto il soldato.

Gli pareva che la moglie dovesse scoprirlo[7], mentre fuori gelava, tirandosi le coperte sulla testa o rotolando bruscamente verso la sponda del letto. E come grattarsi, nervosamente e piacevolmente, l'orecchio durante il sonno? E sotto la testa, avrebbe potuto ammucchiare tre cuscini? Poi, perché non dirlo? Egli non aveva uno stomaco di ferro. Quest'uomo, che sveniva alla vista di una caviglia, pensava con paura che un ginocchio freddo potesse sfiorarlo durante il sonno, o la porta socchiudersi, nel pomeriggio, e una testa affacciarsi dicendo: "Tu dormi troppo, Giovanni!". Nelle lunghe ore cui non avrebbe detto una parola nemmeno per avvertire che casa bruciava, e si crogiolava[8] nel proprio silenzio, e sentiva ogni momento il piacere di non essere costretto a parlare, la sua fantasia faceva un salto verso le cose più orribili, e fra queste trovava una battuta, pronunciata piano piano da una voce femminile imbronciata[9]: "Perché non dici nulla, Giovanni, alla tua mogliettina?". Era fatto così.

Da *Don Giovanni in Sicilia*

3 Coperte.
4 Si lamentava.
5 Perché il gatto sta volentieri vicino al camino acceso.
6 Vampate di calore.

7 Lasciarlo senza coperte.
8 Se la godeva beatamente.
9 Indispettita.

2. Analisi

e Quali di questi aggettivi ti sembrano più adatti per descrivere Giovanni?

○ Egoista   ○ Maschilista   ○ Pigro   ○ Insicuro

○ Aperto   ○ Timido   ○ Allegro   ○ Maturo

3. Riflessione

e Brancati descrive con ironia uno stereotipo del maschio italiano, emerso anche dalle tue risposte. In che misura ritieni che lo stereotipo - o parte di esso - sia ancor oggi valido? E in che misura viene influenzato da fattori locali, sociali, culturali?

4. Collegamenti

e Chi racconta una storia? In letteratura ci sono diversi tipi di narratore.
C'è ad esempio il narratore-onnisciente, colui che sa tutto, conosce tutta la storia e ci racconta ciò che è accaduto dal di fuori ; c'è il narratore-testimone, che racconta i fatti a cui ha assistito personalmente, c'è il narratore-protagonista, che è il personaggio principale, il soggetto stesso della storia. Rileggi i brani di Silone, Moravia e Brancati poi, lavorando con un compagno, cerca per ognuno il tipo di narratore corrispondente.
Quali aspetti linguistici ti possono aiutare a capire il tipo di narratore?

T76 Cesare Pavese: Ho visto i morti

È qui che la guerra mi ha preso e mi prende ogni giorno.
Se passeggio nei boschi, se a ogni sospetto di rastrellatori[1]
mi rifugio nelle forre[2], se a volte discuto con i partigiani di
passaggio (anche Giorgi c'è stato coi suoi: drizzava il capo
e mi diceva: «avremo tempo le sere di neve a riparlarne»),
non è che non veda come la guerra non è un gioco, questa
guerra che è giunta fin qui, che prende alla gola anche il
nostro passato.
Non so se Cate, Fonso, Dino, e tutti gli altri torneranno.
Certe volte lo spero, e mi fa paura.
Ma ho visto i morti sconosciuti, i morti repubblichini.[3]
Sono questi che mi hanno svegliato.
Se un ignoto, un nemico diventa morendo una cosa simile,
se ci si arresta e si ha paura a scavalcarlo, vuoi dire che anche vinto il nemico è qualcuno, che dopo averne sparso il
sangue bisogna placarlo, dare una voce a questo sangue,
giustificare chi l'ha sparso.
Guardare certi morti è umiliante. Non sono più faccenda
altrui; non ci si sente capitati sul posto per caso.
Si ha l'impressione che lo stesso destino che ha messo a
terra quei corpi, tenga noialtri inchiodati a vederli,
a riempircene gli occhi.
Non è paura, non è la solita viltà.
Ci si sente umiliati perché si capisce - si tocca con gli occhi
che al posto del morto potremmo essere noi: non ci sarebbe differenza, e se viviamo lo dobbiamo al cadavere im-
brattato[4]. Per questo ogni guerra è una guerra civile: ogni
caduto somiglia a chi resta, e gliene chiede ragione.
Ci sono giorni in questa nuda campagna che camminando

ho un soprassalto: un tronco secco, un nodo d'erba, una
schiena di roccia mi paiono corpi distesi. Può sempre succedere. Rimpiango che Belbo sia rimasto a Torino. Parte del
giorno la passo in cucina, nell'enorme cucina dal battuto di
terra[5], dove mia madre, mia sorella, le donne di casa, preparano conserve. Mio padre va e viene in cantina, col passo
del vecchio Gregorio.
A volte penso se una rappresaglia, un capriccio, un destino fol-
gorasse la casa e ne facesse quattro muri diroccati e anneriti.
A molta gente è già toccato.
Che farebbe mio padre, che cosa direbbero le donne?
Il loro tono è «La smettessero un po'», e per loro la guerri-
glia e tutta quanta questa guerra, sono risse di ragazzi, di
quelle che seguivano un tempo alle feste del santo patrono.
Se i partigiani requisiscono[6] farina o bestiame, mio padre
dice: «Non è giusto. Non hanno il diritto. La chiedano piut-
tosto in regalo».
«Chi ha il diritto?» gli faccio.
«Lascia che tutto sia finito e si vedrà» dice lui.
Io non credo che possa finire.
Ora che ho visto cos'è guerra, cos'è guerra civile, so che
tutti, se un giorno finisse, dovrebbero chiedersi: «E dei ca-
duti che facciamo? Perché sono morti?».
Io non saprei cosa rispondere.
Non adesso, almeno. Né mi pare che gli altri lo sappiano.
Forse lo sanno unicamente i morti, e soltanto per loro la
guerra è finita davvero.

Da *La casa in collina*

---

1 Squadre predisposte alla cattura di persone.

2 Piccoli canyon in cui scorre un corso d'acqua.

3 Della repubblica di Salò.

4 Sporco di sangue e fango.

5 Pavimento in terra battuta.

6 Confiscare per la truppa.

Il contesto
Alla caduta del fascismo Corrado si rifugia nei luoghi deil'infanzia,
nelle colline sulle Langhe piemontesi, mentre i suoi amici partecipano alla lotta partigiana. Egli non potrà, tuttavia, fuggire gli orrori
della guerra, la lotta e la morte fra gli uomini. Il mito deil'infanzia
si infrange di fronte alla realtà storica.
Corrado dovrà meditare sulla sua vita vissuta come un lungo isolamento di fronte al vivere per qualcosa o per qualcuno per giustificare e dare un senso alla morte.

e **1. Comprensione**

Di' quale affermazione è vera.

Corrado

○ **a.** prende la guerra con leggerezza ed incoscienza.
○ **b.** non fa distinzioni tra morti fascisti o partigiani.
○ **c.** crede che la guerra finirà presto.

Di fronte a un nemico morto Corrado prova:

○ **a.** un senso di paura.
○ **b.** un certo disprezzo.
○ **c.** un senso di pietà.

Per Corrado ogni guerra è una guerra civile perché

○ **a.** è un dramma che riguarda ogni essere umano in quanto tale.
○ **b.** ogni uomo ha paura di poter morire in qualsiasi momento.
○ **c.** porta la distruzione delle case e la perdita dei raccolti.

Il padre e gli altri familiari

○ **a.** vogliono aiutare i partigiani.
○ **b.** non capiscono le ragioni della guerra.
○ **c.** hanno dovuto scappare.

e **2. Analisi**

- Che cosa vuole dire Pavese con la frase "Sono questi che mi hanno svegliato"? Quali altre espressioni ritrovi che esprimono lo stesso tipo di reazione?
- Partigiani e repubblichini si affrontano sulle Langhe durante la Resistenza. Che giudizio, anche implicito, dà Corrado sulla guerra in generale e su quella civile? C'è esaltazione degli eroi e disprezzo per i nemici?
- In alcuni passi Pavese utilizza la forma impersonale. Che significato assume questa forma in questo contesto?
- Il padre di Corrado non trova giusto che i partigiani requisiscano il cibo. È contro la guerra partigiana o ha altri motivi? Che cosa te lo fa pensare?

e **3. Riflessione**

«E dei caduti che facciamo? Perché sono morti?». Si tratta di due domande molto importanti anche se di peso diverso. Alla prima è più semplice dare una risposta: essa in fondo è contenuta nel brano, e suonerebbe:

....

Che cosa rispondere alla seconda domanda?

....

Calvino e Pasolini

1. Calvino: gli inizi e la trilogia de "I nostri antenati"

Calvino esordì nel 1947, con *Il sentiero dei nidi di ragno*, in cui l'esperienza della lotta partigiana, vista attraverso gli occhi di un bambino, assume gli accenti trasfigurati e favolistici che diverranno caratteristiche centrali della sua poetica. Nel 1952 pubblica *Il visconte dimezzato*, racconto in cui si narra del visconte di Terralba, che torna dalla guerra dimezzato da una cannonata. La metà del visconte che ricompare in patria compie il male fino a quando non si ricomporrà con l'altra metà votata al bene. Questo racconto insieme a *Il barone rampante* (1957), che osserva il mondo dagli alberi su cui vive rifugiato, e *Il cavaliere inesistente* (1959), incentrato sulla figura emblematica di un cavaliere ridotto ad un'armatura vuota, formano la cosiddetta trilogia, in cui attraverso il racconto, in forma fiabesca e trasfigurata, Calvino esprime la sua denuncia della condizione dell'uomo nella società moderna. Nel 1956 esce *Fiabe italiane*, volume di grande successo che raccoglie, attraverso un importante recupero filologico, fiabe provenienti da diversi dialetti riproposte in una versione narrativa moderna.

2. I *Racconti* di Calvino

In questa raccolta, pubblicata nel 1958, è chiaramente delineabile la poetica di Calvino. Attraverso la trasfigurazione fantastica venata di ironia e umorismo, emerge una visione amara della vita. Egli traspone nella dimensione fiabesca la chiara consapevolezza delle contraddizioni che dominano la vita reale, trasformando in malinconico divertimento la constatazione del difficile inserimento dell'individuo nella società moderna e della sua alienazione. In questo senso, emblematiche sono le avventure di *Marcovaldo, ovvero le stagioni in città* (1963), in cui il protagonista, umile operaio, cerca un contatto con la natura per superare la solitudine e le frustrazioni in cui la grande città lo costringe a vivere. Della vasta produzione di Calvino citiamo ancora *Le città invisibili* (1972) e *Il castello dei destini incrociati* (1973), opere entrambe influenzate dallo strutturalismo nelle quali lo scrittore sviluppa ulteriormente la sua ricerca narrativa.

3. I romanzi di Pasolini

Pasolini si affermò come romanziere con *Ragazzi di vita*, del 1955, seguito da *Una vita violenta*, del 1959. I due romanzi sono entrambi ambientati nelle borgate, disagiati quartieri all'estrema periferia di Roma. In esse si concentra il sottoproletariato della capitale, la cui vita, tra miseria, violenza e lotta per la sopravvivenza viene descritta da Pasolini in un ampio affresco realistico, che tuttavia si discosta dal prospettivismo neorealista; la visione ottimistica e la fiducia nel futu-

---

Dalla DC al centrosinistra

Nei primi anni Sessanta l'Italia vive il "miracolo economico" ed è percorsa da rapidi e profondi cambiamenti, la società si trasforma e compare un nuovo soggetto a sé, i giovani, che avranno un ruolo fondamentale nella stagione dei movimenti. A un paese dal nuovo volto si contrappone un assetto politico conservatore, spesso pervaso da miopi chiusure culturali, incapace di affrontare le istanze di rinnovamento sociale e del mondo del lavoro con urgenti e necessarie riforme. Nel '62, dopo le dimissioni del governo presieduto dal democristiano Tambroni, caratterizzato da una politica repressiva, si crearono le possibilità di un avvicinamento tra la Democrazia Cristiana e i socialisti. Questi ultimi si erano ormai resi autonomi dal Partito Comunista. Il governo presieduto dal democristiano Fanfani inaugurò dunque il nuovo corso politico di centro-sinistra, che si proponeva di ridurre i profondi squilibri, dovuti ad una crescita economica non veramente pianificata, attraverso una serie di riforme ed un maggiore intervento pubblico. Oltre alla riforma della scuola, un passo importante fu la nazionalizzazione dell'industria elettrica e la nascita dell'ENEL (Ente Nazionale per l'Energia Elettrica), ma fu anche praticamente l'unico. Nel '63 Aldo Moro formò il primo governo di centro-sinistra con la partecipazione dei socialisti, ma il programma di riforme non decollò. Da un lato per l'ostruzionismo della stessa DC, i cui interessi erano poco inclini ad una reale politica riformatrice, dall'altro a causa di una fase di recessione economica che segnava la fine del "miracolo economico". L'esperienza del centro-sinistra si arenò. Sarebbe stato ancora un governo monocolore sotto la guida del democristiano Rumor ad affrontare i grandi venti di rinnovamento del '68-'69, così come la bomba neofascista di Piazza Fontana a Milano (1969), che inaugurava l'epoca della cosiddetta "strategia della tensione".

ro che pervade certa letteratura neorealista, nei romanzi di Pasolini assume il sapore della cruda e amara denuncia di un contesto umano brutale, miserabile, cinico, eppure innocente nella sua essenza infantile e primitiva. È tuttavia un'umanità descritta senza filtri populisti e, dunque, priva di una storica funzione progressista.

Va sottolineata la ricerca linguistica di Pasolini, che fonde elementi dialettali e gergali delle borgate romane, principalmente nei discorsi diretti, con una difficile contaminazione tra lingua e dialetto nelle parti narrative.

Nel 1965 pubblica *Ali dagli occhi azzurri*, volume che riunisce lavori scritti tra il 1950 ed il 1965. Si tratta di una raccolta di diversi esperimenti narrativi, fra cui spiccano le sceneggiature dei suoi primi tre film: *Accattone*, *Mamma Roma* e *La ricotta*. Nel 1968, quasi contemporaneamente all'omonimo film, esce *Teorema*, vicenda di una famiglia borghese benestante che vede sconvolte le sue convinzioni e convenzioni dopo l'arrivo di un misterioso ospite. Infine, nel 1992, viene pubblicata postuma l'opera incompiuta *Petrolio*, raccolta di appunti e annotazioni per un lungo romanzo in cui Pasolini avrebbe voluto raccogliere una specie di *summa* delle sue esperienze.

4. La poesia di Pasolini

La produzione poetica di Pasolini inizia negli anni '40, con *Poesie a Casarsa* (1942) scritte in dialetto friulano. La scelta del dialetto, strumento tradizionalmente popolare, appare trasgressiva in anni in cui il fascismo ne osteggiava l'uso nel tentativo di escludere culture localistiche. Alle *Poesie a Casarsa* si aggiunse la raccolta *La meglio gioventù* (1949) anch'essa in dialetto.

Nel 1957 pubblica la sua migliore opera poetica: *Le ceneri di Gramsci*, undici poemetti in terzine che riflettono il pensiero pasoliniano nelle sue sofferte contraddizioni, tra sentimento decadente di ritorno al passato, nella sua estetizzante passione per la vita "istintiva" vita del popolo e i principi ideologici di impegno civile e progressista. Tali problematiche sono presenti anche in *L'usignolo della chiesa cattolica*, pubblicato nel '58.

La critica di Pasolini ai vizi della società borghese del suo tempo, alla cultura consumistica che trasforma il popolo in "massa" emerge invece con forza in altre due opere: *La religione del mio tempo* (1962) e *Poesia in forma di rosa* (1964). Per comprendere il pensiero di Pasolini è importante considerare la sua attività di saggista e giornalista; opere significative sono: *Passione e ideologia* (1960), *Empirismo critico* (1972) e *Scritti corsari* (1975).

Italo Calvino

Nasce a Cuba nel 1923, ma la famiglia rientra in Italia quando Calvino ha due anni e si stabilisce a Sanremo, dove lo scrittore risiederà fino a vent'anni. Dopo l'8 settembre 1943, nell'Italia occupata, Calvino partecipa alla lotta partigiana. Dal 1947 collabora con la casa editrice Einaudi e stringe un intenso rapporto di lavoro ed amicizia con Pavese e Vittorini. Dalle pagine di quotidiani e riviste quali il *Politecnico*, il *Menabò*, l'*Unità*, *Rinascita* partecipa attivamente alla vita culturale e politica del paese.

Nel 1957, dopo i fatti di Ungheria, esce dal PCI, pur esprimendo la sua fiducia nel socialismo democratico internazionale. Nel 1967 si trasferisce a Parigi, dove risiederà fino al 1980. Muore a Siena, colpito da ictus, nel settembre del 1985.

Pier Paolo Pasolini

Nasce a Bologna nel 1922. Nell'estate del 1943, a causa della guerra, si rifugia a Casarsa, in Friuli, regione profondamente amata. Nel 1947 si iscrive al Partito Comunista, ma nel 1949, a seguito di uno scandalo, ne viene espulso e si trasferisce con la madre a Roma, dove, dopo un periodo di grandi difficoltà, intensifica l'attività di critico, saggista, romanziere, poeta e regista che lo consacrerà come uno dei più acuti ed originali intellettuali contemporanei, spesso scomodo, per le sue posizioni dissidenti, sia per il potere dominante che per la sinistra, malgrado ideologicamente egli abbia sempre dichiarato la sua fede marxista.

Muore nel 1975, assassinato in circostanze mai del tutto chiarite.

Qui sopra in alto: foto di Italo Calvino.

Qui sopra in basso: foto di scena di Pasolini nel *Decameron* da lui diretto ed interpretato.

Nella pagina a fianco in basso: foto e titoli giornalistici per la strage di Milano.

il secondo Novecento

T77 Italo Calvino: La resistenza di Pin

«Di'» fa Miscèl «hai visto che pistola ha il marinaio?».

«Un boia[1] di pistola, ha» risponde Pin.

«Ben» fa Miscèl «tu ci porterai quella pistola».

«E come faccio?» fa Pin. «T'arrangi».

«Ma come faccio se la porta sempre appiccicata al sedere. Pigliatela voi».

«Ben, dico: a un certo punto non se li toglie i pantaloni? E allora si toglie anche la pistola, sta' sicuro. Tu vai e gliela prendi. T'arrangi». «Se voglio».

«Senti» fa il Giraffa «non stiamo qui a scherzare. Se vuoi essere dei nostri ora sai cosa devi fare; se no...

«Se no?». «Se no... Lo sai che cos'è un *gap*?[2]».

L'uomo sconosciuto dà una gomitata al Giraffa e scuote il capo: sembra sia scontento del modo di fare degli altri. Per Pin le parole nuove hanno sempre un alone di mistero, come se alludessero a qualche fatto oscuro e proibito.

Un *gap*? Che cosa sarà un *gap*? «Sì che lo so cos'è» dice.

«Cos'è?» fa Giraffa, «quello che in,... te e tutta la tua famiglia».

Ma gli uomini non gli danno retta. Lo sconosciuto ha fatto loro cenno che avvicinino la testa e parla loro a bassa voce, e sembra che gli sgridi di qualcosa, e gli uomini fanno cenno che ha ragione. Pin è fuori di tutto questo.

Ora se ne andrà senza dir niente, e di quella storia della pistola è meglio non se ne parli più, era una cosa senz'importanza, forse gli uomini l'hanno già dimenticata. Ma Pin è appena alla porta quando il Francese alza la testa e dice: «Pin, allora per quella storia siamo intesi».

Pin vorrebbe ricominciare a far lo scemo, ma improvvisamente si sente bambino in mezzo ai grandi e rimane con la mano sullo stipite della porta.

«Se no non ti far più vedere» dice il Francese. Pin ora è nel carrugio[3]. È sera e alle finestre s'accendono i lumi. Lontano, nel torrente, cominciano a gracidare le rane; di questa stagione i ragazzi stanno la sera appostati intorno ai laghetti, ad acchiapparle. Le rane strette in mano danno un contatto viscido, sgusciante, ricordano le donne, così lisce e nude. Passa un ragazzo con gli occhiali e le calze lunghe: Battistino. «Battistino, lo sai che cos'è un *gap*?».

Battistino batte gli occhi, curioso: «No, dimmi: cos'è?».

Pin comincia a sghignazzare: «Vallo un po' a chiedere a tua madre cos'è il *gap*! Digli: mamma, me lo regali un *gap*? Diglielo un po': vedrai che te lo spiega!».

Battistino va via tutto mortificato. Pin sale per il carrugio, già quasi buio; e si sente solo e sperduto in quella storia di sangue e corpi nudi che è la vita degli uomini.

---

1 Espressione mista di ammirazione e di paura.

2 Gruppi Armati Partigiani.

3 Così si definiscono i vicoli delle città della Liguria.

Il contesto

Pin è un bambino. Ma il mondo in guerra non gli permette di vivere la sua infanzia. Sbalzato nel mondo dei grandi che si combattono, cerca di assomigliare a loro senza capirli. Ma Pin conosce un posto segreto, un angolo di mondo dove i ragni fanno il nido e dove la sua fantasia di bambino può correre liberamente. Rivelerà il suo segreto solo a colui che saprà meritare la sua fiducia.

e 1. Comprensione

Di' quale di queste affermazione è vera.

Pin deve rubare una pistola per:

○ **a.** portarla ai partigiani.

○ **b.** venderla ad uno sconosciuto.

○ **c.** fare uno scherzo al marinaio.

Pin finge di sapere cos'è un *gap* perché:

○ **a.** ha paura di essere rimproverato.

○ **b.** vuol dimostrare di essere adulto.

○ **c.** cerca di fare amicizia con lo sconosciuto.

e 2. Analisi

- Al mondo dei grandi si contrappone quello dei ragazzini che cacciano le rane. A quale dei due mondi appartiene Pin?

- Perché si rivolge proprio a Battistino che con gli occhiali e le calze lunghe sembra essere diverso dagli altri?

- "Solo e sperduto": così si sente Pin. Come si spiega il suo stato d'animo?

e 3. Riflessione

La scelta di descrivere la Resistenza attraverso gli occhi di un bambino, colloca il racconto di Calvino in una posizione originale rispetto alla letteratura sulla guerra partigiana. Che cosa può aggiungere questa prospettiva a quanto raccontano gli storici?

T78 Italo Calvino: Il Gramo[1] e il Buono

Il Gramo si liberò di scatto e già stava perdendo l'equilibrio e rotolando al suolo, quando riuscì a menare un terribile fendente[2], non proprio addosso all'avversario, ma quasi: un fendente parallelo alla linea che interrompeva il corpo del Buono, e tanto vicino a essa che non si capì subito se era più in qua o più in là. Ma presto vedemmo il corpo sotto il mantello imporporarsi di sangue dalla testa all'attaccatura della gamba e non ci furono più dubbi. Il Buono s'accasciò[3], ma cadendo, in un'ultima movenza[4] ampia e quasi pietosa, abbatté la spada anch'egli vicinissimo al rivale, dalla testa all'addome, tra il punto in cui il corpo del Gramo non c'era e il punto in cui prendeva a esserci. Anche il corpo del Gramo ora buttava sangue per tutta l'enorme antica spaccatura: i fendenti dell'uno e dell'altro avevano rotto di nuovo tutte le vene e riaperto la ferita che li aveva divisi, nelle sue due facce. Ora giacevano riversi[5], e i sangui che già erano stati uno solo ritornavano a mescolarsi per il prato. Tutto preso da quest'orrenda vista non avevo badato a Trelawney, quando m'accorsi che il dottore stava spiccando salti di gioia con le sue gambe da grillo, battendo le mani e gridando:
- È salvo! È salvo! Lasciate fare a me.
Dopo mezz'ora riportammo in barella al castello un unico ferito. Il Gramo e il Buono erano bendati strettamente assieme; il dottore aveva avuto cura di far combaciare tutti i visceri e le arterie dell'una parte e dell'altra, e poi con un chilometro di bende li aveva legati così stretti che sembrava, più che un ferito, un antico morto imbalsamato. Mio zio fu vegliato giorni e notti tra la morte e la vita. Un mattino, guardando quel viso che una linea rossa attraversava dalla fronte al mento, continuando poi giù per il collo, fu la balia Sebastiana a dire:
- Ecco: s'è mosso.
Un sussulto di lineamenti stava infatti percorrendo il volto di mio zio, e il dottore pianse di gioia al vedere che si trasmetteva da una guancia all'altra. Alla fine Medardo schiuse gli occhi, le labbra; dapprincipio la sua espressione era stravolta: aveva un occhio aggrottato[6] e l'altro supplice[7], la fronte qua corrugata[8] là serena, la bocca sorrideva da un angolo e dall'altro digrignava[9] i denti. Poi a poco a poco ritornò simmetrico.
Il dottor Trelawney disse:
- Ora è guarito.
Ed esclamò Pamela:
- Finalmente avrò uno sposo con tutti gli attributi.
Così mio zio Medardo ritornò uomo intero, né cattivo né buono, un miscuglio di cattiveria e bontà, cioè apparentemente non dissimile da quello ch'era prima di esser dimezzato.
Ma aveva l'esperienza dell'una e l'altra metà rifuse insieme, perciò doveva essere ben saggio.

da *Il Visconte dimezzato*

---

1 Misero, meschino.

2 Colpo di sciabola dall'alto verso il basso.

3 Cadere a terra.

4 Movimento.

5 Erano distesi a terra immobili.

6 Con il sopracciglio contratto.

7 Supplichevole.

8 Solcata da rughe.

9 Mostrare i denti per rabbia.

Il contesto

Durante la guerra tra turchi e austriaci, il visconte Medardo viene colpito da una palla di cannone che lo taglia in due parti uguali senza ucciderlo. Tornate in patria le due parti si comportano in modo opposto; l'una, il Gramo, è crudele l'altra, il Buono, cerca di fare del bene. Alla fine le due parti si sfidano a duello.

e 1. Comprensione

Di' se queste affermazioni sono vere o false

	vero	falso
a. Le due metà si feriscono a vicenda.	○	○
b. Il dottore non riesce a riattaccare le due parti.	○	○
c. Il visconte rimane con due parti del corpo indipendenti.	○	○
d. Il visconte sarà più saggio perché è stato vicino alla morte.	○	○

e 2. Analisi

Fantasia surreale e realismo sembrerebbero incompatibili. Che cosa dimostra Calvino in questo brano? Che cosa ti ha colpito in particolare?

e 3. Riflessione

L'ultima affermazione non è una semplice battuta. Secondo te cosa vuol dire Calvino?

T79 Pier Paolo Pasolini: Ragazzi di vita

«A morto de fame vòi venì che te offrimo da beve?». *(Morto di fame vuoi venire che ti offriamo da bere?)* «Daje». *(Va bene.)* Accettò pronto il Riccetto che s'era stato a guardare la scena senza dir niente dall'alto della sua poltrona.
Balzò giù e aiutato dal Caciotta cominciò a spingere il carretto con le poltrone in mezzo al traffico dietro al carretto dei due stracciaroli[1].
Quelli, senza aggiunger altro, scesero giù dall'altra parte del ponte, verso la Tiburtina, a razzo, e si fermarono davanti a un'osteria col pergolato, tra due o tre catapecchie,[2] sotto un grattacielo. Entrarono tutti quattro e si bevvero il litro di vino bianco, assetati com'erano per aver spinto tutta la mattinata il carretto: Alduccio e il Begalone poi avevano la gola secca e bruciata, per quelle quattro o cinqu'ore che avevano passato al sole a capare[3] in una frana d'immondezza sotto un ponticello della ferrovia.
Dopo ch'ebbero ingollato[4] le prime sorsate erano già tutti attoppati,[5] «Annàmise a vende 'e poltrone, a Riccè» *(Andiamo a vendere le poltrone, Riccetto)* fece il Caciotta appioppato contro il banco con le gambe in croce, «e mannamo tutto a ffà 'n...» *(e mandiamo tutti al diavolo).* «E addò l'annamo a venne» *(E dove le andiamo a vendere?)*, fece con aria competente il Riccetto.
«Ma li mortacci tua» *(Ma per tutta la miseria)* [6] disse il Begalone, «annate a Porta Portese, no!» *(Andate a Porta Portese, no?)* [7].

Il Riccetto sbadigliò, e poi guardò il Caciotta con gli occhi assonnati: «Namo, a Caciò?» *(Andiamo Caciotta?)* fece. L'altro scolò il bicchiere di vino tutto d'un fiato, finì d'ubbriacarsi, e uscendo frettoloso dall'osteria, gridò alzando una mano: «Ve saluto, a cosi brutti». *(Vi saluto brutta gente)* Il Riccetto finì pure lui di bere bagnandosi tutta la maglietta nera e tossendo e seguì il Caciotta. Da lì a Porta Portese non c'erano di sicuro meno di quattro cinque chilometri di strada da fare. Era un sabato mattina, e il sole d'agosto ubbriacava.
Il Riccetto e il Caciotta, in più, dovevano farsi un bel giro per non passare per San Lorenzo, dov'era la bottega del principale che li aveva mandati di buon mattino a consegnare le poltrone a Casal Bertone.
«Ce vorrebbe che mo nun trovassimo da venne sta mercanzia», *(Ci mancherebbe che non riuscissimo a vendere la merce)* fece il Caciotta con falso pessimismo, mentre in realtà camminava spedito e pieno di speranza. «Trovamo trovamo», ribatté ghignante[8] il Riccetto tirando fuori dalla saccoccia un pezzo di sigaretta. «Quando dichi che ci rimediamo a Riccè?», *(Quanto dici che ci guadagneremo, Riccetto?)* chiese ingenuo il Caciotta.
«Ce famo poco poco na trentina de sacchi», *(Ci facciamo almeno trentamila lire)* rispose l'altro. «E chi ce torna ppiù a casa», *(E chi ci torna più a casa)* aggiunse poi tirando allegramente le ultime boccate dalla cicca. Tanto la sua era

---

1 Straccivendoli, robivecchi.

2 Casupola misera.

3 Frugare e scegliere.

4 Inghiottito in fretta.

5 Un po' ubriachi.

6 Imprecazione volgare ma non violenta.

7 Dove c'è un mercato di roba usata.

8 Beffardo.

Contesto

Sullo sfondo della periferia romana, tra edifici miserabili e cadenti e palazzoni frutto di speculazioni edilizie, trascorre la giornata di un gruppo di giovani sottoproletari. Attraverso le loro avventure picaresche, in un succedersi di eventi violenti e tragici, ma anche comici e grotteschi, si dispiega l'affresco pasoliniano di *Ragazzi di vita*.

e 1. Comprensione

Di' se queste affermazioni sono vere o false.

	vero	falso
a. Riccetto e Caciotta hanno l'incarico di vendere le poltrone.	○	○
b. Con il guadagno si concedono una giornata diversa.	○	○
c. Caciotta vive solo con una zia e il figlio di questa.	○	○
d. I ragazzi lasciano i vestiti vecchi in un cinema.	○	○
e. I ragazzi non sono preoccupati per il loro futuro.	○	○
f. Camminando in centro tra i passanti si sentono a disagio.	○	○

una casa per modo di dire: andarci o non andarci era la stessa cosa, magnà non se magnava, dormì, su una panchina dei giardini pubblici era uguale.

Che era una casa pure quella? Intanto la zia il Riccetto non la poteva vedere: e manco[9] Alduccio, del resto, ch'era figlio suo. Lo zio era un imbriacone che rompeva il c...[10] a tutti l'intera giornata. E poi come fanno due famiglie complete, con quattro figli una e sei l'altra, a stare tutte in due sole camere, strette, piccole, e senza nemmeno il gabinetto, ch'era più abbasso in mezzo al cortile del lotto?[11] In questo sistema di vita, da più d'un anno a quella parte, s'era trovato il Riccetto dopo la disgrazia delle Scuole, da quando era andato a abitare a Tiburtino, lì dai parenti suoi. Andarono a vendere le poltrone a Antonio lo stracciarolo del vicolo dei Cinque, a cui tre o quattr'anni prima il Riccetto aveva venduto con Marcello e Agnolo i pezzi dei chiusini[12]. Ci fecero una quindicina di sacchi, e andarono a rimettersi a nuovo a vestiti. Un po' vergognandosi un po' senza guardare in faccia nessuno andarono a Campo dei Fiori dove vendevano i calzoni a tubbo[13] per mille millecinquecento lire, e delle belle magliette gajarde[14] per neppure duemila: si fecero pure un pare di scarpette a punta, bianche e nere, e il Caciotta gli occhiali da sole che da tanto sognava; poi zoppicando pel male ai piedi ch'erano gonfi per la camminata dal Portonaccio a lì, andarono in cerca d'un posto dove lasciare il malloppo dei panni vecchi. Era una parola trovare un posto da quelle parti. Lo lasciarono nel cesso d'un baretto vicino a Ponte Garibaldi, imboccando alla menefrego[15], e pensando dentro di sé, mentre passavano davanti il banco sotto lo sguardo dei baristi: «Si o' ritrovamo bbene, sinnò ècchello llì» *(Se lo ritroviamo bene, altrimenti prendetevelo pure).* S'andarono a mangiare la pizza e un crostino da Silvio, in via del Corso. Era già tardi e era ora di pensare a come passare il pomeriggio, che cavolo! Infagottati[16] com'erano, non gli restava che la fatica di scegliere: il Metropolitan o l'Europa, il Barberini o il Capranichetta, l'Adriano o il Sistina. Uscirono subito, a ogni modo, chè chi va in giro lecca e chi sta a casa la lingua je se secca.[17] Erano tutti contenti e scherzosi, non pensando manco lontanamente che le gioie di questo mondo son brevi, e la fortuna gira... Si comprarono il Paese Sera per consultare la pagina degli spettacoli, e, litigando, lo strapparono, perché ognuno voleva leggere lui: finalmente, incazzati,[18] si misero d'accordo sul Sistina. «Quanto me piace de divertimme!» *(Quanto mi piace divertirmi)* diceva il Caciotta, sortendo tutto allegrotto dal cinema, quattro ore dopo, chè s'erano visti il film due volte. S'accomodò sul naso gli occhiali da sole, e camminando scavicchiato[19] per marciapiede di via Due Macelli intuzzava[20] apposta contro i passanti.

---

9 Nemmeno.

10 Scocciava, espressione molto volgare.

11 Blocco di case.

12 Coperchi dei WC pubblici.

13 Calzoni alla moda, stretti alla caviglia.

14 A colori sgargianti.

15 Uscendo con aria indifferente.

16 Con i vestiti nuovi.

17 Proverbio come "Chi dorme non piglia pesci".

18 Volgare per: arrabbiati.

19 Dinoccolato.

20 Urtava.

---

e **2. Analisi**

- Come sai Pasolini è stato anche un ottimo regista. In che misura questa sua attività si ritrova nelle caratteristiche del brano presentato?

  ○ **a.** nell'uso del dialetto romanesco.
  ○ **c.** nell'atteggiamento provocatorio dei giovani.
  ○ **b.** nella veloce successione delle sequenze.
  ○ **d.** nella sottintesa critica sociale.

- Per facilitare lettura e comprensione abbiamo tradotto le battute dei dialoghi. Questa operazione secondo te era

  ○ **a.** necessaria   ○ **b.** superflua   ○ **c.** dannosa

- Come motivi la tua scelta?
- Quale delle piccole scene di vita quotidiana sceglieresti per esemplificare al meglio il suo carattere "cinematografico"?
- Quale termine o espressione descrive nella tua lingua l'atteggiamento di fondo di questi ragazzi? In italiano si usava spesso il termine "bulletto".

e **3. Riflessione**

Il linguista Max Weinreich diceva che «Una lingua è un dialetto che ha una marina e un esercito».

La geografia linguistica italiana si caratterizza per la presenza di molti dialetti e varianti regionali che ritroviamo sia nella produzione letteraria che in quella cinematografica e televisiva. Qual è la situazione nel tuo paese? Quale valore attribuisci alla sopravvivenza o al recupero dei dialetti?

Il cinema italiano

1. Cinema: l'arte del XX secolo

Il cinema fa parte a buon diritto della cultura del XX secolo - anzi, secondo alcuni, come la narrativa è la forma artistica dell'Ottocento, così il cinema è quella del Novecento. Non si può negare che in tutto il mondo quando si dice "cinema" si pensa a quello americano, che lo standard dei valori del cinema (ritmo, montaggio, tecnica di narrazione, inquadrature, colonna sonora, ecc.) è stabilito dal cinema americano, che il principale riconoscimento cinematografico è l'Oscar a Hollywood. Vediamo dunque le principali caratteristiche del cinema italiano rispetto a quello americano.

2. Le caratteristiche del cinema italiano

La prima è quella di essere in… italiano, quindi difficilmente comprensibile a stranieri nella versione originale, e raramente doppiato in lingua straniera. Ciò ha fatto sì che pochi film italiani lascino gli schermi del nostro paese o che, quando diventano famosi all'estero, lo spettatore che non sa l'italiano sia obbligato a leggere i sottotitoli e quindi a distrarsi e a non godere pienamente della recitazione. Solo uno tra i grandissimi registi italiani (secondo molti il solo regista professionista italiano), **Sergio Leone**, usa l'inglese nei suoi film, dalla serie di "spaghetti western" degli anni Sessanta al suo capolavoro, *C'era una volta in America*.
La seconda caratteristica del nostro cinema è la tendenza a privilegiare il regista-artista, che vuole esprimere la sua visione del mondo o giocare con la forma del cinema, piuttosto che il regista-artigiano, buon professionista, attento agli incassi oltre che alla necessità di dire quello che pensa della vita; mancano quasi del tutto in Italia i grandi registi di mestiere, che fanno questa professione in maniera esclusiva e non solo come una parte della loro ricerca come studiosi, giornalisti, politici, artisti e intellettuali. La conseguenza di questa peculiarità è che lo Stato è intervenuto, soprattutto negli ultimi decenni, a sostenere il cinema italiano con contributi a "film di qualità" (in cui la qualità veniva decisa sulla base della lettura del copione, quindi solo su una componente minima del film, che invece si regge anche sull'aspetto visivo, su quello musicale, sulle scene, i costumi, la recitazione, ecc.) o affidando parte della produzione alla RAI, la televisione di stato. Ciò ha portato i registi a sentirsi sempre meno dipendenti dal pubblico, sempre più intenti alle loro idee, quasi scrivessero poesie intimistiche anziché pensare (anche) ad intrattenere persone che pagano per andare a vedere un film – e questo ha fatto morire il cinema italiano, tranne che per pochi casi felici, nell'ormai diffuso disinteresse degli spettatori che vanno solo a vedere i film americani.

3. La stagione neorealista

Il film dei primi decenni del secolo non sono degni di nota perché l'Italia fascista si era auto-esclusa da molte delle ricerche artistiche, non amava le sperimentazioni (e il cinema era in quegli anni una grandiosa sperimentazione), aveva paura della forza di un mezzo di comunicazione di mas-

---

🔍 L'arte italiana del secondo Novecento

Dopo la repressione artistica del periodo fascista l'arte italiana prende due strade: da un lato, quasi a voler riproporre in Italia la logica del realismo socialista, fondendola con il Neorealismo cinematografico, alcuni pittori (il più celebre è **Renato Guttuso**) dipingono la vita quotidiana ed alcuni suoi momenti "eroici"; dall'altro, arriva in Italia l'ondata di arte astratta dal resto del mondo. Le esperienze degli anni Cinquanta e Sessanta sono spesso originali, come nel caso dello spazialismo, in altre sono più vicine all'arte americana, dalle tecniche di *dripping* lanciate da Pollock all'arte povera di Rauschenberg. I nomi principali sono quelli di **Lucio Fontana**, **Emilio Vedova**, **Giuseppe Capogrossi**, **Osvaldo Licini**, **Alberto Burri** - ma molti altri meriterebbero una citazione. Il luogo principale per l'esposizione di arte italiana moderna è la Biennale di Venezia, che raggiunge il suo massimo di richiamo con l'esposizione internazionale d'arte, ma che si interessa anche di espressioni modernissime di teatro, danza, architettura - oltre che di cinema con il famoso festival veneziano di settembre, forse quello che più di tutti i festival internazionali si interessa del cinema di qualità.

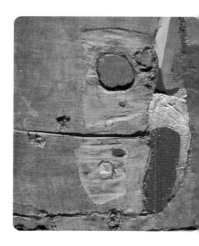

sa come il cinema. Durante la guerra e nei quindici anni successivi, invece, la grande lezione del realismo italiano viene ripresa da film di enorme forza emotiva e, spesso, anche di buona qualità cinematografica.

Sono i primi film di **Luchino Visconti** (*Ossessione*, 1943, *La terra trema*, 1948, tratto da *I Malavoglia* di Verga, *Rocco e i suoi fratelli*, 1960), di **Federico Fellini** (*I vitelloni*, 1953, in cui viene lanciato uno dei grandi attori italiani, Alberto Sordi, *La strada*, 1954, *Le notti di Cabiria*, 1957), di **Roberto Rossellini** (*Roma città aperta*,1945, *Paisà*, 1946), di **Vittorio De Sica** (*Sciuscià*, 1946, *Ladri di biciclette*, 1948, *Miracolo a Milano*,1951) e del giovanissimo **Pier Paolo Pasolini** (*Accattone*, 1961, *Mamma Roma*, 1962) (Su Pasolini scrittore cfr. p. 260-261). Sono film di solito girati in bianco e nero in cui si raccontano le storie degli ultimi momenti della guerra, della povera gente - dai contadini di *Ossessione* ai sottoproletari di *Accattone* - della profonda provincia italiana, delle metropoli che stanno esplodendo.

4. La via della sperimentazione

Verso gli anni Sessanta il cinema prende due strade opposte: la più prestigiosa è quella sperimentale, che ha due grandi campioni. **Federico Fellini**, dopo l'inizio neorealista e il famoso *La dolce vita* (1960), comincia a lavorare a un cinema basato sul sogno, sul totale disinteresse per la realtà della storia narrata, preferendo portare sulla scena gli incubi e le visioni astratte dei suoi personaggi (spesso interpretati da Marcello Mastroianni) in film come *Fellini 8 1/2* (1963), *Roma* (1972), il suo capolavoro *Amarcord* (1974), *La voce della luna*, 1990. **Pier Paolo Pasolini** fa invece film che sono teoremi, spesso riscritture di miti classici, come *Edipo Re* (1967), *Medea* (1970) o di grandi cicli narrativi medievali, l'età in cui gli uomini secondo Pasolini non erano ancora stati rovinati dalla logica borghese e la vita era naturale, libera, pur nelle miserie di quei secoli.

Con il passare degli anni, e prima della morte violenta nel 1975, la sua sperimentazione e le sue provocazioni divennero sempre più forti, culminando nel terribile *Salò o le 120 giornate di Sodoma* (1975).

Un altro grande degli anni Sessanta-Settanta è **Michelangelo Antonioni**, il cantore del tema dell'incomunicabilità (*La notte*, 1960, *L'eclisse*, 1962) e della falsità del tutto, perfino della fotografia (*Blow up*, 1966), per cui l'unica soluzione è la gigantesca esplosione che chiude *Zabriskie Point*, 1964.

L'altro grande di questa stagione, Luchino Visconti, interessato anche alla regia teatrale, diventa con gli anni un perfetto e maniacale ricreatore di atmosfere ottocentesche o del primo Novecento in film come *Il Gattopardo* (1963) o *Morte a Venezia* (1971).

5. La commedia all'italiana

L'altro grande filone del cinema italiano è dato da quello comico e amaro insieme, impegnato nella denuncia dei mali dell'Italia del boom economico, dell'emigrazione interna, della macchina per tutti: *Il sorpasso* (1962) di **Dino Risi**, tutti i film di **Alberto Sordi** - che porta sullo schermo un personaggio tipico dell'Italia di quei tempi: il poveraccio che cerca di emergere non con l'intelligenza ma con la disperata furbizia - e di registi come **Luciano Salce**, **Elio Petri**, **Mario Monicelli**, **Carlo Verdone** e altri. Sono film spesso di tenue valore cinematografico, fatti da dilettanti di grande talento, ma che non reggono il confronto con il ritmo dei film americani, né hanno la poesia e la forza di quelli sperimentali.

6. Il cinema più recente

Anche se premiati con riconoscimenti internazionali, i film di **Nanni Moretti** (*Ecce Bombo*, 1978, *Bianca*,1984, *Caro Diario*, 1993, *La stanza del figlio*, 2001), di **Giuseppe Tornatore** (*Nuovo cinema Paradiso*, 1988, *La leggenda del pianista sull'oceano*, 1998), di **Gabriele Salvatores** (*Mediterraneo*, 1991, *Io non ho paura*, 2005), di **Roberto Benigni** (*La vita è bella*, 1997), di **Gianni Amelio** (*Il ladro di bambini*, 1992) e di tanti altri tra i registi che sono emersi negli ultimi anni del secolo soffrono il peccato originale di tutto il cinema italiano: quello di essere fatto da registi che si sentono *artisti* (quindi che devono esprimere un pensiero esistenziale, sulla natura della vita umana, oppure politico-sociale) prima che *registi* che devono fare un film.

Molti di questi film sono stupendi, degni di essere ricordati nella storia del cinema: ma spesso rimangono solo opere geniali di dilettanti di talento, che occasionalmente riescono anche a mettere insieme la loro poesia o la loro denuncia con il linguaggio che è proprio del testo cinematografico.

il secondo Novecento

La canzone d'autore

Con "canzone d'autore" intendiamo comunemente quella corrente della musica "leggera" italiana che ha conosciuto un enorme successo a partire dalla fine degli anni Cinquanta e che, anche al giorno d'oggi, continua a godere di notevole popolarità presso un vasto pubblico. Caratteristiche principali di questa corrente sono:
- la ricercatezza stilistica del testo, che diventa il vero punto di forza della canzone;
- un utilizzo, spesso minimalista, della musica per mettere in rilievo le sensazioni e le emozioni trasmesse dal testo;
- l'affidamento dell'interpretazione canora a un "cantautore", vale a dire all'autore dei testi e/o delle musiche, anche se la sua qualità come cantante è minima.

Il merito della canzone d'autore, nella quale si esprimono esperienze stilisticamente molto diverse tra di loro ma tutte attente ai valori del testo, è stato sicuramente quello di contrastare e correggere la tradizione della canzone italiana tutta fondata su luoghi comuni (la nostalgia di una persona o di un paese lontano), su figure convenzionali (la mamma amatissima, l'amante crudele), su modi di cantare sdolcinati (la voce singhiozzante, il lungo acuto finale) e su una gestualità dei cantanti quasi sempre stereotipata (gli occhi sempre rivolti al cielo, la mano sul cuore).

1. La prima "ribellione"

La prima frattura ufficiale, per così dire, con i modi e i contenuti tradizionali della canzone italiana ha luogo nel 1958, quando il cantautore **Domenico Modugno** vince il Festival di Sanremo con la famosissima canzone *Nel blu, dipinto di blu*, comunemente nota in tutto il mondo con il titolo di *Volare*. Lo strepitoso successo di questa canzone, dovuto a un testo insolito e suggestivo, a una invenzione musicale del tutto nuova rispetto ai cliché melodici allora dominanti e a una interpretazione lontanissima dalla tradizione del canto "all'italiana", oltre a consacrare la fama di Modugno mostrò chiaramente che il gusto era cambiato. Non più testi banali, melodie sdolcinate, cantanti standardizzati, ma parole più aderenti alle nuove realtà, cantanti meno "imbalsamati", musiche più attente alle suggestioni e ai ritmi che venivano, in particolare, dal *jazz* e dal *rock* americano.

2. Gli anni Sessanta

Durante gli anni Sessanta si fa sempre più massiccia la presenza dei cantautori i quali, proseguendo sulla via aperta da Modugno, propongono al pubblico canzoni che parlano ora di una realtà piena di contraddizioni, ora di situazioni fantasiose e spesso surreali. Con il cambiamento dei contenuti abbiamo anche, necessariamente, un mutamento della forma per cui le diverse canzoni, e spesso la stessa canzone, presentano una mescolanza di registri linguistici che vanno da quello alto, a quello quotidiano, e perfino a quello volgare. Tra i principali artefici di questo rinnovamento della canzone italiana, che contribuiscono non solo ad affinare il gusto musicale degli ascoltatori, ma anche ad allargare il loro orizzonte culturale, possiamo citare innanzitutto gli appartenenti alla cosiddetta "scuola di Genova": **Luigi Tenco**, **Gino Paoli**, **Umberto Bindi**, **Bruno Lauzi**, **Fabrizio De André**, i quali si ispirano largamente agli *chansonniers* francesi Brassens, Trenet , Ferré. Tale modello comune, però, non im-

🔎 Gli anni di piombo

Da Berkeley in California al Maggio francese, il 1968 fu il punto più alto della rivolta degli studenti di mezzo mondo. Anche in Italia il fenomeno fu molto diffuso.
Parallela alla "contestazione" degli studenti, cresce la rivolta armata, che soprattutto in Germania (la Rote Armee Fraktion) e in Italia (le Brigate Rosse) assume forme violente, che costano la vita a centinaia di persone (spesso impegnati nei partiti di sinistra, giudicati poco "rivoluzionari") e di poliziotti.
La vittima più illustre di questi anni di attentati e ferimenti, fu Aldo Moro, il capo della Democrazia Cristiana che aveva proposto un governo sostenuto anche dal Partito Comunista. Il giorno in cui il governo giurava in Parlamento, nel 1978, Moro fu rapito e 55 giorni dopo il suo corpo fu trovato in una macchina parcheggiata a pochi metri dalle sedi della DC e del PCI, a Roma.

pedisce ai componenti di questa "scuola" di esprimersi ciascuno con la propria originalità sia sul piano strettamente musicale sia su quello testuale.

Particolarmente significative le canzoni di Luigi Tenco, colme di nostalgie e di rimpianti, e quelle di Fabrizio De André (certamente l'artista più rappresentativo della canzone d'autore) che condannano la guerra, denunciano l'ipocrisia borghese, mettono in scena vicende passionali in cui il tema amoroso si intreccia strettamente con quello sociale. Accanto ai "genovesi" vanno anche ricordati i "milanesi" **Enzo Jannacci** e **Giorgio Gaber** che, nelle loro canzoni ricorrono spesso all'ironia, al paradosso e a uno stile recitativo che li fa più artisti di cabaret che cantanti. Notevole il loro impegno civile che li vede battersi per i diritti umani accanto al premio Nobel Dario Fo e accanto al celebre regista teatrale Giorgio Strehler.

3. Gli anni Settanta

Tra la fine degli anni Sessanta e l'inizio degli anni Settanta, nel clima di contestazione generale dovuto soprattutto al mondo giovanile, la canzone d'autore assume, in modo ancora più evidente, i toni della protesta civile e politica. Così, alle denunce della società consumistica di Fabrizio De André, Giorgio Gaber e Enzo Jannacci, si associano quelle di **Francesco Guccini**, un cantautore emiliano dalla decisa vena popolare che gode ancor oggi di grande considerazione. In quegli stessi anni appare sulla scena un giovane musicista-interprete, **Lucio Battisti** che, abbandonati i temi dell'impegno civile, tornerà (e in ciò l'aiuto del "paroliere" Mogol gli sarà prezioso) a temi più consueti ispirati quasi tutti alla passione amorosa: una passione che egli canta ora con profondo pudore (come se applicasse a musica e parole una specie di sordina), ora con toni impetuosi. Interprete sensibilissimo e arrangiatore straordinario egli dominerà il decennio assieme a **Roberto Vecchioni, Francesco De**

Gregori, **Lucio Dalla**, **Claudio Baglioni**, **Antonello Venditti**, **Riccardo Cocciante** e a quelli che sono ritenuti i "pionieri" del rock italiano: **Ivano Fossati, Franco Battiato, Edoardo Bennato, Ivan Graziani**.
La "voce" degli anni Sessanta e Settanta è quella di **Mina**, la più grande cantante italiana.

4. Gli anni Ottanta e Novanta

Negli anni Ottanta e Novanta si affermano definitivamente cantautori come **Paolo Conte** che associa testi di sottile ironia a musiche derivanti dal jazz e da ritmi sudamericani; **Ivano Fossati** che abbandona la strada del rock dedicandosi a composizioni di grande raffinatezza e **Angelo Branduardi** che spesso rielabora musiche e testi antichi.
Accanto a questi artisti, vanno ricordati **Pino Daniele**, che unisce nelle sue canzoni la passione per il blues con il grande amore per il dialetto napoletano, i nuovi rocker **Vasco Rossi** e **Luciano Ligabue**, oppure **Eros Ramazzotti** che, con il suo stile semplice ed immediato, ha ottenuto un grande successo di pubblico sia in Italia che all'estero.

5. Nuove tendenze della canzone d'autore

A questi cantautori che conoscono anche ai nostri giorni un grande successo, si sono aggiunti alcuni giovani autori dotati di grandi qualità interpretative e di eccellente tecnica compositiva.
Vanno citati **Vinicio Capossela** che, prendendo ispirazione dalla musica jazz e dalla musica etnica, rappresenta sicuramente l'esempio più "alto" di questa ultima generazione di cantautori e **Daniele Silvestri** che, con raffinata ironia, fa di molte sue composizioni un'arma di accusa sociale e politica e crea testi in cui si affiancano spesso più lingue.

Qui sopra dall'alto: Fabrizio De André, Lucio Dalla, Pino Daniele, Lucio Battisti .

Nella pagina a fianco in alto: Domenico Modugno.

Nella pagina a fianco in basso: il ritrovamento del corpo di Aldo Moro.

il secondo Novecento

T80 Fabrizio De Andre': Via del Campo[1]

Via del Campo c'è una graziosa[2]
gli occhi grandi color di foglia
tutta notte sta sulla soglia[3]
vende a tutti la stessa rosa

5 Via del Campo c'è una bambina
con le labbra color rugiada[4],
gli occhi grigi come la strada
nascon fiori dove cammina

Via del Campo c'è una puttana
10 gli occhi grandi color di foglia
se di amarla ti vien la voglia
basta prenderla per la mano

E ti sembra di andar lontano
lei ti guarda con un sorriso,
15 non credevi che il paradiso
fosse solo lì al primo piano

Via del Campo ci va un illuso
a pregarla di maritare[5]
a vederla salir le scale
20 fino a quando il balcone è chiuso

Ama e ridi se amor risponde
piangi forte se non ti sente
Dai diamanti non nasce niente
dal letame[6] nascono i fior

---

1 Strada del centro storico di Genova.

2 Che piace per la sua grazia.

3 Porta di ingresso, entrata.

4 Gocce d'acqua su fiori e piante al mattino.

5 Prendere marito.

6 Concime organico.

---

e 1. Riflessione

- I colori evocati da De André sono particolarmente poetici o simbolici: il color di foglia non è solo un verde, il grigio è quello della strada, la rugiada non ha colore ma risplende al sole e prende il colore del fiore su cui è posata. E che cos'è la rosa venduta a tutti? Con che atteggiamento guarda De André queste sue creature femminili? In quale gesto esso appare particolarmente evidente?

- Via del Campo non è certo una via elegante e per bene: è la strada dell'amore a pagamento, e i benpensanti e i moralisti certamente non ci vanno - oppure ci vanno, ma di nascosto. Cosa simboleggiano i diamanti e il letame evocati negli ultimi versi?

- De André non ha alcun timore di usare alcune espressioni forti, di dedicare il suo sguardo poetico a un ambiente che l'Italia degli anni Sessanta giudicava moralmente condannabile. Ma non è affatto volgare. Perché?

- In molte sue canzoni De André guarda al Medioevo, riprendendo a volte anche la struttura musicale, come in *Fila la lana*. Le creature di *Via del Campo* sono veramente così lontane dalle figure femminili evocate dagli Stilnovisti? Come motivi la tua risposta?

e 2. Collegamenti

- Dino Campana (vedi testo 67) aveva già "percorso" una via simile a Via del Campo.
  Che cosa emerge da un confronto tra i due autori?

Una veduta generale di Genova.
Via del Campo è vicina al porto.

81 Fabrizio De Andre': La guerra di Piero

Dormi sepolto in un campo di grano
Non è la rosa non è il tulipano
Che ti fan veglia¹ dall'ombra dei fossi
Ma sono mille papaveri rossi

5 "Lungo le sponde del mio torrente
voglio che scendano i lucci² argentati
non più i cadaveri dei soldati
portati in braccio dalla corrente"

Così dicevi ed era d'inverno
10 e come gli altri, verso l'inferno
te ne vai triste come chi deve³
il vento ti sputa in faccia la neve

Fermati Piero, fermati adesso
lascia che il vento ti passi un po' addosso
15 dei morti in battaglia ti porti la voce
chi diede la vita ebbe in cambio una croce

Ma tu non udisti e il tempo passava
con le stagioni a passo di java⁴
ed arrivasti a varcar⁵ la frontiera
20 in un bel giorno di primavera

E mentre marciavi con l'anima in spalle
vedesti un uomo in fondo alla valle
che aveva il tuo stesso identico umore
ma la divisa di un altro colore

25 Sparagli Piero, sparagli ora
E dopo un poco sparagli ancora

fino a che tu non lo vedrai esangue⁶
cadere a terra a coprire il suo sangue

"E se gli sparo in fronte o nel cuore
30 soltanto il tempo avrà per morire
ma il tempo a me resterà per vedere
vedere gli occhi di un uomo che muore"

E mentre gli usi questa premura
quello si volta, ti vede, ha paura
35 ed imbracciata l'artiglieria
non ti ricambia la cortesia

Cadesti a terra senza un lamento
e ti accorgesti in un solo momento
che il tempo non ti sarebbe bastato
40 per chieder perdono per ogni peccato

Cadesti a terra senza un lamento
e ti accorgesti in un solo momento
che la tua vista finiva quel giorno
e non ci sarebbe stato ritorno

45 "Ninetta mia, crepare⁷ di maggio
ci vuole tanto, troppo coraggio
Ninetta bella, dritto all'inferno
Avrei preferito andarci in inverno"

E mentre il grano ti stava a sentire
50 Dentro le mani stringevi il fucile
Dentro la bocca stringevi parole
Troppo gelate per sciogliersi al sole

---

1 Stare svegli accanto ad un morto.

2 Pesci d'acqua dolce.

3 Chi è costretto.

4 Danza popolare africana.

5 Attraversare.

6 Sfinito, morente.

7 Morire in maniera squallida.

---

e 1. Riflessioni

Chi parla, tra virgolette, Piero o il Narratore?
Chi muore, alla fine, Piero o il ragazzo con la divisa di un altro colore. Chi è Ninetta?

e 2. Analisi

- Il testo può essere definito una ballata: narrazione drammatica e dialogo, linguaggio semplice e accompagnamento
  musicale essenziale. Così tutti la possono cantare, tutti possono identificarsi nel racconto. Nel giugno 2007 la scrittrice Fernanda Pivano – fu lei a scoprire e sostenere De André al suo esordio – ne ha fatto un dialogo fra Fabrizio e Piero, conservando lo stesso titolo. Come lo metteresti in scena e con quale sfondo musicale?
- I vari elementi della natura hanno gesti umani. Quali sono e con quale spirito vengono compiuti?
- Abbiamo fatto riferimento al tono popolare, ma va sottolineato che De André non usa una lingua banale. Vi sono immagini ricche di suggestione e di fantasia. Popolare non deve per forza essere banale.
  Nel registro popolare non rientrano di solito l'ironia e la provocazione. Cerca degli esempi e interpreta il loro signifi-
  cato profondo.

il secondo Novecento

Entrando nel XXI secolo

1. Gli anni Ottanta

I protagonisti della letteratura italiana degli anni Ottanta sono stati alcuni giovani autori, tutti nati fra gli anni Quaranta e Cinquanta, che furono subito definiti come "generazione dei quarantenni". Questi non hanno avuto alle spalle una solida tradizione di riferimento: da una parte c'era stata la cosiddetta crisi della letteratura, che aveva disperso le energie dei nuovi autori in dibattiti e discussioni teoriche; dall'altra parte, certe sperimentazioni linguistiche o strutturali (Umberto Eco, ad esempio) non riuscivano a rappresentare un riferimento o un'indicazione di scuola o di stile per altri autori. Il valore di quelle opere restava chiuso entro i limiti del loro stesso esperimento narrativo o poetico.

Intanto, i grandi nomi lasciavano vuota la scena o perché avevano esaurito la loro vena artistica (come è stato il caso dell'ultimo Moravia), oppure perché andavano fisicamente scomparendo (Elsa Morante, Italo Calvino, Leonardo Sciascia). Di conseguenza, la generazione dei quarantenni ha dovuto inventare una 'nuova' letteratura italiana per entrare nel Duemila. Per la verità, qualche indicazione generale sulla letteratura italiana del XXI secolo l'aveva già suggerita Italo Calvino nel suo libro *Lezioni americane* (il cui titolo inglese fu, dapprima, proprio *Six Memos for the Next Millennium*); Calvino, infatti, indicava tre punti importanti per lo studio della letteratura di fine millennio:

a) predominanza della poesia in versi come portatrice di valori che anche i prosatori e narratori perseguono con mezzi diversi ma fini comuni;

b) nella narrativa predominio del "racconto" e d'altri tipi

di scrittura d'invenzione, più del romanzo le cui riuscite sono rare ed eccezionali;

c) gli irregolari, gli eccentrici, gli atipici si rivelano le figure più rappresentative del loro tempo.

Si potrebbe dire che Calvino abbia indicato i tre punti più importanti sotto cui riassumere il panorama attuale della letteratura italiana "entrando nel Duemila". È vero che, come tutti gli schemi teorici, anche questo di Calvino non comprende tutti i fenomeni della letteratura più recente. La letteratura, si sa, è proprio il campo delle eccezioni, degli eventi linguistici particolari: e la letteratura italiana alle soglie del Duemila è ricchissima di eccezioni e particolarità. Una delle "eccentricità" maggiori del panorama letterario italiano è rappresentata da **Dario Fo**, Premio Nobel 1991, attore e regista di testi teatrali in cui spesso usa un italiano in parte inventato e quasi mai "letterario".

2. La narrativa: "tradizionali" e "atipici"

La definizione di Calvino, secondo cui nella letteratura in prosa domina il "racconto" invece che il più ampio ed articolato "romanzo", può in qualche modo servire da indicazione generale anche per noi. La narrativa italiana alle soglie del Duemila, infatti, sembra preferire il "racconto" al "romanzo", e questo vale anche per quegli scrittori che dichiaratamente si rifanno alla tradizione dei romanzieri classici (e non solo italiani ma europei).

Dare una definizione precisa della letteratura vivente, come si sa, è impossibile, ma si può tentare di descrivere un panorama generale entro cui collocare, più o meno esatta-

---

🔍 La Seconda Repubblica

Nel 1992 il gruppo di giudici milanesi (di cui **Antonio Di Pietro** divenne simbolo) riuscì a denunciare tangentopoli, la città delle tangenti (cioè dei pagamenti illegali): ogni giorno veniva arrestato un industriale o un politico, che raccontava nuovi fatti e quindi faceva arrestare altri corruttori e corrotti. Gli italiani erano insieme felici per la punizione ai corrotti e impauriti nel veder cadere un sistema durato mezzo secolo. La Democrazia Cristiana e il Partito Socialista di Craxi vennero cancellati, insieme ad altri partiti minori, e iniziò un decennio di profondo cambiamento: l'ingresso in politica di **Silvio Berlusconi**, i non-politici come **Carlo Azeglio Ciampi** e **Romano Prodi** che portano l'Italia nell'area dell'Euro, i vari tentativi di modificare la Costituzione per entrare definitivamente nella Seconda Repubblica (sempre più federale e con strutture più flessibili e rapide del vecchio sistema) sono storia di oggi.

mente, i nuovi autori. In questo modo, sotto l'etichetta di "tradizionali", possiamo collocare quegli autori che, per uno stile di scrittura sufficientemente piano, elegante, lineare e "leggero", sembrano aver scelto un rapporto di continuità con la tradizione della letteratura, come **Dacia Maraini, Ferdinando Camon, Giuseppe Pontiggia, Gianni Celati** o, fra i più giovani, **Roberto Calasso, Antonio Tabucchi, Susanna Tamaro**.

Oltre a questi, però, nel panorama letterario italiano di inizio millennio ci sono tutti quegli autori che, più o meno giovani, hanno scelto di collocarsi in rapporto dialettico rispetto alla tradizione linguistico-letteraria italiana, piuttosto guardando alle esperienze americane di scrittura che vanno dalla *beat generation* a Raymond Carver e ai minimalisti. Primo fra tutti **Pier Vittorio Tondelli** che, pur se prematuramente scomparso dopo soli dieci anni di attività letteraria, ha fatto "scuola" con i suoi romanzi ed è diventato lo scrittore *cult* di una intera generazione di più giovani autori. E non può essere solo un caso che proprio Tondelli, poco prima di morire ed a dispetto di tanti romanzi già scritti e venduti con successo, in perfetta sintonia con le dichiarazioni di Calvino, aveva decretato la morte del "romanzo" individuando, invece, il "racconto" come l'unico futuro possibile della narrativa italiana. Alla dimensione del racconto, non a caso, si legano le scritture narrative dei più giovani e promettenti autori della letteratura italiana, appartenenti alle nuove correnti *Pulp* (Ammanniti, Brizzi, Nove).

Esiste, infine, tutta una 'squadra' di sperimentatori e "atipici" che, dopo Gadda, continuano a lavorare sul racconto mettendo insieme un linguaggio spesso risultante da mescolanze di lingua e dialetto, lingua standard e linguaggi speciali, lingua e *slang* o, più semplicemente, di lingua corrente e lingua della tradizione (letteraria, dialettale, ecc.). Tra questi, spiccano alcuni autori siciliani come **Gesualdo Bufalino, Vincenzo Consolo, Andrea Camilleri**: quest'ultimo, addirittura, sta facendo parlare di sé come del più autentico "caso" della nostra narrativa contemporanea. Si tratta di fenomeni stagionali oppure di autentiche rivelazioni? Come sempre, sarà il futuro a dirci la verità.

3. La poesia

Nel panorama attuale della nostra poesia, si distingue oggi chiaramente la tendenza verso l'intimo ed il privato: la rivincita delle "piccole cose" contro le grandi sperimenta-

zioni linguistiche degli ultimi decenni? Tutti gli sperimentalismi che hanno letteralmente investito il Novecento italiano (dal Futurismo al Gruppo '63), sembrano esauriti definitivamente. All'inizio del secolo scorso, dopo gli eccessi del Futurismo la poesia divenne ripiegamento interiore e canto solitario. Anche oggi, dopo gli eccessi delle avanguardie e delle neo/post-avanguardie, la caratteristica della più recente poesia sembra essere quella, appunto, di un ripiegamento verso la propria identità e la propria solitaria esperienza. Ma questa è solo una somiglianza: il nostro tempo è molto diverso da quello dell'inizio del XX secolo. Oggi nessuno più prenderebbe sul serio la possibilità di ritornare - come è stato, invece, nella prima metà del '900 - a tecniche espressive, metriche e stilistiche, in qualche modo "tradizionali": insomma, nessuno più, dopo gli anni Sessanta e Settanta, oggi penserebbe di scrivere poesie sotto la forma del sonetto o della canzone di Petrarca se non per parodia o per gioco poetico.

Anche per quanto riguarda i motivi della poesia, poi, temi "tradizionali" come l'esoterismo o il mito sono oggi argomenti sorpassati ed impraticabili. Al contrario, la ricerca poetica di oggi si concentra sulla lingua, su quella lingua che è cristallizzata nell'uso e nelle abitudini linguistiche quotidiane: anche senza ricorrere alla lingua della tradizione poetica italiana, il linguaggio della poesia attuale può essere originale e nuovo, e raccontare l'esperienza dell'intimo di ogni poeta.

Negli anni Ottanta e Novanta, la poesia più significativa è stata opera di autori che hanno quasi equamente diviso il loro impegno letterario tra versi e critica. La loro scrittura poetica, infatti, nell'ultimo ventennio si è alimentata o si è continuamente confrontata con la loro scrittura critica: tra questi, spiccano i nomi di **Silvio Ramat, Giovanni Raboni, Valerio Magrelli, Giuseppe Conte, Roberto Mussapi** ed **Edoardo Sanguinetti**. A fianco di questi "intellettuali", gli ultimi anni del millennio appena trascorso hanno visto l'affermarsi di voci poetiche che si potrebbero definire "stravaganti" o "eccentriche", come quelle di **Dario Bellezza** e **Alda Merlini**. Quest'ultima, poi, è la conferma vivente di quanto diceva Calvino: spesso gli "eccentrici" sono le figure più rappresentative del loro tempo.

In questa pagina: Alda Merini.

Nella pagina a fianco in alto: Antonio Tabucchi e, a centro pagina, Dacia Maraini.

Nella pagina a fianco in basso, da sinistra: Antonio Di Pietro e Massimo D'Alema.

Critica

Un mondo in cambiamento

Accanto e in parte parallele alla corrente che possiamo definire «vittoriniana» e alla letteratura di impegno[1], troviamo altre esperienze non rapportabili[2] ad una comune matrice artistico - culturale - ideologica, nonostante alcuni motivi comuni quali l'antifascismo e il bisogno sofferto di scavare nella realtà per ricuperarne il significato più recondito[3] e restituire dignità all'uomo.

Pertanto un discorso su questi scrittori condotto in astratto comporterebbe forzature[4], mentre solo dall'analisi diretta delle loro opere e del loro mondo artistico e umano può scaturire[5] l'apporto che hanno dato al rinnovamento della narrativa italiana. [...]

La dissoluzione degli antichi modelli di vita.
Dopo gli anni Cinquanta e fino alla metà degli anni Sessanta, l'Italia passa attraverso una delle più profonde trasformazioni sociali, industriali e politiche di tutta la sua storia: sono gli anni del «miracolo economico», anni che segnano la crisi e la morte di molti modelli di vita, che neppure la guerra e la Resistenza erano riuscite a intaccare.
«Abitudini e modi di vita antichi – scrive E. Galli Della Loggia – talvolta antichissimi si dissolsero; trionfarono abiti[6], ideali, oggetti, consumi, mentalità nuovi; si trasformò fino[7] il panorama umano del paese, vennero alla ribalta figure e aggregati[8] sociali per buona parte inediti, un'intera tradizione di cultura si esaurì[9] e infine si spense [...] nelle vetrine dei prodotti dell'industria capitalistica, a cavallo[10] del 1960, un'intera Italia trovò l'inebriante riscatto della sua antica miseria».

Il «labirinto» della società industrializzata.
Di fronte al mutato panorama sociale ed economico, allo stabilizzarsi, anzi all'ingigantirsi del neocapitalismo industriale, che stritola l'uomo nella sua morsa alienante[11], si consuma[12] definitivamente l'esperienza del neorealismo, che rivela tutti i limiti del suo ottimistico, ma utopistico e velleitario credo[13] in una possibile fusione tra cultura e società in sviluppo.
«È da collocarsi proprio in questo arco di tempo (intorno agli anni Sessanta) - afferma G. Luti - il progressivo affermarsi di una nuova connotazione del romanzo italiano; e questa volta la formula da adottare potrebbe essere quella del romanzo come testimonianza dello smarrimento dell'uomo di fronte al "labirinto" della società altamente industrializzata».

Tale smarrimento dell'uomo è testimoniato da quel filone della nostra narrativa che, di fronte al non senso della realtà, ne vuole riprodurre l'assurdo attraverso la mediazione del magico, del fantastico, del favoloso: è il caso di Buzzati con *Il deserto dei Tartari*, del Calvino del trittico *I nostri antenati*; oppure ancora attraverso la deformazione linguistica, come nei romanzi di Gadda.

Giovanni Getto, Gioele Solari

---

1 Impegno politico.

2 Che non possono essere messe in rapporto.

3 Nascosto, difficile da vedere.

4 Interpretazioni forzate, non completamente attendibili.

5 Emergere, venire a galla.

6 Modelli di comportamento.

7 Perfino.

8 Gruppi.

9 Si concluse.

10 Più o meno, intorno.

11 Termine di origine marxista che descrive l'uomo che si fa altro da se stesso, che lavora per un altro e non per sé, che vende se stesso.

12 Vive fino a consumarsi.

13 Una convinzione molto sentita ma utopica, cioè irrealizzabile perché "velleitaria", basata su dati irreali.

Critica

Pasolini

Pasolini, scartando la parola "storia" dal proprio lessico, ha fatto insorgere l'equivoco della "nostalgia", attraverso una serie di significativi, e provocatori, richiami al passato. Egli amava quel passato - il passato dei suoi anni formativi, della sua giovinezza di uomo e di poeta: gli anni orlati dall'alone[1] eroico della Resistenza - con la forza delle viscere[2]. Ma le viscere negano alla ragione giustificazioni e motivazioni che non siano estetiche.

Eppure, Pasolini sosteneva [...] che tanti mali materiali, politici e morali, scaturivano dall'essere spezzata, nella fibra della vita italiana, quella continuità di cultura di cui una compagine[3] sociale ha bisogno per vivere, crescere e mutare. Soltanto di recente si è riusciti a misurare i guasti derivati da un uso follemente terapeutico della sociologia invece che semplicemente diagnostico[4]: e solo di recente si è ripreso a parlare di "memoria storica", anche da parte di chi ha fatto di tutto per liquidarla.

Ma la "memoria storica" non si evoca a comando: essa ci educa soltanto nel momento in cui la educhiamo; privata di questa dialettica, la sua presenza latente si risolve in minaccia.

La critica pasoliniana al dispersivo, ridicolo illuminismo da "miracolo economico" - una critica che per molti è tuttora un punto obbligato di riferimento –, non si ancorò alla laica certezza della storia. Pasolini, per via del suo connaturato cristianesimo rurale, fu portato a concepire la storia come un Moloch[5] divoratore: la sua ridotta sensibilità per l'empiria[6] lo spinse a rifiutare la logica dei piccoli passi, e a dividere inconciliabilmente la vita fra un male certo e reale e un bene irrecuperabile e lontano. In Pasolini, nelle sue contraddizioni, si specchiavano tutte le contraddizioni italiane: una difficile confidenza col pensiero contemporaneo europeo, ma anche una rara consapevolezza di tale difficoltà; e in più una lacerata e geniale veggenza[7], al sommo della quale egli appariva lontano persino a se stesso, lontano da ogni sofferenza e da ogni estetismo.

Ma Pasolini è morto - è morto per il più atroce dei presenti mali italiani, di violenza assassina - e le idee che egli agitò sono rimaste come avvertimenti lasciati a futura memoria.

Enzo Siciliano

---

1 Che avevano intorno a sé la luce magica.

2 La passione violenta che nasce dall'interno.

3 Gruppo.

4 La sociologia usata per curare anziché per descrivere la società.

5 Dio mitologico crudele che divorava gli uomini.

6 La ricerca dei dati di fatto nella realtà.

7 Capacità di vedere il futuro.

Il romanzo e il patto con il lettore

A differenza della poesia, che non ha lettori, il romanzo presuppone per sua natura un pubblico, e quindi ha a che vedere strettamente con il mercato e le sue regole. Per questo l'editoria è fortemente interessata alla produzione di libri che incontrino il successo e va, quasi ossessivamente, alla ricerca del best-seller, trovandolo magari per caso, com'è successo in modo clamoroso per un prodotto, di modesta qualità letteraria ma di facile impatto emotivo, qual è il romanzo della giovane Susanna Tamaro, *Va' dove ti porta il cuore* (1994). Certo il successo interessa, e molto, anche agli scrittori, alcuni dei quali vivono dei frutti della loro scrittura, ma ciò non significa necessariamente subordinazione alle esigenze editoriali e del pubblico. Si vuole dire, insomma, che arte e mercato non sono per forza nemici, e anzi sempre le grandi stagioni artistiche sono state stagioni di forte committenza[1], come la storia insegna. È stato un sogno romantico e poi novecentesco quello di autonomizzare l'arte e la letteratura, oltre che rispetto ai valori e alle idee stabilite, rispetto alle attese dei lettori, fino alle condanne dell'avanguardia per ogni forma artistica in qualche modo legata alle esigenze del mondo borghese (e persino dell'arte d'avanguardia che diventa, come abbiamo visto, arte da museo nel mondo dei circuiti produzione-consumo). Nel Novecento la letteratura è diventata sempre di più una cosa fatta da artisti per altri artisti, lungo la strada di uno sperimentalismo che ha portato alla completa rottura del patto scrittore-lettore. La grande crisi della narrativa negli anni Sessanta e Settanta (a parte gli exploit degli scrittori più anziani) è legata proprio alla perdita di funzioni di racconto e alla disaffezione conseguente del pubblico; né la ventata sessantottesca era fatta per favorire rinascite letterarie, ché[2] anzi la totalizzazione della politica implicava la messa ai margini del prodotto letterario e artistico. Si è visto come, nel caso di Eco, la necessità di ristabilire il patto coi lettori si sia realizzata senza affatto andare incontro a compromessi col gusto diffuso, particolarmente degradato, tra l'altro, in virtù[3] del bombardamento massmediologico, propinatore[4] di telenovele[5]. Ma, insomma, raccontare significa creare una situazione d'interesse attraverso l'uso di certe indispensabili componenti, l'intreccio, i personaggi, la tensione patetica, la bellezza delle soluzioni espressive. Per altro verso, anche la diffusione di un minimo alfabeto comunicativo attuato dalla televisione, ha contribuito ad aumentare la richiesta del racconto scritto.

Elio Gioanola

---

1 Azione del ricco "mecenate" che commissiona un'opera, cioè la chiede all'artista e la paga.

2 Perché.

3 A causa.

4 Che offre in quantità enorme.

5 Telefilm a puntate, di scadente qualità.

Allegoria

È una costruzione simbolica che viene prolungata per tutta un'opera, a differenza di molte altre figure retoriche e ai simboli [→] che vivono nello spazio di poche parole. In questo senso la *Commedia* dantesca è un insieme di allegorie – ed è un'allegoria essa stessa nel suo complesso.

La forma più comune di allegoria è la *personificazione*, cioè la trasformazione di un personaggio nel simbolo di una virtù, di un vizio, ecc. (Mefistofele è la personificazione del male, Beatrice è la personificazione della salvezza).

Allitterazione

Consiste nella ripetizione della stessa consonante all'inizio (o, talvolta, anche all'interno) di alcune parole vicine, in modo da creare un effetto sonoro martellante, ritmico: in *Sera Fiesolana* (testo 57) di D'Annunzio – grande amante dell'allitterazione – si trova ad esempio *il fruscìo che fan le foglie* in cui la "f" si ripete creando anche un effetto di onomatopea [→].

Anacoluto

È un "errore" morfosintattico voluto per raggiungere un dato effetto; ad esempio, in *Romagna* Pascoli scrive *io, la mia patria or è dove si vive* in cui indica la perdita di identità legata alla perdita della sua terra: ecco che il soggetto "io" non ha verbo, e "patria" rimanda a un impersonale "or è dove si vive".

Antitesi

È un'opposizione che non si limita a due parole, come l'ossimoro [→], ma occupa spesso interi versi [→] e strofe [→].

Ballata

È una narrazione [→] in versi [→] divisi in strofe [→], di solito dedicata a eventi tristi, come la *Guerra di Piero* (testo 81), e spesso accompagnata da una musica molto semplice.

Questo genere [→] non è molto comune nella letteratura italiana.

Biografia

È un testo narrativo [→] che narra la vita di una persona; può essere anche una biografia romanzata, ma in questo caso la struttura narrativa e quella linguistica sono pro-

prie del romanzo [→], quindi si tratta di un testo letterario e non di un esempio di saggistica [→].

Brano

Una parte di un testo letterario usato come esempio: molti dei "testi" di questa antologia sono dei "brani".

Cantica

Ciascuna delle tre sezioni della *Commedia* dantesca è una cantica: *Inferno, Purgatorio, Paradiso*.
La prima ha 34 canti [→], le altre due ne hanno 33.

Canto

È una sezione autonoma di un poema [→] e corrisponde al capitolo di un romanzo [→].

Canzone

È la forma tradizionale della poesia lirica italiana, quella in cui il poeta parla di sé, dei propri sentimenti, della realtà esistenziale della vita.

La canzone è presente dal Dolce Stil Novo del tredicesimo secolo fino ai giorni nostri – in cui "canzone" indica una poesia accompagnata da musica; se c'è un forte interesse letterario si tratta di *canzone d'autore* (cfr. i testi 80, 81), altrimenti si parla di canzone, o di musica pop(olare) o leggera.

Di solito la canzone è composta di quartine [→] o di distici [→], ma le canzoni medievali e rinascimentali avevano spesso strofe [→] molto ampie, al loro interno composte di quartine, distici, ottave [→], ecc.

Climax

[→] Elencazione, enumerazione.

Commedia

Testo drammatico [→ dramma] con un lieto fine, anche se non necessariamente allegro durante lo svolgimento della trama.

In italiano quotidiano, tuttavia, si usa "commedia" per indicare sia le commedie vere e proprie sia le tragedie e le altre forme di testo teatrale.

La commedia dell'arte è il teatro rinascimentale e barocco italiano, in cui gli attori improvvisano su una traccia di quello che avviene (il "canovaccio").

La commedia all'italiana è un genere cinematografico degli anni Sessanta-Settanta, talvolta di buon valore di satira sociale, ma molto più spesso abbastanza volgare e privo di interesse artistico.

Contesto

Questo termine ha due significati:
- uno linguistico, per cui un capitolo ha come "contesto" l'intero romanzo, un canto di Dante ha come "contesto" l'intero poema, ecc.
- uno storico-critico, in cui il "contesto" è dato dall'opera complessiva di un autore ("dobbiamo collocare il *Convivio* nel contesto dell'opera di Dante") o dal periodo in cui è scritto – contesto "storico", "culturale", "sociale", ecc.

Crescendo

[→] Elencazione, enumerazione.

Distico

È una strofa [→] di 2 versi; se questi rimano tra di loro si parla di distico "baciato" o "eroico".
Di solito erano scritti in distici i testi poetici medievali; un distico si trova anche alla fine di un'ottava [→], cioè della strofa tipica della narrazione nei poemi [→] epici italiani.
Molte canzoni, soprattutto di genere *rap*, sono scritte in distici.

Dramma

Testo [→] scritto per essere recitato sia in teatro sia in altri luoghi dove sia possibile avere degli attori e un pubblico: dal sagrato di una chiesa, come nel teatro medievale, a un palco montato su un carro.
Un dramma accompagnato da musica, come nel caso dell'opera lirica, è un *melodramma* [→].
Un testo drammatico è di solito diviso in *atti* e un atto è diviso in *scene*.
Un dramma che ha lieto fine si chiama *commedia* [→], uno che ha un finale triste – il che significa la sconfitta dell'eroe – è una *tragedia*. In italiano corrente, tuttavia, si usa "commedia" per indicare qualunque testo teatrale, e si usa "dramma" e "drammatico" per indicare qualcosa di tragico.
Se tuttavia passiamo agli autori di testi teatrali, *drammaturgo* indica un autore sia di tragedie sia di commedie, mentre *commediografo* è un autore di commedie a lieto fine.

Elencazione, Enumerazione

È una figura spesso usata per dare ritmo a una descrizione fisica o psicologica, per cui si elencano aggettivi, oppure alla descrizione di un'azione, nel qual caso di solito si elencano verbi.
Spesso l'elencazione è ordinata in senso crescente, per cui ogni parola è più forte di quella precedente, in modo da creare un effetto che in musica si chiama "crescendo" e in letteratura – soprattutto in quella teatrale – viene talvolta chiamato "climax" [→].

Endecasillabo

È il verso [→] classico della poesia italiana ed è composto di 11 sillabe (o di 10, se l'ultima parola è tronca, cioè ha l'accento sull'ultima sillaba, come ad esempio "città"; o di 12 se l'ultima parola è sdrucciola come "pàllido").
Un endecasillabo ha 4 accenti principali (detti *ictus*) che possono variare a seconda dell'effetto che il poeta vuole ottenere.
Nel sonetto [→]classico ogni endecasillabo tende ad essere concluso in sé, cioè ad avere un senso compiuto e a finire con una virgola o un punto, mentre nella poesia narrativa come ad esempio la *Divina Commedia* è molto frequente il ricorso all'*enjambement* [→] per la continuità della narrazione.

Enjambement

I poeti classici tendono a far coincidere un verso [→], soprattutto il lungo endecasillabo [→], con un concetto concluso, per cui il verso si conclude con una virgola o un punto; al contrario, nella poesia narrativa, come ad esempio la *Divina Commedia*, il verso non sempre coincide con un pensiero completo per cui talvolta un verso continua nel successivo, per concludere il concetto dopo alcune sillabe: questo procedimento è detto *enjambement*.
Questa figura retorica può essere usata non solo per permettere una narrazione di respiro più vasto di un semplice verso, ma anche per ragioni estetiche; ad esempio, in *L'infinito* (testo 39) la spezzatura dei versi è

Ma sedendo e mirando, interminati
spazi di là da quella, e sovrumani
silenzi, e profondissima quiete [...]

in cui la prosecuzione della frase al di là della fine del verso dà un particolare effetto sonoro a *interminati*

e *sovrumani*, li allunga, li fa sentire più *interminati* e *sovrumani*...
Enjambement va pronunciato alla francese.

Eufemismo

Uso di una parola o di una forma delicata al posto di una ritenuta più dura (ad esempio "è mancato" oppure "ci ha lasciati", "è passato a miglior vita" al posto di "è morto") o più offensiva ("non è proprio bella" al posto di "è brutta").

Fabula

Nella teoria della letteratura elaborata da Tomaševskij, la fabula descrive gli eventi di un racconto nell'ordine logico o temporale in cui accadono, a differenza dell'*intreccio* [→] che li descrive secondo l'ordine in cui sono narrati, quindi con anticipazioni o richiami di eventi accaduti dopo o prima.
I testi narrativi [→] sono caratterizzati dalla presenza di una fabula, che manca invece nei saggi [→].

Focalizzazione

[→] Punto di vista.

Genere letterario, genere comunicativo

La parola "genere" ha due significati che sono sempre presenti nei testi [→] letterari:
- il *genere letterario* è una categoria basata sulla forma, per cui si hanno dei macro-generi quali poesia [→], prosa [—>] e dramma [→], dei generi come il poema [→] o il romanzo [→], e dei sotto-generi, per cui il romanzo può essere poliziesco, d'amore, ecc.;
- il genere *comunicativo* è una categoria legata alla funzione: descrizione fisica di una persona o di un luogo, descrizione psicologica, dialogo, monologo, ecc.
È indispensabile tener presente queste due nozioni per comprendere i testi letterari: i generi infatti hanno delle regole ben precise di carattere;
- *letterario*: la poesia [→] è un genere in versi, il romanzo [→] è in prosa; un *sonetto* [→] è un sotto-genere poetico composto di 14 versi, ecc.
- *narratologico*: una descrizione psicologica può essere statica o dinamica (il personaggio viene descritto accentuando il modo in cui è o il modo in cui si evolve), diretta o indiretta (la descrizione è esplicita oppure sta al lettore ricavarla dalle indicazioni implicite), può andare dal personaggio all'ambiente o viceversa, ecc.

- *linguistico*: una lettera ha delle regole ben precise che bisogna conoscere per scrivere e per leggere un romanzo epistolare [→], ecc.
La nozione di "genere" è stata vista come "gabbia" o come impalcatura necessaria a seconda dei diversi momenti critici, e tutta la storia della letteratura è un succedersi di adesione e ribellione ai generi letterari tradizionali.
Nella nostra prospettiva non importa se il genere sia una gabbia o un sostegno – è solo un complesso di regole da conoscere sia per poterle rispettare sia per potersi ribellare ad esse.

Idillio

Originariamente indica un quadretto, un bozzetto di tema campestre; in poesia indica un breve componimento in cui domina un senso di pace derivante da una natura serena, da un ambiente pastorale. Sia in poesia che in pittura è diffuso nel Settecento.

Intreccio

Nella "narratologia" di Tomaševskij, cioè nella sua ricerca di teoria della letteratura, l'"intreccio" è il discorso orale e scritto che narra un avvenimento; equivale quindi a quello che Genette chiama *racconto* [→].
A differenza della *fabula* [→], che descrive gli eventi di un racconto nell'ordine logico o temporale in cui accadono, l'intreccio li descrive secondo l'ordine scelto dal narratore, quindi con anticipazioni o richiami di eventi accaduti dopo o prima.

Iperbole

Esagerazione nella descrizione di una persona o di un'azione.

Lettore esplicito ed implicito

Un narratore [→] può rivolgersi ad un lettore o ascoltatore o spettatore implicito, non nominato, oppure ad un lettore esplicito: Manzoni si rivolgeva ai celebri "venticinque lettori".

Libretto

Il testo linguistico, il copione di un melodramma [→].

Glossario

Litote
[→] Eufemismo.

Madrigale
Breve componimento poetico (di solito 3+3+2), per lo più di argomento pastorale o amoroso, praticato dal XIV al XVIII secolo; come genere musicale (vocale, spesso con accompagnamento strumentale) ha la massima diffusione nel XVI e XVII sec. con Claudio Monteverdi e Carlo Gesualdo da Venosa.

Melodramma
Testo teatrale in cui i dialoghi sono cantati (anche se fino al Settecento si usavano delle parti di "recitativo", cioè senza musica; soluzione adottata anche nell'opera moderna e nel musical) e accompagnati da un'orchestra. Si tratta di una forma artistica molto diffusa in Italia tra il Seicento e la prima parte del Novecento, nota come "opera lirica".
L'aggettivo "melodrammatico" ha un'accezione diversa, e riguarda testi molto sentimentali in cui avvengono eventi improvvisi, di solito tragici – come appunto in molte opere liriche.
Un atteggiamento "melodrammatico" è quello di un personaggio o un attore che esagera, che accentua i suoi problemi, le sue tragedie.
Il libretto [→] è di solito scritto in quartine [→] ma presenta anche distici [→].

Metafora
La si usa quando si mettono vicine due parole (o azioni, qualità) che hanno in comune un aspetto, il quale viene trasferito dall'una all'altra: *Beatrice è un angelo* mette insieme le qualità di purezza, bellezza e dolcezza, che dall'angelo passano alla donna – anche se altre caratteristiche dell'angelo non passano: ad esempio Beatrice ha un sesso che l'angelo non ha, non ha le ali, non è immortale, ecc.
La metafora è la figura retorica più diffusa e dalla letteratura molte metafore sono passate alla lingua quotidiana, si sono "fossilizzate" per cui non ci rendiamo più conto che si tratta di metafore: "sei un asino!" significa che si condivide con l'animale la cocciutaggine, la difficoltà di apprendere, la stupidità, mentre "sei una volpe" ci fa condividere la furbizia della bestia. ([→] Metonimia).
In letteratura si preferiscono le metafore che si definiscono *innovative* (mai viste prima) e *ardite* (in cui gli elementi comuni tra i due elementi della metafora sono im-

previsti, sottili) alle metafore usuali e facili, come *i capelli d'oro* e *le labbra di rubino*.

Metonimia
Tradizionalmente non era differenziata dalla metafora [→], ma oggi la si identifica in quanto non si tratta di due parole che hanno in comune qualcosa, ma che sono vicine come:
- significato: "andiamo a bere un bicchiere!", in cui il "bicchiere" richiama il vino
- realtà fisica: "ecco che all'orizzonte compaiono le vele nemiche": se ci sono le vele ci sono anche le navi, quindi la metonimia in questo caso è la parte – "vela" – per l'insieme, "nave"; in questo caso si parla anche di "sineddoche", in cui si prende il tutto per la parte, la parte per il tutto, un iperonimo (cioè un nome superiore: "fiore" al posto di "rosa") o, viceversa, un iponimo ("petalo" al posto di "rosa")
- realtà simbolica: "ha perso lo scettro" per dire che ha perso il potere, o anche solo il primo posto nella classifica dei calciatori: lo "scettro" infatti, insieme alla corona, era il simbolo del re
- vicinanza geografica: "Il Quirinale ha sciolto il Parlamento" si riferisce al fatto che il Presidente della Repubblica abita nel palazzo del Quirinale.
Si può pronunciare sia *metonìmia* sia *metonimìa*.

Modo
Nella teoria letteraria del ventesimo secolo accanto ai generi [→] si sono identificati dei "modi" letterari, cioè dei grandi gruppi di testi [→] che appartengono a degli "archetipi" (come li definiscono gli antropologi), a delle forme universali e primarie, da cui derivano tutte le altre forme.
A seconda dei critici i modi sono identificati in maniera leggermente diversa, ma in generale possiamo trovare il modo:
- *fiabesco*
- *epico* oppure *comico*
- *romanzesco* (che può essere più o meno mimetico o realistico, dal romanzo cavalleresco a quello picaresco, a quello poliziesco) oppure *fantastico*
- *allegorico*
- *sentimentale*
La nozione di "modo" non è molto diffusa nella critica italiana.

Narrativa

È una narrazione [→] in prosa, ad esempio racconto [→] o un romanzo [→].

Si usa questo termine anche per indicare il complesso delle opere in prosa di un certo periodo ("la narrativa ottocentesca") oppure di una cultura ("la narrativa italiana").

Narratore

Colui che narra un *racconto* [→].

Può essere un narratore "onnisciente", come in Manzoni, oppure avere un punto di vista circoscritto, per cui narra solo ciò che può osservare direttamente; nel primo caso sa più cose dei singoli personaggi, può perfino entrare nei loro pensieri, nel secondo si limita a riferire quello che i personaggi fanno e pensano (narratore oggettivo) o addirittura ad assumere come proprio il punto di vista di uno dei personaggi.

Il narratore può essere in terza persona, come nella maggior parte della narrativa, oppure in seconda persona (molto raro: si veda il testo 81, di De André, in cui il narratore si rivolge a Piero mentre ne racconta la storia) o in prima persona.

Il narratore può rivolgersi ad un lettore [→] implicito, non nominato, oppure ad un lettore esplicito: Manzoni si rivolgeva ai celebri "venticinque lettori".

Narrazione

Si tratta di un testo in prosa o in versi caratterizzato dalla presenza di una fabula [→], cioè una sequenza di eventi, e realizzato secondo un intreccio [→] o racconto [→].

Esistono vari "modi" o "modelli" narrativi, da quello pastorale a quello allegorico, da quello picaresco a quello fantastico, e così via.

Talvolta, tuttavia, si chiama "narrazione" il racconto che un personaggio fa di eventi precedenti a quelli che stanno accadendo in quel preciso momento del racconto, del romanzo, del poema, del film.

Novella

È la denominazione classica di quello che oggi chiamiamo *racconto* [→], cioè un breve testo narrativo in prosa come quelli di Boccaccio o Bandello.

Gli studenti anglofoni possono confondere una novella con un *novel*, che è invece un "romanzo" [→].

Novenario

È un *verso* [→] di 9 sillabe (o di 8, se l'ultima parola è tronca, cioè ha l'accento sull'ultima sillaba, come ad esempio "città"; o di 10 se l'ultima parola è sdrucciola come "pàllido") e ha 3 accenti principali (detti *ictus*) che possono variare a seconda dell'effetto che il poeta vuole ottenere.

Le poesie in novenari sono rare e questo tipo di verso si trova spesso alternato agli endecasillabi [→] in Leopardi o altri autori che usano forme metriche più libere e flessibili.

Onomatopea

Uso di parole il cui suono ricorda ciò che esse significano: ad esempio, in *Sera Fiesolana* (testo 57) D'Annunzio, che amava molto le onomatopee, usa *il fruscio che fan le foglie*, che ricorda il suono delle foglie mosse dal vento; e che dire di Marinetti, in

> *Udite voi la sua voce, cui la collera spacca...*
> *la sua voce scoppiante, che abbaia, che abbaia...*
> *e il tuonar dè suoi ferrei polmoni*
> *crrrrollanti a prrrrecipizio /interrrrrminabilmente?...*

Opera

Questo termine ha vari significati:

- un singolo *testo* di un autore ("La *Commedia* è un'opera complessa e ha vari aspetti che vanno trattati separatamente")
- il complesso delle opere di un autore, di un pittore, di un regista ("l'opera di Dante è complessa e ha vari aspetti che vanno trattati separatamente")
- un "melodramma" [→], cioè un'opera lirica.

Ossimoro

Si tratta dell'unione di significati opposti: il più celebre è il latino *Odi et amo*, ma si tratta di una figura retorica molto comune, tant'è vero che compare anche nella letteratura popolare, ad esempio nel titolo della celebre canzone *Questo piccolo grande amore*.

Ottava

È la strofa [→] tipica della narrazione in versi dal quindicesimo secolo, l'epoca dei grandi poemi epici.

È composta di 8 versi [→]: i primi 6 sono in rima [→] alterna(ta) ABABAB e gli ultimi formano un distico [→] in rima baciata CC.

Paradosso

A differenza dell'antitesi [→] e dell'ossimoro [→], che

Glossario

mettono in contrasto due concetti che rimangono in contrasto, il paradosso è un contrasto apparente, che si rivela vero: nell'*Infinito* (testo 39) Leopardi afferma e *naufragar m'è dolce in questo mare*: si tratta di un effetto "paradossale" dovuto alla bellezza della collina che – altro paradosso – gli apre l'infinito proprio mentre gli nasconde *l'ultimo orizzonte*.

Perifrasi

Sostituzione di una parola con un'espressione più lunga e complessa; spesso si tratta di un eufemismo [→], ma altre volte si usa la perifrasi per evitare una ripetizione o per abbellire un concetto.

Personificazione

[→] Allegoria.

Poema

Testo narrativo [→] scritto in versi [→], suddiviso in canti [→].
Di solito si pensa solo ai poemi appartenenti al modo [→] epico (o alla sua antitesi, il modo comico) e fantastico, ma ci sono anche poemi che appartengono al modo allegorico, primo fra tutti la *Commedia* di Dante.
Un breve poema è un *poemetto*; un poema non va confuso con una poesia – confusione comune per persone di madrelingua francese o inglese.

Poesia

Oltre a indicare un breve componimento in versi (contrapposto al più lungo e complesso poema) [→], la poesia, a differenza della prosa [→], è un testo scritto in versi [→] e spesso diviso in strofe [→], cioè in gruppi di versi.
Anticamente quasi tutti i testi erano in versi, sia che fossero narrativi (dall'*Iliade* alla *Gerusalemme Liberata*), sia che fossero scritti per il teatro; ma lentamente la prosa [→] ha prevalso per quanto riguarda i testi realistici, dal romanzo ai testi teatrali, per cui la poesia è stata sempre più usata per temi di carattere intimo.
Rispetto ai testi in prosa, quelli in poesia hanno una maggiore presenza di figure retoriche e spesso queste sono molto innovative; inoltre, c'è una maggiore attenzione ai problemi sonori, cioè al suono del testo e al suo ritmo.
Si può avere anche "prosa poetica" o "prosa d'arte" quando la lingua usata ha le caratteristiche dei testi in poesia [→] ma non è divisa in versi.

Punto di vista

È il punto di vista del narratore [→].
Ci può essere un narratore "onnisciente", come Manzoni, oppure un punto di vista circoscritto, focalizzato, per cui narra solo ciò che può osservare direttamente; nel primo caso sa più cose dei singoli personaggi, può perfino entrare nei loro pensieri, nel secondo si limita a riferire quello che i personaggi fanno e pensano (narratore oggettivo) o addirittura ad assumere come proprio il punto di vista di uno dei personaggi.
Nella narratologia, cioè nella teoria della narrazione, di Genette si parla di *focalizzazione* intendendo più o meno lo stesso concetto.

Prosa

Testo narrativo o non (a seconda della presenza di una *fabula* [→]) scritto in lingua corrente, senza versi [→].
A differenza di quanto avviene nella letteratura teatrale, gli eventuali dialoghi sono concepiti per essere letti all'interno del racconto [→], non per essere recitati da un attore su un palcoscenico.
Spesso si usa "prosa" per indicare lo stile, il modo di scrivere di un autore ("La prosa di Pasolini è nervosa, forte").
L'aggettivo "prosaico" ha una connotazione negativa: un personaggio "prosaico" è uno che bada ai soldi e non ai sentimenti, a ciò che ha più che a ciò che è; un testo "prosaico" è un testo di scadente qualità.
Talvolta viene usato anche come sinonimo di narrativa [→]: "la prosa italiana del Novecento".
Si può avere anche "prosa poetica" o "prosa d'arte" quando la lingua usata ha le caratteristiche dei testi in poesia [→] ma non è divisa in versi.

Quartina

Strofa [→] tipica della poesia tradizionale ma anche della canzone [→], in cui si alterna al distico [→]; è composta da 4 versi che possono essere a rima [→] alternata ABAB CDCD oppure a rima incrociata, ABBA CDDC.

Racconto

Questo termine ha due significati.

Da un lato, è una narrazione breve in prosa:
sono racconti, ad esempio, quelli di Verga o di D'Annunzio. Non differisce dalla novella [→] di classici come
Boccaccio o Bandello.
Nella "narratologia" di Genette, il "racconto" è invece
il discorso orale o scritto che narra un avvenimento;
equivale quindi a quello che Tomasevskij chiama
intreccio [→].
Talvolta, tuttavia, si chiama "racconto" la narrazione che
un personaggio fa di eventi precedenti a quelli che stanno accadendo in quel preciso momento del racconto,
del romanzo, del poema, del film.

Rima

La rima consiste nella ripetizione dello stesso suono alla
fine di due o più versi [→] , mentre nell'assonanza
[→] i suoni si assomigliano ma non sono gli stessi.
Ad esempio, in *Sera Fiesolana* (testo 57)

D'Annunzio scrive:
> *e da lei beva la sperata pace*
> *senza vederla.*
> *Laudata sii pel tuo viso di perla,*
> *o Sera, e pè tuoi grandi umidi occhi ove si tace.*

Il primo e l'ultimo verso sono in rima, i due centrali sono
assonanti in quanto il secondo ha una "e" chiusa e il
terzo ce l'ha aperta.
La rima può essere "baciata" se due versi successivi
rimano tra loro, o "alterna(ta)" quando il sistema
delle rime è più complesso, come nelle terzine [→],
nelle quartine [→] o nelle ottave [→].
Nella tradizione letteraria italiana vengono ritenute
scadenti le rime derivate, ad esempio *fare/disfare*,
messo/smesso, in cui una parola deriva dall'altra con
l'aggiunta di un prefisso grammaticale, basate cioè su desinenze come quelle dei verbi (*pioveva/ voleva*), degli avverbi (*fortemente/grandemente*), degli aggettivi modificati
(*pallidina/malatina*) in quanto queste sono rime ritenute
"facili".

Romanzo

È il genere letterario oggi più diffuso: si tratta di una narrazione [→] in prosa [→], in cui si alternano sezioni narrative, descrittive e dialoghi. Di solito un romanzo è suddiviso dall'autore in capitoli.
Esistono vari (sotto)generi e categorie di romanzo:
- *giallo*, cioè poliziesco, *rosa* o romanzo d'amore, *nero* o
romanzo duro, violento: i nomi derivano dalle copertine
delle prime serie di romanzi di questo tipo nelle edizioni
popolari dei primi decenni del Novecento;
- *fantascienza*: è la cosiddetta narrativa d'anticipazione,
cioè quella ambientata nel futuro; oggi si confonde spesso la fantascienza con la narrativa fantastica, in cui ricompaiono personaggi delle mitologie nordiche come
maghi, elfi, cavalieri, ecc.;
- *rosa*, basato su storie d'amore, sentimentale, quasi
sempre scadente;
- *epistolare*, costituito cioè da una sequenza di lettere
come quelle di *Jacopo Ortis* di Foscolo;
- *d'autore*, cioè di qualità contrapposto al romanzo *popolare* (in inglese: *literature* contrapposta a *fiction*); riprende
l'opposizione tra canzone d'autore e canzone pop(olare)
- *d'azione* contrapposto a romanzo *psicologico*;
- *sperimentale, antiromanzo, d'avanguardia* contrapposto al romanzo realistico tradizionale;
- *storico, (auto)biografico, biografia romanzata*: si tratta
di romanzi in cui lo spunto è una biografia oppure la ricostruzione del contesto storico [→] è basata sulla realtà, non sulla fantasia;
- *di formazione*, con cui si traduce il tedesco *Bildungsroman*, in
cui si narra il percorso interiore dall'infanzia alla maturità.
Questa elencazione è abbastanza ridotta rispetto alle
categorie che si possono trovare nei testi critici, ma serve per dare un'idea della terminologia spesso associata
a "romanzo".
Uno scrittore di romanzi è un "romanziere"; l'aggettivo
"romanzesco" ha una connotazione negativa, che indica
qualcosa di esagerato, non verosimile.

Saggistica

Si tratta di testi in prosa [→] in cui non c'è una fabula [→]
ma si conduce una discussione su un tema scientifico, filosofico, ecc.
Solitamente questi testi non fanno parte della letteratura,
ma nella tradizione italiana esistono "trattati" (cioè "saggi") di teorie politiche e storiche, come quelli di Machiavelli e Guicciardini, o di carattere scientifico come quelli
di Galileo, che vengono inclusi nella storia letteraria.
Inoltre, fino all'inizio del ventesimo secolo era possibile
trovare saggi scritti con una cura linguistica tale da poterli spesso accostare a testi letterari.

Settenario

È un verso [→] di 7 sillabe (o di 6, se l'ultima parola è

tronca, cioè ha l'accento sull'ultima sillaba, come ad esempio "città"; o di 8 se l'ultima parola è sdrucciola come "pàllido") e ha 2 accenti principali (detti *ictus*) che possono variare a seconda dell'effetto che il poeta vuole ottenere.

Le poesie in settenari sono rare, e questo tipo di verso si trova spesso alternato agli endecasillabi [→] e ai novenari [→] in Leopardi o altri autori che usano forme metriche più libere e flessibili.

È abbastanza comune anche nei libretti [→] d'opera.

Simbolo

A differenza dell'allegoria [→], con la quale è spesso identificato, il simbolo è più limitato: una statua, un personaggio, un paesaggio possono essere "simboli" di qualcosa, avere un significato simbolico, mentre le allegorie sono vere e proprie costruzioni simboliche di grande respiro.

Similitudine

È la più comune (e oggi la meno apprezzata) delle figure retoriche e si presenta come una metafora [→] esplicita: *I suoi capelli erano dello stesso colore e altrettanto preziosi quanto l'oro* è la similitudine che corrisponde alla metafora *i suoi capelli d'oro*.

Sineddoche

[→] Metonimia.

Sinestesia

È una metafora [→] in cui l'elemento comune è spesso difficile da trovare perché coinvolge due sensi diversi: *aprì la porta e fu colpito dall'urlo del sole* unisce udito e vista, *un dolore rosso fuoco* unisce sensazione tattile ("dolore" e "fuoco") e visiva ("rosso") e così via.

Sonetto

Testo poetico di 14 endecasillabi [→] che in Italia si è sviluppato solo nella forma "petrarchesca": due quartine + due terzine mentre nel mondo anglofono ha avuto anche una forma "shakespeariana" che consiste di tre quartine e un distico, cioè una coppia di versi che fanno rima tra loro".

Di solito lo schema di rime [→] è legato nelle due quartine, ad esempio ABBA ABBA oppure ABAB ABAB, mentre le terzine hanno rime del tipo CDC CDC oppure

CDE CDE (più rari CCD CCD e CDD CDD).

La divisione, nel sonetto classico, è logica e non solo metrica: un sonetto è un sillogismo in cui la prima quartina descrive la premessa universale ("l'uomo è mortale") e la seconda quartina propone la seconda considerazione di carattere individuale ("io sono un uomo"), mentre le due terzine traggono le conclusioni ("quindi sono mortale") spesso ripetendola due volte.

Strofa

È un gruppo di versi [→] di solito tenuto insieme da un gioco di rime, come nel distico [→], nella terzina [→], nella quartina [→] o nell'ottava [→] della tradizione italiana.

Ci sono comunque anche delle strofe di misura variabile che non si basano sulle rime ma sul concetto che viene espresso, come avviene quasi sempre in Leopardi e in molti dei poeti del ventesimo secolo.

Terzina

Strofa [→] composta di 3 versi, imposta nella letteratura italiana dal prestigio della *Commedia* di Dante; le terzine sono di solito usate nei testi narrativi [→] in versi e non hanno un significato concluso al loro interno, ma l'una si aggancia all'altra con un sistema di rime [→] incatenate di questo tipo: ABA BCB CDC ecc.

Testo

È l'unità di base della comunicazione, quindi anche della comunicazione letteraria; ci sono testi molto brevi: Ungaretti scrisse una poesia di due versi

M'illumino
d'immenso.

e testi molto lunghi, come certi poemi [→] o romanzi [→]. Comunque, una valutazione critica di un'opera letteraria può essere effettuata solo prendendo in considerazione l'intero *testo*.

Talvolta, ad esempio in antologie come queste, non è possibile dare tutti i testi nella loro completezza, quindi si possono prendere dei testi più brevi, previsti già dall'autore come sezioni autonome, in qualche modo, all'interno del testo complessivo: il *capitolo* di un romanzo, un *canto* di Dante o Ariosto, una *scena* teatrale. Il testo di questo tipo va comunque inserito nel "contesto [→] generale del romanzo, del poema, del dramma teatrale, altrimenti il senso vero viene perso.

Quando non è possibile lavorare su un intero capitolo o canto, allora si prende un "brano" [→], cioè una parte di testo: questa procedura è giustificata sul piano didattico (serve per far vedere come scrive un autore, come si descrive un fenomeno, ecc.) ma non sul piano estetico perché non consente di godere di un testo o di valutarlo nella sua completezza (il testo pieno) o almeno in sezioni che l'autore ha ritenute autosufficienti come canti o capitoli.

Tragedia
Testo teatrale [→ dramma] con un finale tragico, che di solito consiste nella sconfitta dell'eroe, nel crollo delle speranze dei personaggi – se non addirittura nella morte violenta dei personaggi principali.

Trattatistica
[→] Saggistica.

Verso
I versi caratterizzano i testi in poesia [→]; essi non sono "frasi", la cui lunghezza è dettata dal significato, ma pezzi di testo alla fine dei quali si passa alla riga successiva, creando un certo ritmo anche a costo di spezzare il significato [→ enjambement].
I versi possono essere legati tra loro da rima [→] o assonanza [→] oppure possono essere *sciolti*.
I versi possono essere di lunghezza fissata in sillabe e accenti [→ endecasillabo, novenario, settenario] oppure possono essere *liberi* da costrizioni di metrica.
Infine, i versi possono essere raccolti in strofe [→ ottava, terzina, quartina, distico].

Finito di stampare nel mese di gennaio 2011
da Grafiche CMF - Foligno (PG)
per conto di Guerra Edizioni - Guru s.r.l.